D1255839

LA SCULPTURE ROMANE DE LA ROUTE DE SAINT-JACQUES

IL A ÉTÉ TIRÉ
DE CET OUVRAGE
60 EXEMPLAIRES HORS COMMERCE
NUMÉROTÉS DE 1 À 60
ET 570 EXEMPLAIRES
RÉSERVÉS AUX SOUSCRIPTEURS
ET NUMÉROTÉS DE 61 À 630.

© CEHAG, 1990
4, impasse Montrevel, 40000 Mont-de-Marsan
ISBN 2-9501584-1-2

MARCEL DURLIAT

LA SCULPTURE ROMANE DE LA ROUTE DE SAINT-JACQUES

✦

DE CONQUES À COMPOSTELLE

Publié avec le concours
du Centre National des Lettres

COMITÉ D'ÉTUDES SUR L'HISTOIRE ET L'ART DE LA GASCOGNE

MUSEUM OF FINE ARTS
LIBRARY
BOSTON, MASS.

AVANT-PROPOS

PENDANT PLUSIEURS décennies j'ai porté en moi le sujet de ce livre comme un beau rêve, trop beau même car apparemment inaccessible. Pour le réaliser, il aurait fallu entreprendre la couverture photographique complète et systématique de toute la sculpture romane de la route de Compostelle de Conques à Saint-Jacques : une entreprise qui dépassait mes possibilités.

Et voici qu'un jour de 1986 l'abbé Jean Cabanot est venu mettre à ma disposition cette extraordinaire documentation. Il l'avait constituée lorsqu'il préparait sa thèse de doctorat sur Les débuts de la sculpture romane dans le Sud-Ouest de la France, *afin d'éclairer d'une manière très large les conditions dans lesquelles le phénomène étudié par lui s'était produit.*

Cette générosité procédait d'abord de l'amitié, mais ce sentiment n'expliquait pas tout. L'abbé Cabanot se présentait aussi un peu comme la voix de la conscience et du devoir. Il me fit comprendre qu'il n'y avait rien de plus urgent pour moi que de développer les thèses qui avaient servi de base à mon enseignement universitaire et qui avaient nourri ma réflexion critique dans le domaine de la sculpture romane méridionale. Il me proposa en outre de préparer lui-même l'édition de l'ouvrage en reprenant notamment les clichés sélectionnés pour son illustration. L'accord se fit immédiatement entre nous et nous nous mîmes à l'œuvre chacun de notre côté.

Pour cette tâche commune nous avons bénéficié d'aides nombreuses qu'il nous plaît de relever en exprimant notre reconnaissance à toutes celles et à tous ceux qui nous les ont procurées, notamment Mlle Gisèle Borda et Mme Pierrette Labadie pour la dactylographie et la préparation matérielle du texte, MM. Michel Dupont, Jacques Lacoste, Bertrand Mathio, ainsi que M. Jean et Mme Josette Labedade pour les prises de vues. Des photographies nous ont été fournies gracieusement par M. Jacques Lacoste et par le Museo arqueológico nacional de Madrid. M. Bernard Chabot a assuré tous les agrandissements. En ce qui concerne les plans nous avons obtenu plusieurs prêts de Dom Angelico Surchamp et la précieuse collaboration de MM. Jean-Michel Picot et Didier Sarciat. Notre gratitude va enfin au Comité d'Études sur l'Histoire et l'Art de la Gascogne qui assume la responsabilité financière de l'édition.

*NB175
.D9
1990

INTRODUCTION

NOTRE ÉTUDE prend la suite d'une série de travaux consacrés à la première sculpture romane du nord-ouest de l'Espagne et à une certaine sculpture régionale française qualifiée de « languedocienne ». Ces publications, qui ont progressivement enrichi la connaissance de ces deux ensembles — ils étaient alors considérés isolément — présentent en outre l'intérêt de refléter certaines préoccupations plus générales des époques qui les ont vu naître. Autrement dit, elles constituent tout à la fois des sources d'information et des thèmes de réflexion. Il nous a paru utile de faire la recension des principales d'entre elles avant d'entrer dans le vif du sujet. On comprendra mieux, par comparaison, quelles furent nos propres motivations.

Au tout début du siècle, l'excellent observateur que fut Émile Bertaux [1] constatait que si les Pyrénées formaient une frontière politique entre les états français et espagnol, elles n'avaient jamais, à aucun moment, dressé un obstacle aussi tranché dans le domaine de la création artistique. L'historien de l'art français était particulièrement frappé par les ressemblances offertes par le développement de la sculpture de part et d'autre de la chaîne à l'époque romane et il donnait à ce phénomène une explication tributaire de l'état des connaissances au moment où il écrivait.

En raison de l'avance prise par l'archéologie française au cours du XIXe siècle, la sculpture romane de l'hexagone dans son ensemble, et celle de certaines de ses anciennes provinces, comme le Languedoc et la Bourgogne en particulier, avaient acquis une place privilégiée dans le monde de l'archéologie. L'avantage paraissait surtout sensible par rapport à l'Espagne que l'on considérait comme s'étant muée au XIe siècle en une sorte de « conservatoire » de formes archaïques héritées de deux traditions autochtones : la wisigothique et la mozarabe. Dans ces conditions, Émile Bertaux fut tenté d'expliquer les ressemblances qu'il avait notées par la pénétration de nouveautés venues du nord. « Dans toute l'Espagne septentrionale, écrit-il, l'influence de l'art français devient prépondérante » : la sculpture romane espagnole n'est que le prolongement des écoles méridionales françaises. « Les premiers et les plus nombreux des sculpteurs, qui ont fait connaître à l'Espagne l'art français du XIIe siècle, étaient des méridionaux. Ils n'ont pas essaimé comme les moines, avec une communauté ; artisans, ils ont suivi les routes des marchands et des pèlerins. Ces hommes, dont les noms sont inconnus, ont prolongé l'école toulousaine jusqu'à Compostelle, l'école provençale jusqu'à Tarragone. Pour la sculpture romane, il n'y a pas de Pyrénées. »

Cette façon de voir fut mal reçue de l'autre côté des Pyrénées, où l'on entreprit de rétablir une vérité impliquant au contraire la reconnaissance du caractère natif de la première sculpture romane espagnole. L'artisan de cette réhabilitation fut un archéologue qui acquit un immense prestige dans sa patrie : Manuel Gómez-Moreno.

Il groupa autour de lui dans la « Junta para ampliación de estudios » un groupe d'érudits qui fouillèrent systématiquement leur pays. Lui-même établissait personnellement, dès les années 1906-1908, l'inventaire monumental de la province de León qui le plaçait au cœur même du sujet [2]. Il compléta sa documentation en faisant photographier pour la collection du « Centro de Estudios históricos » tous les détails de chacun des monuments concernés après avoir fait lever les plans des édifices. Le résultat de ses recherches fut publié en 1934 [3] avec une sélection de quelque 650 photographies qui est une source d'information de valeur exceptionnelle. On est surpris qu'il ne l'ait pas mieux utilisé. Son texte, au dire même de l'auteur, n'est que le schéma d'un livre. Il s'était interdit, dit-il, toute « littérature érudite » et toute « fantaisie de critique impressionniste ou transcendante ». Ses lecteurs déplorent justement qu'il ait négligé de critiquer ses sources historiques et même qu'il ne les ait pas mieux présentées. Mais ce fut de sa part une très grande acquisition que d'avoir su replacer dans le XIe siècle les origines de la sculpture romane espagnole et de l'avoir fait en conservant une certaine mesure. Il ne laisse pas ignorer qu'en 1100 les grands ensembles ne sont terminés ni à León ni à Compostelle. Il manqua à Gómez-Moreno une bonne connaissance de l'art roman européen qui lui eût permis de prendre du recul. Faute d'en avoir disposé, il a déséquilibré toute son entreprise. La sculpture romane qu'il étudie se dresse dans un superbe isolement. Sincèrement, mais bien à tort, il a cru que l'art roman était né en Espagne et que l'église Saint-Sernin de Toulouse, par exemple, était fille de Saint-Jacques de Compostelle.

Avant même que les découvertes de Gómez-Moreno eussent été publiées, l'américain Kingsley Porter en avait eu la primeur et il les utilisa dans un esprit agressif pour engager le combat contre ce qu'il appelait l'« orthodoxie française » dans le domaine de l'archéologie. Son ouvrage sur la sculpture romane des routes de pèlerinage [4], mettant en œuvre une documentation considérable recueillie dans l'Europe entière, prend délibérément le contre-pied des positions françaises sur le plan de la chronologie. Comme Gómez-Moreno, il considère que l'Espagne a devancé la France et, dans le cadre français, il privilégie la Bourgogne par rapport au Languedoc : Cluny aurait précédé Saint-Sernin. Parce qu'elle est une œuvre de combat, son entreprise relève de l'esprit de système. « Outre qu'il ne tient pas compte des données générales de l'histoire, une inscription, une phrase d'un texte ancien ont pour lui une valeur absolue, sans qu'il soit besoin de les contrôler ni de les vérifier, ni même de s'assurer qu'elles se rapportent bien au monument qui est parvenu jusqu'à nous » [5].

Les archéologues français accusés de chauvinisme avaient sur leur adversaire l'avantage d'une formation scientifique d'une autre qualité. Ils pratiquaient des méthodes infiniment plus sûres. Paul Deschamps, qui se fit leur porte-parole, réfuta point par point les allégations de Kingsley Porter [6].

Les préoccupations de Georges Gaillard furent d'un ordre très différent. Il refusa de s'engager dans la querelle de la chronologie. Dans un esprit réellement œcuménique, il affirme que « l'étude [de Paul Deschamps] sur la sculpture romane en Languedoc et dans le Nord de l'Espagne reste le guide le plus sûr pour l'histoire de l'art du pèlerinage » [7], mais pour reconnaître tout aussitôt que l'ouvrage de Gómez-Moreno « fondé sur une critique perspicace de l'histoire et sur une connaissance minutieuse et précise des monuments [...] contient tout l'essentiel de l'art espagnol » [8]. En fait, il aligna fréquemment sa chronologie sur celle de Gómez-Moreno.

Ce problème de la chronologie demandait à être précisé. Il ne concernait que les monuments pris dans leur ensemble. Les renseignements faisaient défaut pour en dater les différents éléments. Auraient-ils existé qu'ils auraient semblé à Georges Gaillard inopérants et même intempestifs. Pour lui, les monuments sont de véritables entités. Dès l'origine ils paraissent dotés de leur identité qu'ils maintiennent pendant toute la durée de leur construction, y compris lorsqu'ils sont soumis aux influences extérieures. Pour cette raison, l'étude de leurs éléments ne doit s'effectuer qu'à travers l'ensemble [9], en dehors de toute fragmentation. On ne saurait plus clairement rejeter les principes de l'archéologie monumentale, source d'une chronologie relative et même absolue.

La réalité échappant à l'ordre chronologique sera saisie dans le style. Georges Gaillard invoque ses lois pour rendre compte d'une « évolution poursuivie en même temps sans doute en divers endroits » [10].

Mais le style n'est pas un principe réducteur. Bien au contraire. « Il n'existe [...] pas un seul et même style dans l'art des pèlerinages, mais une profusion de sculptures, nées du pèlerinage, parmi lesquelles la diversité des sources et des talents crée d'abord une grande variété de formes, tandis qu'au cours de leur développement les influences subies et les échanges continuels dans les deux sens, loin de produire une unité monotone, stimulent l'originalité créatrice à chaque étape de la route de Saint-Jacques » [11]. Si la sculpture des pèlerinages n'a pas constitué un style particulier dans l'art roman, en quoi consiste l'originalité de celle de la route de Compostelle ? C'est une question à laquelle Georges Gaillard n'a jamais fourni une réponse claire.

Ce résumé de l'histoire du thème nous aidera à définir les caractères de notre propre intervention.

Il conviendra de réfléchir d'abord sur l'organisation et la signification de la route de Saint-Jacques de Compostelle au moment où apparaît la belle sculpture romane qui lui est liée. Des révisions ont été opérées depuis l'époque où Émile Mâle célébrait avec lyrisme cette voie de la prière. Le rôle de Cluny, qui apparaissait alors comme primordial, a été remis en question. Sans vouloir le nier complètement, on en a réduit l'importance.

On sait aujourd'hui que d'autres ordres religieux ont contribué à assurer le succès du pèlerinage. Le rôle des états ibériques, et d'une manière générale l'aspect politique du phénomène sont mieux connus. D'autres études en ont éclairé les aspects démographiques, économiques et sociaux. Toutes ces précisions sont indispensables à la connaissance de la création artistique dans ce milieu original.

On doit aussi s'entendre sur l'extension à donner au sujet. À quelle partie de la route de Saint-Jacques de Compostelle correspond-il ? Aucune hésitation en ce qui concerne le *Camino francés,* sa section espagnole. La présence de Toulouse ne pose pas davantage problème. Ses relations avec la partie espagnole sont connues, soit qu'on les ait entendues sur le mode conflictuel [12], soit qu'on les aborde, comme c'est actuellement le cas, d'une manière plus sereine [13]. Moissac, avec son caractère « languedocien » suit bien évidemment le sort de Toulouse. Plus récemment, Conques a été introduit dans le réseau des relations établies le long de la route de Compostelle [14] et y a ainsi gagné sa place.

Cette simple énumération suffit à montrer que nous partageons pleinement le point de vue de Georges Gaillard sur le rôle éminent joué par quelques grands édifices. Ils furent les points d'ancrage où prirent corps les traditions qui sont un des éléments du style. Ils furent aussi les centres d'où rayonnèrent les influences. Simplement convient-il de signaler que les cinquante années ayant suivi la publication de la thèse de Georges Gaillard ont vu s'établir entre eux de nouvelles hiérarchies.

La clef de voûte du système de Georges Gaillard était Saint-Isidore de León, présenté comme le lieu de naissance de l'art roman dans la Péninsule ibérique. Il devait ce privilège au phénomène de continuité hispanique maintenu sans faille grâce à la résistance asturienne à l'invasion arabe. Héritiers des souverains asturiens, les rois de León étaient en droit de revendiquer une suprématie sur les autres états de la Péninsule, symbolisée par le titre d'empereur que certains d'entre eux ont porté. « C'est donc à León que *devait* [15] naître l'art roman espagnol et c'est à saint Isidore, père de l'Église hispanique, que *devait* être dédié le premier monument roman espagnol abritant ses reliques que Ferdinand Ier venait d'arracher au roi musulman, son vassal » [16].

Cette belle construction logique, qui alliait aussi déterminisme et providentialisme, à laquelle avaient contribué de nombreux historiens espagnols et même français, n'a pas résisté à une analyse archéologique approfondie. Celle-ci a été rendue possible par une restauration récente du monument, qui a mis au jour de nouveaux éléments d'appréciation [17]. On peut dire que Saint-Isidore de León est désormais rentré dans le rang.

Une autre chronologie mythique concernait un second monument essentiel, la cathédrale de Jaca. Elle n'avait qu'à demi convaincu Georges Gaillard. Elle trouvait sa source dans des documents interpolés. Ici, c'est la critique des textes qui a permis de rétablir la vérité. Le mérite en revient à Antonio Durán Gudiol et à Antonio Ubieto Arteta [18] qui ont ouvert la voie à une réflexion libérée de toute marque de chauvinisme.

Elle incite à revenir à la méthode chronologique. Dans les chantiers franco-espagnols, dont la durée s'est toujours étirée sur plus d'un quart de siècle, pour atteindre parfois le demi-siècle, il serait étrange que le temps n'eût pas imprimé sa marque.

On constate que dans toutes les églises les travaux débutèrent à l'est par le chevet, c'est-à-dire une partie de l'édifice où l'essentiel, sinon la totalité de la décoration sculptée est constitué par des chapiteaux ou des corniches. Les recherches sur les chapiteaux représentèrent alors l'essentiel du travail créateur, et elles se caractérisent par une première « renaissance », celle du corinthien, qui débuta peut-être à Saint-Sernin de Toulouse. Conques, où les travaux avaient commencé plus tôt, prit du retard, car il demeura un certain temps prisonnier d'une très ancienne tradition, celle de l'entrelacs. Tout ne fut pas négatif pour lui dans cette réticence à l'égard des nouveautés toulousaines : elle l'aida à définir son originalité propre, que Bernard le Vieux, le premier maître de Saint-Jacques, fit connaître à Compostelle.

La renaissance corinthienne du deuxième quart du XIe siècle ne s'identifie pas au seul chapiteau d'acanthe. Une partie non négligeable des œuvres n'est décorée que de feuilles lisses dont l'origine, non moins antique, pouvait se prévaloir d'antécédents régionaux, comme la belle série réemployée dans l'abside de Saint-Just de Valcabrère [19]. Des séries romanes existent aussi bien à Toulouse qu'à Conques et à Compostelle, c'est-à-dire dans les trois monuments appartenant au groupe des églises dites « de pèlerinage ». Mais on en trouve une autre, très remarquable, à Saint-Sever dans un contexte architectural tout à fait différent. Comme ces chapiteaux à feuilles lisses sont généralement moins spectaculaires que les œuvres ayant reçu un décor de surface, on les a souvent négligés. Parfois même on estimait qu'ils étaient demeurés inachevés. Leur présence en grand nombre est néanmoins très révélatrice des techniques et des procédés. On ne s'étonnera donc pas de l'insistance que nous avons mise à présenter leurs théories monotones et même affligeantes parfois. Selon toute vraisemblance — si l'on excepte le cas de Saint-Sever où les recherches sur les formes paraissent avoir constitué l'un des objectifs essentiels de la création artistique — leur exécution paraît avoir été laissée à de simples tailleurs de pierre, alors que les chapiteaux au décor élaboré sortaient des mains d'artisans spécialisés.

Durant cette période de définition du style, rares sont les chapiteaux historiés. On leur réserva fréquemment des emplacements bien précis, comme la proximité d'une porte, pour attirer sur eux l'attention, ou le voisinage d'un autel, afin de nourrir une réflexion symbolique sur le sacrifice eucharistique ou le salut par le Christ.

La connaissance des ateliers durant cette première période — comme durant la suivante d'ailleurs — passe ainsi par la prise en compte de la totalité des œuvres, avec leur repérage sur des plans. L'étude systématique de tout le matériel était la seule méthode capable de nous libérer de l'esprit de système.

Nous avons généralement accordé beaucoup moins de temps à l'étude des corniches dont l'intérêt est moindre. Néanmoins, on observera que leurs modillons ont fréquemment servi de supports à des animaux réels ou fantastiques traités d'emblée en haut-relief. Autrement dit, l'importance plus ou moins grande du relief n'est pas, comme on pourrait le croire, une donnée fondamentale du style ni un élément de datation. Ce fut plutôt une question d'opportunité et de goût.

Cette première période s'achève, à l'extrême fin du XIe siècle, avec l'apparition d'une seconde renaissance, attachée, celle-ci, à fournir des représentations convaincantes de la figure humaine. À partir de sources différentes et avec des objectifs particuliers à chacun des centres, elle se produit au même moment à Toulouse et à Moissac. La présence sur les chantiers de véritables personnalités artistiques devient désormais évidente, mais il est généralement difficile de les cerner avec précision, en raison de l'absence de documents d'archives. Il faut s'en remettre à l'analyse et au décryptage du langage des formes, en combinant des connaissances générales et des examens de détail. Cette méthode, à laquelle excellait Giovanni Morelli à la fin du siècle dernier, s'appuie largement sur l'intuition et la sensibilité. Son caractère subjectif en fait la fragilité et l'empêche de déboucher sur un savoir réellement scientifique. Rien de plus fragile, en définitive, que les personnalités d'artistes reconstituées sur de telles bases.

Le problème de l'attribution des œuvres à des artistes particuliers a été plus spécialement abordé dans la partie de notre ouvrage consacrée au groupe du « maître de Jaca », où l'on traite des conditions dans lesquelles s'est étendue à la Péninsule ibérique la renaissance antiquisante amorcée à Saint-Sernin de Toulouse par Bernard Gilduin. La situation est différente dans l'un et l'autre cas. À Toulouse, Bernard Gilduin disposait sur place d'un matériel relativement abondant appartenant à l'antiquité tardive. D'une certaine manière, son œuvre s'inscrit dans une tradition locale [20]. Rien de tel en Espagne où le substrat paraît avoir été très pauvre, pour cette partie de la Péninsule tout au moins. Par chance, ce matériel rare comportait des œuvres de grande qualité, notamment des sarcophages païens jadis importés directement de Rome. Elles exercèrent sur les artistes romans une véritable fascination, comme l'ont établi les études de Serafín Moralejo [21] sur le rôle du sarcophage de Husillos à la naissance de la sculpture de Jaca et de Frómista. C'est ici que se pose avec le plus d'acuité le problème de la discrimination des mains.

De toute façon, à partir de données assez proches au départ, chaque centre important crée sa manière propre et il assure son rayonnement. Ainsi apparaît en pleine lumière le phénomène des « influences » dont il a été largement fait usage dans le passé pour rendre compte des relations étroites qui s'établirent alors entre les différents chantiers franco-espagnols. Mais le concept est vague. Serafín Moralejo est sans doute plus près de la réalité lorsqu'il parle d'une « fluence », c'est-à-dire d'un « écoulement » de formes correspondant au dynamisme naturel de toute création originale et forte.

Les « progrès » réalisés dans la représentation de la figure humaine ont fait « exploser » l'iconographie. On le constate avec les chapiteaux du cloître de Moissac dès l'extrême fin du XIe siècle. Mais le phénomène a surtout concouru à l'apparition de l'élément le plus caractéristique de la dernière période de l'histoire de la sculpture franco-espagnole de la route de Compostelle : le grand portail historié.

On s'y était préparé à Toulouse dès avant 1090 avec les portails du transept et à Jaca, au début du siècle suivant, avec l'introduction du tympan, si propice à la transposition dans la pierre des programmes glorieux peints sur les culs-de-four des absides. Il fallut néanmoins attendre la période 1110-1125 pour que soient mises en place les compositions vastes et complexes de León, de Compostelle et de la porte Miègeville à Toulouse. Ces entreprises, qui mobilisèrent des moyens financiers et humains considérables, accentuèrent la séparation entre les deux catégories de réalisateurs : les simples tailleurs de pierre et les sculpteurs authentiques. Le phénomène parvint à son expression dernière à Saint-Jacques de Compostelle, où les premiers se virent attribuer la nef alors que les seconds se mobilisaient pour le décor des nombreux portails.

Un seul centre fait exception à la règle. Il s'agit de Conques, où d'importants travaux de restauration et de transformation des parties de l'abbatiale antérieurement construites, ainsi que la réalisation d'un cloître, retardèrent la mise en route du portail occidental. Cette entreprise ne put être réalisée qu'à une époque où les solidarités ayant créé la sculpture franco-espagnole de la route de Compostelle s'étaient dénouées. Dans le Midi de la France comme en Espagne l'art s'était engagé dans des voies nouvelles, généralement divergentes.

PREMIÈRE PARTIE

LE PÈLERINAGE À SAINT-JACQUES DE COMPOSTELLE

LE PÈLERINAGE À SAINT-JACQUES DE COMPOSTELLE prend place dans le mouvement général de pérégrination qui constitue une des manifestations les plus permanentes de la civilisation chrétienne, l'une de ses traditions les plus anciennes et les plus tenaces. Le phénomène acquit une grande ampleur aux XIe et XIIe siècles en raison de la nature particulière du sentiment religieux de l'époque, qui trouvait dans les gestes et les rites un moyen privilégié d'entrer en contact avec le sacré [1].

Les débuts du culte de saint Jacques à Compostelle

UNE HIÉRARCHIE dans les buts de pèlerinage privilégiait les plus lointains. Depuis le IVe siècle on se rendait à Jérusalem vénérer le tombeau du Christ. Ce voyage rendu très difficile par l'invasion musulmane connut un nouveau développement dès le début du XIe siècle. Cet essor soudain, qui frappa les contemporains eux-mêmes, et dont le moine bourguignon Raoul Glaber rendit témoignage, avait une cause d'ordre spirituel : « la place prise par Jérusalem dans l'imagination et dans la pensée occidentales et sa place allégorique » [2]. Le pèlerinage à Rome, aux tombeaux des saints apôtres Pierre et Paul, les fondateurs de l'Église, n'était pas moins ancien. La ville offrait en outre le privilège de regrouper autour de ces tombes privilégiées une multitude d'autres corps de martyrs connus ou inconnus.

Le pèlerinage de Compostelle ne pouvait se prévaloir de pareilles lettres de noblesse. Son origine était récente, mais il bénéficia d'un ample travail de l'imagination, et de l'action persévérante tant du pouvoir politique que des autorités ecclésiastiques.

Saint Jacques en Espagne

L'APÔTRE JACQUES, bien qu'il eût figuré parmi les intimes du Sauveur durant sa vie terrestre, au même titre que son frère Jean et que saint Pierre (Mc 5, 37 ; 9, 2 ; 14, 33) ne fit longtemps que des apparitions occasionnelles dans la littérature chrétienne, aussi bien en Orient qu'en Occident [3]. On savait par les Actes des Apôtres (12, 2) qu'il avait été immolé par le glaive sur l'ordre du roi Hérode Agrippa. Quelques détails s'ajoutèrent peu à peu à cette sèche mention de l'événement et ils furent regroupés dans une *Passio*. Probablement apparue dans le sud de la France, celle-ci se répandit à partir du VIe siècle. Simultanément naissait dans le monde grec la doctrine de la *divisio apostolorum*. On supposait que le monde connu avait été partagé entre les douze apôtres pour la prédication de l'évangile. Vers la fin du VIe siècle, il fut précisé que saint Jacques avait reçu en partage l'*Hispania* et les régions de l'Ouest. Cette idée fut propagée en Occident par le *Breviarium apostolorum*, un recueil de biographies succinctes relatives à chaque apôtre. Au sujet de Jacques ce petit livre apportait une précision nouvelle, une localisation de la tombe à un endroit : *ache [acha] marmarica*, inconnu par ailleurs. À la suite d'une série de déformations, ce nom de lieu se transforma en l'expression *sub arcis marmaricis* interprétée comme signifiant « sous des arcs de marbre ». La formule ayant par la suite persisté, on suppose que c'est par elle que l'on justifia la découverte du tombeau de l'apôtre et son « identification » [4].

La découverte de la tombe

C'EST AU VIIIe SIÈCLE seulement que se dessinent les liens qui allaient unir saint Jacques à l'Espagne de la manière la plus étroite. Divers événements intéressant la société laïque autant que l'Église concoururent à ce phénomène.

Ils furent la conséquence de la conquête de la majeure partie de la Péninsule par les musulmans. Ceux-ci ayant commis l'erreur d'en négliger le nord, en raison de son isolement, cette région devenue le royaume des Asturies n'eut de cesse, une fois passé le mouvement de panique déclenché par la tourmente, qu'elle ne joignît à l'indépendance politique vis-à-vis de l'émirat cordouan l'indépendance religieuse à l'égard de la hiérarchie mozarabe de Tolède. L'occasion s'en présenta avec le déclenchement de la querelle théologique de l'adoptianisme — l'opinion selon laquelle Jésus, le fils de la Vierge Marie, aurait été le fils adoptif de Dieu dans sa nature humaine. Élipand, l'archevêque-primat de Tolède (depuis 754), s'étant rallié à cette thèse, l'Église asturienne rompit la communion avec lui, et le moine Beatus, l'auteur du célèbre commentaire sur l'Apocalypse, dénonça ses erreurs.

Concrètement l'autonomie religieuse se manifesta par la restauration de l'antique métropole ecclésiastique de Braga et la promotion d'Oviedo, la capitale politique, au rang de « nouvelle Tolède ». Mais la volonté de renouer avec le passé wisigothique — et au-delà avec l'époque paléochrétienne — conduisit aussi à favoriser le développement du culte de saint Jacques, fondateur présumé de l'Église d'Espagne. Alors, en ayant en tête l'idée de « personnaliser » les rapports avec l'apôtre, on en vint à se convaincre qu'il reposait en terre d'Espagne, et, de fait, on découvrit ses restes dans le royaume asturien lui-même, dans la lointaine Galice.

Selon la tradition, l'artisan de la découverte et de l'identification du tombeau aurait été Théodemir, l'évêque de l'ancienne cité d'*Iria Flavia*. Ceci se serait passé dans la première moitié du IXe siècle. La tradition sur ce point précis avait raison. Les fouilles réalisées dans le sol de la cathédrale actuelle de Compostelle entre 1946 et 1959 dégagèrent dans un ancien cimetière suève les restes d'un mausolée du IIe ou du IIIe siècle et, à proximité, le tombeau de Théodemir lui-même, portant la date de son décès en 847. Peut-être avait-il déjà installé son siège auprès des restes sacrés, suivant l'exemple de nombre de ses collègues occidentaux venus de la même façon s'établir à proximité du tombeau d'un saint. Ils agissaient à la fois pour des raisons de piété — afin de promouvoir un culte — et aussi par intérêt bien compris : la notoriété du saint rejaillissant sur eux et accroissant leur pouvoir. Néanmoins le transfert du siège d'*Iria Flavia* à Compostelle ne fut effectué officiellement qu'en 1095 par le pape Urbain II.

Le problème de la translation du corps

LA NOUVELLE DE LA DÉCOUVERTE du tombeau eut un grand retentissement sur place et elle se répandit jusqu'en Gaule. Il en est fait mention dans le martyrologe d'Usuard, dont il existe une version complète dès 867 : « Ses très saintes reliques [de saint Jacques], portées de Jérusalem en Espagne et déposées aux confins les plus éloignés de cette terre, y sont pieusement honorées par la continuelle vénération des fidèles du pays ».

Comme on le voit, la découverte des reliques avait posé un problème nouveau, celui de la translation du corps à Compostelle. La mention d'Usuard laisse entendre qu'un récit de ce prétendu événement circulait dès cette époque, mais nous l'avons perdu. La plus ancienne relation conservée est une *epistola leonis episcopi*, que certains auteurs peu critiques identifiaient avec le pape Léon III (785-816). Il ne s'agit, en fait, que d'une œuvre de propagande progressivement élaborée, par retouches successives, au cours du XIe siècle. Elle trouva sa forme définitive lorsqu'elle fut incorporée, au siècle suivant, dans le *Liber Sancti Jacobi*, le recueil composé à Compostelle à la gloire de l'apôtre. Par la suite, la légende allait encore s'enrichir de quelques faits inédits jusqu'à sa publication dans la *Légende dorée* de Jacques de Voragine.

Un culte local

LA DÉVOTION AUX RELIQUES de saint Jacques se présenta d'abord comme un culte local. Une première basilique englobant le mausolée fut construite par le roi Alphonse II (799-835). Elle se révéla bien vite insuffisante et fut reconstruite par Alphonse III à la fin du IXe siècle sans déplacement du tombeau du saint. Le corps de l'édifice était une nef de trois vaisseaux dotés de deux annexes : l'une au nord servant de baptistère, l'autre au sud. Une consécration solennelle eut lieu le 6 mai 899.

L'annexe méridionale fut détruite en 997 par Al Mansour, le vizir du calife de Cordoue, terrible chef de guerre. Comme trophées de victoire celui-ci ramena avec lui les cloches de la basilique et de nombreux esclaves chrétiens. Cette terrible épreuve n'eut pas cependant de conséquences durables. Les ruines furent immédiatement relevées par l'évêque de Compostelle Pedro Mezonzo.

En fait, cette expédition, quelque cruelle qu'elle eût été, n'était rien d'autre que l'une des nombreuses incursions dirigées périodiquement en territoire chrétien par les musulmans. Celles-ci n'avaient jamais changé d'une manière importante et durable une frontière qui de part et d'autre était jalonnée de forteresses. Elle fut d'ailleurs une des dernières du genre, car elle précéda de très peu un événement aux conséquences incalculables dans les domaines politique, religieux, économique et social : la chute du califat omeiyade de Cordoue. L'effondrement du pouvoir central provoqua dans l'Espagne musulmane une situation anarchique avec l'apparition de nombreux états hétéroclites : les *reinos de taifa* (les royaumes de la canaille). Au contraire, un pouvoir fort fut établi dans l'Espagne du nord par le roi de Navarre Sanche le Grand (1000-1035) qui amorça une grande politique ayant pour effet d'amarrer la barque de l'Espagne chrétienne au vaisseau européen. Son époque est un de ces moments privilégiés où bascule l'histoire du monde.

Mise en place d'un nouveau paysage politique et culturel

LA POLITIQUE D'INTÉGRATION de l'Espagne à l'Europe chrétienne se développe d'une manière continue durant tout le XIe siècle [5].

La phase navarraise

EN SIMPLIFIANT LES CHOSES à l'extrême, on distinguera d'abord une phase navarraise qui culmine avec le règne de Sanche le Grand. L'européanisme se mêle à l'hispanisme montagnard.

Sur le plan politique Sanche le Grand, qui réunit sous son autorité la plupart des états chrétiens du nord-ouest de la Péninsule, resserre des liens déjà anciens avec le duché de Gascogne et le comté de Béarn. Son regard porte plus loin encore. Sa rencontre à Saint-Jean-d'Angély, vers 1010 — à l'occasion des fêtes célébrant l'invention du chef de saint Jean-Baptiste — avec Sanche-Guillaume de Gascogne, Guillaume le Grand, duc d'Aquitaine et avec le roi de France Robert le Pieux symbolise une politique de rapprochement entre l'Espagne chrétienne et la France féodale.

Dans le domaine religieux Sanche entreprit une réforme monastique dans l'esprit de Cluny tout en respectant les exigences nationales. Tel est le sens de la réforme de San Juan de la Peña réalisée en 1025 : « expulsion des ' mondains ', suppression des abus du pouvoir laïque, garantie de liberté pour l'élection de l'abbé ». Cependant, « tous les moines étaient Espagnols, le monastère restait indépendant de Cluny ; les usages liturgiques n'étaient pas changés. l'abbé élu était Paterne qui, après avoir vécu en ermite, avait été attiré par la réputation de Cluny et venait de passer plusieurs années dans la grande abbaye bourguignonne » [6].

Les trois fils de Sanche le Grand, entre lesquels il partagea ses états, maintinrent avec Cluny les mêmes relations étroites et confiantes. Saint Odilon écrivait à García, l'aîné, qui avait eu la Navarre : « La même amitié, la même fraternité qui nous unissait à ton père par des liens indissolubles nous unit aussi à toi pour ton salut et celui des tiens, afin qu'il te soit donné d'obtenir la victoire sur tes ennemis » [7].

La prépondérance castillane

LA PRÉPONDÉRANCE POLITIQUE fut transférée de la Navarre à la Castille par l'un des fils de Sanche le Grand, Ferdinand Ier (1035-1065). Par son mariage avec Sancha, l'héritière du royaume de León, il étendit son autorité à l'ensemble des hautes terres de la meseta. Par ailleurs, comme le León, dilatation vers le sud de l'ancien royaume des Asturies, continuait à incarner l'idéal de renaissance wisigothique, la chancellerie castillane s'empara de cette idéologie, la réactiva et l'actualisa, en en faisant l'un des ferments de la Reconquête [8].

Sous le règne de Ferdinand Ier, cette politique n'en est encore qu'à son prélude. Elle se manifesta par l'imposition d'un tribut à certains royaumes *de taifa* : Tolède, Saragosse, Séville, Badajoz. Elle prit une forme conquérante sous un des fils de Ferdinand, Alphonse VI.

L'entreprise dépassa d'ailleurs le cadre de la Castille, puisque l'Aragon y participa d'une manière non moins active. Elle dépassa même les limites de la Péninsule. Ce fut une des manifestations de la volonté de l'Europe chrétienne toute entière de desserrer l'étau musulman tant à l'ouest qu'en Orient. Les croisades d'Espagne préparèrent celles de Terre Sainte.

Alphonse VI, comme le roi d'Aragon, bénéficia de l'appui de la chevalerie française, notamment de celle de Bourgogne. Son mariage avec Constance, fille du duc de Bourgogne Robert le Vieux, celui de sa fille Urraca avec Raymond, petit-fils du comte de Bourgogne Guillaume le Grand, encouragèrent les seigneurs de ce pays à venir tenter leur chance dans la Péninsule ibérique. L'épisode culminant de son règne fut, le 25 mai 1085, la prise de Tolède, l'ancienne capitale des rois wisigoths, la ville des conciles de l'Espagne unifiée jusqu'à l'invasion musulmane. L'événement, qui prit figure de signe et valeur de symbole — à cette occasion le roi s'attribua le titre impérial — eut une répercussion énorme en pays chrétien. L'émotion ne fut pas moindre dans le monde musulman d'Espagne qui en subit un véritable traumatisme. Ses chefs firent appel à l'aide des Almoravides du Maghreb. Alphonse VI eut toutes les peines du monde à conserver sa conquête. Quant à pousser plus avant ses avantages, il n'en fut momentanément plus question.

L'aide militaire apportée par la chevalerie d'outre-Pyrénées n'est qu'un des aspects de la pénétration française en Castille. Cluny poursuit son œuvre de réforme monastique commencée sous Sanche le Grand [9]. L'abbaye bourguignonne peut compter sur l'appui d'Alphonse VI qui lui est entièrement gagné et qui lui témoigne son attachement de manière spectaculaire. Il double le cens annuel consenti par son père. Sur le butin rapporté par la prise de Tolède il prélève dix mille talents qu'il envoie à saint Hugues pour subvenir aux frais de la construction de sa grande église.

En 1079, le roi de Castille avait installé comme abbé de Sahagún, un monastère particulièrement cher à son cœur — il y avait vécu quelque temps —, le moine Robert que saint Hugues lui avait envoyé. Robert fut rejeté par une partie des moines qui répugnait à se soumettre à une autorité étrangère. On agit dès lors avec plus de prudence pour procéder à la réforme monastique. Bernard de Sédirac, successeur de Robert, et futur archevêque de Tolède, obtint pour Sahagún une exemption politique et religieuse totale qui plaça le monastère sur un plan d'égalité avec Cluny et il commença à regrouper autour de lui un certain nombre d'établissements castillans. Une œuvre parallèle fut entreprise à Oña, qui prit la tête d'une autre congrégation monastique. Comme partout en Europe la réforme monastique se manifesta sous des aspects divers. Les uns économiques : les monastères s'enrichirent et devinrent parfois des pôles d'activité dans ce domaine. Les autres spirituels, par le soin apporté à la célébration du service divin. Enfin, la charité et l'hospitalité, organisées d'une manière systématique, donnèrent naissance à un grand nombre d'hospices et d'hôpitaux.

L'intégration de l'Église de Castille à la chrétienté médiévale trouva son parfait achèvement dans la substitution du rite romain au rite mozarabe, qui était en fait le vieux rite particulier à l'Église d'Espagne. Rome, à qui cette liturgie était suspecte, résolut de la faire disparaître, mais cette volonté centralisatrice se heurta à de vives résistances. Alphonse VI lui-même tenta de négocier des accommodements. En vain : il ne put fléchir l'implacable Grégoire VII. Le concile de Burgos, réuni à l'instigation du légat pontifical, vers Pâques 1080, abolit définitivement le particularisme liturgique de la Péninsule.

Un état pyrénéen : le royaume d'Aragon

LA MONARCHIE ARAGONAISE surgit du tronc commun navarrais, au même titre et au même moment que la Castille. « Une monarchie, il est vrai, aux prétentions limitées et au territoire peu peuplé, mais qui, dès l'époque de son fondateur Ramire Ier (1035-1063), bénéficia de la vitalité pyrénéenne et répondit à un fond indigène très ancien, à peine altéré par la culture romaine ou par l'État wisigoth » [10].

En fait, le destin de l'Aragon médiéval se décida à l'époque romane lorsque le pouvoir pontifical intégra son Église à la Chrétienté et lorsque, grâce à l'aide des barons étrangers, son territoire se dilata jusqu'à ses limites extrêmes par l'occupation de la vallée de l'Èbre.

L'Aragon avait devancé la Castille dans la réalisation de l'unité liturgique et sans que se fût manifestée la moindre résistance. Au cours d'une cérémonie symbolique à San Juan de la Peña, le deuxième mardi de carême de l'année 1071, le service divin fut encore célébré selon le rite tolédan aux heures de prime et de tierce, et, à l'heure de sexte, commença le rituel romain. Dans le monde des moines on introduisit une organisation verticale des monastères calquée sur le modèle de l'ordre de Cluny. À la tête se trouva précisément celui de San Juan de la Peña auquel le roi Sancho Ramírez accorda en 1090 l'exemption totale de toute sujétion temporelle ou spirituelle.

L'expansion territoriale fut précédée par un dramatique fait divers : l'assassinat du roi Ramire par un musulman devant la place forte de Graus. Une expédition de représailles fut organisée par le duc Guillaume VIII d'Aquitaine qui amena avec lui des contingents originaires de l'ouest de la France, bientôt rejoints par des seigneurs bourguignons, normands et catalans. Elle prit pour objectif la ville de Barbastro, une forteresse fermant vers le nord l'accès de la vallée de l'Èbre et qui était en outre un marché commercial et un centre d'études coraniques. Sa chute en 1064 donna lieu à des scènes de pillage et de violence, mais les vainqueurs ne purent s'y maintenir. Dès l'année suivante, Barbastro retomba entre les mains du roi musulman de Saragosse.

La papauté prétendit prendre le relais en plaçant le royaume aragonais sous sa protection immédiate, en qualité de fief du Saint-Siège. Grégoire VII engagea des pourparlers avec un grand baron champenois, Èbles de Roucy, dont la sœur avait épousé le roi Sancho Ramírez, successeur de Ramire Ier, pour organiser une nouvelle expédition contre les musulmans. Ce projet n'aboutit pas.

C'est seulement à la fin du XIe et au début du XIIe siècle que les interventions françaises prirent une ampleur et une continuité suffisantes pour conduire aux succès décisifs. Les verrous qui fermaient aux Aragonais l'accès de la vallée de l'Èbre tombèrent les uns après les autres. La ville de Huesca, devant laquelle Sancho Ramírez avait mis le siège en 1094, tomba deux ans plus tard entre les mains de son successeur, son fils Pierre Ier (1094-1104), qui avait épousé Agnès, fille de Guillaume VIII d'Aquitaine. Barbastro fut repris en 1101. Le souverain aragonais associa des sanctuaires français à son succès et il installa sur le siège épiscopal recouvré un ancien moine de Sainte-Foy de Conques, Pons, qui eut pour successeur, en 1104, Raymond, ancien prieur de Saint-Sernin de Toulouse. Enfin, en 1118, son frère et successeur Alphonse le Batailleur, gendre d'Alphonse VI de Castille dont il avait épousé en secondes noces la fille Urraca, entrait dans Saragosse. Cette conquête égalait en importance celle de Tolède quelque trente années auparavant. Après la prise de Saragosse, la Reconquête se ralentit en Aragon. La stagnation existait depuis plus longtemps en Castille qui avait connu dans le premier quart du XIe siècle, durant le règne d'Urraca (1109-1126), une grave crise politique ayant son centre en Galice.

Vers 1120, les états chrétiens n'exerçaient donc encore leur autorité que sur la moitié nord de la Péninsule ibérique. Les courants d'activité qui les traversaient allaient de préférence de l'est vers l'ouest, le principal d'entre eux correspondant à la route conduisant à Compostelle.

L'aménagement du « camino francés »

Les premiers pèlerins

DANS LA SECONDE MOITIÉ DU Xe SIÈCLE, la vénération de la tombe de l'apôtre Jacques dans la lointaine Galice, au plus extrême Occident, cesse d'être un culte purement local pour devenir « international ». Les premiers pèlerins étrangers au pays sont d'un niveau social élevé, sans doute en raison de la personnalité exceptionnelle du saint, mais aussi à cause des dangers de la route qui imposaient de voyager sous la protection d'une escorte.

On a conservé le nom de l'évêque du Puy Godescalc qui, parti en 950, fut de retour à son siège épiscopal au début de l'année suivante. En 961 arriva Hugues de Vermandois, archevêque de Reims, dont la légitimité était d'ailleurs contestée. La même année, le comte de Rouergue Raymond II fut assassiné en chemin. Les routes n'étaient donc pas sûres. A la plaie du brigandage s'ajoutait encore à cette époque la menace que faisaient peser les razzias musulmanes, l'une des plus cruelles ayant été, comme nous l'avons vu, l'incendie de Compostelle, le 1er août 997, par Al Mansour.

En dépit des dangers qu'elle offrait, on suivait d'ordinaire une route de l'intérieur qui, à partir du Somport, était jalonnée par plusieurs abbayes où l'hospitalité était assurée [11]. Les rois de Navarre, depuis Sancho Garcés Ier (905-925), avaient entrepris le peuplement de la riche région de la Rioja qui devait faire partie de leur état jusqu'en 1076. On attribue à ce souverain la fondation du monastère de Saint-Martin d'Albelda où l'évêque du Puy Godelcalc s'était arrêté, à l'aller et au retour, et où il avait fait copier par le moine Gómez un traité de saint Ildefonse de Tolède sur la Virginité de Marie. Peut-être est-ce aussi sous Sancho Garcés Ier que fut fondé le monastère mozarabe de San Millán de la Cogolla.

La Rioja ne fut pas épargnée par la rage dévastatrice qui s'empara d'Al Mansour dans les dernières années de sa vie. En 1002, alors qu'il était déjà atteint de la maladie qui devait l'emporter, il mit le feu à l'église de San Millán. On aperçoit encore de nos jours dans le monument les traces de cet incendie.

Quelques pèlerins préféraient emprunter une route du littoral, correspondant à une ancienne voie romaine, mais dont le tracé était très difficile. Suivant une ancienne tradition recueillie par l'historien basque Esteban de Garibay au XVIe siècle, dans son *Compendio Historial* : « Au temps de l'invention du corps de l'apôtre saint Jacques, on avait coutume d'entrer de France en Guipúzcoa, puis de passer de Guipúzcoa en Biscaye, de là dans le pays que l'on appelle la Montaña, et de là dans les Asturies, d'abord par Santillana, puis par Oviedo. Là on visitait la très dévote église du Saint Sauveur, puis on entrait en Galice, et l'on achevait le voyage en repassant par les mêmes endroits ; et l'on peinait fort à l'aller et au retour, par les durs chemins qu'il y a dans tous ces pays à cause des grandes montagnes [...] » [12].

Le temps des pionniers

AU XIe SIÈCLE, après la disparition du danger musulman, Sanche le Grand décida de privilégier définitivement la route de l'intérieur passant par Nájera, résidence de sa cour. Ses successeurs poursuivirent la même politique en s'efforçant de procurer aux pèlerins un voyage plus sûr et moins pénible. Leurs interventions les plus efficaces se situent à la fin de ce siècle et au début du suivant, c'est-à-dire à l'époque de la plus grande dévotion à saint Jacques. Le roi Alphonse VI joua un rôle déterminant et il entraîna à sa suite les membres de la cour, des évêques, des moines, des ermites. L'organisation de la route suscita un grand élan d'enthousiasme à forte connotation religieuse : tout ce qui aidait et favorisait les déplacements étant considéré comme une œuvre de charité. À la limite elle permettait d'accéder à la sainteté.

C'est l'époque des « saints cantonniers » dont l'action est illustrée par santo Domingo de la Calzada (saint Dominique de la Chaussée) dont le nom [13] est tout un programme. Au départ, sa vocation était monastique, mais il ne réussit pas à la réaliser. Après avoir essuyé deux échecs successifs, au monastère de Valvanera près de Nájera d'abord, puis à San Millán de la Cogolla, il décida de se mettre au service des voyageurs exposés aux dangers de la route, et Alphonse VI lui procura en 1076 les terrains nécessaires à ses diverses entreprises. Il s'établit au bord de l'Oja, à un endroit où les pèlerins venant de Nájera devaient franchir cette rivière pour continuer sur Burgos. « C'était alors un lieu plein d'épaisses frondaisons, fréquenté par des voleurs, et très dangereux pour les voyageurs, au lieu d'être comme aujourd'hui fertile et agréable ; et une eau abondante y coulait dont il résolut de permettre la traversée en y fondant un pont. Il construisit là d'abord une demeure pour lui et pour ses familiers ; puis il bâtit tout à côté une petite maison de prières en l'honneur de la Sainte Vierge ; et pour y édifier en outre un pont dans une œuvre commune, il demanda l'aide des localités voisines où tous dans la mesure de leurs forces collaborèrent avec lui à un si pieux ouvrage » [14]. Trois ans après la mort de saint Dominique, en 1106, une église fut consacrée par l'évêque de Calahorra. Comme elle abrita le corps du « saint cantonnier », elle n'allait pas tarder à devenir un des sanctuaires les plus fréquentés du chemin de Saint-Jacques en Espagne avec l'abbatiale bénédictine de Sahagún et la collégiale augustine de Saint-Isidore de León.

L'aménagement de ce chemin doit beaucoup au grand courant érémitique qui se propage dans l'Occident tout entier dans la seconde moitié du XIe siècle. Il s'agissait d'un phénomène nouveau. Autrefois complémentaire de la vie monastique, l'érémitisme lui offre désormais une alternative lorsqu'il ne s'y oppose pas résolument. Les ermites privilégient la pauvreté comme les moines, mais ils la vivent différemment : dans un total dépouillement, sans l'appui d'une communauté qui pouvait elle-même être riche et puissante. Leur spiritualité, libérée des servitudes de l'office canonique, se nourrit directement de la dévotion à l'eucharistie et rayonne dans des œuvres de charité. Elle colle, oserait-on dire, à la vie.

Saint Alleaume, qui avait été l'élève de saint Robert à l'abbaye de la Chaise-Dieu en Auvergne, quitta le cloître pour répondre à l'appel de la reine Constance de Bourgogne, la deuxième femme d'Alphonse VI. Il fonda aux portes de Burgos un ermitage où il accueillait et soignait les pèlerins. Il y adjoignit, sur les bords même de l'Arlanzón, une chapelle dédiée à saint Jean l'Évangéliste. À sa mort, il y fut enterré et son tombeau devint l'objet de la dévotion populaire [15].

Au début du XIIe siècle apparaît Jean l'Ermite dans la forêt d'Oca, à un endroit appelé Ortega — d'où son nom de saint Jean d'Ortega — proche de la route de Saint-Jacques et qui était alors un véritable repaire de brigands. « Là, il entreprit de construire un oratoire ; et il y parvint en dépit des efforts des bandits qui défaisaient pendant la nuit ce qu'il avait fait pendant le jour. Quand l'église fut terminée, il bâtit à côté un asile pour servir de refuge aux pèlerins à qui il fournissait dans la mesure du possible ce dont ils avaient besoin. Ce que voyant, les fidèles, les princes et le souverain lui vinrent en aide, et il consacra les ressources qui lui étaient ainsi apportées à consolider un pont à Logroño, à en réédifier un autre à Nájera, à en construire un autre encore à Santo Domingo. Entre l'endroit où il habitait et le bourg appelé Atapuerca, il établit de ses mains une route dans des terrains humides et pleins d'eau pour que les pèlerins de Saint-Jacques fatigués par de longs efforts pussent y passer facilement. Ainsi sa réputation se répandit-elle en Espagne, et l'on fit appel à ses conseils et à son aide pour organiser presque partout les maisons et les hôpitaux depuis Logroño jusqu'à la ville de Burgos » [16].

Dans son tracé la nouvelle voie utilisa de préférence des terrains plats et, dans la mesure du possible, des fragments d'anciennes voies romaines et de chemins du Xe siècle. Elle laissa parfois de côté d'anciennes agglomérations situées sur des collines ou à mi-pente. La construction des ponts était accompagnée d'une chaussée rectiligne qui servit souvent de fixation à une nouvelle unité urbaine.

L'action des ordres religieux

APRÈS LE TEMPS DES PIONNIERS, où s'illustrèrent plus particulièrement les ermites, vint celui de l'organisation avec l'engagement des ordres religieux [17]. Leur intervention n'eut pas que des motifs nobles. Elle ne trouvait pas uniquement sa source dans l'intention charitable. L'accueil des pèlerins était aussi une source de revenus car les dépenses qu'il occasionnait étaient compensées, et parfois largement, par les donations de bienfaiteurs. L'émulation pieuse coexistait avec une concurrence intéressée qui ne prenait même pas la peine de dissimuler son visage. Ne vit-on pas les moines de Villafranca del Bierzo protester contre un hôpital voisin du leur « parce qu'il usurpait injustement leurs droits sur les pèlerins » [18] ? Les décisions appartenaient aux souverains. Lorsqu'il céda Notre-Dame de Nájera à Cluny en 1079, Alphonse VI lui accorda aussi l'hôpital pour les pèlerins qui lui était annexé. À Santiago, il y avait plusieurs hospices fondés soit par les chanoines de la cathédrale soit par le roi.

Tous les ordres religieux entrèrent en compétition : moines bénédictins — clunisiens ou non — et chanoines réguliers ; maisons françaises et établissements espagnols. Ainsi Saint-Géraud d'Aurillac possédait un prieuré doublé d'un hospice à l'entrée de la Galice, au Monte Cebrero, une fois passé le port de Valcárcel. On y gardait une relique de la Vraie Croix qui avait, disait-on, été apportée par Guy de Bourgogne — le futur pape Calixte II — lorsqu'il s'était rendu à Compostelle pour assister à la prestation de serment des nobles galiciens à son neveu Alphonse, le fils de Raymond de Bourgogne et d'Urraca de Castille [19].

C'est à des chanoines réguliers que fit appel le pouvoir politique pour organiser les deux hospices établis dans la partie la plus dangereuse du trajet : la traversée des Pyrénées au Somport ou au col d'Ibañeta. Le plus ancien, Sainte-Christine du Somport, créé dans la seconde moitié du XIe siècle, jouissait d'une grande réputation : le *Guide du pèlerin de Saint-Jacques de Compostelle* le mettant sur un plan d'égalité avec ceux de Jérusalem et du Grand-Saint-Bernard (le Mont-Joux). Comblé de privilèges par le roi Alphonse VI, il fut restauré en 1108 par Gaston de Béarn et l'évêque d'Oloron. L'hôpital de Roncevaux, près du col d'Ibañeta, était plus récent, puisque sa fondation par le roi Alphonse le Batailleur et l'évêque de Pampelune Sanche de la Rosa ne remontait qu'à 1132. Il connut un développement rapide au point de détourner à son profit un flux de plus en plus grand de pèlerins qui se serait autrement écoulé par le Somport. Pour pousser plus loin leur avantage, les Augustins de Roncevaux organisèrent une publicité habile sur la qualité de leur accueil. Ils enflammaient l'imagination des visiteurs en exploitant d'une manière systématique les souvenirs légendaires attachés sur place à Roland et à ses preux. Ils créèrent un ordre spécial qui contrôla une vaste organisation hospitalière dans tout le pays basque.

L'immigration franque

LE PÈLERINAGE donna naissance à une intense activité commerciale et artisanale. Elle secoua la torpeur des anciennes cités qui débordèrent de leurs enceintes [20]. Ainsi le bourg de San Cernín opposa-t-il ses rues rectilignes au tissu urbain serré de la vieille cité épiscopale de Pampelune. À León un faubourg s'était constitué autour de l'église Saint-Martin. En marge de celui-ci s'établit, à partir des environs de 1080, une population d'origine étrangère le long de la grande rue dénommée *rua francorum*. Elle posséda son église, Santa María del Camino, érigée en 1092.

Surtout, le développement économique détermina la naissance de toute une série de localités nouvelles. Sancho Ramírez crée la cité de Jaca. En 1090, malgré l'opposition des moines de San Juan de la Peña et de Hirache, il fixe une population de « Francs » à Lizarra, qui allait devenir Estella si chère au *Guide du Pèlerin* : « Estella où le pain est bon, le vin excellent, la viande et le poisson abondants et qui regorge de toutes les délices ». Ce fut la principale étape entre Pampelune et Logroño. Un *pueblo* s'établit à proximité de la puissante abbaye de Sahagún. Il s'agit d'une création d'Alphonse VI qui, en 1085, sanctionna la charte fixant la condition de vie de ses habitants.

Le peuplement s'effectua principalement à l'aide d'immigrés venus de diverses contrées d'Europe, mais principalement de France, et auxquels était communément attribuée la dénomination de Francs. La route à laquelle ils insufflèrent la vie devint le *camino francés*.

Cependant le nom de « franc » ne désignait pas seulement l'étranger, il était aussi synonyme de libre, de privilégié. Pour attirer et fixer les immigrés, les souverains leur accordèrent toutes sortes de droits et de facilités. Le premier *fuero* définissant la condition des nouveaux venus fut celui de Jaca. Le droit de Jaca protège les échanges en édictant des peines contre ceux qui falsifient les poids et mesures ; il facilite l'acquisition d'immeubles, garantit la liberté des personnes et l'inviolabilité de leur domicile ; il réduit considérablement les obligations militaires. Les Francs ou étrangers ainsi établis eurent, tant au point de vue administratif que judiciaire, leurs autorités propres, aptes à promulguer des ordonnances et à les faire appliquer en imposant des amendes reversées à des œuvres d'utilité publique, comme l'entretien des murailles. Ces autorités créèrent un droit particulier en matière civile, pénale et commerciale, avec une procédure spéciale. Le droit de Jaca fut progressivement étendu aux localités peuplées dans des circonstances analogues.

Cette séparation entre autochtones et immigrés s'observe dans les principaux centres du *camino francés* : à Nájera, comme à Belorado et à Sahagún. Elle fut source de conflits aggravés par le fait que les étrangers accédaient à un niveau de vie plus élevé que celui des gens du pays. En Navarre la séparation entre les deux populations fut radicale : il était expressément interdit aux Navarrais, y compris aux clercs et aux nobles, de pénétrer dans les quartiers peuplés de Francs.

Dans l'espace de deux générations la route de Santiago fut repeuplée. La topographie des villes en fut profondément bouleversée [21] et on vit naître une société nouvelle à caractère urbain. Jusque-là, l'Espagne vivait dans les cadres sociaux rigides correspondant à une économie fermée essentiellement agricole. Elle s'ouvre désormais aux formes de vie introduites par l'économie d'échanges.

Les routes de Compostelle d'après le *Guide du Pèlerin*

LES PÈLERINAGES LOINTAINS donnèrent très tôt naissance à une littérature de guides. En ce qui concerne la Terre Sainte, par exemple, ceux-ci appartenaient à deux catégories : les uns se bornaient à décrire les Lieux Saints, alors que les autres procuraient des renseignements sur le chemin à suivre pour parvenir au but du voyage. Le plus ancien de ce dernier type, l'*Itinéraire de Bordeaux à Jérusalem*, qu'on date de 333, « donne, avant et après une brève description des sanctuaires de Palestine, deux chemins menant de l'Aquitaine à la Judée, en adoptant les habitudes des ' routiers ' de l'époque impériale » [22].

L'un des cinq livres du *Liber Sancti Jacobi*

L'UNE DES ŒUVRES LES PLUS CÉLÈBRES de cette littérature à usage de pèlerins est précisément le *Guide du pèlerin de Saint-Jacques de Compostelle* [23] qui constitue un des éléments d'un recueil destiné à promouvoir le culte de l'apôtre, le *Liber Sancti Jacobi,* une compilation de cinq textes de caractère bien différent [24].

Il est introduit par une « lettre-préface » attribuée au pape Calixte II (1119-1124), d'où le nom de *Codex Calixtinus* sous lequel il est aussi connu. Cette lettre apocryphe est adressée à l'abbé et aux moines de Cluny, ainsi qu'à Guillaume, qui fut patriarche de Jérusalem entre 1139 et 1145.

On trouve dans une première partie un ensemble de pièces liturgiques destinées au culte de saint Jacques : des messes, des homélies, ainsi que dix-huit hymnes et tropes dont huit sont attribués à l'évêque Fulbert de Chartres, trois au patriarche Guillaume, les autres à saint Fortunat, évêque de Poitiers, à Calixte II lui-même et au cardinal romain Robert. Il existe aussi des sermons dont la paternité est encore le plus souvent mise au compte du pape.

Vient ensuite un deuxième livre qui offre le récit de vingt-deux miracles dus à l'intervention de l'apôtre de l'Espagne, le dernier étant daté de 1135. Dix-huit « sont présentés comme ayant été recueillis par le pape Calixte II ; l'un par maître Hubert, chanoine de la Madeleine de Besançon ; un autre par Aubry, abbé de Vézelay et cardinal d'Ostie. La plupart de ces miracles mettent en scène des Français, qui ont été sauvés grâce à leur dévotion à l'apôtre ; beaucoup sont localisés en France même, à Lyon, Bourges, Besançon, Vézelay, Toulouse, Poitiers. Ceux qui sont indiqués comme s'étant produits en Espagne ont généralement eu comme bénéficiaires des pèlerins venus du nord des Pyrénées » [25].

Le troisième livre est la relation de la translation du corps de saint Jacques dont il a été question plus haut.

Précédé d'une « lettre-préface » signée de Turpin, « archevêque de Reims et fidèle compagnon de Charlemagne en Espagne » et adressée à Liutprand, doyen d'Aix-la-Chapelle, le quatrième livre est une Histoire de Charlemagne et de Roland dans laquelle l'auteur se propose de combler les lacunes de la *Chronique royale de Saint-Denis* en racontant dans quelles conditions Charlemagne a délivré l'Espagne et la Galice du joug des Sarrasins. Le récit a pour centre l'histoire de la campagne de Roncevaux telle que la raconte la *Chanson de Roland.* « Mais Charlemagne et ses pairs ne sont pas les seuls héros de la *Chronique de Turpin* ; un autre personnage, totalement absent de la *Chanson,* y joue un rôle important, et, peut-on dire, essentiel, puisqu'il est présenté comme l'inspirateur des campagnes menées outre-Pyrénées par l'empereur : ce personnage n'est autre que saint Jacques » [26]. L'ouvrage constitue « un des éléments de la glorification de saint Jacques et de la propagande en faveur de son pèlerinage » [27]. Il vise aussi à légitimer par le glorieux patronage de Charlemagne les ambitions qui furent celles de l'Église compostellane notamment à l'époque de l'évêque Gelmírez.

Le cinquième livre est donc le célèbre *Guide du pèlerin de Saint-Jacques de Compostelle.* Son auteur affiche son origine française. « Lorsqu'il parle des Espagnols, c'est toujours pour les comparer ou les opposer aux Français : ‘ Les gens de Galice, dit-il, sont ceux qui se rapprochent le plus de notre race française ', et ailleurs, parlant des Navarrais : ‘ C'est un peuple barbare, différent de tous les autres peuples, et par ses coutumes et par sa race [...]. Il est semblable aux Gètes et aux Sarrasins par sa malice, et de toute façon ennemi de notre peuple de France ' » [28].

Une lettre qui figure à la fin du cinquième livre et qui se présente comme l'œuvre du pape Innocent II (1130-1143) indique que le *Liber Calixtinus* aurait été donné à l'Église de Compostelle par le Poitevin Aimeri Picaud de Parthenay-le-Vieux. Parmi tant de fausses attributions à des auteurs célèbres, qui sont fréquemment les plus hautes autorités de l'Église, ce renseignement à une valeur d'authenticité peu contestable, puisqu'il concerne un personnage par ailleurs totalement inconnu. Il attire d'autant plus l'attention que le *Guide du pèlerin* parle du Poitou avec une réelle tendresse : « c'est un pays fertile, excellent, regorgeant de toutes les félicités [...]. Les Poitevins sont des gens vigoureux, habiles au maniement des armes, courageux sur le champ de bataille, très rapides à la course, élégants dans leur façon de se vêtir et beaux de visage, spirituels, larges dans l'hospitalité ». On a donc parfois supposé, sans doute avec raison, qu'Aimeri Picaud aurait non seulement fait exécuter la copie du *Liber Sancti Jacobi* qui se trouve à Compostelle, mais qu'il serait en outre l'auteur — ou l'un des auteurs — du *Guide du pèlerin.*

En définitive, le *Liber Sancti Jacobi* « paraît être le fruit du travail d'un ensemble d'auteurs ou de rédacteurs non hispaniques, sans doute français, peut-être venus rassembler leur matière à Compostelle [...] ». « Il a été élaboré au début du XIIe siècle et fut ensuite l'objet de retouches, refontes et amplifications, chaque fois avec des ambitions plus grandes et ce jusqu'au milieu du XIIe siècle » [29]. Dans sa dernière version, il fut, vers 1150, déposé aux archives de la cathédrale de Compostelle où il se trouve toujours.

Les routes françaises

L'AUTEUR DU *GUIDE* s'est préoccupé des itinéraires. Il renseigne sur les régions traversées et sur les précautions à prendre, sur les étapes de la route et les possibilités d'accueil. Mais il fait également connaître des sanctuaires et des lieux dont il conseille la visite. Selon la part respective accordée à ces deux catégories de préoccupations : conseils pratiques ou renseignements de nature « culturelle », on distingue clairement deux parties dans l'ouvrage : l'une concerne le territoire français, l'autre la section espagnole du trajet.

Sur le territoire français le *Guide* privilégie le culte des reliques et celui des héros épiques déjà célébrés par la *Chronique du Pseudo-Turpin*. Selon cette dernière, Charlemagne avait réparti entre un certain nombre de sanctuaires et de cimetières les « reliques » des héros tombés à Roncevaux. Il transporta le corps de Roland jusqu'à Blaye et il l'enterra avec honneur dans l'église Saint-Romain que lui-même avait auparavant construite et dans laquelle il avait établi des chanoines réguliers ; il déposa son épée à sa tête et son cor d'ivoire à ses pieds. Cependant quelqu'un transporta plus tard le cor dans l'église Saint-Seurin de Bordeaux. D'autres héros tombés en Espagne, dont Olivier, furent enterrés à Belin, près de Bordeaux. D'autres encore à Bordeaux même dans le célèbre cimetière de Saint-Seurin. Les mêmes informations, avec des variantes infimes, ont été reprises par le *Guide,* ce qui confirme la dépendance étroite des deux ouvrages l'un par rapport à l'autre.

D'autres combattants de l'armée de Charlemagne en Espagne avaient, selon le Pseudo-Turpin, été enterrés à Arles au cimetière des Aliscamps, non moins célèbre que celui de Saint-Seurin, ayant été comme lui consacré par les plus saints des évêques de Gaule : Maximin d'Aix, Trophime d'Arles, Paul de Narbonne, Saturnin de Toulouse, Front de Périgueux, Martial de Limoges, Eutrope de Saintes. Le *Guide* nous entraîne parmi des tombes de marbre plus nombreuses et plus grandes que celles de n'importe quel autre cimetière, d'un travail varié « portant d'antiques inscriptions sculptées en lettres latines, mais dans une langue inintelligible ».

Le *Guide* a extrait des Chansons de geste un autre compagnon de Charlemagne, son « porte-étendard », Guillaume d'Aquitaine, héros du *cycle* de Guillaume d'Orange. Le pèlerin de Saint-Jacques empruntant la route de Toulouse ne devait pas manquer de faire un détour par Gellone où il avait fini ses jours en ermite et où l'on vénérait son corps.

Ayant toujours à l'esprit ce qui peut favoriser le culte de saint Jacques et en justifier le bien-fondé, l'auteur du *Guide* s'intéresse longuement à trois corps de saints qui, comme celui de l'apôtre, n'avaient jamais pu être enlevés de leur sarcophage. Ce sont ceux du bienheureux Martin de Tours, de saint Léonard du Limousin et du bienheureux Gilles, confesseur du Christ. Ces trois saints font l'objet de développements très importants relatifs non seulement à leur vie, mais aussi à leurs reliques et aux sanctuaires où elles sont vénérées. Parce qu'il l'a admirée de ses propres yeux, l'auteur s'attarde plus particulièrement à décrire la merveilleuse châsse d'or de saint Gilles. Ce saint se rattache d'ailleurs à la légende de Charlemagne, puisque, selon elle, il aurait délivré l'empereur d'un très gros péché.

Mais en bon Poitevin, Aimeri Picaud accorde aussi une attention particulière aux sanctuaires à reliques proches de chez lui. À Poitiers, c'est le très saint corps du bienheureux Hilaire, évêque et confesseur, vainqueur de l'hérésie arienne, qu'il faut vénérer. Son tombeau « est décoré à profusion d'or, d'argent et de pierres précieuses ; sa grande et belle basilique est favorisée par de fréquents miracles ». À Angély, on a construit une autre grande basilique pour abriter le chef de saint Jean-Baptiste « qui fut apporté par des religieux depuis Jérusalem ». Il « y est vénéré nuit et jour par un chœur de cent moines et s'illustre par d'innombrables miracles ». Les renseignements les plus circonstanciés concernent saint Eutrope à Saintes. Lui seul a mérité la publication d'une *Passion*. Dans la « grande basilique, magnifiquement élevée par les fidèles en son honneur et au nom de la sainte et indivisible Trinité », les malades affligés de tous genres de maladies sont rapidement guéris.

L'auteur du *Guide* s'engage à fond dans la défense de ses saints de prédilection lorsqu'ils sont contestés dans leur identité. Avec passion il défend l'authenticité de leurs reliques et confond les imposteurs. Parlant du corps de saint Léonard : « qu'ils rougissent de honte, dit-il, les moines de Corbigny, qui prétendent [l']avoir aussi [...] tandis que ni le plus petit de ses os, ni ses cendres n'ont pu en aucune façon [...] être emportés ». N'ayant pu obtenir le véritable corps de saint Léonard, les moines de Corbigny vénèrent « le corps d'un certain Léotard qui, disent-ils, leur fut apporté d'Anjou dans une châsse d'argent ; ils ont [...] changé son propre nom [...] comme s'il avait été baptisé une seconde fois ; ils lui imposèrent le nom de saint Léonard afin que par la renommée d'un nom si grand et si célèbre [...] les pèlerins viennent là et les comblent de leurs offrandes ». Le plus extraordinaire est que dans ce domaine l'imposture paie. Les mêmes trafics douteux s'établissent autour de saint Gilles et excitent l'ire de l'auteur du *Guide* : « Qu'ils se troublent les moines de Chamalières qui s'imaginent avoir son corps tout entier, qu'ils soient confondus ceux de Saint-Seine qui se glorifient d'avoir son chef ; et de même que soient troublés de crainte les Normands du Cotentin qui se vantent d'avoir son corps tout entier, car en aucune façon ses ossements sacrés n'ont pu, de l'avis de beaucoup, être transportés hors de ces lieux [c'est-à-dire de Saint-Gilles-du-Gard] ».

La géographie de la France à travers le *Guide* consiste en une foule de sanctuaires riches en reliques, dont la célébrité est déjà bien établie et que l'ouvrage entretient encore par la publicité qu'il leur procure. Ce riche fonds de spiritualité et de poésie est distribué le long de quatre routes auxquelles le *Guide* donne un point de départ tout à fait fictif : Orléans pour la route la plus occidentale passant par Saint-Martin de Tours, Saint-Hilaire de Poitiers, Saint-Eutrope de Saintes et la ville de Bordeaux ; Sainte-Marie-Madeleine de Vézelay (dont on connaît les liens avec le *Codex Calixtinus*) pour la route passant par Saint-Léonard en Limousin et la ville de Périgueux ; Le Puy pour la route du Massif Central passant par Sainte-Foy de Conques et Saint-Pierre de Moissac ; enfin Arles pour la route de Languedoc passant par Saint-Gilles-du-Gard, Montpellier, Toulouse et le Somport.

1

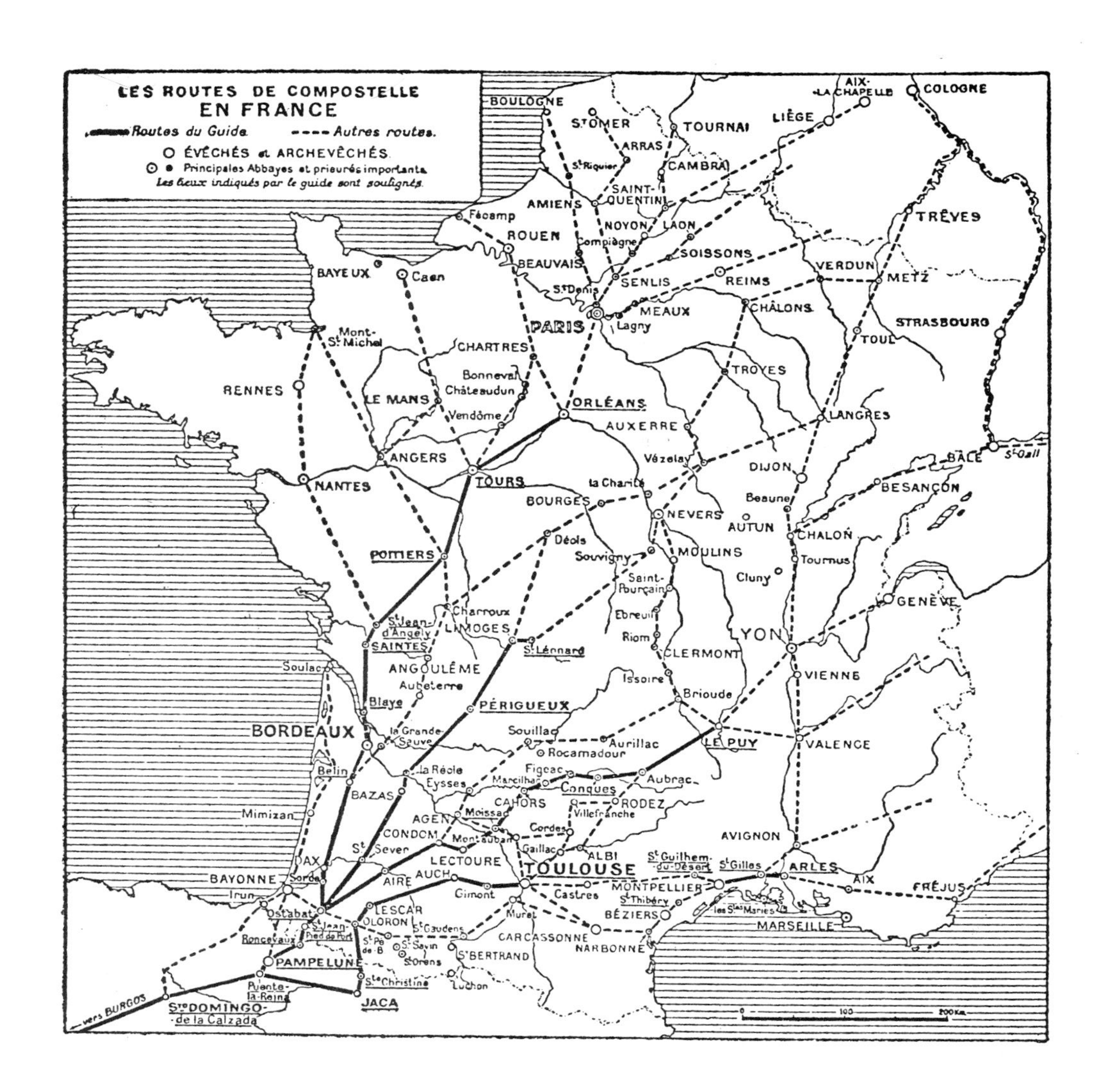

1. Les routes de Compostelle en France.
D'après Élie Lambert.

Le *camino francés*

LES RÉALITÉS MATÉRIELLES, à peu près absentes dans la partie française du *Guide,* où l'on s'intéresse surtout à l'épopée, à l'hagiographie, à l'art et aux pratiques de la dévotion, reprennent leurs droits dès que l'on passe les Pyrénées. 2

Les pèlerins utilisent deux cols pour franchir la chaîne. Ceux qui viennent de Toulouse passent par le Somport où ils sont accueillis par le grand hospice de Sainte-Christine. Les trois autres routes se réunissent à Ostabat et la traversée des Pyrénées se fait alors par le col d'Ibañeta. Des sites parlent à nouveau à l'imagination épique. L'esprit s'enflamme à la vue du rocher que Roland, « ce héros surhumain fendit d'un triple coup de son épée du haut jusqu'en bas, par le milieu. Ensuite, on trouve Roncevaux où jadis eut lieu la grande bataille dans laquelle le roi Marsile, Roland, Olivier, avec quarante mille autres guerriers chrétiens et sarrasins, trouvèrent la mort ». Un hospice dit de Roland venait d'être fondé et sans doute n'offrait-il pas encore les attraits que lui prête un poème descriptif du début du XIIIe siècle [30].

Après Roncevaux, les étapes s'alignent d'une manière linéaire. Elles sont au nombre de seize plus ou moins longues, plus ou moins courtes. Il ne s'agit que d'une sèche énumération. Il est précisé que certaines se font à cheval. On cite aussi diverses localités pour permettre aux pèlerins de prévoir les dépenses auxquelles le voyage les entraînera. Après avoir signalé les riches possibilités de ravitaillement offertes par Estella, le *Guide* attire

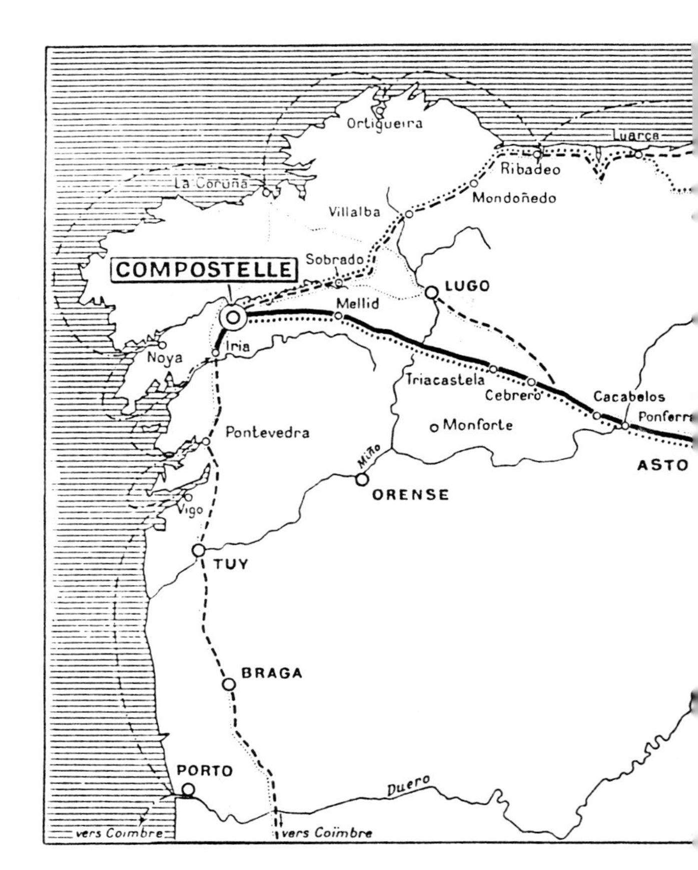

2. Les routes de Compostelle en Espagne. *D'après Élie Lambert.*

l'attention sur Carrión « qui est une ville industrieuse et prospère, riche en pain, en vin, en viande et en toutes sortes de choses ; puis il y a Sahagún, où règne la prospérité [...]. Puis il y a [...] la ville de León, résidence du roi et des cours, pleine de toutes sortes de félicités [...] enfin Compostelle, pleine de toutes délices ».

D'autres renseignements tout aussi pratiques concernent la qualité des eaux, aussi utile à connaître pour les hommes que pour leurs montures.

Il convenait de décrire les pays traversés et de s'attacher au caractère de leurs habitants. Les pèlerins se méfieront des péagers basques, « qui sont franchement à envoyer au diable », parce qu'ils leur imposent le tribut qu'ils ne devraient exiger que des marchands, et davantage encore des Navarrais, « peuple féroce et sauvage, malhonnête et faux, impie et rude, cruel et querelleur, inapte à tout bon sentiment, dressé à tous les vices et iniquités ». Après la forêt d'Oca, c'est la terre d'Espagne et d'abord la Castille et sa campagne, « pays plein de richesses, d'or et d'argent », produisant « du fourrage et des chevaux vigoureux ; le pain, le vin, la viande, les poissons, le lait et le miel y abondent. Cependant, il est dépourvu de bois et peuplé de gens méchants et vicieux ». Puis on trouve la Galice, où « la campagne est boisée, arrosée de fleuves, bien pourvue de prés et d'excellents vergers ». Toutes les denrées abondent, de même que l'or, l'argent, les tissus, « ainsi que les somptueux trésors sarrasins [une orfèvrerie préromaine ?] ». Nous savons déjà que, au dire du *Guide,* les gens de Galice étaient ceux qui se rapprochaient le plus de la race française par leurs coutumes. On retient que si le pèlerinage a

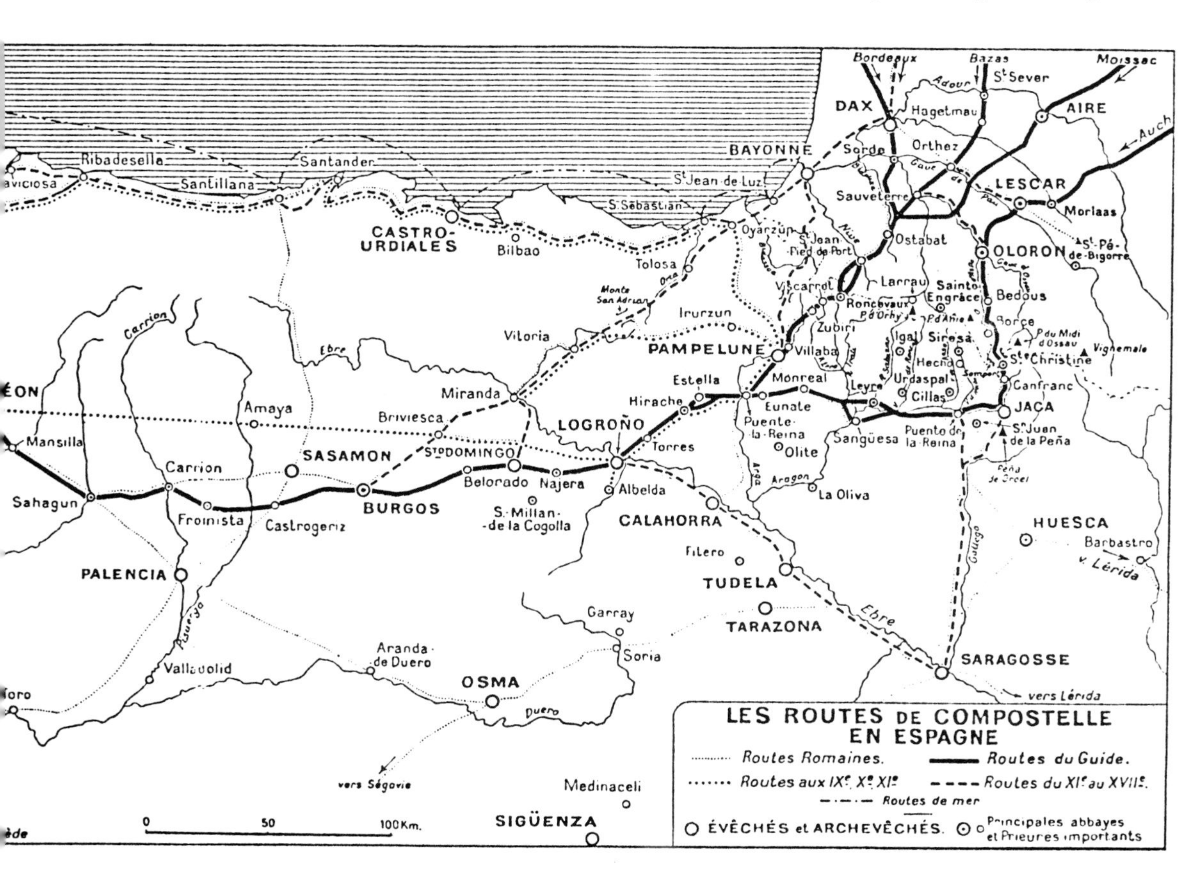

le mérite de mettre en contact des peuples qui jusqu'alors s'ignoraient, il est impuissant à abattre le mur des préjugés. On aimerait connaître le jugement que les peuples d'Espagne, quant à eux, portaient sur les Français.

Enfin Compostelle

LA LITTÉRATURE JACOBITE avait pour but d'une part de célébrer l'universalité, l'ancienneté et l'intensité du culte rendu à l'apôtre, d'autre part de magnifier l'église de Compostelle, y compris dans son aspect artistique. Ce dernier objectif fait plus particulièrement l'objet de la dernière partie du *Guide du pèlerin.*

Après avoir présenté la ville et ses églises, celui-ci procède à une description du monument essentiel, la basilique de saint Jacques. Il s'agit d'un texte à la fois technique et sensible, qui fait pénétrer dans la mentalité artistique du temps. L'auteur « compare l'église à un grand organisme humain [...]. L'église a neuf nefs au rez-de-chaussée et six à l'étage. Elle a un chef principal, c'est-à-dire la chapelle où se dresse l'autel du Saint Sauveur. Ce chef est ceint du déambulatoire, comme d'une couronne. La grande nef s'étend comme un corps, dont les transepts forment les bras... C'est d'ailleurs en fonction de mesures humaines *status* (tailles), *capita* (têtes), *palmæ* (palmes) que toutes les dimensions se calculent. Après avoir indiqué les mesures principales [...] le visiteur s'extasie devant l'ensemble éclatant de la cathédrale [...]. Devant les portails, l'admirateur ne trouve pas de mots adéquats : *pulchre sculpuntur*. Mais le portail occidental fait éclater son enthousiasme. C'est beau, c'est grand, c'est d'un métier merveilleux et d'une variété innombrable de figures : on y accède par un escalier monumental, on y admire des colonnes de marbres variés et en sculpture toutes les merveilles de l'univers : hommes et femmes, animaux et oiseaux, anges et saints, fleurs et motifs décoratifs. C'est inexprimable [...]. Et voici les jugements architecturaux qui ramassent en une brève synthèse toutes les raisons esthétiques du Moyen Âge [...]. La cathédrale est d'une unité parfaite, sans joints apparents, sans lézardes, sans défauts dans la maçonnerie. Elle est d'un effet merveilleux : large et spacieuse, toute claire, ayant la grandeur qu'il faut et les proportions de longueur, de largeur, de hauteur, qui conviennent. Elle prouve un métier admirable et ineffable et fait l'impression d'un palais royal à deux étages. Celui qui serait resté insensible en la contemplant du bas et serait monté vers l'étage, le cœur encore accablé de tristesse, ne saurait, en admirant d'en haut la beauté extrême de cette architecture, résister à la joie et au bonheur » [31].

Dès 1105, à l'occasion d'une consécration, Diego Gelmírez avait fait exécuter le décor de l'autel majeur dont les éléments principaux étaient un devant d'autel et un baldaquin [32].

La *tabula argentea* du devant d'autel était, comme son nom l'indique, une planche d'argent. De dimensions considérables (1x2,50 m), elle avait certains de ses détails en or ou dorés. Au centre était représentée la Vision apocalyptique du Christ en majesté entouré des vingt-quatre Vieillards. Les symboles des évangélistes paraissaient soutenir le trône [33]. De part et d'autre, en deux registres superposés, les douze apôtres étaient représentés sous des arcades aux « très belles colonnes ». L'encadrement était assuré par des motifs floraux. Une inscription de dédicace en vers indiquait à la partie supérieure : « Diego II [Gelmírez] évêque de Saint-Jacques fit faire ce parement la cinquième année de son épiscopat. Il a coûté au trésor de Saint-Jacques quatre-vingts marcs d'argent moins cinq ». Et en bas cette autre inscription : « Le roi était alors Alphonse, le duc, son gendre Raymond, l'évêque, le susdit Diego, quand cette œuvre fut achevée ». On peut en conclure que le roi Alphonse VI et son gendre Raymond de Bourgogne avaient contribué avec le chapitre, et l'évêque qui l'avait commandée, au paiement de l'œuvre.

Un ciborium de plan carré, reposant sur quatre colonnes, surmontait l'autel. Son toit, probablement pyramidal, s'achevait par une boule d'argent sur laquelle se dressait une croix d'orfèvrerie.

À l'intérieur, les divers pans du toit étaient décorés par huit vertus. Au-dessus de leurs têtes, des anges en nombre égal portaient la gloire de l'Agneau, un motif qui était également utilisé à l'époque pour la décoration peinte des voûtes de certains chœurs d'églises, et qui évoquait l'offrande des saints anges dont il est question au Canon de la messe [34].

À l'extérieur, au premier registre, quatre anges sonnaient de la trompette, deux sur la face antérieure et deux sur la face postérieure. Au même niveau on avait représenté Moïse et Abraham sur la face gauche ; Isaac et Jacob sur celle de droite. Ces personnages de l'Ancienne Loi tenaient à la main des phylactères où étaient écrites leurs prophéties particulières. Au registre supérieur les douze apôtres étaient assis par groupes de trois.

Au sommet du ciborium était sculptée la Trinité. Chacune des personnes divines se trouvait sous une arcade. « Au-dessus du toit même du dais, quatre anges étaient assis comme s'ils gardaient l'autel ; en outre, aux quatre angles du ciborium et à la base du toit, les quatre évangélistes étaient sculptés avec leurs traits distinctifs » [35].

Trois grandes lampes d'argent étaient suspendues devant l'autel de saint Jacques en l'honneur du Christ et de l'apôtre. Celle du milieu, très grande, ressemblait à un grand mortier et comprenait sept alvéoles, où des lampes étaient posées pour figurer les sept dons du Saint-Esprit. L'alvéole du milieu était la plus grande. Sur chacune des six autres, deux figures d'apôtres étaient sculptées en dehors. Il s'agissait d'un don du roi d'Aragon Alphonse le Batailleur.

À l'autel de saint Jacques nul ne pouvait dire la messe s'il n'était évêque, archevêque, pape ou s'il ne possédait le titre honorifique de « cardinal » de cette église.

La route de Compostelle et l'art

LE GRANDIOSE ENSEMBLE de Compostelle était le dernier des grands sanctuaires égrenés le long de la route du pèlerinage et répondant au souci de la grandeur et de la beauté considérées à l'époque comme des attributs du sacré.

Une famille architecturale

OR, IL SE TROUVE que sur chacune des routes du pèlerinage, telles qu'elles sont tracées sur le territoire français par le *Guide du pèlerin,* se dresse une grande église dont la structure reproduit les dispositions architecturales essentielles de la cathédrale de l'apôtre, c'est-à-dire Saint-Sernin de Toulouse, Sainte-Foy de
3 Conques, Saint-Martial de Limoges et Saint-Martin de Tours.

Pour rendre compte de ces parentés, Élie Lambert [36] avait imaginé l'existence d'une « école des grandes églises romanes de la route de pèlerinage » définies par l'existence : en plan d'un vaste transept saillant pourvu de collatéraux prolongeant ceux de la nef et d'un chevet à déambulatoire à chapelles rayonnantes, et, en élévation, de vastes tribunes élevées tant dans la nef que dans le transept et le chœur. En outre, il s'agissait de structures entièrement voûtées dont toutes les composantes contribuaient efficacement à la stabilité de l'ensemble. Pour cette raison,la nef et le transept ne recevaient qu'un éclairage indirect à travers les collatéraux et les tribunes. « Saint-Jacques de Galice représente l'œuvre principale, la plus complète et la plus parfaite de cette école, non le modèle et le point de départ, mais bien plutôt l'aboutissement dernier, unique en son genre au sud des Pyrénées ». Si l'on remplace le terme d'« école », relevant d'une conception périmée de l'histoire de l'architecture romane, par un autre plus neutre comme celui de « famille », on reconnaîtra le bien-fondé de l'idée d'Élie Lambert. Les routes du pèlerinage de Compostelle ont contribué à la naissance et au développement d'un type d'édifice remarquablement adapté à la fonction d'une église abritant le corps sacré d'un saint de grand renom : exalter sa présence, procurer les meilleures conditions possibles à l'exercice du culte divin par la communauté monastique ou canoniale en assurant la garde, enfin accueillir les pèlerins même aux jours de grande presse [37]. Deux de ces monuments — Saint-Martin de Tours et Saint-Martial de Limoges — ont disparu, mais à une époque suffisamment récente pour qu'on ait pu en garder des souvenirs précis. Les trois autres sont conservés.

Sur le plan de la chronologie l'ordre s'établit de la manière

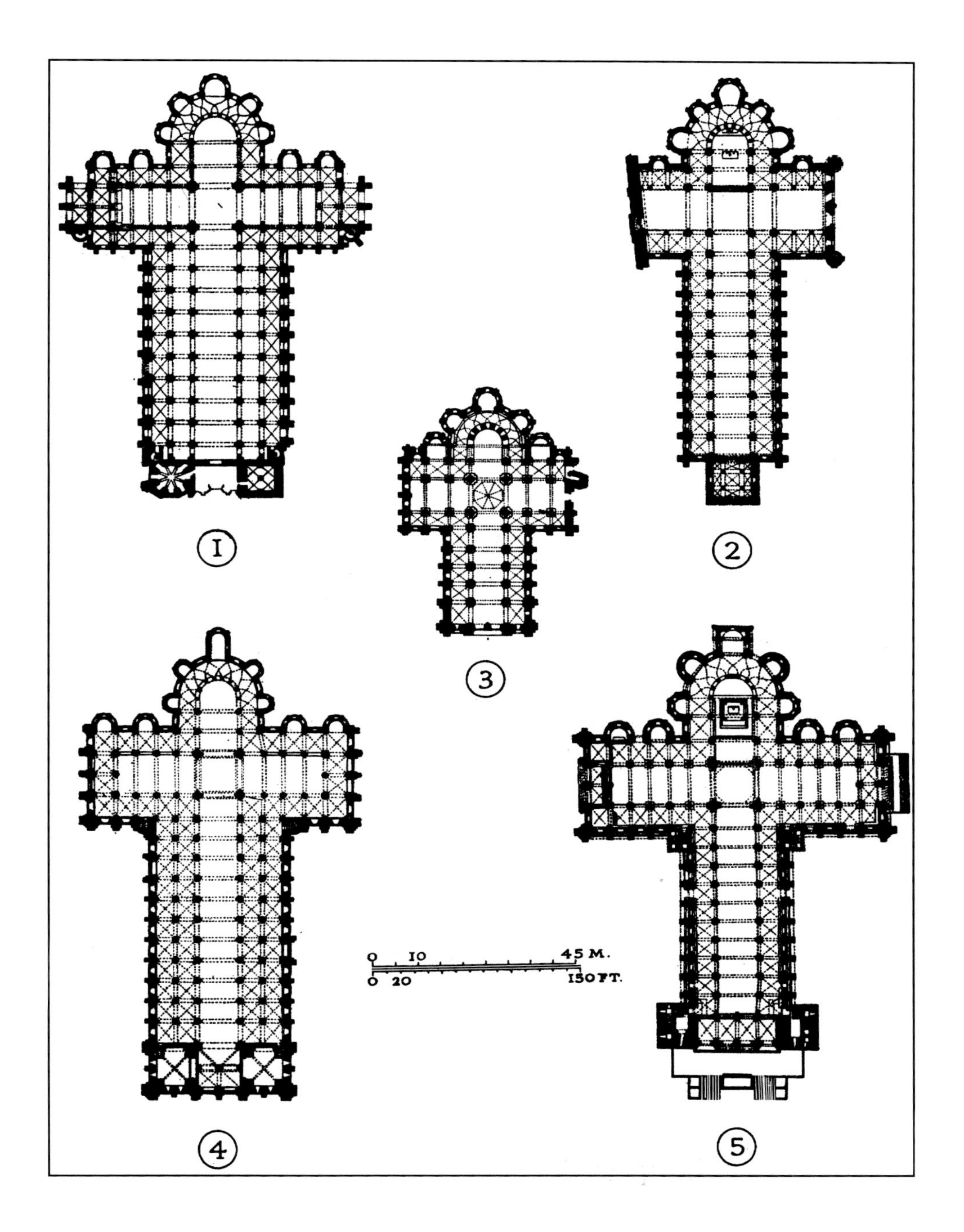

3. Plan des cinq grandes églises de la route de Compostelle :
1. Saint-Martin de Tours ;
2. Saint-Martial de Limoges ;
3. Sainte-Foy de Conques ;
4. Saint-Sernin de Toulouse ;
5. Saint-Jacques de Compostelle.

D'après K. J. Conant.

suivante. En premier lieu vient l'abbatiale de Sainte-Foy de Conques, sur la *via Podensis.* Elle fut commencée par l'abbé Odolric (v. 1030-1065), et elle présente encore des imperfections convenant à une tête de série. Bien que la chronique indique que l'abbé Odolric *basilicam ex magna parte consummavit,* seule une partie relativement faible du monument remonte aux origines.

La construction de Saint-Martial de Limoges — située à une vingtaine de kilomètres seulement de Saint-Léonard, une étape essentielle de la *via Lemovicensis* ou *Limosina* — fut l'œuvre des Clunisiens établis dans le monastère en 1062 et plus spécialement de l'abbé Adhémar qui en assura le gouvernement durant un demi-siècle, de 1064 à 1114. Les chroniques disent expressément qu'il fit voûter la nef et décorer de peintures l'intérieur de l'église. Avant sa mort, il put encore passer à l'édification du cloître et des bâtiments monastiques. C'est donc un monument dont la construction devait être très avancée lorsqu'il fit l'objet d'une dédicace de la part du pape Urbain II le 30 décembre 1095. Il fut complètement détruit entre 1792 et 1797 et on n'en a conservé qu'un nombre restreint de chapiteaux [38].

On manque de renseignements précis sur le début des travaux à Saint-Sernin de Toulouse, mais l'étude comparative montre qu'il se situe sans doute très peu de temps avant l'ouverture du chantier de Compostelle, que deux textes différents s'accordent à fixer en 1078.

Le cinquième et dernier édifice de la série, Saint-Martin de Tours a été démoli comme Saint-Martial de Limoges à l'époque révolutionnaire. Sa chronologie demeure controversée. Le *Guide du pèlerin* affirme que la basilique avait été élevée « à l'image de l'église de Saint-Jacques ». Des archéologues ont prétendu au contraire que son déambulatoire à chapelles rayonnantes représentait le premier exemple en France de cet élément d'architecture. L'histoire complexe de ce monument tendrait à prouver qu'il ne pouvait revendiquer une semblable ancienneté mais que la postérité par rapport à Compostelle n'était pas davantage établie [39].

Architecture et sculpture

ON CONSTATE qu'il n'existe pas un type de sculpture correspondant à cette famille architecturale prise dans son ensemble. La corrélation ne s'établit que pour trois monuments seulement : Sainte-Foy de Conques, Saint-Sernin de Toulouse et Saint-Jacques de Compostelle et elle tient moins à la communauté de structure architecturale qu'à l'apparition et à la diffusion de la sculpture de la route du pèlerinage qui concerne aussi des édifices de caractère très différent.

Les rapports entre la sculpture et l'architecture sont d'un autre ordre. On sait, par l'exemple de Compostelle en 1078, que le maître d'une œuvre donnée rassemblait une équipe de tailleurs de pierre avant d'ouvrir le chantier. Sans doute est-ce parmi eux qu'il choisissait nombre de ses sculpteurs : sûrement pour l'exécution des chapiteaux à feuilles lisses qui vont se répétant, et vraisemblablement encore pour des œuvres plus différenciées, mais offrant néanmoins un air de famille qui est la marque de l'atelier et le signe de l'émergence d'une tradition locale.

L'architecte était-il lui-même sculpteur ? On a cru pouvoir l'affirmer en s'appuyant sur un autre exemple emprunté encore à Compostelle. En 1101, le « maître de l'œuvre de Saint-Jacques », qui s'appelait alors Étienne, travaillait à la cathédrale de Pampelune. Or il se trouve que ce dernier édifice a possédé des œuvres dans le plus pur style compostellan. Celles qui ont été conservées, provenant du portail occidental démoli à la fin du XVIIIe siècle, ne sauraient cependant, d'après leurs caractères, dater du tout début XIIe siècle. Leur date semble plus proche de celle de la consécration de la cathédrale réalisée en 1127 [40]. Une attribution à maître Étienne paraît ainsi fort peu vraisemblable. Ce qui ne saurait être nié, par contre, c'est la venue à Pampelune de sculpteurs formés sur le chantier de Compostelle. Autrement dit, à côté d'un personnel stable, installé à demeure, il existait des artistes voyageurs qui se déplaçaient d'un centre à l'autre, en groupe ou isolément : une observation qui se vérifiera à diverses reprises.

Reste le problème de l'endroit où étaient réalisées les sculptures. Autrement dit, étaient-elles faites avant ou après la pose. Cette question a été rarement posée et nous ne disposons actuellement que de peu d'éléments de réponse. On peut cependant penser que les deux procédés furent utilisés conjointement. D'ailleurs, quel que soit le cas, il ne semble pas qu'on ait fait entrer l'évaluation de la distance et de l'angle de vision dans la composition des sculptures sur les faces des chapiteaux et les plaques assemblées sur les portails. Seuls les modillons des corniches, lorsqu'ils étaient entièrement vus dans l'espace et donc indépendants des surfaces, offrent des rapports de proportions et des déformations correspondant à de telles préoccupations.

DEUXIÈME PARTIE

LA MISE EN PLACE DU STYLE

1. Le chevet de Sainte-Foy de Conques

L'abbaye de Conques durant la seconde moitié du XIe siècle

CONQUES fit une profonde impression sur Prosper Mérimée lorsqu'il découvrit le village le 30 juin 1837. « Au milieu des âpres montagnes du Rouergue [...] on ne pouvait choisir un lieu plus mélancolique et plus convenable à des âmes pieuses qui voulaient fuir le monde » [1]. Aucune route importante ne traversant encore la localité de nos jours, les choses n'ont guère changé depuis cette époque. Rien de mélancolique au demeurant dans la belle composition formée par l'ancienne abbatiale et le vieux village qui en est issu. Par contre, le terme de piété correspond bien au sentiment qui soulève l'âme dans ce haut lieu de l'art roman par où va commencer notre enquête [2].

La création d'une abbaye à Conques se rattache au grand courant de réforme monastique dirigé à l'époque carolingienne par saint Benoît d'Aniane. En 819, le roi Louis le Pieux plaça cette maison sous sa protection et Pépin, roi d'Aquitaine, fit de même en 838. Ce roi y ajouta une faveur qui faillit bien se retourner contre elle. Considérant les difficultés de la vie matérielle à Conques, en raison du climat rigoureux et du sol infertile, il offrit aux moines une installation plus confortable à Figeac. Un certain nombre d'entre eux descendirent dans la « Nouvelle Conques », et ce monastère, d'abord simple annexe, devint bientôt un rival. L'ancienne maison ne dut son salut qu'à l'arrivée d'un de ces corps de martyrs dont la possession était tout à la fois un gage de revenus matériels et la source de grâces spirituelles.

Ce corps est celui de sainte Foy d'Agen, martyrisée à l'âge de douze ans, le 6 octobre 303, sur ordre du « préfet » Dacien, et dont les reliques étaient conservées dans une église située aux portes de la ville [3]. La date de leur transfert à Conques correspondrait au 14 janvier 866 [4]. Peut-être l'événement doit-il être mis en relation avec le lamentable exode des moines fuyant les invasions normandes en emportant avec eux les précieuses reliques dont ils avaient la garde. Les monastères retirés du Massif Central constituaient pour eux les plus sûrs des abris. La concordance chronologique est frappante, puisque les Normands assiégèrent Toulouse en 862 et qu'ils effectuèrent plusieurs incursions dans la vallée de la Garonne durant les années suivantes [5]. Cependant, le récit de la translation du corps de sainte Foy ignore ces circonstances historiques et se présente comme un récit pittoresque où s'étale une innocente rouerie. Les Bollandistes ont publié deux récits de l'événement, l'un en vers, datant de la seconde moitié du Xe ou du premier quart du XIe siècle, l'autre en prose, un peu postérieur [6].

C'est à la suite de plusieurs tentatives malheureuses pour se procurer des reliques, que les moines de Conques prirent la résolution de s'emparer subrepticement de celles de sainte Foy. Nous sommes en présence de l'une de ces « translations furtives », phénomène commun dans la littérature hagiographique, qui ne compte pas moins de quatre-vingts récits de cette nature [7]. Le plan imaginé ne manquait pas d'ingéniosité et le ciel se montra favorable à son bon développement. En plein accord avec sa communauté, Ariviscus, un moine de Conques à l'esprit délié et aux manières enveloppantes, échangea un jour le froc monastique contre l'habit de pèlerin et partit pour Agen avec un guide qui demeura son compagnon. Dans la ville il fit l'édification de tous par la sainteté de ses mœurs, en sorte que non seulement les clercs veillant sur le corps de sainte Foy l'admirent parmi eux, mais qu'ils lui confièrent la garde de leur trésor. Un jour où l'on célébrait l'Épiphanie, alors que tous festoyaient au réfectoire, l'homme en qui ils avaient mis leur confiance se rendit au sarcophage et, avec l'aide de son complice, il y pratiqua une ouverture suffisamment grande pour y faire passer les reliques. Munis de leur larcin, les deux hommes regagnèrent Conques où « la vierge martyre fut saluée par d'unanimes acclamations ».

Les miracles, cependant, furent longs à venir. Vers le milieu du siècle suivant, un unique cierge brûlait à l'autel, preuve que l'église demeurait pauvre et peu fréquentée. Le miracle décisif, qui entraîna tous les autres, eut lieu vers 983 : un certain Guibert retrouva la vue après avoir eu les deux yeux arrachés. On pouvait voir le miraculé, surnommé *l'Illuminé,* vendant les cierges, un commerce désormais prospère. Sainte Foy allait se spécialiser dans la guérison des yeux malades, ainsi que dans la libération des prisonniers. Ceux-ci vinrent offrir des chaînes en ex-voto. Il y en eut bientôt une telle quantité qu'on s'en servit pour fabriquer les grilles du chœur.

Alors que la plupart des saints ne tiraient de leurs miracles qu'un surcroît de gloire et les offrandes qu'on voulait bien leur faire, sainte Foy en fit une manière de commerce. Franchement cupide, elle n'hésitait pas à forcer la main aux récalcitrants. Elle était surtout avide d'or et de bijoux. La comtesse Arsinde de Toulouse, épouse du comte Guillaume Taillefer, en fit l'expérience (vers 1020 ?). La sainte lui apparut en songe et lui ordonna de porter sur l'autel « deux précieux bracelets d'or, ou plutôt deux manches qui montaient jusqu'aux coudes, émaillées de pierres précieuses et d'un travail merveilleux ». En échange, la comtesse lui demanda d'obtenir un fils de la bonté de Dieu. Ainsi fut fait : l'épouse de Guillaume Taillefer mit au monde un enfant mâle, un second même quelque temps après, et la sainte reçut les superbes bijoux qu'elle convoitait et dont l'or servit à la confection d'un autel. Celui-ci entra dans le trésor ayant déjà pour pièce majeure la statue-reliquaire de la sainte, qui envoûta l'écolâtre d'Angers Bernard, l'auteur des deux premiers livres du *Liber miraculorum sanctæ Fidis* [8], d'où sont extraits les renseignements dont il vient d'être fait état. Il les écrivit à l'occasion de trois voyages qu'il fit à Conques entre 1010 et 1020. Les deux derniers livres furent ajoutés dans la seconde moitié du XIe siècle par un moine de l'abbaye.

La puissance de sainte Foy, assise sur une solide réputation, fit affluer les donations. Conques eut de nombreuses possessions jusqu'en Angleterre et en Piémont, en Catalogne et en Navarre. L'analyse du Cartulaire [9] a permis à Jacques Bousquet de dresser une courbe de la prospérité du monastère. Les grandes acquisitions commencent sous l'abbé Odolric (avant 1031-1065) et ne se ralentissent qu'à la fin de l'abbatiat de Bégon (vers 1087-vers 1107), ou tout de suite après la disparition de ce grand abbé [10].

Conques entra aussi dans le circuit du pèlerinage de Compostelle. Un rôle de premier plan dans la création du réseau des relations espagnoles fut joué par le moine de Conques Pierre d'Andouque, qui devint évêque de Pampelune aux environs de 1080. « Sous son épiscopat l'abbaye reçut plusieurs donations en Navarre. Le Cartulaire indique : ‘ Il exerça une grande influence à la cour des rois de Navarre et d'Aragon. Il assista aux conciles qui se tinrent à cette époque dans le Midi de la France, particulièrement à Toulouse, où il périt dans une sédition en 1104. C'était un prélat lettré ' » [11]. Il introduisit le culte de sainte Foy dans la lointaine Galice : il consacra de ses mains, en 1105, un autel sous son vocable dans une chapelle du déambulatoire de la cathédrale de Compostelle. Il joua un rôle dans la Reconquête. « Les donations faites à sainte Foy par les rois et les nobles espagnols sont maintes fois accompagnées d'allusions à la croisade contre les Maures : le chevalier qui part en campagne se met sous la protection de la sainte ; de retour, il la remercie de l'avoir préservé des dangers. Le document le plus célèbre émane du roi d'Aragon Pierre Ier : assiégeant Barbastro en 1101, il fait vœu ‘ de donner au saint Sauveur, à la glorieuse vierge de Conques et à l'abbé Bégon, ainsi qu'aux moines actuels et futurs de ce monastère, la plus grande et la plus belle mosquée de cette ville, exception faite de celle qui doit devenir la cathédrale '. Victorieux, le roi tint sa promesse et, de plus, mit son royaume tout entier sous la protection de sainte Foy. Plus tard, enfin, il répéta le même engagement en allant à l'assaut de Saragosse [...] » [12]. Le premier évêque de Barbastro fut un moine de Conques, Pons, qui fit don à l'abbaye, en 1116, d'un autel portatif encore conservé dans le trésor.

L'exceptionnelle prospérité de Conques au XIe siècle, son large rayonnement, l'intimité de ses relations avec l'Espagne peu avant et peu après 1100 sont des données fondamentales que nous n'aurons garde d'oublier.

L'abbatiale

L'ÉGLISE qui reçut les reliques de sainte Foy en 866 était, selon la *Translatio Sanctæ Fidis* en prose, « sous le titre du saint et très haut Sauveur Jésus-Christ ». Ce vocable aurait été celui de l'autel majeur d'une basilique à collatéraux : un autel encadré à droite par celui de saint Pierre et à gauche par celui de la Vierge Marie. C'est ainsi, semble-t-il, qu'il convient d'interpréter la description de l'abbatiale par Bernard d'Angers : « la basilique offre à l'extérieur, par la diversité de ses toitures, l'apparence d'un triple édifice ; mais à l'intérieur ces trois parties, par l'ampleur de leurs communications, se réunissent en un seul vaisseau. Cette trinité dans l'unité offre, à mon avis, de toute manière, l'image de la souveraine et divine Trinité. Le côté droit est dédié à l'apôtre saint Pierre, le gauche à la sainte Vierge Marie et la nef du milieu au Saint Sauveur. Mais comme cette nef est plus fréquentée à cause de la célébration de l'office divin, on y a transféré des reliques insignes de la sainte martyre, extraites du local spécial qu'elles occupent » [13]. Ce local était un espace ménagé derrière l'autel du Sauveur, où le corps reposait sous un superbe monument tout rutilant d'or et de pierres précieuses.

Au Xe siècle, l'évêque de Clermont, Étienne, qui s'intéressait au monastère, avait fait construire au chevet de l'église un vaste et bel oratoire, avec l'intention d'y placer les reliques de la sainte pour en faciliter l'accès à ses dévots. Cependant, toujours selon la *Translatio*, la sainte aurait manifesté son refus de s'y laisser transporter. Lors de la restauration du chœur de l'église de Conques, on retrouva le 4 août 1876, immédiatement sous le pavement, les fondations d'une rotonde construite en petit appareil. Jean Hubert identifie ce monument à l'oratoire du Xe siècle et le compare aux constructions à plan central, à destination à la fois funéraire et cultuelle, élevées en Bourgogne à l'est d'un sanctuaire à crypte abritant un corps saint (Saint-Germain d'Auxerre, Saint-Pierre de Flavigny, Saint-Pierre-le-Vif à Sens) [14]. La signification de ce complexe architectural d'origine étrangère n'aurait plus été comprise à Conques lors de la rédaction de la *Translatio*. On expliqua par une volonté de la sainte la présence surprenante de son corps dans un espace étroit et d'accès malcommode alors que, tout à côté, un édifice relativement vaste semblait tout destiné au culte public de ses reliques.

En raison d'un afflux toujours croissant de pèlerins, l'on dut se résoudre à une solution beaucoup plus radicale : la reconstruction de l'abbatiale sur des bases nouvelles. Son histoire peut s'appuyer sur plusieurs sources et d'abord sur la « Chronique » de Conques [15], un document formé de deux parties. La première, allant jusqu'à l'an mil, repose essentiellement sur le Cartulaire. La seconde est d'un intérêt beaucoup plus considérable pour notre propos [16].

Ainsi apprend-on que l'église fut commencée par l'abbé Odolric (avant 1031-1065) dont il est fait un vibrant hommage. On le dit « orné de vertus et de bonnes mœurs, décoré de toute forme de beauté ». Il construisit la basilique dans sa plus grande partie *(basilicam ex maxima parte consummavit)* et il fit transporter le corps de sainte Foy de l'ancienne église dans la nouvelle.

Un peu plus loin, la Chronique rapporte que l'abbé Bégon (vers 1087-vers 1107) « a construit le cloître, enchâssé dans l'or beaucoup de reliques, fait exécuter le livre des Évangiles et favorisé le monastère de nombreux bienfaits ».

De l'abbé intermédiaire, Étienne II, il est dit que, élu du vivant d'Odolric, il maintint une discipline parfaite selon les règlements établis par les rois bienfaiteurs, ce qui était une manière de s'appuyer sur la tradition carolingienne pour faire front aux ambitions de Cluny qui avait mis la main sur Figeac en 1074.

Avec Bégon, la Chronique s'interrompt. On s'en étonnera, car cet abbé eut un successeur non moins magnifique que lui en la personne de Boniface (vers 1107-vers 1125), qui maintint notamment en activité le remarquable atelier d'orfèvrerie établi par son prédécesseur [17]. Il faut donc admettre que la Chronique fut rédigée avant la fin de l'abbatiat de Boniface, puisque celui-ci, qui méritait d'y figurer, n'est pas mentionné.

D'autres renseignements sur le début des travaux sont procurés par une bulle d'indulgences obtenue par l'abbé Odolric. Ce document, transmis dans de mauvaises conditions, a fait l'objet de nombreuses discussions [18]. Nous adopterons généralement à son sujet les points de vue de Jacques Bousquet [19]. Son auteur, le pape Alexandre II (1061-1073), après avoir rappelé que l'église alors en construction était destinée à assurer « une grande et générale absolution » — allusion à son rôle d'église de pèlerinage —, ajoute une autre remise des peines temporelles à quiconque, après s'être confessé et avoir obtenu l'absolution de ses fautes, visitera l'église pour la fête de la dédicace ou celle de sainte Foy. La bulle mentionne d'autres indulgences accordées par le métropolitain de Bourges et d'autres évêques réunis à Conques, probablement entre 1042 et 1051, peut-être à l'ouverture du chantier, vers le milieu du siècle.

*
**

Par son architecture, Sainte-Foy de Conques appartient au type des grandes églises dites de pèlerinage (Saint-Jacques de Compostelle, Saint-Sernin de Toulouse, Saint-Martial de Limoges, Saint-Martin de Tours), dont les caractéristiques sont bien connues [20]. Il s'agit, comme nous l'avons dit plus haut, d'édifices parfaitement adaptés à remplir deux fonctions apparemment contradictoires : ménager un lieu de calme pour le déroulement paisible de l'office liturgique et parallèlement s'ouvrir largement aux foules des pèlerins et en canaliser les déplacements. Ces églises sont ainsi tout à la fois de gigantesques *martyria,* des espaces liturgiques où officiaient les moines ou les chanoines gardiens du tombeau du saint, et des lieux publics où les pèlerins accomplissaient leurs dévotions. Les dispositions architecturales inscrivent ces objectifs en filigrane dans la rigueur et l'harmonie des formes d'un art roman parvenu à sa maturité. En plan, des collatéraux bordent la nef et les croisillons du transept et se prolongent encore autour de l'abside en formant un déambulatoire sur lequel s'ouvrent des chapelles rayonnantes. D'autres chapelles, dirigées vers l'est, sont greffées sur les bras du transept. En élévation, les bas-côtés sont surmontés par des tribunes dont les voûtes en quart de cercle contrebutent le berceau du vaisseau central. Ainsi la nef est dépourvue d'éclairage direct, sans être obscure pour autant, car elle baigne dans une lumière tamisée qui a traversé les bas-côtés et les tribunes. Les bras de transept sont traités de la même manière et une tour-lanterne se dresse à la croisée. Les tribunes continuent dans la travée droite du chœur, mais disparaissent dans l'abside. Elles sont remplacées par un passage plus bas, éclairé de l'intérieur et surmonté de fenêtres qui forment, tout en haut, une couronne de lumière autour de l'autel. On a particulièrement célébré l'heureuse combinaison des masses du chevet à l'extérieur. Elle n'est pas sans évoquer les compositions des chevets auvergnats. 4

4. Conques, Sainte-Foy, extérieur du chevet.

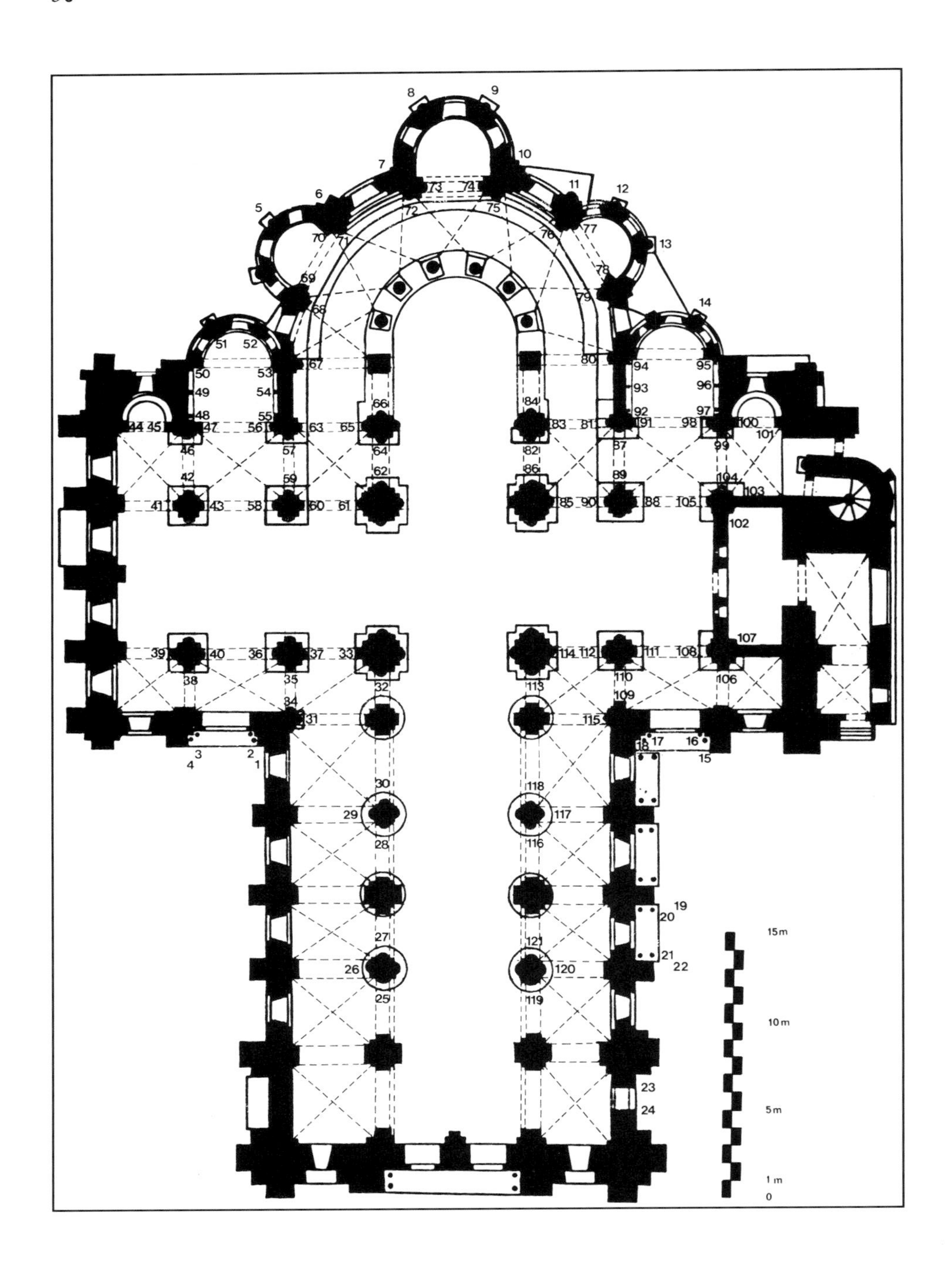

5. Conques,
Sainte-Foy,
plan au sol.
D'après Christoph Bernoulli.

Par rapport aux autres édifices de sa famille architecturale, Sainte-Foy de Conques offre un certain nombre de particularités qui, comme ses dimensions réduites, s'expliquent par son ancienneté — il s'agit d'une tête de série [21]. La nef de six travées est anormalement courte (20,70 m pour une longueur totale de 56 m). Au contraire, le transept atteint déjà une belle ampleur, même si son tracé offre encore quelques imperfections par rapport aux exemples achevés de Saint-Sernin de Toulouse et de Saint-Jacques de Compostelle. Les collatéraux, au lieu de contourner les croisillons sur trois côtés, n'existent qu'à l'est et à l'ouest, avec d'ailleurs des largeurs différentes. Surtout les chapelles du transept présentent des dispositions fort originales. La première, tant à droite qu'à gauche du chœur, est très développée et vient presque toucher la chapelle rayonnante voisine, alors que la seconde, à l'extrémité du croisillon, n'est guère qu'une niche empâtée dans un mur droit. Ces chapelles échelonnées évoquent le type de chevet dit bénédictin, qui aurait été contaminé par le plan à déambulatoire et chapelles rayonnantes — réduites ici à trois au lieu des cinq habituelles dans les autres églises de pèlerinage. Pour expliquer cette combinaison des deux plans, on a parfois supposé un changement de programme en cours de construction, ou deux états successifs, comme à La Charité-sur-Loire où le plan bénédictin primitif fut enrichi plus tard d'un ample déambulatoire à chapelles rayonnantes [22]. La seconde hypothèse a contre elle l'homogénéité du matériau, déjà signalée par Marcel Aubert : « Le mur du déambulatoire et des chapelles rayonnantes, les piles des parties droites du chœur, les chapelles de croisillons, les parties basses des piles du transept [...] sont en grès rouge — provenant des carrières dites de Nauviale, en face du château de Combret — d'un appareil régulier, assez grand, aux joints de mortier rose bien marqués, apprêté à la taille oblique caractéristique du XIe siècle » [23].

Voici donc bien la tranche de travaux effectuée sous l'abbé Odolric entre le milieu du XIe siècle et 1065 date de sa mort, avec cependant un problème. Où se trouvait le corps de sainte Foy qui, selon la Chronique, avait été transporté dans la nouvelle construction ? Seul le sanctuaire constituait l'endroit convenable, mais ses parties hautes — couloir tournant autour de l'abside et étage supérieur de celle-ci —, ainsi que les piles du rond-point, sont construites d'une manière différente : en un appareil moyen, régulier et très soigné, aux joints fins. Le changement de l'appareil correspond d'ailleurs à une modification non moins brutale dans le style des sculptures. D'où l'hypothèse suivante : le sanctuaire du temps d'Odolric a fait l'objet en cet endroit d'une reconstruction vraisemblablement à la fin du XIe ou au début du XIIe siècle. Dans quelles conditions ? Une remarque faite par le second des auteurs du *Livre des miracles,* à la fin de l'œuvre, va nous mettre sur la piste. Après avoir relaté un prodige accompli à l'occasion d'un transport de pierre de taille destinée à la basilique, il constate que « la construction où furent employées ces pierres offre des lézardes béantes dans ses arceaux et menace ruine » [24]. Il en ignore la cause, mais d'une manière assez perfide il propose un rapprochement avec un fait rapporté par Grégoire de Tours et relatif à l'église de saint Antolien, martyr de Clermont : « Cette église, d'après une révélation du ciel, occupait l'emplacement d'où l'on avait retiré de nombreux corps de saints. C'est pourquoi elle se crevassa et finit par se renverser de fond en comble par la volonté de Dieu ». Transposons à Conques, comme nous y invite notre auteur. Là aussi on avait déplacé le corps de sainte Foy bien que celle-ci eût, au siècle précédent, manifesté d'une manière non équivoque sa volonté de demeurer à l'endroit en quelque sorte sacralisé par sa présence. Il dut y avoir à Conques des moines conservateurs qui manifestèrent leur hostilité au projet. Le ciel sembla leur donner raison. De toute manière, les désordres signalés dans les arceaux imposèrent probablement la démolition et la reconstruction de l'abside.

Sous le signe de l'entrelacs

DANS LA PARTIE de la construction antérieure à la mort de l'abbé Odolric, dont nous venons de déterminer l'importance et les limites, les chapiteaux sont en grès comme les maçonneries dont ils relèvent, c'est-à-dire en un matériau assez facile à travailler, mais au grain assez grossier. Ils se trouvent non seulement à l'intérieur du chevet mais aussi à l'extérieur où ils couronnent les petites colonnes engagées des absidioles et de hautes colonnes en délit aux angles de celles-ci. Nous retrouverons un parti pratiquement analogue à Saint-Sernin de Toulouse, une vingtaine d'années plus tard. Les chapiteaux de l'extérieur, de petites dimensions, ne sont pas nécessairement à leur emplacement primitif. On a pu les déplacer lors de la reconstruction des parties hautes de l'abside, mais leur série a bien été exécutée pour tenir le rôle qui est encore aujourd'hui le sien.

Cette tranche chronologique d'une quinzaine d'années débute par l'emploi d'un motif caractéristique : l'entrelacs à trois brins presque toujours combiné à la palmette et à la demi-palmette [25]. Après avoir joué un rôle essentiel dans le décor du mobilier d'église à l'époque carolingienne et post-carolingienne, l'entrelacs — jusque-là utilisé seul — s'est uni à la palmette et à la demi-palmette, à partir du début du XIe siècle, pour devenir un motif de chapiteau. Cette association n'avait rien d'artificiel, mais reposait au contraire sur un accord fondamental entre des motifs appartenant tous les trois à l'ordre de la stylisation et obéissant à des impératifs exclusivement ornementaux. En raison de leur faible relief, entrelacs, palmettes et demi-palmettes étaient aussi comme prédisposés à s'adapter à des surfaces planes et à des épannelages de chapiteaux aux volumes peu articulés.

Une des manifestations les plus précoces et les plus convaincantes de ce courant stylistique se trouve à Saint-Pierre de Roda en Catalogne, à la frontière du Roussillon, où elle semble dater de la quatrième décennie du XIe siècle [26], c'est-à-dire que, si l'étape de Conques appartient encore au début du style, elle ne correspond pas cependant à ses toutes premières expériences. À l'inverse, nous ne devons pas l'interpréter comme une fin de série plus ou moins atteinte par la sclérose. Après Conques, l'entrelacs combiné à la palmette et à la demi-palmette aura encore un bel avenir dans une bonne partie du Massif Central.

Les travaux de la première campagne paraissent avoir débuté dans les grandes absides du transept, s'être poursuivis dans les petites et avoir pris fin dans le déambulatoire, où l'on observe une véritable mutation correspondant probablement au changement de parti dans la construction que nous évoquions en traitant de l'architecture du chevet.

Jusqu'au déambulatoire, le monde de l'entrelacs, avec son accompagnement de palmettes et de demi-palmettes, règne sans conteste. Il correspond fréquemment à un type d'épannelage que Louis Grodecki a étudié dans les parties basses du chœur et du transept de Notre-Dame de Bernay en Normandie, en en soulignant l'origine méridionale [27]. Les chapiteaux de cette famille sont partagés en deux parties, un parallélépipède et un tronc de cône, dont les hauteurs respectives sont susceptibles de varier, mais qui assurent toujours de la manière la plus simple, en raison de leur forme, le passage de la colonne cylindrique au tailloir rectangulaire.

6. Conques, Sainte-Foy, chapiteau nº 48. Entrelacs.

▷ 7. Conques, Sainte-Foy, chapiteau nº 92. Entrelacs et palmettes.

6 Dans un cas (nº 48), l'entrelacs règne seul sur les deux registres. En bas, sous la forme de l'entrelacs « en éventail » [28], un des motifs les plus communs du décor du mobilier carolingien — spécialement pour les pilastres de chancels — et qui demeure encore un motif essentiel à Conques. C'est sans doute la composition la plus compacte, car condensée au maximum, du monde de l'entrelacs. En haut, on a obtenu un effet comparable avec une succession de nœuds dessinés par deux tiges qui s'entrecroisent. Dans un autre cas (nº 10), le registre inférieur est occupé par une suite de cercles noués par des entrelacs, alors que le registre supérieur est partagé entre une tresse et un alignement de palmettes dressées (Bousquet, fig. 10).

La palmette appartient au monde végétal en dépit de sa forte stylisation. À son contact, et tout naturellement, les lignes entrelacées vont s'assouplir et devenir des tiges. Un conflit s'engage entre le rinceau ainsi recomposé, avec ses références à la croissance organique, et l'épannelage aux formes géométriques. L'évolution se précipite en raison de l'intervention, d'abord discrète — en coulisse, pourrait-on dire —, puis clairement menée sur le devant de la scène, d'un nouveau type de chapiteau, le corinthien hérité de l'Antiquité et qui s'impose par sa plasticité.

Une étape est proposée par 14 (Bousquet, fig. 6). Sur la partie inférieure tronconique, des tiges dessinent des arceaux autour du motif de l'entrelacs en éventail. Elles se croisent ensuite sur l'arête horizontale séparant les deux volumes du chapiteau et elles servent enfin de pédoncules à deux larges palmettes qui s'épanouissent sur le volume parallélépipédique supérieur. D'autres palmettes plus petites et de forme pointue sont creusées aux arêtes d'angle.

Le jeu de l'entrelacs et de la palmette devient plus serré sur le nº 92, construit sur un schéma semblable, mais avec plus d'ampleur. Au milieu des cordages de l'entrelacs, la palmette d'angle représente une 7 suggestion discrète du schéma corinthien.

La contamination du chapiteau cubique à décor d'entrelacs par le corinthien apparaît clairement en 12, avec l'introduction de volutes dont les tiges sont feuillues. Chacune d'elles surmonte une véritable feuille. Néanmoins, toute la partie centrale du chapiteau, de haut en bas, est occupée par un panneau de vannerie, sans rien qui rappelle le souvenir du dé corinthien (Bousquet, fig. 19).

En 9 la volonté de faire fusionner les deux mondes, cependant apparemment irréductibles l'un à l'autre a priori, enregistre un brillant succès (Bousquet, fig. 14). Il s'agit d'une production d'une grande originalité tout à l'honneur de la liberté d'imaginer et de créer du sculpteur roman. Affranchi des règles esthétiques de l'antique, qu'il n'a pas apprises, il cherche son miel partout, comme l'abeille, et ses emprunts détachés de leur contexte initial deviennent les éléments actifs d'un style nouveau en train de naître. Les volutes d'angle percées en leur centre d'un gros trou de trépan surgissent d'une demi-palmette, cependant que deux autres demi-palmettes plus petites « pivotent » symétriquement autour d'un autre coup de trépan percé sous le dé d'angle. Il existe au-dessous une véritable couronne de grandes feuilles, arrondies sur les faces de la corbeille et pointues aux angles. Elles abritent à la manière d'« auvents » — pour reprendre le terme imagé de Jacques Bousquet — les palmettes creusées sur leur surface. De l'une à l'autre face se nouent des entrelacs.

Il existe une parenté de structure entre ce n° 9 et les chapiteaux 8 n°s 44 et 45 (Bousquet, fig. 52) qui surmontent les colonnes encadrant l'entrée de la petite abside extrême du côté du nord, mais cette parenté est occultée ici par le fait qu'on a confié au seul entrelacs le soin d'épouser la structure déjà très plastique du chapiteau. Le motif carolingien de la palmette en éventail est entièrement repensé et acquiert un étonnant dynamisme. « Il s'agrandit et se gonfle retombant à ses extrémités pour occuper le milieu de la face, et se renouvelle aux angles, dessiné cette fois par des crosses croisées. Ces crosses en ciseau étalées et écartées se retrouvent sur tout l'étage supérieur. Vers les angles elles encadrent des pommes de pin »[29]. Il s'agit d'un chef-d'œuvre surpassant, par le mouvement communiqué à tous ses éléments, les réalisations comparables de Saint-Pierre de Roda, et suggérant en outre une division en trois couronnes dérivée du corinthien. Un intérêt supplémentaire de ces chapiteaux résulte du fait que leur composition paraît avoir inspiré celle du premier chapiteau de gauche du portail nord du transept (n° 4).

8. Conques, Sainte-Foy, chapiteau n° 44. Entrelacs, palmettes et pommes de pin.

▷ 9. Conques, Sainte-Foy, Chapiteaux de gauche du portail nord du transept.

▷ 10. Conques, Sainte-Foy, chapiteaux de droite du portail nord du transept.

Ce portail (Bousquet, fig. 66), le premier réalisé à Conques, présente une architecture très simple, mais déjà pleinement romane [30]. La marque de ce style s'imprime d'abord dans l'approfondissement de la baie. Celle-ci est encadrée par des arcs concentriques — ici au nombre de deux — en retrait les uns sur les autres. Pour corriger la sécheresse des tracés, la double arcade en plein cintre est profilée en cavet avec un boudin sur l'angle. Elle est complétée par une archivolte de billettes, un motif qui apparaît déjà à Saint-Pierre de Roda. Quant aux piédroits, ils s'ornent de colonnes avec chapiteaux, tailloirs et bases. Autre élément caractéristique, la corniche portée par des modillons, que l'on retrouvera par la suite dans tous les portails romans, avec la même permanence que leurs autres éléments. Ces modillons de Conques appartiennent au type particulier du modillon à copeaux, apparu pour la première fois à la grande mosquée de Cordoue, et qui fut ensuite adopté par l'architecture mozarabe, mais sous une forme plus ornée. Émile Mâle en déduisait que les modillons à copeaux romans, reproduisant fidèlement ceux de Cordoue, avaient été empruntés directement à cette ville [31]. Rien n'est cependant moins sûr. On doit en outre se demander si les premiers modillons du chevet de Conques, qui ont été remplacés et « modernisés » dans leur forme lors de la reconstruction des parties hautes de l'abside à la fin du XIe ou au début du XIIe siècle, n'étaient pas déjà du type à copeaux. Le motif serait alors passé des corniches des toits à celles des portails.

Le premier des chapiteaux de gauche de ce portail, n° 4, s'inspire, avons-nous dit, des chapiteaux de la plus petite des absidioles nord du transept, et il le fait avec luxuriance et panache. Malgré la prolifération de l'ornement, on distingue cependant fort bien la division en trois étages. À la partie inférieure, correspondant à la section tronconique, les tiges croisées s'épanouissent en une couronne de palmettes en ombrelles. À mi-hauteur, les tiges se nouent en crosses et tout en haut le mouvement des tiges, qui enserrent un volume ovoïde évoquant la pomme de pin, inverse celui des volutes corinthiennes.

9

Très curieusement, après ce jaillissement d'abstractions linéaires, le style s'apaise, puis se durcit. Le chapiteau voisin, n° 3, construit sur les mêmes bases, réduit la liberté de mouvement des tiges et renforce la structure de la corbeille afin de la rendre lisible à la première lecture. Cette tendance s'accentue sur les deux chapiteaux de l'ébrasement de droite, nos 1 et 2. Il n'y a plus que deux étages — comme au début

10

du processus — où sont repris d'anciens motifs : la double palmette « en ciseau » (une autre trouvaille de Jacques Bousquet) en bas, et au-dessus des palmettes épanouies aux angles. L'affermissement des lignes s'accompagne du creusement des formes destiné à créer des jeux d'ombre et de lumière, comme si le style parvenu à sa maîtrise s'essayait à créer des effets contraires à sa propre logique. La même sûreté de métier s'observe dans le traitement des billettes des tailloirs, cubiques, allongées et rigides, à l'instar de celles de l'archivolte.

Quelle date proposer pour cette œuvre ? On observera d'abord que ce portail de Conques s'ouvre dans une maçonnerie appartenant à la seconde campagne de construction, c'est-à-dire postérieure à 1065. Il a été réalisé en même temps que le rez-de-chaussée du bras nord du transept, dont les chapiteaux appartiennent, comme nous le vérifierons bientôt, à des styles différents. Nous serions ainsi en présence d'un retour au passé, facilité par le fait que l'entrelacs avait continué sa vie dans d'autres chantiers et notamment dans celui de Saint-Géraud d'Aurillac qui offre avec celui de Conques d'étroites parentés soigneusement analysées par Jacques Bousquet [32]. Nous avons nous-même estimé naguère que ces œuvres d'Aurillac n'appartenaient qu'à la fin du XIe siècle [33]. Peut-être serait-il bon de les remonter d'une dizaine ou d'une quinzaine d'années, jusqu'aux environs de 1080, qui serait aussi une date convenable pour le portail du bras nord du transept de Conques.

Une véritable mutation se produit, avons-nous dit, dans le déambulatoire. On en prendra la mesure en analysant le chapiteau n° 78, 11 à l'entrée occidentale de l'absidiole rayonnante sud. Les entrelacs à

11. Conques, Sainte-Foy, chapiteau n° 78.

▷ 12. Conques, Sainte-Foy, chapiteau n° 74. Sirènes et centaures.

▷ 13. Conques, Sainte-Foy, chapiteau n° 77.

palmettes connaissent une véritable métamorphose. Très simplifiés, ils se nouent comme des lacets, un peu dans l'esprit du « style aquitain » en vogue dans les manuscrits de l'ouest et du sud-ouest de la France, en ce moment-là précisément. Suivons donc ces jeux des lignes et du végétal stylisé. Deux minces tiges à nervures débutent en tenant le rôle des hampes des volutes d'angle et descendent jusqu'à l'astragale où elles se nouent. Elles donnent naissance à deux demi-palmettes qui se dressent et se joignent aux demi-palmettes de la face voisine pour constituer une palmette d'angle complète recourbée en crochet. D'autres tiges se croisent au centre de la corbeille et y dessinent une palmette en forme de cœur. Ce chapiteau est ambigu, car susceptible d'une autre lecture que celle d'un chapiteau d'entrelacs : les palmettes en « ombrelles » des angles (l'expression est de Jacques Bousquet), qui pointent très en avant sous les volutes, peuvent en effet donner l'impression de véritables feuilles à crochets ou à boules participant à la genèse d'une couronne de type corinthien. L'idée est renforcée par l'existence des volutes et même d'un dé au centre de l'abaque, qui accueille une tête humaine d'assez belle venue. Sur le n° 79 (Bousquet, fig. 106), construit sur le même modèle, cette tête se transforme en une gueule de monstre servant de départ à un jeu de palmettes entrelacées.

Cinq chapiteaux au moins du déambulatoire — les autres échappant déjà entièrement à l'emprise de l'entrelacs — appartiennent à ce type, mais ils ne sont pas toujours très lisibles en raison des dégradations provoquées par l'humidité dans cette partie de l'édifice adossée à la montagne et longtemps mal drainée. Il se peut aussi que les dégâts aient été aggravés par l'incendie allumé par les Huguenots lors de leur passage le 9 octobre 1568.

Ce moment de l'histoire de la sculpture à Conques est aussi celui de l'apparition du chapiteau figuré. À droite de l'entrée de la chapelle d'axe, en 74, une sirène, symbole de l'animalité féminine — ici poisson au-dessous de la taille et femme au-dessus — s'offre en soulevant de ses mains les lourdes nattes de ses cheveux. Elle surmonte deux centaures, images des turpitudes de la chair chez l'homme [34]. L'évocation de ces dérèglements, à un des endroits les plus prestigieux de l'édifice, pose le problème du symbolisme sous les deux aspects moral et culturel. Pour nous en tenir à ce dernier, ces figures de la mythologie païenne « moralisées » illustrent une volonté de redécouvrir et d'assimiler le passé romain.

12

C'est donc sous la forme d'une mise en garde que l'iconographie imitée de l'antique fait son apparition à Conques. Elle est suivie, en 77, d'une autre image symbolique, celle-ci hautement positive. Ce chapiteau est formé par la juxtaposition de deux pierres, qui a suggéré une composition en deux registres. Celui du bas constitue une couronne de palmettes à double pédoncule d'allure nettement classique, alternant avec d'autres palmettes, en éventail, qui servent de fond. Cette alternance

13

est traditionnelle dans les arts anciens de la Méditerranée. En haut, deux quadrupèdes, suivis d'autres bêtes sur les côtés, viennent boire dans un calice à pied. L'évocation du sacrifice offert quotidiennement sur un autel d'absidiole rayonnante tout proche est évidente, mais ce symbole eucharistique ne fait qu'adapter à l'iconographie chrétienne un autre thème antique, celui du couple de griffons buvant dans un vase une boisson procurant le salut et l'éternité.

Les progrès du corinthien au rez-de-chaussée du transept et du chœur

LES CHAPITEAUX de l'étage inférieur du chœur et du transept ne sont plus taillés dans le grès rouge mais dans le « rousset », un calcaire jaune provenant de la carrière du Salés, proche de Lunel (commune de Saint-Félix-de-Lunel) au sud-est de Conques [35].

Dans les bras du transept, ils couronnent des colonnes engagées dans les piles à la retombée des grandes arcades et des doubleaux des collatéraux. Ceux des deux travées droites du chœur jouent un rôle semblable. Enfin, six gros chapiteaux à quatre faces surmontent les colonnes du rond-point. Ces piles avaient été réunies par un mur de maçonnerie, peut-être après l'incendie allumé par les Huguenots en 1568. Elles ont été entièrement refaites à partir de 1876, sans que l'on conserve apparemment aucun fragment de l'œuvre originelle.

14

On observe d'emblée une grande parenté de forme et de décor entre les chapiteaux n°s 78 et 79 du déambulatoire et leurs voisins les plus proches du bras sud du transept. Ces derniers sont dans leur suite, tant en ce qui concerne l'emplacement que le style, ce qui signifie que l'arrêt de la construction ayant suivi la réalisation du déambulatoire fut de très courte durée et représente seulement le moment de réflexion (marqué par le chapiteau n° 80, simplement épannelé) utilisé à assurer la structure qui venait d'être expérimentée. C'est ce que va confirmer l'analyse du chapiteau n° 81, qui appartient à la première pile orientale du croisillon sud.

15

Par rapport au n° 78, il montre une simplification et un affermissement des formes. Peut-être l'origine de la transformation résulte-t-elle de

▷ 14. Conques, Sainte-Foy, collatéral est du transept *(Photo Yan)*.

15. Conques, Sainte-Foy, chapiteau n° 81.

l'émergence dans le champ de la réflexion de deux types corinthiens : le chapiteau à grandes feuilles d'angle et le chapiteau à couronnes de feuillages. Peut-être aussi ces deux modèles devaient-ils passer par une phase de syncrétisme avant de retrouver leur autonomie et d'offrir leur alternance. Quoi qu'il en soit, sur ce chapiteau n° 81, un gros bouton à nombreux pétales, semblable à une marguerite, a pris la place du dé à tête humaine. La corbeille comporte aussi deux palmettes dressées l'une au-dessus de l'autre dans l'axe central, cependant qu'une troisième palmette, de plus grande taille, est installée aux angles. Ces palmettes dans leur ensemble suggèrent l'existence d'une couronne de feuillages, mais en outre leurs tiges redressées jusqu'aux volutes dessinent la bordure, faite de trois brins, d'une sorte de feuille d'angle dont la surface est décorée par l'une des palmettes et par deux marguerites épanouies, rappel de celle du bouton central.

À partir de cette création complexe, deux directions s'offraient aux sculpteurs et elles furent effectivement suivies. Ou bien insister sur l'idée des couronnes, ou adopter le parti des grandes feuilles d'angle.

16. Conques, Sainte-Foy, chapiteaux n°s 46 et 47.

17. Conques, Sainte-Foy, chapiteau n° 33.

Ce second parti à donné naissance dans le rez-de-chaussée du transept de Conques à des feuilles nues aux bords épais ou plissées en stries parallèles à la bordure de la feuille (n°s 31, 34, 46, 47, 85, 111, 112). On peut aussi y rattacher deux œuvres remarquables.

16

18. Conques, Sainte-Foy, chapiteau n° 102.

17 Sur le chapiteau n° 33, l'une des quatre moulures des hampes des volutes devient la tige d'une grande demi-palmette. Celle-ci, avec une autre demi-palmette voisine et symétrique, recrée une palmette complète. Après s'être dressée, cette dernière paraît se plier sous la volute d'angle pour étaler son revers. C'est ainsi que retombe une nouvelle palmette qui se superpose à la précédente. Cette belle composition, ferme et élégante, sera imitée à Moissac, à Toulouse et encore à Saint-Jacques de Compostelle.

18 L'intention du n° 102 est différente : contribuer à unifier le volume de la corbeille et lui imprimer une sorte de mouvement tournant. Les volutes d'angle donnent naissance à deux longues tiges moulurées qui se rapprochent d'abord jusqu'au point de se toucher et de pouvoir être baguées, puis s'écartent l'une de l'autre pour s'épanouir en deux longues et souples demi-palmettes qui remontent en suivant au plus près le tracé des tiges extérieures des volutes. Finalement, en bout de course, elles s'incurvent sous les volutes pour recouvrir une boule de leurs extrémités flexibles. D'autres demi-palmettes identiques et symétriques, dont les tiges partent des extrémités inférieures et extérieures du chapiteau, viennent rejoindre les premières à l'angle. Une tête sur le dé central reproduit fidèlement le type humain apparu au même endroit dans le déambulatoire. On ne célèbrera jamais assez la simplicité rythmée de ce chapiteau, car c'est sur son épannelage de forme tronconique que sont construites les premières compositions iconographiques de Conques, d'ailleurs toutes proches et peut-être l'œuvre du même artiste.

Dans un ensemble très majoritairement aniconique, ces images ont d'abord une valeur de signal. Elles attirent l'attention sur des endroits particulièrement sacrés du monument, qu'elles désignent et qu'elles

19 nomment. Tel est le sens du Sacrifice d'Abraham représenté en 83, juste en face du nº 81 dont nous avons vu la signification au point de vue de la structure. Il prend place sur la deuxième pile méridionale du chœur, tout près de l'autel, mais du côté du déambulatoire afin d'être facilement vu des fidèles. Il exprime par l'image l'un des sens de la messe. Celui du salut ayant été affirmé par le chapiteau nº 77, on insiste ici sur l'idée de sacrifice, à travers un symbole proposé par les prières mêmes de la Consécration : les offrandes des saintes espèces au Père par l'Église étant faites avec une référence particulière à cet épisode de l'Ancien Testament.

La scène est composée pour mettre en valeur les deux principaux protagonistes : Abraham et l'ange, tous deux de grande taille et campés aux angles. Ils tiennent par la main l'Enfant assis sur un autel, le premier en le menaçant d'un énorme coutelas, le second pour le placer sous la protection de son aile déployée comme pour illustrer l'image du psalmiste : « de son pennage il te couvrira, sous ses ailes tu trouveras un abri » (Ps. 91 (90), 4). Mes prédécesseurs ont insisté, à juste titre, sur l'exactitude minutieuse des détails, notamment dans le traitement des vêtements. On

19. Conques,
Sainte-Foy,
chapiteau nº 83.
Sacrifice d'Abraham.

se bornera à attirer l'attention sur le système d'agrafe retenant le manteau d'Abraham sur son épaule gauche. On a utilisé toute la place disponible sur le chapiteau pour que rien ne manque à la compréhension de la scène : le bois du sacrifice est entassé sous l'autel, le bélier a sa toison enchevêtrée dans les branches d'un buisson qui dessine une croix symbolique, et la main de Dieu apparaît dans un disque par-dessus un *khi* accosté de l'alpha et de l'oméga. Elle signifie l'ordre de Dieu donné à Abraham de ne pas toucher à l'enfant. D'ordinaire cette manifestation de la volonté divine s'exprime par l'intervention de l'ange qui arrête le bras s'apprêtant à frapper. Le déplacement de l'ange dans une position symétrique à celle d'Abraham a obligé le sculpteur à inventer une iconographie nouvelle, ce qu'il a fait avec habileté. On a ajouté une inscription explicative, comme si les clercs n'avaient pas encore pris conscience qu'une image correctement composée se suffisait à elle-même et était capable de porter plus loin et de pénétrer plus profond que tous les commentaires : MACTANDVS OMO ABRAHAM IBI OBTVLIT SVAM PROLEM — « Un homme devait être immolé Abraham offre ici sa descendance » [36]. Certes, le style n'est pas encore parvenu au niveau des ambitions manifestées, car la facture demeure rude et « primitive », mais le fait que l'on n'ait pas toujours suivi la lettre de l'Ancien Testament (Isaac assis et non couché sur l'autel) signifie qu'on accorde à l'image un espace de liberté et d'invention augurant bien de son avenir.

Appartient à la même époque une entreprise iconographique plus ambitieuse, avec trois chapiteaux, les nos 89, 98 et 105, qui offrent un petit cycle d'images consacré à l'histoire de saint Pierre [37]. Ils encadrent la travée précédant la plus grande des absidioles du bras sud du transept et révèlent ainsi le vocable de cette dernière. Elle demeurait dédiée au prince des apôtres, comme l'avait été le collatéral méridional de l'abbatiale précédente. Une fois encore, comme pour le Sacrifice d'Abraham, le choix de l'emplacement n'était pas le fruit du hasard mais il dénote une intention délibérée.

Il n'a été fait preuve d'aucune originalité dans la composition de la scène, fréquemment représentée, du martyre de saint Pierre (no 98, Bousquet, fig. 149). De chaque côté de la croix de son supplice, à laquelle le saint est fixé la tête en bas, les assistants s'alignent à la verticale, dans une attitude monotone.

20 La seconde représentation (no 105) a sa source dans la liturgie. Elle

20. Conques,
Sainte-Foy,
chapiteau no 105.
Libération de saint Pierre.

illustre le récit de la délivrance de Pierre de la prison de Jérusalem où il avait été enfermé sur l'ordre d'Hérode Agrippa Ier (37-44), roi de Judée et de Samarie à partir de 41 (Actes des Apôtres, 12, 1-11). Ce texte constitue l'épître de la fête des saints Pierre et Paul et de celle de saint Pierre-aux-liens. Il attribue la libération à l'ange du Seigneur et il signale que les chaînes tombèrent miraculeusement des poignets du prisonnier. Les images sont fidèles au texte, mais elles y joignent quelques détails intentionnellement choisis pour mieux le visualiser. L'ange entraîne Pierre en le prenant par la main. Sur la gauche, les sentinelles coiffées d'un casque à nasal apparaissent sous une arcade à laquelle les chaînes sont suspendues. À droite est une porte dont les pentures et la serrure sont soigneusement représentées. Il s'agit de la porte de fer du second poste de garde, qui donnait sur la rue. Le dragon, image de Satan et des mauvaises intentions du peuple juif, qui croit la garder, est impuissant, la porte s'ouvre d'elle-même. Le sculpteur du XIe siècle n'avait aucune idée de ce que nous appelons la couleur locale. Il représente les scènes dans un environnement qui est celui de son temps, et elles en tirent un accent de vérité.

Le thème du troisième chapiteau (no 89, Bousquet, fig. 154 et 155) est extrait d'un sermon de saint Ambroise relatant une autre libération de saint Pierre, réalisée à Rome cette fois. Sur la corbeille on a groupé l'image de Néron, son persécuteur, la Prison Mamertine, où il avait été enfermé — un étroit caveau avec deux personnages, peut-être les geôliers qu'il avait baptisés et qui l'avaient laissé fuir — et enfin sa rencontre avec le Christ, le célèbre *Domine quo vadis ?*

À Rome, les libérations successives du prince des apôtres furent à l'origine d'un curieux culte des reliques. On disait avoir conservé ses chaînes et le pape Grégoire le Grand distribuait avec une générosité particulière la limaille qui en provenait. Il la plaçait dans des croix ou, ce qui était encore plus évocateur, il utilisait en guise de reliquaires des clés en fer forgé (les célèbres clés de saint Pierre). À Conques, l'évocation des mêmes épisodes — après une Crucifixion du saint n'ayant d'autre rôle que d'identifier l'ensemble — constituait une référence de poids pour authentifier le caractère miraculeux des libérations de prisonniers obtenues par l'intercession de sainte Foy. La petite sainte jouait à l'égard des malheureux auxquels elle rendait la liberté le rôle qui avait été celui de l'Ange du Seigneur vis-à-vis de saint Pierre. Entretenir la foi dans les miracles de sainte Foy paraît avoir été une constante de la pensée des moines de Conques. On retrouve cette préoccupation dans le motif du grand tympan de l'abbatiale représentant la sainte agenouillée devant la main de Dieu et ayant derrière elle l'église de Conques avec, suspendus entre les piliers, les fers des prisonniers qu'elle avait pour spécialité de délivrer.

Jean-Claude Fau attribue les quatre chapiteaux historiés précédents au même atelier. Jacques Bousquet croit même y reconnaître l'intervention d'un artiste unique et nous partagerions volontiers son point de vue, tant les parentés sont grandes dans le dessin des plis des vêtements et les caractères des visages.

Convient-il de joindre au groupe les deux grands aigles représentés au no 103 ? Peut-être, car Jacques Bousquet a souligné que leurs ailes géométriquement déployées dans un mouvement arrondi ont le même développement que les ailes de l'ange de la Libération de saint Pierre à Jérusalem (Bousquet, fig. 160).

À l'époque romane, l'aigle est proclamé le roi des oiseaux. On le croit capable de se régénérer et on le donne en modèle à l'homme « qui veut abandonner son mauvais état pour redevenir neuf [...]. L'homme qui a mis toute son attention en Jésus-Christ se régénère par cette contemplation exactement comme le fait l'aigle en regardant l'autre soleil que Dieu [...] créa » [38].

Une dernière composition historiée se trouve dans le bras nord du transept, au n° 58, sur la deuxième pile orientale (Bousquet, fig. 188). On s'accorde habituellement à reconnaître ici le thème d'Alexandre conduit au ciel par deux griffons, qui pourrait ainsi répondre au motif de l'aigle. Très rapidement on avait renoncé à faire apparaître dans les représentations sculptées du thème les deux lances au bout desquelles le héros présentait des chapons rôtis aux monstres affamés. On se contente dès lors, comme ici — et encore comme à Moissac (ci-dessous p. 151) — de figurer le personnage s'agrippant à des oiseaux. Par son style ce chapiteau paraît s'inscrire dans la suite de l'œuvre du maître du Sacrifice d'Abraham, avec une tendance à la simplification des formes. Les ailes rabattues des oiseaux n'ont reçu aucun décor de surface pour représenter les plumes.

106

Nous avons dit que certains chapiteaux complexes contaminés par le corinthien avaient conduit à l'alternative suivante : soit s'en tenir à la structure à grandes feuilles d'angle — une option que nous avons étudiée —, soit adopter la composition à deux couronnes de feuilles superposées. Cette dernière orientation reçut une impulsion décisive du fait de l'introduction à Conques du chapiteau corinthien à feuilles lisses (n°s 32, 36, 37, 39, 56, 58, 60, 61, 62, 63, 64, 106, 108, 110, 114).

21

21. Conques, Sainte-Foy, chapiteau n° 39.

Éliane Vergnolle a récemment publié une mise au point sur les problèmes posés par ce type de chapiteau. Son histoire, qui remonte à l'Antiquité romaine, et qui se poursuivit dans de nombreuses œuvres du haut Moyen Âge avant de connaître un grand développement à l'époque romane, « montre qu'il s'agit souvent d'une simplification codifiée dans laquelle entrent à la fois — ou tour à tour — des préoccupations esthétiques (puissance monumentale de l'effet), économiques (rapidité de l'exécution) ou techniques (difficulté à travailler certaines pierres ou inaptitude des sculpteurs à effectuer un travail plus délicat) » [39]. En l'occurrence, on peut écarter les facteurs techniques, puisque l'on n'a pas changé de matériau pour les sculpter et que les artistes avaient déjà fait leurs preuves. Restent les préoccupations esthétiques et économiques. Il y a de fortes raisons de penser que ces dernières ont dû jouer un rôle déterminant dans le choix opéré à Conques de ces feuilles épaisses, soudées à leur base, pointues et recourbées en bec à leur extrémité, dont l'exécution, d'abord sèche et même rêche s'affine au fur et à mesure de l'évolution.

Cet épannelage appelait en quelque sorte un décor de surface : une démarche qui débute avec le chapiteau n° 84, contemporain du Sacrifice d'Abraham, puisqu'il appartient comme lui à la pile séparant les deux travées du chœur du côté du sud. Le sculpteur a travaillé à partir d'un de ces chapiteaux à deux couronnes de feuilles soudées à leur base et il a décidé de mettre en valeur la partie commune en en faisant la niche d'une palmette parfaitement modelée. Entre deux de ces palmettes, ce qui reste de la feuille s'élève et s'étale en éventail. 22

Ce schéma n'est d'ailleurs aucunement fixé, comme il le sera dans des centres où l'influence antique se révèlera impérative. Il se prête ici à toutes sortes de transformations. Ainsi, sur un chapiteau voisin, portant

22. Conques, Sainte-Foy, chapiteau n° 84.

23. Conques, Sainte-Foy, chapiteau n° 82.

24. Conques,
Sainte-Foy,
chapiteau n° 88.

le n° 82, le registre inférieur se transforme en un alignement d'« angelots cravatés d'ailes » — plus prosaïquement une tête d'ange encadrée de deux ailes —, un motif qui fera son chemin à Conques, comme nous le verrons par la suite, et le registre supérieur modifie profondément les rapports entre les palmettes allongées et les feuilles intermédiaires, au bénéfice des premières. Ne se sentant aucune obligation à l'égard du passé, le sculpteur de Conques utilise ce dont il a hérité avec une totale liberté.

23

D'une série plus étrange comprenant notamment les n°s 64 et 86 on retiendra le n° 88 où des palmettes épaisses surgissent de la masse du chapiteau comme d'étranges boursouflures. Nous nous permettons d'insister sur ces créations à première vue bizarres, car elles sont moins exceptionnelles qu'il n'y paraît. Il en existe notamment d'identiques à Saint-Hilaire de Poitiers, aussi bien dans la nef que dans le transept, avec les tiges des volutes qui sortent de la gueule d'un monstre décorant le dé central et des feuilles réduites à des sortes de « godets » alignés sur la corbeille [40].

24

Une colonne engagée dans le mur occidental du transept est surmontée par un chapiteau (n° 109) plus proche de la pure tradition corinthienne. Ses volutes sont bien dégagées, son dé orné d'un petit fleuron et ses grandes feuilles terminées par des boules sur les deux couronnes. Entre les tiges de ces feuilles s'épanouissent de beaux fleurons. On pense automatiquement à Saint-Sernin de Toulouse et à Moissac, cependant les tiges du feuillage possèdent des ligatures que ne renieraient pas des chapiteaux d'acanthe auvergnats contemporains.

25. Conques,
Sainte-Foy,
corniche du portail
du bras sud
du transept.

Le portail du bras méridional du transept

PERCÉE SUR LA FACE OCCIDENTALE du croisillon sud, dans la travée voisine de la nef, c'est-à-dire à un emplacement symétrique à celui du portail septentrional, cette nouvelle entrée offre avec la précédente de notables différences. Elle présente d'abord, ce que ne possède pas l'autre, un tympan appareillé reposant sur un linteau en bâtière. Surtout, la corniche est beaucoup plus ornée et dans un style fréquemment, mais non uniquement, antiquisant (Bousquet, fig. 76).

Sa bordure est profilée d'un cavet et d'un bandeau torsadé surmontant une double série de demi-palmettes minuscules, ciselées avec une précision sèche autour d'un point central percé au trépan. Par-dessous, les dalles de la tablette sont généralement garnies de rosettes simples à huit pétales, bien dégagées à l'intérieur de cercles dessinés par des enlacements de tiges. Un équivalent existe au même emplacement à Saint-Sernin de Toulouse : il s'agit de la Porte des Comtes, mais il y a à Conques davantage de variété. Sur un panneau de trois cercles, les rosettes sont remplacées par un décor d'entrelacs formant comme une manifestation du génie du lieu. À remarquer que seuls les trois panneaux de gauche sont authentiques. Au cours d'une restauration, on a recopié uniformément le motif des rosettes pour refaire la partie droite, ce qui a produit un déséquilibre thématique dont bénéficia ce motif antiquisant.

25

La corniche est supportée par des modillons dont les copeaux latéraux sont remplacés par des crossettes, et qui offrent par-devant un décor fait soit d'une simple moulure, soit d'une pointe, soit d'étoiles, soit encore d'une figure d'atlante en fort relief. Entre les modillons, des tiges nées de petites feuilles en éventail s'incurvent pour tracer des cercles à l'intérieur desquels de grandes palmettes sont dessinées en un mouvement contrarié. Ce genre d'ornement occupe l'emplacement des métopes antiques. L'ensemble de la corniche a donc une abondance et une variété de décoration qui évoquent irrésistiblement celle du clocher de Saint-Hilaire de Poitiers, même si cette dernière est encore plus chargée [41]. L'appauvrissement des motifs, sensible de Poitiers à Conques, n'est pas à lui seul indice d'une postériorité, d'ailleurs vraisemblable, du dernier de ces exemples par rapport au premier. Pas plus qu'il n'impose de placer en fin de série la Porte des Comtes, où les motifs décoratifs se font encore plus rares — se limitant aux rosettes sculptées sous la corniche. En tenant compte de tous les éléments du dossier, on arrive au contraire à la conclusion que les portes des croisillons méridionaux de Conques et de Toulouse sont sensiblement contemporaines et doivent se situer à une date de très peu postérieure à 1080.

Sans doute la construction de ce deuxième portail de Conques, d'assez petite taille comme celui qui l'a précédé quelques années auparavant du côté du nord — et que seules les conditions topographiques locales ont empêché d'ouvrir en façade, comme à Saint-Sernin de Toulouse — a-t-elle coïncidé avec l'achèvement complet des travaux dans le rez-de-chaussée du transept.

D'autres données chronologiques et stylistiques sont fournies par ses quatre chapiteaux. Ils vont par paires. Ceux de l'intérieur appartiennent à la grande famille des chapiteaux à boules issue du corinthien et très développée à Saint-Sernin de Toulouse et généralement dans la sculpture hispano-languedocienne, mais ici ils sont trapus et même un peu écrasés. 27 À gauche, en 17, sur les deux couronnes de la corbeille, la base des feuilles principales encadre de petites feuilles allongées cernées d'un ovale. D'autres feuilles semblables prennent place plus haut entre les volutes et les dés. À droite (n° 16) un jeu d'entrelacs se développe sur tout le fond de la corbeille. Des grandes feuilles, il ne subsiste que leurs extrémités et les boules. Les chapiteaux extérieurs, plus élancés, créent un nouveau pont entre le monde de l'entrelacs et celui du 26 corinthien. À gauche, en 18, il n'y a plus qu'un seul registre de feuilles traitées comme des demi-palmettes divergeant à l'extrémité d'une tige : un motif qui est apparu à Conques dans le groupe de l'entrelacs et qui est aussi représenté à Aurillac. À la base du chapiteau, entre les tiges

26. Conques, Sainte-Foy, chapiteau de gauche du portail du bras sud du transept.

27. Conques, Sainte-Foy, chapiteau de gauche du portail du bras sud du transept.

de ces « palmiers », la petite feuille allongée, apparue au même endroit sur le chapiteau à boules voisin, maintient sa présence. À droite, en 15, le souvenir de l'entrelacs se fait même plus pressant. Sous sa forme en éventail, il occupe la partie supérieure du chapiteau, entre les dés, le reste de la corbeille demeurant inchangé par rapport au n° 18, son homologue de gauche.

En somme, tout se passe commme si, en dépit de l'ascension du corinthien, consécutive à l'ouverture du chantier de Saint-Sernin, les sculpteurs de Conques conservaient une nostalgie de l'entrelacs et de la palmette, éléments principaux d'une culture artistique développée dans le Massif Central et ses marges durant le XIe siècle [42] et qui donnaient à la sculpture une orientation très différente de la « renaissance » qui se faisait jour à Toulouse. Par ailleurs, les sculpteurs de Conques opéraient un tri dans les apports toulousains. À ses formes « fleuries » ils préféraient les structures simples à feuilles nues. Cette tendance, qui s'imposait au même moment dans de nombreux chantiers français et espagnols, principalement pour des raisons économiques, allait exercer ici une pression de plus en plus forte.

Le raz-de-marée des chapiteaux à feuilles nues dans les tribunes du chœur et du transept

COMME DANS TOUTES LES ÉGLISES de la même famille architecturale, les tribunes qui se développent au-dessus des collatéraux s'ouvrent sur la nef et le transept par d'amples baies géminées en plein cintre que surmontent des arcs de décharge. L'adoption de baies géminées avec doubles colonnes centrales a eu pour conséquence d'augmenter considérablement le nombre des chapiteaux. 28

Le phénomène majeur est donc ici la prépondérance acquise par les chapiteaux à feuilles nues. Ils dominent sans aucun partage dans les tribunes du chœur ; dans les tribunes du bras nord du transept, seuls trois chapiteaux échappent à cette emprise ; dans celles du bras sud, on revient à un meilleur équilibre, les corbeilles à feuilles nues et les corbeilles à décor de surface étant à peu près à égalité. Cette répartition différente nous invite à traiter séparément ces trois parties de l'abbatiale.

Par les proportions des corbeilles, le tracé pointu des feuilles et l'exécution généralement dure et sèche, les chapiteaux à deux couronnes de feuilles lisses des tribunes du chœur (nos 177, 178, 179, 182, 192, 193, 197, 198) s'inscrivent dans la suite de ceux du rez-de-chaussée du transept. Simplement décèle-t-on une plus grande habileté de métier. Cette sûreté de main se retrouve dans l'exécution de trois chapiteaux — nos 183, 194 et 196 — réduits à une seule rangée de feuilles nues, 29

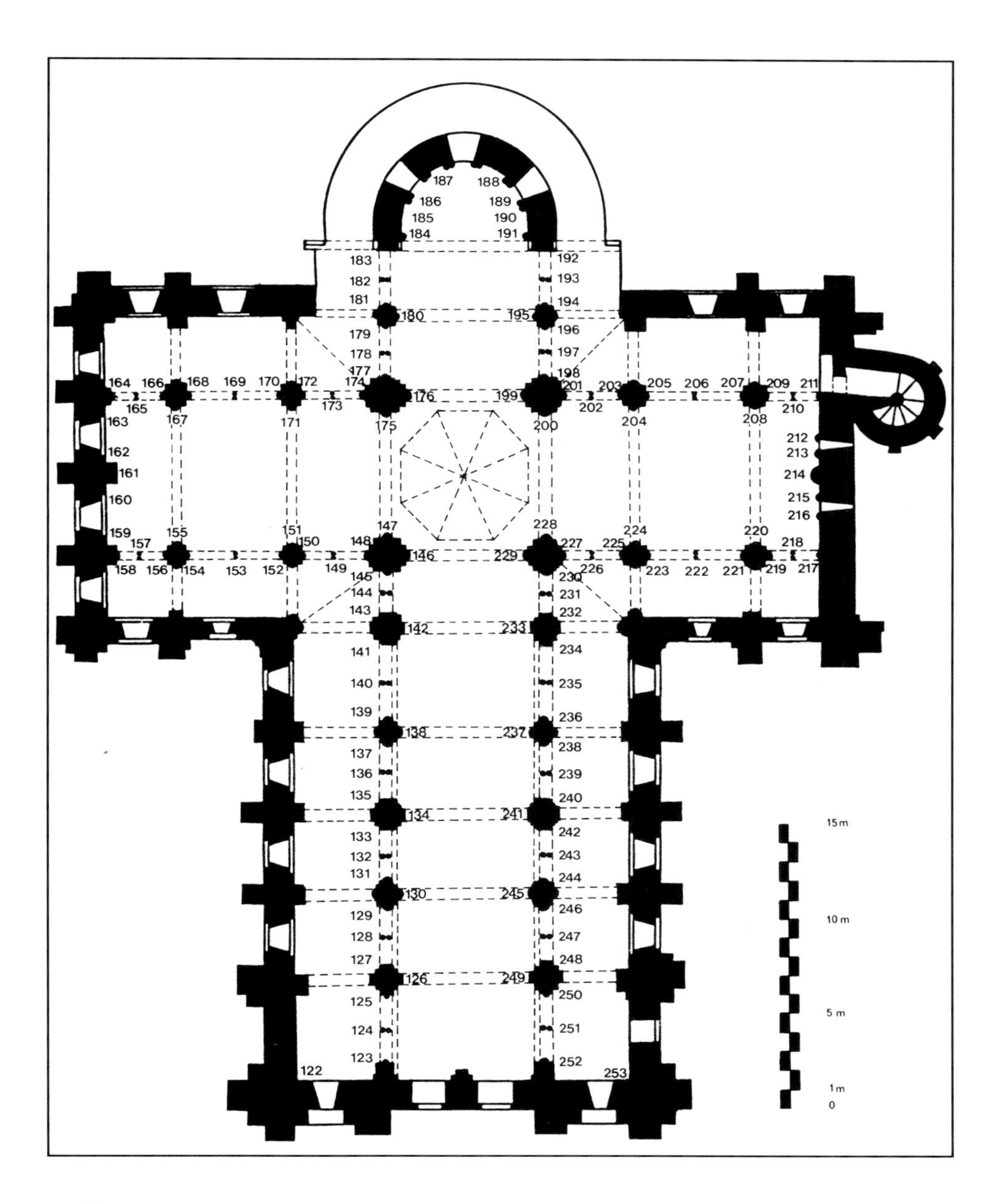

28. Conques,
Sainte-Foy,
plan au niveau des tribunes.
D'après Christoph Bernoulli.

29. Conques,
Sainte-Foy,
chapiteau n° 194.

mais non pas lisses, ayant été fendues pour dégager la partie centrale.

Les parties hautes de l'abside qui suivent ont été reconstruites à la fin du XIe et au début du XIIe siècle. De là découle la grande qualité technique des petits chapiteaux qui portent deux rangées d'arcades, l'une au niveau du couloir de circulation, l'autre encadrant les fenêtres hautes. Les corbeilles les plus intéressantes correspondent à l'arcature inférieure. On y observe une grande fantaisie dans le traitement des motifs décoratifs caractéristiques du chevet de Conques : entrelacs, palmettes et feuilles d'acanthe. À l'étage supérieur, on est revenu aux feuilles lisses, comme d'ailleurs à l'extérieur de l'abside.

Dans les tribunes du bras nord du transept, la quasi totalité des chapiteaux est constituée par des feuilles nues, soit à deux couronnes de feuilles lisses (nos 152, 153, 157, 162, 163, 164, 166, 168, 169, 170, 172, 177), soit à un seul étage de grandes feuilles fendues (nos 149, 150, 159, 160, 173) : toutes ces œuvres étant exécutées d'une manière qui ne les distingue guère de leurs homologues du chœur. Elles ont été réalisées par les mêmes sculpteurs et au même moment, sans doute autour de 1100.

L'extrême rareté des corbeilles ornées contribue à les mettre en valeur. Deux d'entre elles s'inscrivent dans le champ des relations avec l'Auvergne. Sur le no 158 des feuilles d'acanthe sont partagées à la verticale et décomposées en feuilles secondaires ou en palmettes en éventail traitées en creux : la provenance auvergnate paraît certaine.

La situation est plus ambiguë en ce qui concerne le célèbre chapiteau (no 156) de l'avare portant sa bourse autour du cou et tourmenté par quatre démons grimaçants qui soutiennent une banderole en V sur laquelle est écrit : TV PRO MALVM ACIPE MERITVM — « Reçois le salaire de ton péché » [43]. Zygmunt Świechowski a cherché l'origine du thème dans une scène inspirée de l'Apocalypse de Sophonias et représentée dans l'enluminure dès le XIe siècle [44] : « une contestation entre ange et diable près des portes du paradis, au sujet de l'âme du défunt [...]. L'ange accompagne l'âme et tient ouvert le Livre de la Vie contenant la liste des bonnes et mauvaises actions des mortels, pendant que le diable de sa main tendue, montre son registre dans lequel, afin de contrôler son adversaire, il inscrit les péchés de l'humanité » [45]. On connaît l'immense succès obtenu par le supplice de l'Avare en Auvergne, où il en existe plusieurs versions. Les données chronologiques militent cependant en faveur de l'antériorité de Conques dans ce domaine, ainsi d'ailleurs que le style. Il se situe dans l'évolution d'une manière de représenter les figures propre à l'abbatiale rouergate. Ses faiblesses tiennent à la date, mais certains détails constituent des anticipations sur l'avenir et on les retrouvera notamment, bien plus tard, sur le grand tympan occidental. Jacques Bousquet note la forme de la bourse dont les cordons coulissent et surtout la laideur caractéristique des démons : « Le premier à droite a des oreilles de lièvre, comme, au tympan, celui de l'extrémité du triangle de droite, ou celui qui tient un filet en haut à gauche [...]. L'autre, derrière lui, avec son nez camard, rappelle le démon à la lyre. À gauche, la gueule retroussée comme un groin évoque celle du diable à genoux découronnant un roi. Le dernier à gauche, avec son nez écrasé, paraît proche de celui qui tire le bras de l'Orgueil pour le renverser. Tous ont des pagnes dentelés » [46]. Cette diversification des types et des

30. Conques,
Sainte-Foy,
chapiteau de l'avare.

31. Conques,
Sainte-Foy,
chapiteaux géminés n° 210.

gestes, ainsi que le contact vivant entre les acteurs, convient bien à un prototype, alors que les solutions auvergnates ultérieures préfèrent des compositions plus symétriques et plus résolument décoratives.

Dans les tribunes du bras sud du transept, les chapiteaux à feuilles nues, aussi bien à deux couronnes de feuilles lisses (n°s 201, 205, 207, 209, 212) qu'à une seule rangée de grandes feuilles fendues (n°s 202, 213) se font plus rares. Le décor de surface reprend ses droits, d'abord timidement, par petites touches, puis massivement en envahissant l'ensemble de la corbeille.

Dans un premier groupe d'œuvres, il n'a pas été touché aux feuilles — à bec ou à boules —, mais on a ajouté un décor à l'étage des volutes. Il peut s'agir de petits oiseaux buvant dans un vase (n° 227, Bousquet, fig. 301), de petites palmettes à crossettes, nouées sur le dé
31 central (n° 210), ou accrochées aux angles (n° 220, Bousquet, fig. 291) et accompagnées d'autres motifs floraux, comme la fleur de lis, ou encore tout à la fois nouées sur le dé et accrochées aux angles (n° 218, Bousquet, fig. 294). Tous ces éléments, au relief marqué et à l'exécution

nette et même sèche, ont été introduits par des sculpteurs nouveaux, que nous retrouverons ultérieurement dans le cloître et dans les tribunes de la nef, où nous les étudierons alors avec plus de soin. Remarquons que la reconquête du décor à partir de la partie supérieure des chapiteaux a pu donner l'idée d'en faire profiter les tailloirs. Même si cette idée n'était pas entièrement nouvelle, car il y a déjà un tailloir de ce genre dans les tribunes nord du transept (n° 169), elle reçoit ici une application plus constante. Parmi les motifs employés, on trouve de simples croix aux branches égales, des palmettes à crossettes et des rosettes de provenance toulousaine ou moissagaise (le chantier du cloître de Moissac est en activité dans la dernière décennie du XIe siècle). Ces rosettes peuvent devenir de grosses fleurs en relief.

Puis des palmettes à crossettes plus développées — le motif du « chèvrefeuille » de Jacques Bousquet — envahissent toute la surface du chapiteau (n° 222) en de subtiles combinaisons dont les meilleurs équivalents se trouvent peut-être à Saint-Sever [47] et dans les centres qui en dépendent, comme Hagetmau. 32

33 Nous renouons les relations avec l'Auvergne avec le n° 211, où les feuilles d'acanthe font place à des palmettes partagées et à des demi-palmettes réunies par des anneaux, les unes et les autres taillées en creux, c'est-à-dire des motifs déjà apparus dans les tribunes nord du transept. Ce type de décor maintiendra sa présence à Conques jusque dans des productions du maître du tympan (chapiteaux du groupe de l'Annonciation et rameau d'Isaïe). Il entra donc, comme les palmettes à crossettes, dans le fonds décoratif d'ensemble de l'abbatiale. Déjà nous

32. Conques, Sainte-Foy, chapiteaux géminés n° 222.

33. Conques, Sainte-Foy, chapiteaux n° 211.

34 le retrouvons non loin de là, au n° 205, en compagnie d'un schéma archaïque appartenant au monde de l'entrelacs : un tissage utilisant des rubans plats et des tiges à trois brins. Cette composition abstraite n'est pas incompatible avec deux belles têtes humaines sculptées aux angles du chapiteau : un visage pensif et même mélancolique et un autre visage qui manifeste une vie intense à travers des narines dilatées, une bouche entrouverte et des cheveux comme soulevés par le vent.

34. Conques,
Sainte-Foy,
chapiteau n° 205.

La capacité d'ouverture et d'assimilation du chantier de Conques fit qu'il emprunta au chevet de Saint-Sernin de Toulouse et au cloître de Moissac aussi bien des compositions de corbeilles que des motifs de tailloirs. Les n°s 223 et 225 illustrent le thème de la grande feuille d'acanthe fendue par le milieu et dont les deux moitiés ont été écartées pour faire place à une palmette centrale très allongée. Simplement
35 l'exécution, tout en étant très sûre, demeure un peu rigide.

Le style figuratif du moment peut être étudié sur deux chapiteaux (n°s 215 et 216) qui reçoivent l'arcature de la fenêtre de droite du bras
36 sud du transept, au niveau des tribunes. L'un représente un ange et l'autre une sirène bifide (Bousquet, fig. 263). L'ange a surtout retenu l'attention en raison de l'inscription gravée sur la banderole qu'il tient à bout de bras : BERNARDVS ME FECIT — « Bernard m'a fait » [48]. Son style n'a rien pour séduire : il est sec et plat. Son auteur ne maîtrise ni le relief ni le modelé. Néanmoins il a fait école. On trouve une copie presque parfaite de l'ange, complété par des rosettes empruntées au chapiteau à la sirène, à Bozouls [49].

35. Conques,
Sainte-Foy,
chapiteau n° 225.

36. Conques,
Sainte-Foy,
l'ange de *Bernardus*.

Au fond du transept, les tribunes font place à une coursière portée par des corbeaux. « Son biseau est couvert de billettes où viennent s'intercaler une série de têtes d'anges ' cravatés ' d'ailes et aussi deux couples de lions venant l'un vers l'autre, en symétrie des deux côtés. Un seul corbeau est simplement mouluré, avec un chrisme sur la face, tous les autres ont des figures qui paraissent composées selon un ordre, trois anges en vol présentant leur paume ouverte, un hibou et un taureau (les seuls de l'église, croyons-nous), un aigle dont nous retrouverons des homologues exacts aux tribunes de la nef » [50].

Il y a moins de variété dans les corbeaux des trois corniches superposées du chevet, un peu plus tardives, car faisant partie de la reconstruction des parties hautes de l'abside à la fin du XIe et au début du XIIe siècle. On observe simultanément une simplification des formes sur les chapiteaux appartenant à l'arcature extérieure de l'abside. Ils appartiennent tous à la catégorie à feuilles lisses, ainsi d'ailleurs que les chapiteaux recevant à l'intérieur de l'abbatiale les doubleaux du transept et du chœur.

Le rez-de-chaussée de la nef et son énigme

LE REZ-DE-CHAUSSÉE paraît avoir été construit à peu près en même temps que les tribunes du transept. Son décor est peu abondant, puisqu'il se limite à celui des grandes arcades faisant communiquer le vaisseau central et ses collatéraux : douze chapiteaux au total.

À l'évidence, on a confié à deux équipes différentes la réalisation des chapiteaux du sud et de ceux du nord. Les premiers s'en tiennent à deux types de feuilles nues déjà apparus dans le rez-de-chaussée du transept : les deux couronnes de feuilles lisses et les grandes feuilles fendues. En fait ce dernier schéma n'est pas stable : il est le point de départ d'une autre formule également apparue dans le transept : celle des feuilles plissées ou décomposées en stries parallèles. L'exécution est toujours médiocre, même lorsque apparaît, çà et là, au milieu des corbeilles, une tige surmontée d'une demi-palmette ou d'un bouton cerclé.

Les chapiteaux des grandes arcades septentrionales sont à la fois plus variés et de meilleure qualité. Ceci s'observe déjà sur le plan du décor floral. Le n° 26, avec ses grandes feuilles d'acanthe très bien dessinées, se rattache à l'art du Massif Central. On peut en dire autant des nos 25 et 27, couverts de rameaux de palmettes sculptées en méplat ou en gouttière.

Une autre source d'intérêt est constituée par deux chapiteaux historiés introduits dans ce décor floral. Le premier, n° 28, ne s'isole de l'environnement général ni par le style ni par la chronologie, mais son iconographie est très originale. Sur la face principale de la corbeille en forme de tronc de pyramide, le Christ, assis sur un siège pliant, étend ses bras à l'horizontale, ses mains étant largement ouvertes. Au-dessus de celles-ci sont sculptés deux énormes calices qui ne reposent sur rien.

37

37. Conques,
Sainte-Foy,
Christ aux deux coupes.

Nous pensons avec Jacques Bousquet qu'ils contiennent les saintes espèces consacrées. De chaque côté, sur les faces latérales, deux personnages vêtus à la manière sacerdotale lèvent la main en direction de chacun des calices. Il n'est pas interdit de penser qu'on a voulu évoquer une concélébration de la messe. Nous aurions alors une représentation, tout à la fois simple et évocatrice, de l'harmonie existant entre la liturgie céleste et la liturgie terrestre au sujet de l'eucharistie, le plus saint des sacrements du christianisme. Ajoutons que le chapiteau se trouve sur le dernier pilier de la nef et qu'il est visible depuis celle-ci. Peut-être localise-t-il l'emplacement de l'autel de la nef destiné aux fidèles, comme le sacrifice d'Abraham le faisait pour le maître autel. Alors que ce dernier mettait l'accent sur l'idée de sacrifice, le précédent insisterait sur l'idée de communion. Les deux calices contiennent le pain et le vin consacrés au corps et au sang du Christ et prêts à être distribués pour être consommés. Quant au style, avec un peu plus de souplesse dans l'exécution, ce chapiteau se place dans la suite du petit groupe de corbeilles figurées du rez-de-chaussée du bras sud du transept.

Et c'est alors que se présente l'énigme annoncée dans le titre de ce paragraphe, sous l'aspect du chapiteau n° 30, situé sur la même pile, mais du côté opposé. Cette énigme n'est pas de nature iconographique, car le sujet du chapiteau a depuis longtemps été reconnu. Il s'agit de

38

38. Conques,
Sainte-Foy,
condamnation de sainte Foy.

la comparution de sainte Foy devant le « préfet » Dacien qui donne l'ordre de la décapiter. Il remet au bourreau l'épée du supplice. Derrière lui, Satan lui souffle son forfait. On reconnaît en celui-ci un frère des démons du grand tympan du Jugement dernier : même visage profondément ridé, mêmes pieds griffus, même pagne dentelé. La sainte, qui exprime son acceptation de la sentence d'un geste de la main, est entraînée par un garde. Tout à fait à droite, faisant pendant au démon ailé, un ange porte une croix pour signifier que, dans son martyre, sainte Foy va revivre la Passion du Christ. Marcel Aubert a fait observer que « le sculpteur s'est efforcé de donner aux corps et aux membres les proportions justes, de draper les étoffes d'une manière vraisemblable et même de traduire les sentiments par les attitudes, les gestes, les traits du visage » [51]. De si profondes différences stylistiques avec la totalité des œuvres précédentes ne peuvent s'expliquer que par un sensible écart chronologique, soit que l'on estime avec le même archéologue que le chapiteau « aurait été sculpté sur le tas lors de l'achèvement des travaux, à la fin du premier quart du XIIe siècle », soit qu'on imagine la réfection d'une œuvre détériorée. On aurait profité de l'occasion pour placer à un bon niveau, à un endroit bien visible, à proximité de l'autel de la nef — avec des intentions symboliques évidentes — la représentation d'une scène du martyre de sainte Foy, source des grâces spirituelles et matérielles dont la patronne de l'abbatiale faisait bénéficier ses dévots. L'époque à laquelle se produisit cette substitution est fournie par le style de cette image de dévotion. Il s'apparente si fortement à celui du tympan du Jugement dernier qu'il ne peut s'agir que d'une œuvre du même auteur [52] ou plutôt d'un artiste de son entourage immédiat [53].

***

Au moment où l'abbatiale sort de terre, vers le milieu du XIe siècle, ses sculpteurs se rattachent par leur style au grand ensemble artistique constitué par le Massif Central et ses marges, un milieu malheureusement encore mal connu et le seul en France à n'avoir pas fait l'objet d'une étude d'ensemble. On connaît cependant quelques-uns de ses caractères, qui se retrouvent à Conques à l'époque : rôle joué par l'entrelacs, la demi-palmette et la palmette, manière particulière de traiter ces éléments décoratifs et de les utiliser — notamment les derniers — en les combinant avec la feuille d'acanthe, en vue de retirer à celle-ci son caractère végétal.

Alors que se poursuivent les travaux du chevet, les liens avec le Massif Central, tout en demeurant puissants, se font moins exclusifs. Conques se révèle attentif aux nouveautés qui se font jour, notamment à partir des environs de 1070, dans le Sud-Ouest de la France, et en tire profit. Cette ouverture se manifeste par l'extraordinaire faveur dont bénéficient les chapiteaux à feuilles nues, à un ou deux étages de feuilles. Ce motif, hérité de l'Antiquité, se développe à Saint-Sever et à Moirax, à Toulouse et à Lescure, plus tard à Compostelle. Il convient d'interpréter ce phénomène autrement que par de simples coïncidences. Cependant, le chapiteau antique, c'est d'abord le chapiteau d'acanthe. Conques apprit à le connaître à travers les interprétations qu'en donnait Saint-Sernin de Toulouse, mais sans jamais se désengager complètement de ses obligations à l'égard de la tradition locale. Cette rencontre de deux cultures nous vaut des œuvres composites dont la plus importante est le portail méridional du transept.

La sculpture figurée et historiée accompagne le développement du chantier à petits pas, d'une manière mesurée, essentiellement, semble-t-il, pour signaler par des compositions symboliques les parties les plus sacrées de l'édifice, celles où la vie liturgique était la plus intense. À l'inverse des motifs seulement décoratifs, ces images ne sont pas touchées par la renaissance antiquisante. Les personnages sont dépourvus de vrais corps, ils évoquent plus qu'ils ne représentent, peut-être parce que leurs auteurs ont ignoré les conditions techniques et culturelles ayant présidé, dans d'autres centres créateurs du chemin de Compostelle, à la redécouverte d'un certain humanisme, celles que symbolisent les sculptures en marbre et en ivoire. Néanmoins, une mutation est en cours lorsque nous abandonnons l'abbatiale pour un temps. C'est ce courant qui va parfaire l'*aggiornamento* de Conques avec la décoration des tribunes de la nef et du cloître à l'extrême fin du XIe et au début du XIIe siècle.

2. Le chevet de Saint-Sernin de Toulouse

Les reliques d'un saint évêque martyr

LA PLUS MÉRIDIONALE des routes françaises de Compostelle décrites par le *Guide du pèlerin,* celle qui conduit de Saint-Gilles-du-Gard au Somport, est par lui dénommée « toulousaine », du nom de son étape principale. L'auteur donne la raison de cette renommée : Toulouse possède les reliques de l'un des rares évêques martyrs de Gaule, saint Saturnin, son premier pasteur. Son corps fut enseveli, nous dit-il, près de l'enceinte urbaine à l'endroit où s'élève « une immense basilique construite par les fidèles en son honneur » [54].

Les circonstances de son martyre, bien connues du *Guide,* sont relatées dans une *Passion de saint Saturnin* sans doute rédigée dès la première moitié du Ve siècle [55]. On retiendra de ce récit que saint Saturnin mourut victime de la persécution de Dèce en 250. Il aurait été entraîné au Capitole, le principal temple de la cité, pour qu'il sacrifiât aux rites ancestraux. Son refus déclencha la fureur populaire qui s'assouvit dans un supplice atroce : le témoin du Christ fut enchaîné à un taureau destiné à un sacrifice, qui l'entraîna dans une course sanglante. Terrorisée, la petite communauté chrétienne de Toulouse n'accorda au martyr qu'une sépulture furtive, vite oubliée. Il fallut attendre la seconde moitié du siècle suivant pour qu'Hilaire, l'un des successeurs de Saturnin, songeât à la rechercher [56]. Il découvrit un cercueil de bois au-dessus duquel il éleva une voûte de briques. Dans le but de promouvoir un culte, il bâtit à côté une petite basilique en bois où les fidèles pouvaient se réunir pour prier. Traditionnellement, mais sans qu'on ait jamais pu le prouver, on situe cet oratoire à l'emplacement de l'église Saint-Saturnin du Taur, aujourd'hui Notre-Dame, là où existait à l'époque romaine une nécropole d'origine païenne.

En raison des rapides progrès de la nouvelle dévotion, l'évêque Silve décida à la fin du IVe siècle de construire une église plus digne et plus belle, non pas au-dessus de la tombe, mais à une certaine distance, à un endroit spacieux et ouvert. Il mourut avant d'avoir achevé son œuvre, laissant ce soin à son successeur Exupère.

Celui-ci fut en mesure, au tout début du Ve siècle, de transférer les reliques dans le nouveau sanctuaire. Cet acte illustre un changement des mentalités. Jusque-là, la loi romaine avait interdit de toucher aux sépultures — et saint Hilaire s'y était encore conformé. Une pratique nouvelle se fait jour : le déplacement des ossements des martyrs, loin d'être considéré comme une profanation, tourne désormais à leur exaltation. Des fouilles effectuées en 1970 par le Service des Monuments historiques ont permis de retrouver la partie inférieure d'une abside outrepassée de six mètres de diamètre intérieur, bâtie sur un sol vierge et construite en blocage entre deux parements de briques. Nous avons proposé d'y reconnaître l'abside de la basilique des environs de 400 [57]. Elle fut conservée jusqu'au XIe siècle et servit de forme au mur intérieur du déambulatoire roman.

La construction du chevet

SAINT-SERNIN (diminutif populaire de Saint-Saturnin) n'attendit pas l'apparition du pèlerinage de Compostelle pour devenir le centre d'une dévotion nationale et même internationale. Il est mentionné à deux reprises par Grégoire de Tours qui signale en outre la présence de reliques du martyr en Auvergne, en Bourgogne et à Tours. Pour veiller sur le tombeau, on établit un *monasterium* dont l'histoire ne commence vraiment qu'avec le plus ancien document de son cartulaire, daté de 844 [58].

Au XIe siècle, il s'agit d'un chapitre de chanoines dont les possessions vont connaître un prodigieux essor grâce à la réforme grégorienne et au mouvement qui s'ensuivit de restitution à l'Église de biens que des laïcs avaient usurpés, souvent avec la complicité des communautés religieuses, en raison de solidarités familiales [59].

Le renouveau disciplinaire s'accomplit à Saint-Sernin peu après 1070 sous l'impulsion de l'évêque de Toulouse Isarn. À sa demande, le pape Grégoire VII (1073-1085) prit acte du rétablissement de la vie commune et de la mise en commun des biens suivant les constitutions de saint Jérôme et de saint Augustin et il promit au chapitre sa protection tant qu'il persévérerait dans cette voie. Néanmoins un conflit ne tarda pas à éclater entre la communauté et l'évêque soutenu par le comte de Toulouse Guillaume IV. Il prit une tournure tellement aiguë que, dans le cours de l'année 1082, Isarn prit la décision d'expulser les chanoines et de les remplacer par des moines moissagais. Dans cette querelle les intérêts ne sont pas absents, mais il faut considérer les choses de plus haut et discerner une opposition entre deux manières de revivre la vie menée par les apôtres aux origines de l'Église, et qui est devenue au XIe siècle le modèle de référence pour les réformateurs. L'une est celle de l'*ordo canonicus,* c'est-à-dire des chanoines désormais astreints à la vie commune et à la pauvreté individuelle comme les moines, l'autre, celle de l'*ordo monasticus* lui-même. Les chanoines de Saint-Sernin en appelèrent au pape qui reconnut leur bon droit et les remit en possession de leur église. Le comte de Toulouse vint à composition dès juillet 1083, mais le conflit avec l'évêque fut plus long à résoudre : les derniers points en litige n'ayant été réglés que dix ans plus tard en 1093. En 1117, le chapitre obtint la plus haute distinction qu'il pût ambitionner avec l'institution de la dignité abbatiale.

Dès la fin du XIe siècle, le chapitre se trouve à la tête d'un patrimoine foncier considérable qui continua à s'accroître jusqu'aux environs de 1130. Ce sera ensuite la stagnation et même la régression. Parmi les sources de revenus figurent aussi de très nombreuses églises qu'il possède en propre ou qu'il administre. Enfin, une politique d'inféodation de terres, de maisons et de boutiques conduit à la création autour de l'abbaye d'un nouveau noyau urbain.

En raison du développement démographique et de l'essor des pèlerinages, l'église héritée des temps paléochrétiens se révèle incapable d'accueillir les foules qui la fréquentent. Il faut la reconstruire plus grande et toujours plus belle.

Une tradition, dont on ignore la source, fixe le début des travaux vers 1060 [60], ce qui nous semble un peu prématuré. Il est probable que les chanoines attendirent la réforme du chapitre pour entreprendre une œuvre d'aussi longue haleine, nécessitant la mobilisation constante et régulière de sommes d'argent considérables. Probablement ne furent-ils pas les seuls à assumer les charges de l'entreprise. Le *Guide du pèlerin de Saint-Jacques-de-Compostelle* indique que « l'immense basilique » de Saint-Sernin avait été « construite par les fidèles » en l'honneur du martyr. Sans doute est-ce abusivement exagérer leur rôle, mais leur participation semble confirmée par une inscription gravée sur la table du maître autel [61]. Elle précise entre autres choses que « les confrères du saint martyr Saturnin *(confratres beati martyris Saturnini)* ont fait établir cet autel sur lequel l'office divin sera célébré pour le salut de leurs âmes et de celle de tous les fidèles de Dieu ». Le chanoine Étienne Delaruelle [62] a proposé de reconnaître dans les *confratres* les membres d'une confrérie établie en l'honneur du saint et contribuant à la construction de son église. Peut-être aurions-nous là l'origine de la confrérie des douze apôtres qui, forte de 1600 membres, s'occupait encore au XIVe siècle de divers travaux à effectuer dans l'abbatiale [63].

Cette table d'autel est un jalon précieux pour la datation du chevet de Saint-Sernin. L'inscription que nous venons de mentionner précise en effet qu'elle fut consacrée le 24 mai 1096 par le pape Urbain II. Cette date correspond au voyage que le pontife entreprit en France à l'occasion du concile de Clermont de 1075 [64]. Nous savons par ailleurs qu'il officia à Saint-Sernin assisté de quatorze archevêques et évêques, dont plusieurs prélats espagnols et en présence du comte de Toulouse Raymond de Saint-Gilles prêt à partir pour la croisade. Il consacra à la fois l'autel et l'église. Nous nous interrogerons sur l'état d'avancement des travaux de construction à cette date et verrons que le chevet était en voie d'achèvement, mais qu'on n'avait pas encore touché à la nef.

Le chevet de Saint-Sernin reprend en le perfectionnant le parti architectural inauguré à Sainte-Foy de Conques [65]. Il comporte un monumental transept, très large et nettement saillant sur la nef. Chacun de ses bras, profond de quatre travées et entièrement ceinturé de collatéraux, possède deux chapelles orientées alternant avec des fenêtres surmontées d'un oculus. Les grandes arcades des collatéraux, à double rouleau, retombent sur des piliers carrés renforcés par des pilastres et des colonnes engagées. Sur les piles d'angle, les quatre faces sont occupées par des pilastres. Les autres piles n'offrent des pilastres que sur les faces nord et sud, les autres faces, celles de l'est et de l'ouest, étant garnies de colonnes. Un damier surmonté d'un câble est tracé sur le mur oriental du transept à un niveau qui correspond à la base des fenêtres. Il se poursuit dans les chapelles.

39

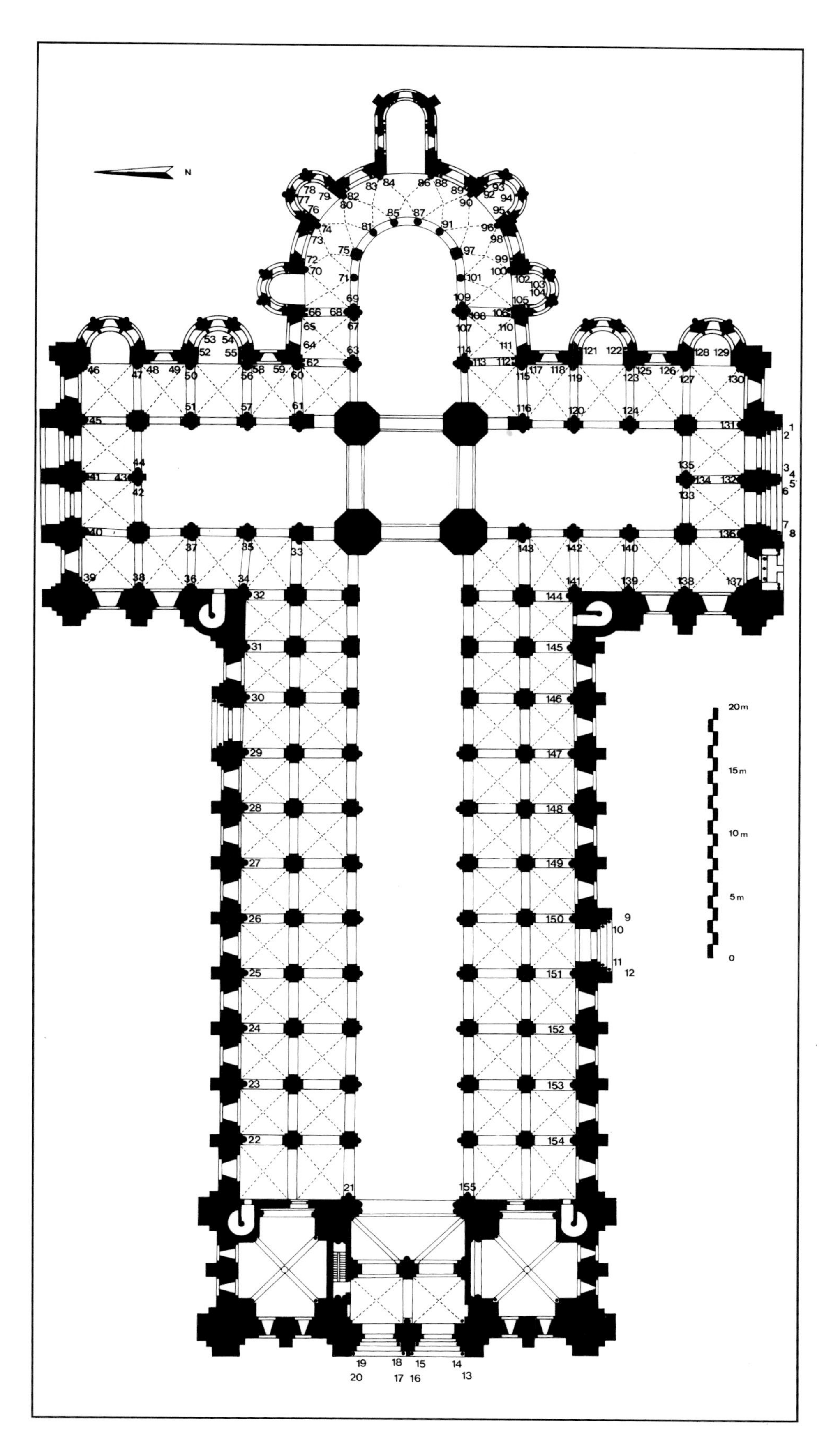

39. Toulouse,
Saint-Sernin,
plan au sol.
D'après Zodiaque.

40. Toulouse,
Saint-Sernin,
déambulatoire
(Photo Yan).

Au-delà du transept, en direction de l'est, le chœur ne s'étend que sur une seule travée, mais il est couronné par une abside précédée par une partie droite. Dans la suite des collatéraux du transept un déambulatoire entoure le chœur et l'abside et il dessert cinq absidioles rayonnantes, celle d'axe étant plus profonde que les autres. L'abside communique avec le déambulatoire par neuf arcades très surhaussées, qui retombent d'abord sur quatre colonnes à l'est, puis, vers l'ouest et de chaque côté, sur une pile carrée aux angles abattus et creusés d'une 40 gorge surmontée d'un tailloir, et enfin sur une nouvelle colonne. Les grandes arcades de la travée de chœur prennent appui sur des piles carrées renforcées de quatre demi-colonnes.

Le dessin des supports, tant dans le transept que dans le chœur et le déambulatoire, s'accorde avec la nature des voûtes dans ces diverses parties de l'édifice. Les collatéraux du transept, ainsi que la travée droite du déambulatoire correspondant au chœur, sont couverts par des voûtes d'arêtes encadrées par des doubleaux, le reste du déambulatoire par un berceau annulaire pénétré par les lunettes des grandes arcades d'un côté, celles des arcs des chapelles et des baies surmontées d'oculus qui les séparent, de l'autre. Du côté du mur extérieur du déambulatoire les doubleaux s'appuient sur des colonnes géminées en délit, les autres supports étant des colonnes engagées simples. Sur ce mur se prolonge, à la base des fenêtres, le damier surmonté d'un câble déjà signalé sur le mur oriental du transept. Ce détail et d'autres indices donnent à penser que toute l'enveloppe orientale du chevet, au niveau du rez-de-chaussée, est le fruit d'une unique campagne de construction ayant marqué le début du chantier peu après 1070.

Des tribunes profondes surmontent les collatéraux du transept et de la travée du chœur, exactement comme à Conques. Elles sont de même éclairées directement de l'extérieur et elles ouvrent aussi sur l'intérieur de l'édifice par des baies géminées retombant sur des colonnes centrales jumelles et encadrées par un arc de décharge. Toujours à l'instar de Conques, les tribunes s'interrompent à l'entrée de l'abside pour permettre l'éclairage direct de celle-ci par neuf fenêtres en plein cintre. Au-dessous de ces fenêtres le passage couvert d'un demi-berceau assurant la communication entre les tribunes du chœur n'était éclairé à l'origine que par des baies ouvrant du côté du sanctuaire. On les a bouchées au XVIe siècle lorsqu'on renouvela les peintures de l'abside et du chœur. Le passage étant devenu obscur, on prit la lumière de l'extérieur à travers de médiocres ouvertures que Viollet-le-Duc avait eu l'heureuse idée de supprimer, mais qu'on a cru récemment devoir rétablir.

Les parties hautes du chevet sont entièrement voûtées comme le rez-de-chaussée : au moyen d'un cul-de-four sur l'abside et à l'aide de berceaux sur doubleaux dans le chœur et dans les bras du transept. Ces berceaux sont contrebutés par les voûtes en demi-cercle qui couvrent les tribunes.

La croisée du transept est encadrée par quatre grands arcs en plein cintre qui s'appuyaient sur des piles composées. Elle est couverte par une coupole sur trompes sous laquelle huit branches d'ogives de profil carré rayonnent autour d'une ouverture centrale circulaire. Peut-être a-t-elle été refaite dans la seconde moitié du XIIIe siècle lorsqu'on décida de surélever le clocher qui surmonte la croisée. Par ailleurs le maître de l'œuvre ayant conçu des doutes sur la capacité pour les anciens supports de résister à l'écrasement, il les renforça en les enfermant dans des chemises de maçonnerie. En outre, il mura dans les tribunes — tant celles du chœur que celles des croisillons — les baies géminées les plus proches. On a pu vérifier récemment que les supports primitifs existaient toujours avec leur décor de chapiteaux romans au cœur des maçonneries du XIIIe siècle.

L'extérieur du chevet constitue la partie la plus pittoresque de l'église en raison de l'étagement harmonieux des divers éléments de la composition.

Cinq chapelles rayonnantes épaulées par des contreforts-colonnes s'accrochent à la courbure du déambulatoire et quatre autres à la partie inférieure du transept qui forme comme un gigantesque mur de fond. Les unes et les autres sont séparées deux à deux par une travée percée d'une fenêtre que surmonte un oculus. On reconnaît dans cette superposition l'exploitation d'un schéma d'origine romaine. On observe dans la chapelle d'axe, ainsi que dans les parties inférieures du déambulatoire du côté du sud, de curieuses recherches portant sur le décor mural. Il s'agit de petites arcatures aveugles semi-circulaires, parfois complétées par des arcs en mitre dans les écoinçons. On y a associé systématiquement la pierre et la brique. C'est un souvenir de motifs décoratifs mérovingiens et, au-delà, romains, comme on peut en voir, par exemple, sur la tour romaine de Cologne. Jusqu'au niveau des tribunes la construction se caractérise aussi dans cette partie orientale du chevet par un type particulier de fenêtres. Leurs piédroits, qui sont en pierre, offrent çà et là des fourrures de briques. Les doubles voussures des archivoltes, non parfaitement concentriques, sont en pierre dans le transept, ainsi que dans la chapelle d'axe, en pierres et en briques alternées dans les autres chapelles du déambulatoire. Partout on observe des remplissages de briques entre les voussures, cependant qu'un cordon continu de trois rangs de billettes enveloppe les fenêtres. Toutes ces observations confirment et complètent celles qui avaient été faites à l'intérieur de l'édifice. La partie inférieure du chevet dans sa zone orientale, jusqu'au niveau des tribunes, est d'une seule venue et représente les débuts des travaux. Tout à fait au départ la réalisation technique témoigne, avec l'utilisation des incrustations décoratives, d'une sensibilité artistique encore marquée par des traditions héritées de l'antiquité tardive et du haut Moyen Âge. Néanmoins, très rapidement, sans doute en raison de l'ampleur de l'œuvre à accomplir, on renonça à ces subtilités.

Les portes géminées nord et sud du transept sont montées en pierre et ne présentent plus que quelques remplissages de briques entre les voussures des baies. On remarque immédiatement au-dessus du portail méridional — au nord tout a été brouillé par une reconstruction de Viollet-le-Duc — tant à l'intérieur qu'à l'extérieur, plusieurs témoignages d'un arrêt suivi de la reprise de la construction. Cet événement de l'histoire du chantier pourrait correspondre à l'expulsion des chanoines de Saint-Sernin par l'évêque et le comte de Toulouse en 1082 et à leur retour dès l'année suivante.

Un deuxième ensemble architectural, commencé très peu après 1083, correspond aux parties hautes du chevet — étage des tribunes et abside.

Les contreforts et les piédroits des fenêtres sont montés avec une alternance de pierres et de briques et les fourrures verticales disparaissent à peu près complètement. Les arcs des fenêtres sont désormais moulurés, avec un tore dégagé d'un cavet ; les piédroits s'enrichissent de colonnettes

et de chapiteaux. Les contreforts-colonnes réapparaissent à l'abside.
L'étagement des divers étages du chevet — déambulatoire avec chapelles rayonnantes, passage semi-circulaire reliant les tribunes du chœur, abside — ménage autant de relais conduisant progressivement jusqu'au monumental clocher de briques. Il paraît avoir été élevé en trois étapes. Le premier étage, avec son arcature aveugle en plein cintre, correspond à la coupole de la croisée. Les deux étages suivants lui sont semblables, sauf que les arcs en plein cintre sont désormais percés. Enfin, les deux derniers étages, avec leurs arcs en mitre, sont le résultat d'une surélévation gothique.

Les chapiteaux des fenêtres du rez-de-chaussée du chevet : Le règne de la palmette

LA GRANDE AVENTURE DE LA SCULPTURE ROMANE à Saint-Sernin débute avec les chapiteaux de petites dimensions ornant l'ensemble des fenêtres du rez-de-chaussée du chevet et dont le décor est généralement fondé sur l'utilisation d'un motif d'origine très ancienne : la palmette. Ces œuvres ont un charme délicat et plein de séduction. On les trouve dans les chapelles rayonnantes du déambulatoire, dans les chapelles orientées du transept, ainsi que dans les fenêtres ouvertes dans les travées alternant avec ces sanctuaires. Autrement dit, à des emplacements qui correspondent à ceux des plus anciennes sculptures de Conques, même si l'ordre suivi pour la réalisation semble avoir varié dans les deux cas. À Conques, la construction débuta par le mur oriental du rez-de-chaussée du transept avec ses chapelles orientées, et elle se poursuivit avec la clôture extérieure du déambulatoire et les absidioles rayonnantes. À Saint-Sernin on procéda, semble-t-il, différemment. On ouvrit le chantier dans le déambulatoire, on passa ensuite au mur oriental du croisillon sud et c'est après seulement qu'on entreprit celui du croisillon nord. Avant même l'achèvement de ce dernier apparaissaient les premiers chapiteaux à feuilles d'acanthes.

Une difficulté que Conques ignore se présente à Saint-Sernin pour l'étude de cette sculpture : le problème de l'authenticité. L'abbatiale toulousaine, plus riche et plus fréquentée que celle du Rouergue, modifia à plusieurs reprises, et non sans dommage pour le décor d'origine, la présentation de l'intérieur du chevet afin de suivre la mode. Il s'agissait de satisfaire au goût des fidèles ou des simples visiteurs attirés par le trésor des reliques du déambulatoire ou fréquentant les chapelles orientées du transept, sièges de dévotions majeures de l'abbatiale, comme le culte de la Vierge Marie. Les plus calamiteuses de ces entreprises de rénovation se situent au XVIIe siècle lorsqu'on couvrit de boiseries dorées « le tour des corps saints », et au XIXe siècle lorsque, ce décor étant passé de mode, on demanda à la « restauration » l'impossible miracle du retour à l'état d'origine. Dans le premier cas, on se montra impitoyable à l'égard de tout ce qui gênait la nouvelle installation. On n'hésita pas à entailler les maçonneries pour les mettre « au carré » et on fit disparaître toute saillie intempestive. La situation, bien qu'inverse dans le second cas, aboutit au même résultat. Pour fermer les blessures béantes provoquées par l'arrachement des lambris, on introduisit beaucoup d'éléments neufs, tant en ce qui concerne les murs que le décor monumental. Notre époque, à son tour, se laissa entraîner dans ce mouvement de flux et de reflux. Son rêve fut de « dérestaurer », de revenir à l'état d'avant Viollet-le-Duc. Cependant, dans le rétablissement des boiseries, on fit preuve de prudence et on respecta au maximum l'apport du XIXe siècle. Ces travaux s'inscrivirent par ailleurs dans une entreprise générale de décapage des murs de l'abbatiale. Débarrassés des couches de badigeons qui les encrassaient et en rendaient parfois la lecture difficile, les chapiteaux romans ayant échappé aux cataclysmes précédents retrouvèrent leur lisibilité. Pour certains d'entre eux, il s'agit d'une véritable résurrection.

Le résultat de ces interventions successives est une situation des plus complexes. Notre série, si homogène au départ, lorsqu'elle sortit des mains des sculpteurs romans, est devenue passablement hétéroclite. Elle comprend des œuvres authentiques, généralement peu restaurées, mais aussi des copies en pierre qui n'occupent pas nécessairement la place qui était celle de leur modèle, et enfin des pastiches en plâtre dépourvus d'intérêt pour l'histoire des formes. Il ne saurait être question ici d'établir la fiche d'identité de chacune de ces pièces, mais il fut nécessaire de passer par cette étape préliminaire avant de réaliser l'étude iconographique et stylistique dont nous allons présenter les conclusions [66].

Dans la partie du monument envisagée, au stade où nous la prenons, c'est-à-dire avant le voûtement, les chapiteaux décorent donc uniquement les fenêtres : celles des chapelles et les baies intermédiaires. Il s'agit exclusivement de corbeilles de petites dimensions pour lesquelles on a choisi un épannelage issu du corinthien à deux couronnes. Il existe ainsi, dès l'origine du chantier de Saint-Sernin, une volonté normative qui s'exerce avec la même rigueur dans le choix des motifs du décor, l'élaboration des principes de son développement et la définition de ses rapports avec son support architectural. Celui-ci, le chapiteau corinthien, est une structure ayant une très longue histoire qui s'est poursuivie après la disparition de l'Empire romain jusqu'à l'époque préromane. On l'a ici volontairement simplifiée en ne conservant que deux couronnes de feuilles et en réduisant à presque rien les éléments de la partie supérieure. À cet endroit ne subsistent que les seules volutes — dépourvues de tiges — et les dés médians nettement détachés par les échancrures de l'abaque.

Jusqu'à la seconde des chapelles orientées du bras nord du transept, autrement dit presque jusqu'à la fin de la première campagne de travaux, on se refusa à accompagner cette structure du décor de surface du corinthien : la feuille d'acanthe. On préféra à cette dernière un motif appartenant également à l'héritage culturel de la Méditerranée : la palmette.

La première sculpture de Saint-Sernin offre d'emblée tous les types de palmettes qu'utilisera le chantier au cours de son existence. On les trouve à peu près réunis sur le chapiteau 128 situé dans la chapelle la plus méridionale du transept. Sa corbeille est constituée par deux compositions linéaires superposées dont les éléments alternés sont issus

41

41. Toulouse, Saint-Sernin, chapiteau n° 128.

de tiges dressées et ligaturées. En bas, il s'agit de tiges en S encadrant une palmette très plate. Sur le second registre les extrémités des tiges nouées s'épanouissent en un éventail de crossettes, et elles donnent en outre naissance à des palmettes d'une étonnante souplesse, ramenant clairement à l'origine végétale du motif. Enfin apparaît sur le tailloir un troisième type de palmettes, plus sèches, dont le cœur est une sorte de robuste pédoncule triangulaire d'où partent deux étroites feuilles lobées qui encerclent la palmette.

Des allusions à la vie végétale subsistent sur le n° 88, qui se trouve dans le déambulatoire. En raison de leur développement, les tiges prennent l'allure d'arbustes d'où surgissent les palmettes souples. Sur le tailloir, des palmettes au contraire très stylisées sont à la fois encerclées et encadrées par leurs tiges.

Il arrive enfin que la stylisation l'emporte complètement sur la tradition végétale, avec des compositions décoratives ayant pour base une demi-palmette (n° 104), et qui se soumettent ordinairement aux règles de la stylistique romane telle que Jurgis Baltrušaitis l'a définie [67].

42

C'est ainsi que deux demi-palmettes se rejoignent pour reconstituer une palmette complète, que leurs tiges encerclent. Ce motif de la palmette circonscrite s'adapte sans difficulté aucune à la structure corinthienne à deux couronnes de feuilles. Parfois, la palmette s'accroche à la pointe des feuilles et s'épanouit en retombant. Il arrive cependant que deux longues feuilles, souvenir du décor de surface du corinthien, constituent un second encadrement de la palmette (nos 58 et 59). C'est un exemple des encadrements emboîtés appartenant aux « motifs II » de Baltrušaitis [68] mais qui, concrètement, nous ramène ici à la situation du tailloir n° 128.

43

41

42. Toulouse, Saint-Sernin, chapiteau n° 104.

▷ 43. Toulouse, Saint-Sernin, chapiteau n° 59.

44. Toulouse,
Saint-Sernin,
chapiteau n°103.

D'une manière quasi normale, l'animal prend place au milieu de ce décor végétal. Il devient ornement lui-même et s'adapte à la structure générale. Sur la couronne supérieure du chapiteau n° 103, au-dessus d'un registre de bouquets de fleurs épanouies, des petits chiens paraissent bondir parmi les palmettes. En réalité leur élan est pétrifié et l'animal est métamorphosé en un motif de frise. La géométrie étend son emprise sur lui autant que sur le végétal.

44

Le motif des petits chiens bondissant parmi les palmettes fut très apprécié par l'atelier de Saint-Sernin à ses débuts. En 64 et 65 ils crachent un fleuron, mais en 110 et 111 (qui n'est qu'une copie) ils mordillent leurs queues qui s'entrelacent. En 89, 117 et 118 ils accostent deux petits oiseaux affrontés de part et d'autre des volutes auxquelles est suspendue une palmette.

L'existence d'une continuité linéaire entre les motifs décoratifs, quelle que soit leur nature, nous indique la direction à prendre pour en retrouver l'origine. On a le sentiment que les premiers sculpteurs de Saint-Sernin s'inspirent de modèles graphiques qu'ils interprètent selon une technique encore proche du méplat.

Les manuscrits offrant l'illustration la plus proche de cette iconographie appartiennent à la production de l'abbaye de Saint-Martial de Limoges, plus précisément au Lectionnaire (Bibl. Nat. Lat. 5301) de la fin du Xe ou du début de XIe siècle [69]. Ce fut le premier livre de Limoges à fondre dans un tout décoratif les représentations végétales, animales et même humaines. Il joua un grand rôle dans la formation du style roman « aquitain » en Limousin et dans une zone d'influence qui s'étendit vers le sud au moins jusqu'à Moissac et Albi et peut-être même jusqu'à Toulouse [70]. On y trouve les types de palmettes utilisés à Saint-Sernin ainsi que le motif du petit chien — qui porte ici un collier — vomissant l'une de ces palmettes [71]. Les œuvres de ce style dépendent pour une large part d'une source admirable, la première Bible de Saint-Martial (Bibl. Nat. Lat. 5, I et II) copiée par *Bonebertus* à une date qui demeure objet de discussion. Elle possède encore en abondance des traits que l'on peut qualifier de « classiques », aussi bien dans la représentation des feuillages que dans celle de la figure humaine, mais elle offre déjà quelques traits romans qui se développèrent dans le Lectionnaire. En un mot, les premiers sculpteurs de Saint-Sernin ont cherché leur inspiration dans des manuscrits de tradition carolingienne « informés » par l'esprit roman. Ils s'installèrent à la rencontre de deux cultures et cette situation explique la nature de leur message.

On se demandera si l'adaptation à la sculpture monumentale de modèles graphiques proposés par les manuscrits ne fut pas d'abord tentée à Saint-Martial même, d'où l'expérience acquise aurait été transmise à Saint-Sernin. L'hypothèse conviendrait à la chronologie relative des deux monuments, mais elle achoppe sur ce que l'on connaît de la sculpture romane de l'abbatiale limousine. Il n'en subsiste que de rares vestiges [72]. Les chapiteaux provenant à peu près sûrement de son église, et qui comptent parmi les plus anciens, n'ignorent pas les palmettes, mais ils les utilisent comme l'auraient fait des tailleurs de pierre sans culture. Même des œuvres plus évoluées — dont on ignore l'emplacement primitif dans l'abbaye — ne témoignent pas davantage de l'existence d'une aventure artistique comparable à celle qui se déroula à Toulouse. Pour nos régions méridionales tout au moins, l'élan en direction de la grande sculpture romane monumentale paraît bien être parti de la capitale languedocienne elle-même durant la décennie 1070-1080. Il prend appui ici sur des modèles graphiques vieux peut-être d'un demi-siècle.

Dès l'origine du chantier de Saint-Sernin le décor des chapiteaux eut un prolongement sur les tailloirs qui ne furent jamais laissés nus. On les voulut aussi richement parés et généralement à l'aide des motifs précédents déroulés en frise.

C'est peut-être dans la seconde chapelle du bras nord du transept (la plus proche du déambulatoire) que, pour la première fois, un sculpteur de Saint-Sernin est entré directement en compétition avec un maître antique en proposant à son tour des chapiteaux corinthiens achevés, c'est-à-dire ornés de feuilles d'acanthe. Les quatre chapiteaux des fenêtres de cette chapelle reproduisent un seul modèle, autrement dit le motif s'affirme d'emblée comme stable et bien assuré. Déjà l'acanthe est traitée avec maîtrise (chapiteau n° 53). De grandes feuilles d'angle à nervure centrale saillante, sculptées en faible relief sur un limbe relativement épais, alternent avec des feuilles moins développées. Entre ces diverses feuilles et à leur base il y a place pour un petit motif végétal, intermédiaire entre la feuille et la palmette. Au-dessus de ce premier ensemble végétal d'autres feuilles s'élèvent. L'une de ces dernières, à la partie centrale de la face principale du chapiteau, atteint le sommet de la corbeille. Ses voisines prennent la place des tiges des volutes et s'incurvent à leur extrémité pour envelopper la volute. L'ensemble, riche de dynamisme, évoque le jaillissement du monde végétal et suggère même des superpositions de feuilles sur plusieurs plans.

Les œuvres suivantes, dans cette partie orientale du transept, sont modernes, sauf le chapiteau n° 48, qui offre deux registres d'arbres à palmettes, c'est-à-dire une composition ayant déjà fait ses preuves. La nouveauté résulte de la présence d'une tête de monstre qui surgit à l'angle en tirant une langue volumineuse en forme de fleuron. Elle est intéressante à plus d'un titre. D'une part, elle inaugure la mutation des formes à laquelle s'est complu l'atelier de Saint-Sernin. Ici, l'animal prend la place des volutes. D'autre part, cette tête de monstre appartient déjà, d'une manière irrécusable, à la « ménagerie » du premier artiste de Saint-Sernin identifiable, celui que nous dénommons le « maître de la Porte des Comtes » [73].

Les supports des voûtes du déambulatoire : L'importance du chapiteau d'acanthe

45. Toulouse, Saint-Sernin, chapiteau n° 84.

▷ 46. Toulouse, Saint-Sernin, chapiteau n° 112.

▷ 47. Toulouse, Saint-Sernin, chapiteau n° 66.

LA QUESTION SE POSE de savoir si les chapiteaux sculptés à la naissance des voûtes du déambulatoire prolongent la production précédente. Sans hésiter on répondra par l'affirmative en ce qui concerne ceux qui sont engagés dans le mur extérieur. On retrouve là des motifs décoratifs et des schémas de composition utilisés précédemment avec seulement quelques variantes ou enrichissements qui n'altèrent en rien la technique et la qualité de l'exécution.

45 C'est le cas pour le numéro 84 (reproduit en 86 et encore en 96). Il reprend un motif ayant eu jusque-là la préférence des tailloirs : une palmette au centre de laquelle est sculpté un vigoureux éperon, point de départ d'un encadrement en forme d'as de cœur. Ce cadre est constitué par deux demi-palmettes à crossettes de tracé symétrique. Elles se redressent et s'incurvent pour entourer une pomme de pin qui paraît suspendue à leur point de jonction. D'autres pommes de pin sont accrochées aux volutes d'angle et à deux autres volutes qui s'enroulent sous le dé central en souvenir des anciens caulicoles. Ainsi se poursuit, à partir d'un schéma d'organisation ancien, un développement conforme au principe de la stylistique romane. Le résultat est une composition riche, ferme et rigoureuse dont tous les éléments sont disposés selon une stricte symétrie, en sorte qu'elle pourrait aussi bien se développer en frise d'une manière ininterrompue.

Il en va de même avec les chapiteaux jumelés en 62, à l'entrée nord du déambulatoire. Ils reprennent si aisément, en deux registres superposés, les alignements de palmettes de l'étage supérieur du n° 128 (dans la dernière chapelle du bras sud du transept) qu'il pourrait s'agir de l'œuvre du même sculpteur travaillant à très peu de temps d'intervalle. L'observation vaut aussi pour le n° 70 qui reprend tout bonnement les arbustes à palmettes du n° 82. Ceux-ci sont encore imités en 106, mais avec des variantes.

D'autres arbustes à palmettes gardent l'entrée sud du déambulatoire
46 en 112, mais ceux-ci se distinguent des précédents par un dessin plus complexe et par le choix d'une autre technique : la taille en creux. On songe à une influence isolée du Massif Central, sans doute par l'intermédiaire de Conques.

Le chapiteau corinthien, quant à lui, pénètre par l'entrée nord du
47 déambulatoire à travers deux chapiteaux jumelés identiques (nº 66). Il n'a pas su conserver le jaillissement végétal qui caractérise les chapiteaux de l'avant-dernière chapelle du bras nord du transept (nº 53). Un esprit de symétrie s'empare des feuilles et les transforme en motifs alternés à valeur purement décorative. Il existe deux registres superposés empreints de raideur. Sur celui du bas des feuilles allongées et recourbées à leur extrémité, échancrées par de nombreux lobes et structurées par une nervure épaisse, encadrent d'autres feuilles plus petites, réservées sur un fond creusé. Ce dernier motif, agrandi, devient l'élément dominant du feuillage du registre supérieur. Sur le tailloir commun aux deux chapiteaux apparaît l'élégant motif de la tige ondulée avec des demi-palmettes de part et d'autre, qui fut très utilisé par l'ancien art de la Méditerranée.

48 Le recours à l'animal sur ces grands chapiteaux, en 80 [74], est l'occasion d'une vigoureuse restructuration de la corbeille. Deux lions antithétiques prennent appui sur leur arrière-train et se redressent énergiquement pour unir leurs têtes à celle des animaux voisins. Leur gueule commune mord

48. Toulouse,
Saint-Sernin,
chapiteau nº 80.

l'extrémité de leurs queues étroitement unies par des ligatures. À la partie centrale de la corbeille les pattes des lions opposés se rejoignent sous le dé, celles du haut emprisonnant un visage humain. Le motif des lions antithétiques est si fréquent dans les églises romanes qu'on hésite parfois à lui attribuer une signification particulière, mais ici l'attitude des lions rugissants s'apprêtant à dévorer un personnage les désigne comme les instruments du Malin.

49. Toulouse, Saint-Sernin, chapiteau n° 90. Daniel dans la fosse aux lions.

50. Toulouse, Saint-Sernin, chapiteau n° 74.

▷ 51. Toulouse, Saint-Sernin, chapiteau n° 109.

▷ 52. Toulouse, Saint-Sernin, chapiteau n° 69.

Ce chapiteau s'oppose donc à celui de la représentation de Daniel dans la fosse aux lions à peu près symétrique par rapport à l'axe de l'édifice (en 90). De menaçants qu'ils étaient dans l'œuvre précédente, les lions deviennent ici paisibles et même protecteurs : ils sont étendus de chaque côté de l'homme de Dieu ou, au registre supérieur, ils étirent leur corps pour étendre leurs pattes au-dessus de sa tête comme pour le couronner d'un dais. À l'image de violence s'oppose une image de

49

paix et de salut, à travers une composition d'un « primitivisme » savoureux et même cocasse, relevant encore des arts du haut Moyen Âge. Son intérêt s'accroît du fait qu'il présente tous les traits distinctifs d'un sculpteur qui dominera le chantier du chevet de Saint-Sernin jusqu'à l'apparition de Bernard Gilduin à la fin du siècle, celui que nous appelons le « maître de la Porte des Comtes ».

Il fut aussi l'auteur du deuxième chapiteau historié du déambulatoire (en 74) où l'on voit réapparaître la violence. Cette œuvre illustre le thème de la lutte à l'aide du bâton et du bouclier « qui est au XIIe siècle la forme de combat des personnes libres mais non nobles lors du duel judiciaire. Cette forme est si typée que l'on pouvait dire par métonymie ' prendre l'écu et le bâton ' pour désigner la procédure des gages de bataille ». Les deux adversaires qui combattent à pied et de cette façon n'ont pas le costume de guerrier, mais sont vêtus d'une simple tunique. Leurs armes, l'écu et le bâton « constituent le négatif de celles des guerriers professionnels, détenteurs de la seule violence qui puisse (dans la société du temps) être légitime. La violence qui s'effectue par elles ne peut donc être, tout comme celle qui déchire la société chrétienne, qu'une violence désordonnée, vaine » [75]. Elle est une forme condamnable de lutte associée à celle des animaux s'entre-dévorant ou déchirant une proie.

50

Les chapiteaux des colonnes du rond-point de l'abside et des piles du chœur ont été réalisés à peu près en même temps que ceux du mur extérieur du déambulatoire et par les mêmes sculpteurs.

51

Il existe donc très peu de changements dans les thèmes. En 109, voici deux registres d'arbustes à palmettes identiques à ceux qui étaient apparus en 82 aux origines du chantier. Nul « progrès » de l'un à l'autre. Simplement l'ensemble s'est-il enrichi de boules qui impriment leurs accents à l'extrémité des feuilles constituant les supports de base.

52

Dans la forêt des arbustes à palmettes sont venus se percher en 69 — et encore en 114 — des animaux ailés aux oreilles pointues, appartenant probablement à la famille des griffons. Ils forment deux couples qui rejoignent leurs têtes aux angles. Leurs corps aux formes élégantes laissent entre eux une figure au tracé courbe occupée par de longues feuilles sorties de leurs becs. Par rapport au motif des oiseaux avec petits chiens des fenêtres du déambulatoire et du transept (ci-dessus, n°s 89, 117, 118), à peine enregistre-t-on une plus grande fermeté dans l'exécution résultant peut-être seulement de la différence d'échelle.

Nous attribuerons au maître de la Porte des Comtes les lions paisibles à la démarche pesante qui se suivent ou s'opposent sur les deux registres du chapiteau n° 108.

La nouveauté vient surtout de l'importance prise par le chapiteau d'acanthe. Alors que jusque-là ses manifestations demeuraient rares et isolées, il affirme désormais une présence qui va se faire envahissante (n°s 63, 67, 85, 91, 107). Le feuillage d'acanthe de Saint-Sernin est abondant, riche en effets, grâce à la multiplication des folioles qui se juxtaposent, se superposent, s'étalent, s'incurvent dans une apparente liberté capable de rivaliser parfois avec les plus accomplis des témoignages de l'Antiquité régionale. Cette liberté n'est cependant que limitée. Il existe une sorte de fatalité répétitive sans doute d'origine technique.

53. Toulouse, Saint-Sernin, chapiteau n° 91.

54. Toulouse, Saint-Sernin, chapiteau n° 68.

Même lorsque le chapiteau se rapproche le plus des exemples classiques par la taille croissante des feuilles du bas vers le haut, l'acanthe n'est première ni dans la conception, ni dans la réalisation. Au départ, selon une pratique remontant au début de l'atelier, l'épannelage comporte des couronnes de feuilles lisses correspondant à la structure corinthienne. C'est sur ces feuilles que les acanthes ont été sculptées. Elles demeurent superposées à leurs supports qui imposent les orientations. Telle est l'origine du caractère répétitif de certains motifs de surface comme les palmettes entourées d'un cadre semi-elliptique qui se succèdent régulièrement à la base de chacune des couronnes sur tous les exemplaires. En définitive, la feuille d'acanthe n'est qu'un motif de surface parmi d'autres, l'équivalent de la palmette que l'on a sélectionnée au même titre qu'elle, en raison de sa richesse décorative. Ces beaux feuillages, véritables chefs-d'œuvre de l'art roman, se situent donc à l'opposé des modèles antiques encore proches de la vie végétale.

Dans la famille des chapiteaux d'acanthe prend place un motif qui connut une remarquable fortune non seulement à Saint-Sernin, mais aussi à Conques, à Saint-Isidore de León et à Saint-Jacques de Compostelle : celui des feuilles fendues (n° 68) dont Georges Gaillard a retracé l'histoire de la manière suivante [76]. On aurait au départ coupé en deux une feuille d'acanthe le long de sa nervure centrale. On aurait ensuite écarté les deux moitiés. Dans l'espace ainsi dégagé on aurait installé une feuille allongée rattachée par sa pointe à celle des deux moitiés de feuille qui l'encadrent. Il est possible qu'à Saint-Sernin le motif ait d'abord mûri sur les tailloirs (à partir du chapiteau 53 et jusqu'au tailloir du chapiteau considéré) avant d'être utilisé pour le décor des corbeilles.

55. Toulouse,
Saint-Sernin,
chapiteau n° 87.

Il convient de considérer comme une variante du corinthien les
55 chapiteaux à feuilles nues (n°s 71, 81, 87 et 101). On a déjà étudié leur
importance et leur signification à Conques. Dans le cas présent, compte
tenu des emplacements prestigieux de ces œuvres, on peut se demander
si elles n'avaient pas reçu un décor peint. Le XIXe siècle s'était déjà
posé la question et y avait répondu par l'affirmative. Il les avait dotées
d'un décor de feuilles d'acanthe qui renforçait la tonalité antiquisante
du décor du rond-point. La restauration récente de l'intérieur de
Saint-Sernin a fait disparaître ces compléments peints dont la présence
peut-être injustifiée était au moins très suggestive.

Entre deux de ces chapiteaux à feuilles lisses apparaît un motif à
peu près sûrement originaire de Conques où il s'est largement développé,
il est vrai sous une forme légèrement différente. Il s'agit d'une frise de
têtes d'angelots développée sur les quatre côtés du tailloir couronnant
56 le pilier de gauche du rond-point (n° 75). Ce ne sera ici qu'une pensée
fugace : elle demeurera sans suite.

56. Toulouse,
Saint-Sernin,
pilier aux angelots.

Le rez-de-chaussée du transept et la Porte des Comtes

EN RÉALISANT LE DÉCOR du déambulatoire l'atelier des sculpteurs de Saint-Sernin avait créé un répertoire décoratif et un style auxquels il demeura très longtemps fidèle. Il y eut d'abord recours pour orner l'élément d'architecture suivant, le rez-de-chaussée du transept [77]. La continuité, visible dans la construction, se prolonge ainsi dans le décor monumental, sans qu'on puisse néanmoins parler de routine, car elle n'exclut pas une certaine évolution et ne rejette pas les enrichissements.

Primauté est conservée à la décoration végétale et d'abord aux chapiteaux d'acanthe. Ils sont onze dans le croisillon nord (n°s 36, 38, 39, 40, 42, 46, 47, 50, 57, 60, 61) et huit dans le croisillon sud (n°s 115, 116, 120, 123, 124, 131, 136, 137). Une importante modification s'observe dans l'aspect de la feuille. À plusieurs reprises, et notamment en 123, elle n'est plus traitée comme un décor de surface mais à l'image d'un élément végétal. Elle acquiert son autonomie et se libère de son support. Ses lobes sont découpés à vif. À deux reprises dans le bras sud du transept (en 123 justement et en 115) une corde qui ceinture la corbeille peut être interprétée comme un vague souvenir de l'épannelage composite. 57

Le succès de la variété à feuille fendue fut moins rapide, puisque sa présence n'est attestée qu'à trois reprises au nord (n°s 33, 35, 51) et pas davantage au sud (n°s 138, 140, 141).

L'arbre à palmettes poursuit son histoire, parfois sans modifications (n°s 41, 45, 133, 135). D'autres fois, la palmette ne subsiste que comme motif isolé, encadré par des moitiés de feuilles d'acanthe (n°s 34, 37).

Signalons en 130 un décor d'entrelacs et de fleurons peut-être originaire du Massif Central, comme un des chapiteaux du n° 112 du déambulatoire, auquel il s'apparente beaucoup, et terminons cet inventaire 46 des motifs végétaux par une composition reproduite à trois exemplaires (n°s 139, 142, 143). Elle se situe dans l'évolution d'un motif apparu au rez-de-chaussée de Sainte-Foy de Conques (p. 61). On le retrouvera à Saint-Sernin même sur un des chapiteaux jumelés de la tribune nord du chœur (en 202) et sur un autre des tribunes nord du transept (en 197).

58
17

◁ 57. Toulouse, Saint-Sernin, chapiteau n° 123.

58. Toulouse, Saint-Sernin, chapiteau n° 142.

Les compositions figurées et historiées demeurent rares au rez-de-chaussée du transept de Saint-Sernin, mais elles ont été judicieusement placées. C'est par le transept que l'on pénètre dans le chevet, c'est donc à proximité de ses deux portails qu'on les trouve.

Au-dessus du pilier qui fait face à celui du nord, en 43, on a sculpté l'*Incrédulité de saint Thomas,* qui équivaut à une représentation de la résurrection du Christ. On reconnaît aisément le Christ à son nimbe crucifère. Il s'adresse à Thomas qui introduit la main dans la plaie de son côté et il est accompagné de trois autres apôtres symbolisant l'ensemble du collège apostolique : à sa gauche saint Pierre tient une immense clef et son voisin un livre ; à sa droite, derrière Thomas, le quatrième apôtre a une croix comme symbole. Une autre scène historiée est représentée en 44, tout à côté. Sa signification s'éclaire par comparaison avec une œuvre contemporaine décorant le chœur de l'église Saint-Michel de Lescure aux portes d'Albi [78]. Deux voyageurs se rencontrent et se saluent ; ils sont suivis de deux compagnons portant une hache sur l'épaule. Il semble que l'on doive reconnaître la rencontre de Jacob et d'Ésaü, racontée dans la Genèse (33, 4). Cet événement correspondrait à une rencontre avec Dieu, car Jacob a affronté la présence de son frère « comme on affronte celle de Dieu » et il fut bien reçu.

Les trois autres chapiteaux à figures ne sont pas éloignés de la Porte des Comtes, l'entrée méridionale du transept, et ils en prolongent l'enseignement.

Le premier lui fait face (nº 134), à un emplacement symétrique à l'*Incrédulité de saint Thomas* dans le croisillon nord. Il représente la lutte de deux anges contre des dragons infernaux. Les corps de ces monstres qui se contorsionnent sont traités avec un soin minutieux privilégiant le détail menu. L'un a deux têtes. L'ange enfonce sa lance dans celle du bas, cependant que l'autre se redresse pour cracher une palmette. Le second dragon, qui est ailé, à la différence du premier, prend appui sur une autre palmette très volumineuse. Il tient dans ses griffes une boule ou un globe alors que le second ange enfonce sa lance dans sa gueule. Le globe serait le symbole de la vaine puissance du Mauvais cédant aux assauts des milices du Dieu vivant.

Le tailloir de ce chapiteau est orné de petits oiseaux dans une frise de fleurons, semblables — à quelques détails près — à ceux qui sont sculptés sur la face orientale de la table d'autel de Bernard Gilduin.

59. Toulouse, Saint-Sernin, chapiteau nº 127.

Le deuxième chapiteau figuré se trouve à gauche de la chapelle 59 méridionale du croisillon sud (en 127). Des dragons ailés appartenant à la même famille que les précédents unissent leurs têtes aux angles deux à deux après avoir croisé leurs corps. Solidement appuyés sur des palmettes qui leur tiennent lieu de queues, ils attaquent à la tête, de leurs gueules puissamment armées de dents, deux personnages assis qui tentent vainement de les écarter. Ce motif prend également place parmi les chapiteaux de la Porte des Comtes, et c'est là qu'il reçoit sa signification. Nous l'y retrouverons.

La remarque vaut encore pour la troisième corbeille située à gauche de la chapelle voisine, en 119. Deux personnages assis s'agrippent aux tiges des volutes, cependant que trois autres debout leur saisissent les bras. À la Porte des Comtes on a interprété ce groupe comme la fusion de deux motifs identiques, à qui on a rendu leur autonomie en les disposant sur deux chapiteaux différents [79].

Tous les chapiteaux historiés de la partie basse du chevet sont vraisemblablement l'œuvre du maître de la Porte des Comtes et datent des environs de 1080 [80].

Le nom de Porte des Comtes a été donné au portail méridional du transept de Saint-Sernin en raison de la présence, sur sa gauche, d'une chapelle funéraire qui abrite les sarcophages d'un certain nombre de membres de la famille comtale de Toulouse ayant vécu au XIe siècle [81]. La proximité des fonts baptismaux lui valait également le nom de Porte des *Filhols* (des Filleuls).

60. Toulouse,
Saint-Sernin,
Porte des Comtes.
(Photo Yan).

Il se caractérise comme son homologue du nord, la Porte Royale, par sa structure à deux baies jumelles percées dans un avant-corps saillant. Peut-être l'idée fut-elle empruntée à des portes de villes romaines qui offrent cette composition, mais elle était particulièrement bien adaptée aux collatéraux du transept desservis à chaque extrémité. La correspondance entre l'intérieur et l'extérieur se vérifie dans la disposition des supports : la pile centrale du collatéral se dressant exactement devant le massif central du portail.

La formule de la porte géminée fut employée dans l'architecture religieuse du XIe siècle dès avant Saint-Sernin, par exemple à Saint-Emmeram de Ratisbonne vers 1050, mais à cette époque on ignorait encore la structure typiquement romane à voussures et à ressauts multiples qui triomphe à Saint-Sernin [82].

L'ensemble forme une véritable façade plaquée contre l'extrémité du
60 transept. Il n'y a pas d'encadrement mais seulement un couronnement constitué par une corniche sur corbeaux du type « modillons à copeaux ». Sous la corniche, entre les modillons, sont sculptées des roses stylisées probablement imitées de l'antique. Les éléments du décor de la corniche elle-même, des billettes et des fleurs à quatre pétales, ressortissent à la grammaire décorative romane, de même que les masques humains et les têtes d'animaux agrémentant les modillons.

On considérera comme un fait d'une grande importance pour l'avenir que cette façade ait reçu une amorce de décor, certes encore bien modeste, mais à qui est promis un avenir glorieux.

Il s'agit de trois plaques sculptées de petites dimensions insérées à sa surface : deux latéralement et la troisième, la plus importante, dans l'écoinçon formé par les archivoltes des baies.

Des arcades qui retombent sur des colonnes torses par l'intermédiaire de petits chapiteaux encadraient des figures. Celles-ci ont été bûchées, mais les iconoclastes ayant épargné l'inscription sculptée en relief sur l'arcade centrale, on sait que le personnage principal était saint Saturnin. On a conservé les deux lions pacifiques qui l'encadraient comme un nouveau Daniel, à moins qu'ils n'assurent, selon un très ancien symbolisme, la protection de la porte. Ses deux compagnons pouvaient être les deux évêques ayant le plus contribué au développement de son culte, Silve et Exupère, ou les deux saints qui reposaient à ses côtés dans l'église : Papoul, son disciple, mort martyr comme lui, et Honorat, considéré à Toulouse comme son successeur immédiat sur le siège épiscopal.

Un antécédent à cette composition se trouve au portail septentrional de Saint-Emmeram de Ratisbonne qui date, nous l'avons dit, des environs de 1050. Ce portail, également géminé, a reçu comme décor trois petites plaques figurées à la partie supérieure des jambages. Un Christ en majesté est flanqué de deux saints dont les reliques étaient vénérées dans l'abside de l'église : saint Emmeram, le patron et saint Denis. Les parentés avec Toulouse concernent aussi bien les intentions iconographiques que l'organisation du décor.

D'autres compositions iconographiques à base de plaques sculptées insérées dans des maçonneries furent exécutées dans la région même au cours du XIe siècle. La plus ambitieuse concerne le tympan de l'abbatiale Saint-Pierre de Marcilhac. Les dalles sont disposées suivant une composition triangulaire à partir de deux figures d'apôtres sous arcades (dont saint Pierre faisant l'objet d'une inscription en relief non encore complètement déchiffrée) jusqu'à un Christ en majesté trônant entre le soleil et la lune, en passant par deux anges aux longues ailes. Le plus remarquable dans l'exemple toulousain est en définitive l'absence du Christ et l'importance donnée au saint patron.

L'essentiel du décor de la Porte des Comtes concerne cependant les chapiteaux qui établissent un lien iconographique et stylistique avec ceux du bras de transept voisin. On retrouve notamment, à deux exemplaires et avec quelques nuances, le groupe formé par le personnage assis ou accroupi, agrippé aux tiges des volutes, et les deux autres personnages qui lui empoignent les bras. On a proposé d'y reconnaître l'illustration du récit de l'Exode (17, 11-12) selon lequel Aaron et Hur soutenaient les bras de Moïse élevés vers Dieu durant le combat entre les Israélites et les Amalécites, afin d'assurer la victoire aux premiers [83]. Plus communément, l'image serait le symbole de l'aide de Dieu dans l'épreuve. Certains traits s'accordent mal néanmoins avec cette interprétation.

Quoi qu'il en soit, cette scène répétée deux fois occupe une place centrale dans la distribution des chapiteaux dont le thème général oppose salut et damnation. Tout débute avec l'illustration de la parabole évangélique du riche et du pauvre Lazare (Lc. 16, 19-31). Cependant si, par la suite, l'ascension de l'âme de Lazare dans une mandorle portée par deux anges suffit à résumer toute l'espérance du salut, la damnation et l'acharnement des démons sur leurs proies humaines justifient de plus amples développements. Ici débute la prédication médiévale de l'enfer qui progressivement envahira les porches des églises. L'attachement immodéré aux biens de ce monde, condamné en bloc à travers l'« exemple » du riche, fait en outre l'objet d'une dénonciation particulière du vice de l'avarice. L'association des deux images du riche insensible à la misère et de l'avare serrant dans ses mains la lourde bourse pendue à son cou témoigne de l'importance du problème de la pauvreté dans un Occident qui commence à expérimenter un nouveau type de relations humaines fondées sur l'argent [84].

L'avarice appelle un autre vice, qui lui est fréquemment associé à l'époque romane : la luxure. Le rapprochement remonte même à la Psychomachie de Prudence. Comme la damnation par l'argent, le châtiment des péchés liés au sexe a droit à deux représentations : celle du luxurieux, en proie à deux démons terrifiants qui l'émasculent et celle de la femme luxurieuse dont les seins sont dévorés par des serpents : une iconographie qui résulte d'une interprétation fantaisiste de l'image antique de la Terre allaitant toutes les créatures dont le serpent son fils. Un dernier supplice infernal consiste dans la représentation du dragon attaquant un damné par la tête. Peut-être cette image représente-t-elle le châtiment de l'orgueil, qui constitue avec l'avarice et la luxure l'habituelle trilogie romane des vices [85].

Il est aisé d'établir que la décoration de la Porte des Comtes fut confiée au sculpteur ayant réalisé les chapiteaux historiés du déambulatoire et du rez-de-chaussée du transept. Dans tous les cas on retrouve une manière commune de figurer le dragon infernal et de traiter les personnages. On attirera plus spécialement l'attention sur la façon particulière de dessiner les visages : yeux allongés et simplement gravés, menton réduit, front bas sur lequel descendent les mèches festonnées de la chevelure. La parenté se poursuit dans le choix d'un seul type de vêtement : une tunique dont le col s'orne d'un galon et qui s'infléchit entre les jambes. Les étoffes sont extrêmement lourdes et les personnages ont une attitude tassée, des gestes raides et maladroits.

Bernard Gilduin

IL EXISTE À SAINT-SERNIN une remarquable permanence de certains motifs décoratifs, pratiquement depuis le début jusqu'à la fin du chantier. On peut parler d'un « génie du lieu ». Cependant le déroulement du temps durant les quelque soixante années que dura l'activité ne pouvait manquer d'imprimer sa marque. Il se manifeste à travers une évolution des formes vers plus d'aisance et de liberté, un sens plus poussé du relief, l'affirmation d'un certain humanisme. Cette évolution se distingue de celle qui gouverne les espèces vivantes par le fait qu'elle résulte, à chaque phase du développement, de la libre intervention de nouveaux artistes dont on peut cerner la personnalité en analysant leurs créations figurées et historiées. Le maître de la Porte des Comtes a longtemps dominé le chantier, en dépit de son « primitivisme », car la sculpture ne disposait pas encore de moyens plus sûrs pour exprimer les intentions du moment. Un pas immense en direction d'une représentation humaniste sera accompli par son successeur, qui signa de son nom, Bernard Guiduin, la table d'autel consacrée par le pape Urbain II le 24 mai 1096 [86].

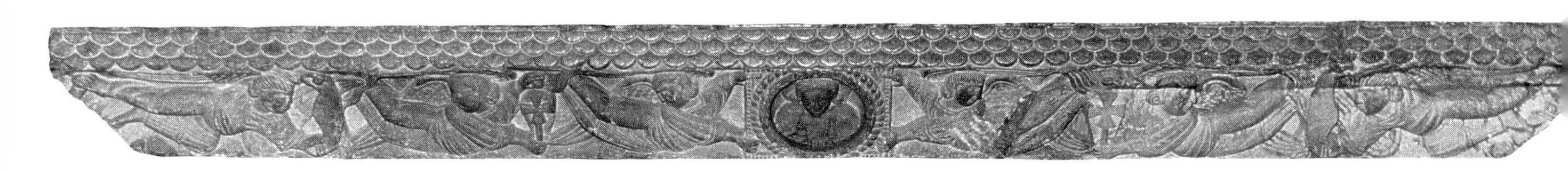

Cette œuvre elle-même s'inscrit dans une histoire, celle des tables d'autel de marbre, creusées en évier et cernées de lobes alternant avec des motifs floraux. Produites dans la cité archiépiscopale de Narbonne depuis la fin de l'époque carolingienne et distribuées dans toute la province ecclésiastique, partie catalane comprise, elles pouvaient être vendues bien au-delà, jusqu'à Limoges. De ce passé la table toulousaine a hérité du traitement de la face supérieure mais elle innove puissamment en déplaçant le centre d'intérêt de cette face vers les tranches. Celles-ci, qui n'étaient jusqu'alors que moulurées, sont ici traitées à la manière des faces d'un tailloir et elles accueillent un véritable petit programme iconographique [87].

Sur la tranche antérieure un Christ jeune en buste, tenant le Livre de la main gauche et bénissant de la droite, apparaît dans une gloire circulaire, elle-même placée dans un encadrement rectangulaire. Cette image est portée par deux anges qui détournent la tête d'une manière caractéristique. La source immédiate de la composition doit être cherchée

61, 62

◁ 61. Toulouse,
Saint-Sernin,
partie antérieure
de la table d'autel
(Cliché A. Serres).

62. Toulouse,
Saint-Sernin,
détail de la partie antérieure
de la table d'autel
(Cliché A. Serres).

dans un ivoire carolingien du type du plat de reliure des Évangiles de Lorsch qui se trouve aujourd'hui conservé au Victoria and Albert Museum de Londres [88]. Il s'agit du panneau du haut, lui-même copie d'un prototype paléochrétien. D'autres anges tiennent à Toulouse une croix, signe du Fils de l'Homme [89] ou déroulent des étoffes comme le font des génies sur des apothéoses païennes. L'ensemble évoque sans doute le retour glorieux du Christ à la fin des temps.

63 Sur la face de gauche, d'autres figures en buste sont distribuées dans des médaillons noués par des motifs floraux tête-bêche. À nouveau le Christ imberbe est au centre. Cette fois il étend les mains comme

63. Toulouse, Saint-Sernin, face de gauche de la table d'autel.

64. Toulouse, Saint-Sernin, détail de la face de gauche de la table d'autel *(Cliché A. Serres).*

64 pour montrer ses plaies [90]. Il est entouré par la Vierge Marie, saint Jean le disciple aimé, saint Pierre avec ses clefs, saint Paul et sa calvitie, ainsi que par deux autres apôtres. Trois apôtres supplémentaires, toujours en buste et dans des médaillons, sont représentés sur le petit côté de droite, où ils sont en compagnie de deux griffons et de deux personnages accrochés à des rinceaux. Peut-être s'agit-il d'une nouvelle évocation de 65 l'Ascension d'Alexandre. Pour représenter le Christ jeune et les apôtres dans les médaillons, on a pu s'inspirer d'œuvres de l'Antiquité tardive du type du décor de la lipsanothèque de Brescia ou d'œuvres carolingiennes

qui en dérivent, mais en faisant subir au modèle une transformation essentielle : la plupart des figures étant vues de profil et non de face [91].

66 Sur la face arrière de la table, des oiseaux sont disposés en frise. Ici le modèle est tout proche : il s'agit des mêmes animaux représentés sur des petits chapiteaux des fenêtres du chevet.

65. Toulouse, Saint-Sernin, détail de la face de droite de la table d'autel.

66. Toulouse, Saint-Sernin, détail de la face arrière de la table d'autel.

Bernard Gilduin qui a signé l'œuvre — BERNARDVS GELDVINVS ME FECIT — est une forte personnalité. Le type particulier de la table d'autel laisse supposer des contacts avec Narbonne, mais pour l'essentiel il trouva à Toulouse même les moyens de satisfaire une tendance qui le portait irrésistiblement à créer un style de figures imité de l'antique. Dans le trésor de l'abbatiale il put voir des œuvres carolingiennes qui faisaient revivre l'art paléochrétien, comme le célèbre Évangéliaire de Charlemagne écrit par Godescalc [92]. Surtout il fut porté par le courant favorable à cette « renaissance » de l'art qui se manifestait notamment par le retour au chapiteau d'acanthe.

On attribue à Bernard Gilduin les plus petites des sept plaques de marbre encastrées depuis le XIXe siècle seulement dans le mur du

40 déambulatoire ceinturant l'abside. Elles sont au nombre de trois et ont été conçues pour être groupées. Celle du centre représente le Christ en

67 majesté entre les symboles des évangélistes. Il prononce les mots PAX VOBIS employés par lui lorsqu'il se manifestait à ses apôtres après sa résurrection. Sa dignité est celle du Fils installé dans la gloire du Père, aussi peut-il être encadré par le chérubin et le séraphin qui, comme l'indiquent deux inscriptions, sont placés le premier à la droite du Père

68 tout-puissant, le second à sa gauche sacrée. Chacun d'eux déroule une banderole sur laquelle est écrit : ET CLAMANT SANCTVS SANCTVS SANCTVS. Le triple *Sanctus* manifeste la présence de Yahwé sur son trône dans le Temple (Is. 6, 2-3) ; c'est lui que ne cessent de répéter jour et nuit les quatre animaux entourant le trône de Dieu dans l'Apocalypse (6, 8) ; on le chante à la messe parce que la liturgie de l'Église de la terre se veut une participation à la liturgie céleste. On doit donc penser que le groupe des trois plaques se trouvait originellement dans le sanctuaire à proximité immédiate de l'autel. Le chanoine Étienne Delaruelle imaginait un retable [93] et peut-être n'avait-il pas tort, car le XIe siècle a vu apparaître cette pièce du mobilier d'autel. Les textes l'attestent pour Narbonne dès le milieu du siècle et un document espagnol de cette époque distingue clairement le retable du devant d'autel. C'étaient généralement des pièces d'orfèvrerie ou d'ivoire [94].

◁ 67. Toulouse,
Saint-Sernin,
Christ en majesté du déambulatoire.

68. Toulouse,
Saint-Sernin,
le séraphin du déambulatoire.

Précisément, ces trois plaques de Saint-Sernin ressemblent en tout point à des ivoires agrandis. Le chérubin et le séraphin sont isolés sous une arcade comme nombre de figures carolingiennes. Des marguerites cantonnent ces arcades de la même façon [95]. Au point de vue technique le sculpteur demeure au stade élémentaire de la taille en cuvette ; il ignore en outre le modelé de la draperie dont il se contente de tracer les plis par le procédé purement graphique de stries parallèles. Néanmoins le ventre obèse du Christ et ses genoux pliés dans la position assise montrent qu'il est attiré par la représentation du relief [96].

Très peu de temps après on compléta ce groupe central à l'aide de deux anges et de deux apôtres toujours représentés sous des arcades. De nets progrès se manifestent dans la représentation du relief, même si le procédé utilisé pour créer les formes demeure celui de la taille en creux. L'arcade cesse d'être une limite pour le personnage qui manifeste son indépendance par rapport au fond sur lequel il se détache. Le souvenir de la statuaire antique est sensible dans le vêtement des apôtres, « véritables *togati* », et dans le traitement de leur chevelure. Enfin, le sculpteur redécouvre le *contrapposto*. Un des apôtres prend appui sur sa jambe gauche et soulève la droite pour esquisser un mouvement. Avec la rupture de la frontalité prend fin la période archaïque de la sculpture toulousaine romane.

69

69. Toulouse,
Saint-Sernin,
un des apôtres du déambulatoire.

Parties hautes de l'abside et du chœur.
Tribunes et voûtes du transept

SELON TOUTE VRAISEMBLANCE, les chanoines avaient achevé la construction de l'abside et du chœur lorsqu'ils commandèrent la table du maître autel à Bernard Gilduin. On avait dû agir à la hâte, car tout dans cette partie de l'édifice a la monotonie des redites. 70

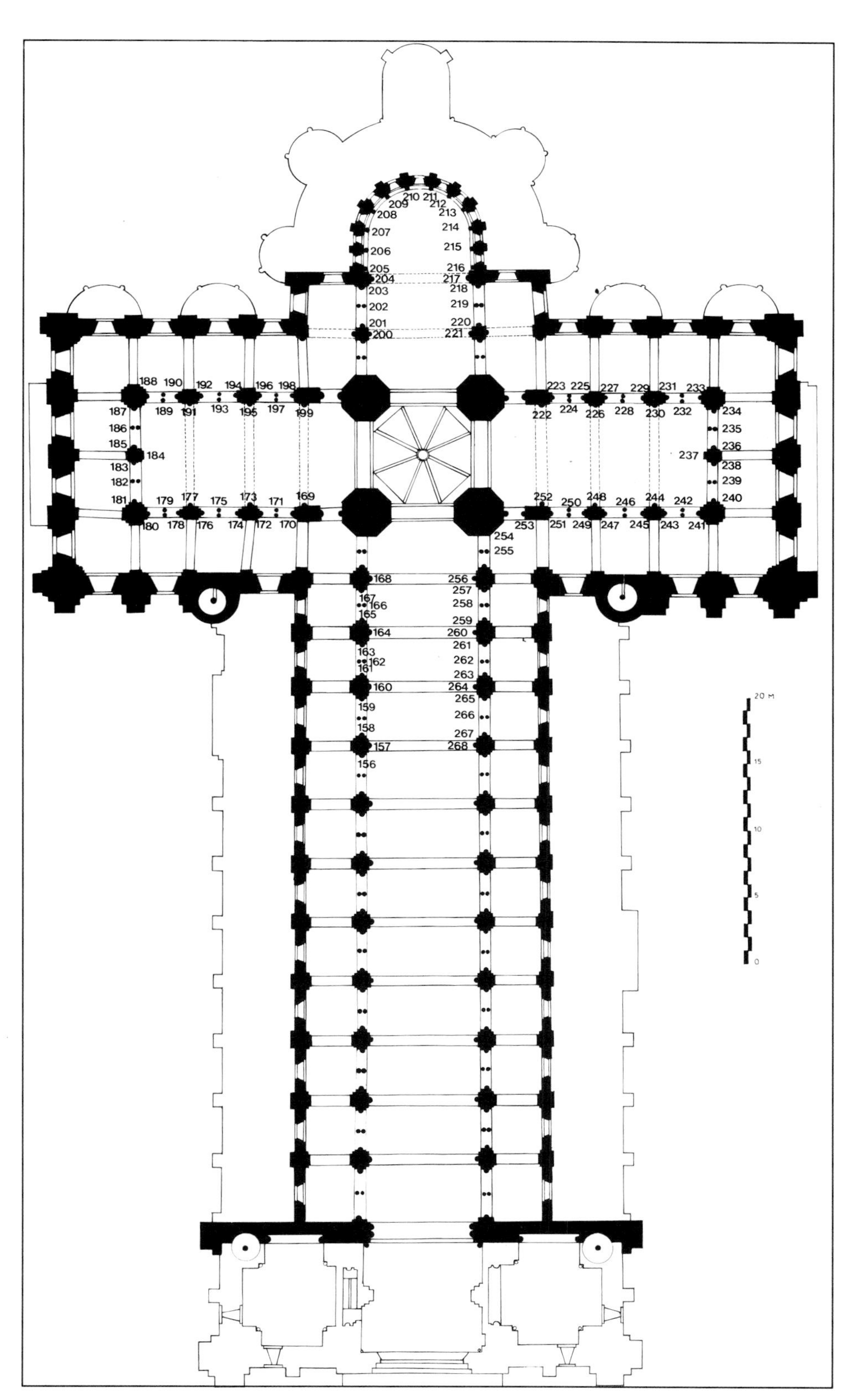

70. Toulouse,
Saint-Sernin,
plan au niveau des tribunes.
Dessin de Jean-Michel Picot.

Les petits chapiteaux de l'étage des fenêtres de l'abside utilisent le schéma à deux couronnes de feuilles apparu dès le début du chantier. Parfois les feuilles ont été laissées à peu près lisses. On se borna à sculpter une nervure en relief (nos 205, 216), qui peut servir de support à une boule (no 207). On a également utilisé le type plus plastique de la feuille fendue (no 213). Plus souvent on a poussé jusqu'à un décor de surface de feuilles d'acanthe et de palmettes, mais il s'agit d'une production de série (nos 206, 208, 209, 210, 211, 214, 215) dépourvue de saveur, même si une gueule de monstre rugit aux angles (no 212).

Les tribunes du chœur n'offrent pas davantage d'originalité, puisqu'on y répète quasi mécaniquement des motifs floraux du rez-de-chaussée (nos 201, 202, 219). Toujours aussi rares, les motifs figurés n'en sont pas moins répétitifs, qu'il s'agisse de lions redressés, unissant à l'angle leurs gueules qui se saisissent de leurs queues (nos 203 et 218), ou de la lutte des anges contre le dragon infernal. Cette dernière œuvre a été sculptée par le maître de la Porte des Comtes qui l'a puisée dans son répertoire sans y rien changer pour l'essentiel.

Cette pratique frileuse de l'imitation se prolonge jusqu'au niveau du berceau du chœur. On trouve à deux exemplaires parfaitement identiques, en vis-à-vis, à la naissance des doubleaux, une corbeille d'acanthe et un chapiteau décoré d'aigles redressés, qui rapprochent leurs têtes aux angles pour laisser une palmette tomber de leur bec (nos 200 et 221).

À l'inverse, les choses se mettent à bouger dans les tribunes du transept où ancien et nouveau se côtoient. On y rencontre d'abord tous les types de feuillages employés dans l'abbatiale depuis l'ouverture du chantier : les formes élémentaires des feuilles lisses du rond-point (en 178, 179, 181, 188, 189, 190, 233, 235, 240), les formes moins massives apparues dans les parties hautes de l'abside (nos 174, 175 et 185) et aussi tous les types de décors de surface à base de palmettes et de feuilles d'acanthe. Tout se passe comme si on avait éprouvé le désir d'effectuer une manière d'inventaire de ce qui avait été réalisé jusque-là avant de

71

71. Toulouse, Saint-Sernin, chapiteau no 174.

▷ 72. Toulouse, Saint-Sernin, chapiteau no 236.

procéder à un nouveau départ. De même voit-on resurgir les anciens motifs figuratifs : aigles affrontés avec palmettes (en 247 et en outre, à deux exemplaires, dans les baies géminées de la tribune occidentale du bras sud du transept obstruées au XIIIe siècle et récemment en partie dégagées), lions unissant leurs têtes aux angles et mordillant l'extrémité de leurs queues (no 246, à deux exemplaires), dragons infernaux attaquant un personnage à la tête (n° 251). Mais il n'est pas impossible que certaines de ces répliques aient déjà été réalisées par l'équipe constituée autour de Bernard Gilduin : ainsi les dragons infernaux dotés d'un bec et tenant dans leurs griffes un visage humain (n°s 175, 228).

C'est néanmoins à travers des thèmes originaux et traités dans le style antiquisant de la table d'autel et des plaques du rond-point du déambulatoire que s'affirment le mieux les nouveautés.

Un chapiteau des tribunes du croisillon méridional du transept, pour lequel avait été choisi un emplacement privilégié, tout juste au-dessus du portail d'entrée et bien visible de l'intérieur (n° 236), développe un thème glorieux à l'instar de ceux de la table d'autel. Le Christ trône dans une mandorle pointue tenue par deux anges. Deux autres anges en vol l'acclament. Il s'agit sans aucun doute d'une Ascension faisant pendant à l'*Incrédulité de saint Thomas* du croisillon nord, qui évoque la Résurrection.

72

73. Toulouse, Saint-Sernin, chapiteau n° 237. *(Cliché Bruno Tollon).*

▷ 74. Toulouse, Saint-Sernin, chapiteau n° 183.

Un apôtre apparaît à un niveau supérieur, au-dessus d'un pilastre (n° 237). Il est pieds nus, étend les bras et présente un livre ouvert. Pleinement dégagé de la contrainte architecturale il est sans doute contemporain de la table d'autel de Bernard Gilduin. Son corps aux formes trapues, couvert d'une tunique et drapé dans un manteau aux plis serrés, se détache brutalement sur une corbeille complètement lisse.

73

Toujours dans les tribunes méridionales, dans leur section occidentale, on voit sur une corbeille un homme et une femme nus attaqués par des bêtes fauves (n° 242). Un grand aigle, qui couvre le corps de l'homme de ses ailes déployées, fait-il allusion au rapt de Ganymède par Zeus changé en aigle ? L'idée d'impureté accompagne la représentation de la femme qui porte la main à son sexe. De toute façon cette composition permet d'attribuer au groupe de Bernard Gilduin une nouvelle figuration de l'oiseau (n° 183) qui, comme l'apôtre précédent, prend largement possession de la corbeille laissée nue. Ici aussi référence est faite à des modèles romains.

74

75. Toulouse, Saint-Sernin, chapiteau n° 192.

L'attention se porte ensuite sur un tailloir des tribunes du bras nord du transept (n° 192), décoré sur trois côtés de palmettes, mais où apparaissent sur le troisième côté deux petits personnages tenant dans leurs mains une table moulurée. Nous avons émis l'hypothèse qu'il s'agirait d'une évocation de la table d'autel consacrée par le pape Urbain II le 24 mai 1096. Elle serait présentée par le sculpteur Bernard Gilduin lui-même et par l'un de ses compagnons.

75

Il existe dans les tribunes du bras méridional du transept, en 250, un chapiteau décoré de palmettes à becs et de feuilles à boules et à pommes de pin du meilleur style de Saint-Sernin. Son voisin, à l'inverse, constitue une œuvre singulière et même unique dans le milieu toulousain. Il s'adapte fort mal au premier et, en outre, toutes ses affinités sont hispaniques [97].

On observe d'abord que les rinceaux de palmettes souples couvrant la surface de la corbeille sont ceux-là même qui apparaissent sur des chapiteaux de Saint-Martin de Frómista [98], ainsi que sur les deux chapiteaux situés à l'entrée de l'abside de l'ancienne église San Salvador à Nogal de las Huertas dans la région de Palencia [99]. Sur la face septentrionale un petit personnage dont on ne voit que la tête et la partie supérieure du corps semble vouloir écarter les rinceaux de ses mains.

Sur la face méridionale, c'est un personnage nu qui est debout parmi les rinceaux. Il tient à bout de bras une étoffe qui retombe en plis incurvés, ce qui l'apparente clairement à d'autres figures nues visibles sur un curieux chapiteau de Frómista aujourd'hui conservé au musée de Palencia. Derrière lui se tient un animal captif, si l'on en croit la corde passée à son cou.

76

Il reste à présenter la troisième et dernière face (celle qui regarde vers l'est) de cet énigmatique chapiteau, si différent par son iconographie, qui reste d'ailleurs inexpliquée, et par son style, de tout le reste du décor sculpté de l'abbatiale. Elle est occupée par un troisième personnage masculin, fortement campé sur l'astragale. Il porte une tunique et un manteau relevé par ses bras étendus, et qui retombe sur sa poitrine en dessinant les mêmes plis que l'étoffe précédente. Il se confirme que le sculpteur maîtrise le relief davantage que Bernard Gilduin et qu'il possède un sens du mouvement plus développé. La vigueur des formes n'échappe pas à une certaine vulgarité : bouche lippue, menton lourd, yeux globuleux. Nous retrouverons l'artiste à Jaca [100], c'est-à-dire dans un chantier ayant entretenu avec celui de Frómista les liens les plus étroits. Tous les deux s'inspirèrent de modèles romains plus anciens que ceux qui guidaient les créations de Bernard Gilduin.

77

La présence même fugace de ce sculpteur — on ne la décèle que sur ce seul chapiteau — permet de supposer l'existence de relations personnelles entre les artistes des divers chantiers méridionaux français et hispaniques, une hypothèse que d'autres analyses viendront confirmer par la suite et qui rend mieux compte que la notion abstraite d'influence des développements parallèles de la sculpture romane dans le vaste ensemble artistique allant de Conques à Compostelle.

76. Toulouse, Saint-Sernin, chapiteau n° 250, face sud.

▷ 77. Toulouse, Saint-Sernin, chapiteau n° 250, face est.

La situation exacte à Saint-Sernin au passage du XIe au XIIe siècle s'établit à travers l'examen des chapiteaux situés au niveau des voûtes du transept, c'est-à-dire au départ des doubleaux qui les sous-tendent.

Certains de ceux-ci s'établissent dans la continuité, puisqu'il s'agit de nouvelles copies des anciens motifs décoratifs de l'abbatiale : feuilles d'acanthe disposées en deux couronnes de hauteur croissante (n°s 169, 173, 199) ; petits oiseaux affrontés de part et d'autre d'une demi-palmette à l'étage supérieur d'une corbeille de ce type (n° 195) ou d'une corbeille couverte de palmettes (n° 252) ; acanthes agrémentées de boules (n° 222) ; feuilles fendues (n° 226) ; palmettes emboîtées (n° 244) ; arbres à fleurons avec pommes de pin (n° 248).

Mais on réalisa simultanément une réplique des grands aigles aux ailes déployées que nous avons attribués à Bernard Gilduin ou à l'un de ses compagnons (n° 177). Dans le même style on interpréta le motif des anges en lutte contre le dragon (n° 230). Ils ont désormais dans la main qui ne manie pas la lance une croix semblable à celle des anges du déambulatoire. Ce signe renforce la signification eschatologique du thème. Il n'est pas douteux que l'on ait eu présente à l'esprit la bataille qui s'engagea dans le ciel lorsque Michel et ses anges combattirent « l'énorme Dragon, l'antique Serpent, le Diable ou le Satan comme on l'appelle, le séducteur du monde entier », cependant qu'une voix clamait : « Désormais, victoire, puissance et royauté soient acquises à notre Dieu et la domination à son Christ » [101].

Une représentation du *Sacrifice d'Abraham,* image du Salut par le Christ (n° 191) permet d'évaluer les progrès que le groupe de Bernard Gilduin réalise alors dans le rendu du modelé et la figuration du mouvement. Il pourrait s'être inspiré de sarcophages tardifs, comme celui du *Sacrifice d'Abraham* précisément, du Ve siècle, découvert à Saint-Victor de Marseille vers 1968 [102]. Le relief est traité par glissements de plans, l'accent est mis sur les gestes des personnages et les plis des vêtements qui enveloppent étroitement les corps. Sur les modèles les fonds étaient certainement lisses. À Toulouse, peut-être sous un effet de contamination venu du chapiteau hispanique des tribunes, le sculpteur roman a cru bon de couvrir de rinceaux de palmettes souples une partie de sa corbeille. De la sorte, il a réduit le caractère dramatique de la scène et affaibli l'effet et la portée de la stylisation expressive dont il faisait l'expérience.

78

78. Toulouse,
Saint-Sernin,
chapiteau n° 191.
Sacrifice d'Abraham.

3. Le cloître de Moissac

Un grand monastère d'Aquitaine

UNE LÉGENDE qui courait à Moissac faisait de l'abbaye établie à un point stratégique, non loin du confluent du Tarn et de la Garonne, une fondation de Clovis. Elle était flatteuse, et pour cette raison cultivée par les moines. Cependant, selon toute vraisemblance, la création du monastère ne remonte qu'au siècle suivant. Elle relèverait de la politique de mise en valeur de l'Aquitaine menée par Clotaire II, puis par Dagobert et ses fils. Pour Moissac, l'initiative reviendrait à Clovis II (639-657) et la confusion des souverains résulterait de la similitude des noms [103].

La fortune du monastère fut assurée par le sénateur Nizezius, qui lui fit don, en 679-680, d'un groupe de *villæ* sur les rives du Tarn et d'autres possessions en bordure de la voie romaine allant de Toulouse à Moissac. « Avec neuf lieux d'habitation cette série de *villæ* formait un immense *fundus* d'environ dix mille hectares », à quoi s'ajoutait un territoire de vingt mille hectares en Agenais, de part et d'autre de la Garonne au droit de Port-Sainte-Marie [104]. Un pareil gigantisme doit paraître suspect, quelle qu'ait été l'importance numérique de la communauté monastique et l'on s'interrogera sur le sens véritable du terme de *villa* à travers lequel s'évalue l'importance de sa richesse. Quoi qu'il en soit, dans le monde mérovingien finissant, Moissac est promis à un destin exceptionnel, en raison de sa présence sur les principales voies de communication fluviales et terrestres de la moyenne Garonne, tant celles conduisant à Toulouse et à Bordeaux que celles qui pénètrent vers l'Albigeois, le Quercy et la Gascogne.

Les Carolingiens poursuivirent la même politique favorable au monastère. Louis le Pieux le visita alors qu'il n'était encore que roi d'Aquitaine et, devenu empereur, il lui conféra le privilège de l'immunité. Son patrimoine s'enrichit de dons provenant de l'évêque de Cahors et de divers particuliers [105].

Pièce importante de l'échiquier politique dans le royaume franc, Moissac pâtit directement de l'affaiblissement puis de la démission du pouvoir royal sous les derniers Carolingiens. Du moins l'abbaye crut-elle pouvoir s'appuyer sur l'autorité des comtes de Toulouse, qui semblait en mesure d'en assurer le relais dans la région. Mais dans la première moitié du XIe siècle, celle-ci est à son tour contestée. Dès lors aucun barrage ne s'oppose plus au déferlement des convoitises dont les richesses monastiques sont l'objet. Un abbé séculier apparaît à côté de l'abbé régulier, soi-disant pour assurer une protection, alors qu'il ne représente que l'irruption de la force brutale [106]. Il s'ensuivit de mortels désordres dont le chroniqueur du monastère, l'abbé Aymeric de Peyrac (1377-1406) s'est fait l'écho [107]. Cet intrus, écrit-il, « réunit autour de lui une telle foule d'impies, que le monastère devint une caverne de voleurs et un lieu de refuge pour les malfaiteurs de toute espèce qui ravageaient le pays ». La communauté spoliée et humiliée vécut dans une indigence extrême. L'abbé Robert, élu en 1031, était tenu de se rendre à Cahors pour recevoir la bénédiction épiscopale dans la cathédrale, mais les difficultés du temps lui interdirent de se mettre en route. Il dut solliciter de l'évêque l'autorisation de recevoir sa bénédiction en un lieu moins éloigné. La ruine se manifeste aussi dans les constructions. En 1030, l'église s'effondre en partie. Ce qui en subsistait est détruit en 1042 avec une partie des bâtiments monastiques par un incendie allumé par le vicomte de Lomagne [108]. Le prodige résulte dans le fait qu'ayant atteint le fond de l'abîme, le monastère resurgit brusquement plus riche, plus puissant, plus entreprenant et plus beau que jamais.

Le salut vint de la puissante abbaye de Cluny à qui un appel fut adressé conjointement par le comte Pons de Toulouse et l'évêque Bernard de Cahors. Saint Odilon l'accueillit d'autant plus volontiers qu'il était en train de ménager à son Ordre des gîtes d'étape sur les grandes routes et que Moissac allait lui procurer un relais privilégié pour sa pénétration dans la Péninsule ibérique. Ainsi se réalisa une heureuse conjonction de préoccupations spirituelles pressantes et de puissants intérêts politiques auprès de laquelle les appétits de Gausbert, l'abbé laïc, apparaissent comme dérisoires.

Préparée par saint Odilon, l'entrée de Moissac dans l'empire clunisien fut officiellement réalisée par son successeur saint Hugues. Le 29 juin 1053, à Moissac, le comte Pons de Toulouse lui remet l'abbatiat. Un moine venu de Cluny, Durand de Bredons, a déjà été choisi comme abbé et il a été béni par l'évêque de Cahors. Dix ans plus tard, le 9 juin 1063, Gausbert, l'abbé séculier, abandonne ses droits à Pons et à ses successeurs. Moissac est rétabli dans les libertés monastiques et doté des immunités clunisiennes. Par exception à la règle selon laquelle les monastères incorporés à l'ordre clunisien étaient réduits à l'état de prieurés, Moissac demeura une abbaye. Les moines conservèrent le droit d'élire leur abbé, le rôle de celui de Cluny se limitant à approuver leur choix [109].

Présence de Cluny

LA PRÉSENCE DE CLUNY à Moissac se manifeste à travers une anthropologie, une discipline, des pratiques [110]. Pour les Clunisiens, qui expriment le mieux l'idéal monastique de l'époque, l'homme est par essence un être spirituel destiné à la vie contemplative. Il a été créé dans un état de vie divine excluant tout plaisir des sens. Seule compte son âme passionnée de divin, faite pour vivre avec Dieu et en Dieu. Le péché l'a fait mourir à la vie de la grâce, mais le baptême la lui a restituée en l'ensevelissant dans la mort au monde : le sacrement de baptême, mais aussi ce second baptême que constitue la vie monastique. Dans le cloître, par la pratique de la pauvreté et de l'obéissance, dans une servitude volontaire, le moine retrouve la sainte simplicité qui régnait dans la création avant que ne se déchaînât l'universelle Malice.

Cette participation au mystère de Dieu, qui est passage de « la ruine du siècle présent » à la gloire du « siècle qui vient », cette communication aux hommes de la sainteté de Dieu s'opère par la prière, l'oraison individuelle alimentée par la *lectio divina,* l'étude de l'Écriture Sainte, et surtout l'*opus Dei,* la célébration chorale de l'office divin qui, à Cluny, avait pris une place considérable avec les heures canoniales, deux messes chantées, la messe matutinale après Tierce et la grand-messe après Sexte, sans compter les processions à l'intérieur de l'église et dans le cloître.

Une des premières préoccupations des abbés « clunisiens », Durand de Bredons (1048-1072) et Hunaud de Gavaret (1072-1085) fut de rétablir le *scriptorium* pour procurer les livres nécessaires à la liturgie et pour enrichir la bibliothèque déjà dotée au départ d'ouvrages venus de Cluny [111]. Ils en firent une source de culture patristique, avec des textes des Pères latins et aussi des Pères grecs et orientaux accessibles à travers des traductions. Elle comprit également des témoins de la Renaissance carolingienne. Le *scriptorium* posséda des enlumineurs dont on peut deviner les talents à travers l'illustration d'un exemplaire du *De bello judaico* de Flavius Josèphe (Bibl. Nat., Lat. 5058). Malheureusement, l'état d'abandon dans lequel la bibliothèque de Moissac fut laissée au XVIe et au XVIIe siècle jusqu'à son achat par Colbert en 1678 explique la disparition de la plupart des témoins de l'activité picturale à l'époque de la construction du cloître. Plus généralement nous ignorons à peu près tout des « sources » iconographiques et stylistiques que l'enluminure locale fut en mesure de procurer aux sculpteurs.

Moissac fut d'emblée projeté dans le champ des affrontements que la réforme « grégorienne » suscita dans la région toulousaine. Les principaux acteurs furent les légats pontificaux, l'évêque, chef de l'Église locale, et le comte, son protecteur désigné. Durand de Bredons, symbole de la réforme monastique, fut appelé en 1060 au siège épiscopal qu'il occupa jusqu'à sa mort, vers 1071. Son successeur Isarn partagea son idéal et s'efforça d'orienter le chapitre cathédral dans la voie de la « vie apostolique », le modèle de la vie commune proposé par les apôtres. On connaît le conflit survenu entre Isarn et la communauté canoniale de Saint-Sernin, qui prit rapidement valeur exemplaire comme symbole d'une compétition entre l'ordre canonial et l'ordre monastique. Pour Isarn, les moines de Moissac offraient l'exemple de la vie communautaire accomplie. Il entendit les substituer aux chanoines de Saint-Sernin, avec l'aide du comte qui était alors Guillaume IV. Cependant, les spoliés en appelèrent au pape qui reconnut la justice de leur cause et les rétablit dans la jouissance de leurs droits.

Pour Cluny, Moissac servit de point d'appui pour une politique de pénétration en Espagne. Les étapes suivantes se trouvent en Gascogne et s'appellent Layrac, Moirax, Mézin, Auch (Saint-Orens), Saint-Mont [112]. On connaît les objectifs et les succès de cette politique. Bernard de Sédirac, originaire de La Sauvetat-de-Savères dans le pays d'Agen, troisième prieur clunisien de Saint-Orens d'Auch, devait devenir en 1083 abbé de Sahagún, le plus important des monastères de Castille. Il fit de cette maison l'homologue de Cluny pour cette partie de la Péninsule, où elle finira par régner sur cent cinquante établissements monastiques. En 1085, il est choisi comme premier archevêque de Tolède reconquise et il se consacre à la réorganisation d'une ville demeurée pendant plus de trois siècles sous la domination musulmane [113]. À Compostelle, l'abbaye bourguignonne trouve en Diego Gelmírez un prélat selon son cœur. Elle en épousa la cause et en favorisa les ambitieuses entreprises. Ainsi se tissèrent dans l'orbite clunisienne des liens étroits sur les plans religieux et politique. Ainsi se nouèrent des parties dont les enjeux furent considérables jusque dans les domaines intellectuel et artistique.

Cluny, directement ou par l'intermédiaire de Moissac, rayonna également à l'est des Pyrénées. Prudents, les comtes catalans refusèrent de s'engager dans une voie unique. Ils tinrent balance égale entre les Clunisiens et l'abbaye rivale de Saint-Victor de Marseille et ils ne négligèrent pas non plus la congrégation canoniale de Saint-Ruf. Les solidarités méditerranéennes l'emportèrent fréquemment sur l'attraction bourguignonne [114]. De même qu'en Castille, la pénétration de Moissac en terre catalane ne se limita pas à des problèmes d'organisation et à la propagation de coutumes monastiques. Son répertoire musical et poétique s'introduisit dans les manuscrits liturgiques [115], de même qu'à Sahagún un style d'enluminure se rattache clairement à son *scriptorium* [116].

Cependant, c'est naturellement dans le domaine de la sculpture que Moissac apparaîtra comme un modèle prestigieux, grâce à deux grands chefs-d'œuvre : son cloître et son portail.

La construction du cloître

LE STYLE DE VIE des Clunisiens — plus spécialement la place accordée à la liturgie — supposait de grandes exigences à l'égard des bâtiments. Leur entrée dans l'ordre de Cluny aurait imposé aux moines de Moissac une restructuration de leur monastère, même si l'état déplorable des locaux n'en avait de toute manière exigé la reconstruction immédiate.

On commença par relever l'église ruinée, et ceci dans un temps record, puisque le 6 novembre 1063 le nouvel édifice pouvait être consacré au cours d'une cérémonie empreinte de solennité et réunissant tous les prélats de la région, à l'exception cependant de l'évêque de Cahors écarté pour des raisons de préséance [117]. C'était une église à collatéraux étroits dont les piles supportaient les grandes arcades en prenant appui elles-mêmes sur des bases circulaires et en développant le principe de l'alternance. Il s'agit d'un parti architectural fréquent dans le Sud-Ouest de la France et dans le nord de la Péninsule ibérique. Il n'existait pas de transept, mais le chœur se terminait par un déambulatoire dépourvu de chapelles rayonnantes qui avait pris la suite d'un déambulatoire préroman de même tracé [118]. On ne saurait assez regretter la perte de toute la sculpture de cette abbatiale. En effet, dès les XIIe siècle, on lui substitua une nef unique austère destinée à être couverte de coupoles, comme les églises de Cahors et de Souillac. Plus tard, au XVe siècle, un autre remaniement substitua des voûtes d'ogives aux coupoles.

Peu après l'achèvement de l'église du XIe siècle, on entreprit de reconstruire les autres bâtiments monastiques. Le pape Urbain II put bénir l'œuvre à l'occasion d'une visite faite à Moissac autour du 13 mai 1096 [119]. Il résidait alors à Toulouse [120].

De ce monastère du dernier quart du XIe siècle subsiste le cloître, ainsi que quelques éléments du décor sculpté de la salle capitulaire trouvés dans le sol et les murs de celle qui lui a succédé, où ils avaient été utilisés en matériaux de remploi. Il s'agit de chapiteaux de grande taille plus ou moins mutilés et de fragments de tailloirs [121].

Ces œuvres nous renseignent sur l'état de la sculpture à Moissac immédiatement avant la constitution de l'atelier du cloître. La comparaison avec des œuvres contemporaines de Saint-Sernin de Toulouse, les grands chapiteaux du déambulatoire, est riche d'enseignements. Les motifs sont les mêmes, alors que l'exécution se révèle très différente en ce qui concerne le métier et la sensibilité.

On trouve d'abord un chapiteau à deux couronnes de feuilles d'acanthe alternant avec des palmettes. Aux angles sont accrochées des pommes de pin. Un troisième alignement, constitué par des feuilles lancéolées, recouvre les tiges des volutes qui s'enroulent aux angles, 79 cependant qu'une fleur s'épanouit sur le dé central. Sur un deuxième exemplaire, formé en réalité de deux chapiteaux jumelés, des palmettes encadrées par leurs tiges envahissent les deux registres, soit qu'elles se trouvent dressées sur leur base, soit qu'elles apparaissent suspendues à 80 la manière d'un as de cœur renversé. Enfin, sur deux autres chapiteaux jumelés, des oiseaux au corps gracile s'affrontent tout en s'agrippant à une boule ou à deux petites crossettes. Sur le dé central apparaît un petit palmier déjà utilisé au même endroit sur l'œuvre précédente. Les tailloirs sont couverts de damiers ou de rinceaux avec doubles demi-palmettes et boutons floraux. Ces diverses pièces ont leurs motifs dessinés avec une netteté un peu rêche, une sécheresse qui s'étend à la taille elle-même, surtout sur le chapiteau aux palmettes, où le traitement de surface glisse sur la massivité du bloc sans l'entamer.

79. Moissac,
musée du cloître,
chapiteau de la salle capitulaire.

▷ 80. Moissac,
musée du cloître,
chapiteau de la salle capitulaire.

La date du cloître est donnée par une inscription gravée avec beaucoup de soin sur la face ouest du pilier central de la galerie occidentale (no 12) : « L'an de l'Incarnation du prince éternel 1100 a été fait ce cloître, au temps du seigneur Ansquitil abbé » [122]. Comme ce dernier dirigeait le monastère depuis 1085, nous disposons ainsi d'une fourchette chronologique relativement étroite, de quinze ans au maximum.

▷ 81. Moissac,
plan du cloître.
D'après Zodiaque.

82. Moissac,
vue générale du cloître,
de l'angle nord-ouest
(Photo Yan).

81 L'architecte avait appuyé le cloître contre la nef du XIe siècle, en sorte que le célèbre porche, qui lui est postérieur, se trouve en saillie vers l'ouest. Ses dimensions importantes étaient à la mesure du nombre des moines. Malheureusement, il ne nous est pas parvenu dans son état premier. Les arcs brisés des claires-voies construits en briques moulurées, ainsi que les losanges ajourant les écoinçons entre ces arcs, dénoncent
82 une reconstruction durant le XIIIe siècle. On l'attribue à l'abbé Bertrand de Montaigut (1260-1295), qui fut conseiller de Philippe III le Hardi et de Philippe IV le Bel et qui utilisa le crédit dont il bénéficiait à la cour pour faire reconstruire son monastère. « À Moissac, écrit Aymeric de Peyrac un siècle plus tard, il refit presqu'en entier tous les bâtiments de l'abbaye, et dans des proportions telles, et avec tant de soin, que ses successeurs seront impuissants à les entretenir dans un bon état de conservation »[123]. Aucun document n'indique qu'on ait respecté l'ordre ancien des chapiteaux, des tailloirs et même des piliers. Cependant l'étude iconographique mettra fréquemment en évidence, entre ces divers éléments, des relations trop précises pour qu'elles puissent être le fruit du hasard.

Pour l'essentiel, le parti originel du cloître ne paraît donc pas avoir été altéré. Il se caractérise par l'existence de longues claires-voies aux fines colonnettes de marbre alternativement simples et jumelées. Le choix d'une couverture en charpente s'accommodait de la légèreté de ces supports. Toutefois, aux angles et au milieu de chaque face, les colonnettes sont remplacées par des piliers qui sont fréquemment des cuves de sarcophages de marbre remplies de briques.

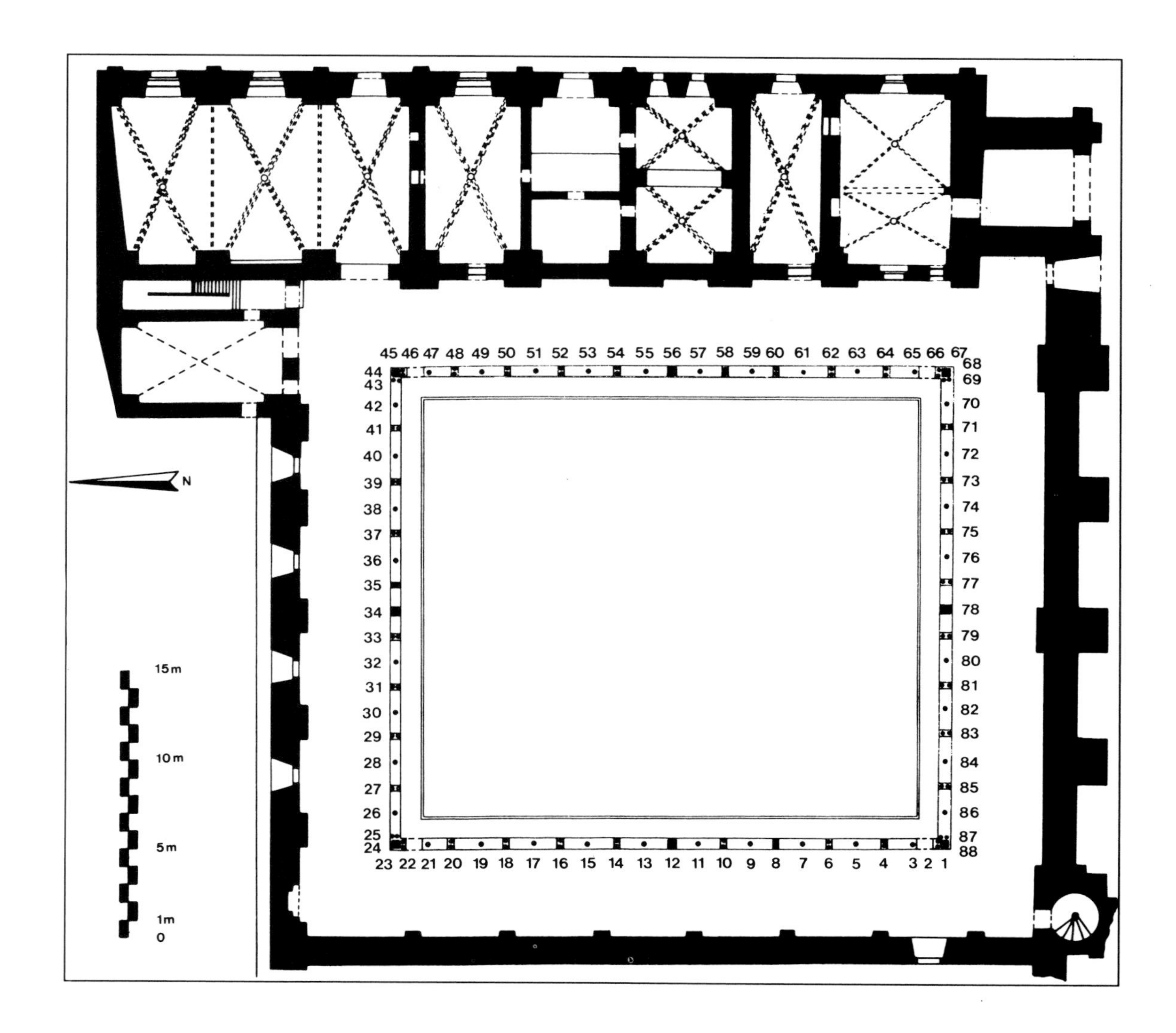

Les figures des piliers

83. Moissac,
cloître,
l'abbé Durand de Bredons.

LE CLOÎTRE DE MOISSAC occupe une place de tout premier ordre dans l'histoire de la sculpture romane, car il s'agit du plus ancien des cloîtres historiés conservés [124]. Le décor couvre d'abord les piliers. Huit des douze apôtres, identifiés par des inscriptions, sont rapprochés deux à deux à chacun des quatre angles : Pierre et Paul au sud-est, Jacques et Jean au nord-est, Philippe et André au nord-ouest, Barthélemy et Matthieu au sud-ouest. Un neuvième apôtre, Simon, est représenté sur le pilier central de la galerie occidentale, côté est, à l'opposé, par conséquent, de l'inscription commémorant l'achèvement de l'œuvre. Peut-être à l'origine se trouvait-il, avec les trois autres apôtres aujourd'hui manquants, sur les piliers d'un portique qui encadra jusqu'au XVIIIe siècle une belle fontaine à l'angle nord-ouest du préau. On voit encore deux arrachements de ce portique sur la claire-voie : l'un au-dessus du pilier intermédiaire de la galerie nord, l'autre au-dessus du quatrième chapiteau (ou groupe de chapiteaux) de la galerie occidentale, à partir de l'angle nord-ouest. L'hypothèse prend appui sur des renseignements fournis par un inventaire de 1669. « Autour de ladite fontaine, est-il dit, il y a des arcades avec des piliers de marbre de mesme fabrique que ceux du cloistre ». Le portique est alors endommagé et il paraît nécessaire « de revêtir un pilier sur ses trois côtés [et] de remettre sur pied un pilier de marbre qui est tombé avec le chapiteau... » [125]. À la fin du XVIIIe siècle, l'apôtre Simon avait émigré au porche de l'église avec la moitié de Jude Thaddée [126]. Il fut mis à son emplacement actuel par Viollet-le-Duc vers 1840 ; Jude Thaddée a disparu.

Le choix des apôtres peut s'expliquer par un symbolisme facile : piliers de l'Église universelle, ils étaient tout désignés pour soutenir en effigie les toits du cloître conçu comme le vestibule de la maison de Dieu. Cependant, peut-être ont-ils aussi une signification plus actuelle, que suggère la présence parmi eux de l'abbé Durand de Bredons déjà sanctifié. L'abbé Ansquitil, le constructeur du cloître, fit sculpter l'image de son prédécesseur en face de l'entrée de la salle capitulaire comme un monument commémoratif, car il ne s'agit pas d'une pierre tombale. Une observation d'Aymeric de Peyrac prouve que le bas-relief n'a jamais été déplacé. Sur l'arcade qui l'encadre, une inscription rappelle que le personnage fut tout à la fois abbé de Moissac et évêque de Toulouse. En incorporant leur abbé au collège apostolique les moines moissagais entendaient, semble-t-il, affirmer la prétention de l'ordre monastique à perpétuer la communauté sainte instituée par les apôtres après l'Ascension du Christ et que décrivent les Actes des apôtres. Au moment où les chanoines réguliers, régénérés par la réforme grégorienne, disputaient aux moines le privilège de mener la « vie apostolique », les clunisiens de Moissac relevaient bien haut le défi.

83

La figure de Durand de Bredons, outre sa valeur commémorative, prétendait-elle être aussi un portrait ? Un sourire malicieux qui semble flotter sur ses lèvres pourrait correspondre à un trait de caractère, le goût de la plaisanterie, qui lui valut d'être réprimandé par saint Hugues, l'abbé de Cluny, avec menace de purgatoire à la clef. De fait, il n'évita pas le feu purificateur après sa mort, mais il en fut délivré par les prières de ses moines, en sorte qu'il put un jour leur apparaître revêtu de ses ornements liturgiques, la tête entourée du nimbe de la sainteté, comme il figure sur la plaque sculptée [127]. Il se peut néanmoins que le sourire du visage ne corresponde pas à une intention du sculpteur et soit simplement l'effet des meurtrissures de la pierre, c'est-à-dire des caprices du temps.

Les apôtres sont uniformément vêtus d'une tunique et d'un manteau, à l'exception de Jacques le Majeur qui porte une chasuble. Serafín Moralejo [128] a interprété cette pièce du costume liturgique comme un appui prêté par Moissac aux efforts des évêques de Compostelle visant à faire reconnaître l'apostolicité de leur Église en faisant remonter leur série à saint Jacques qui, à Moissac, serait vêtu comme eux.

84

L'importance des grands reliefs du cloître de Moissac provient du rôle qu'ils ont joué dans la définition de la grande figure sculptée romane [129]. Alors que Bernard Gilduin et ses compagnons à Saint-Sernin de Toulouse, ouverts à la tradition antique, aspiraient à faire revivre une plastique développée dans l'espace, il existe à Moissac une volonté d'engager la sculpture dans des voies nouvelles.

On dira de cet art qu'il est monumental et abstrait, en entendant par là qu'il se détourne à la fois de la vie organique et de la statuaire antique pour accorder la figure humaine à un cadre architectural. L'apôtre de Moissac se définit d'abord par rapport au pilier qu'il décore. Aucune des parties de son corps n'est en saillie sur le bloc. Tout élément normalement en relief a été en quelque sorte rabattu ou projeté sur la surface externe du pilier ou sur une surface parallèle et faiblement creusée. Considérez la manière dont saint Pierre tient ses clés entre son index et le bout de son pouce. Ces deux doigts sont étendus sur le même plan que les autres, malgré l'impossibilité de tordre de cette manière les articulations dans la réalité.

85

C'est ainsi que la cohésion organique du personnage vivant à été détruite et on lui a substitué la création cohérente, certes, mais arbitraire, d'une figure composée. Après avoir isolé préalablement le personnage de son milieu — et l'arcade fut pour cela d'un puissant secours — on traita comme des éléments indépendants les diverses parties du corps, ainsi que les plis des vêtements, les draperies et chacun des accessoires. Chaque catégorie fut à son tour décomposée en éléments simples et c'est à l'aide de ces matériaux qu'on entreprit de recréer une nouvelle figure dont le visage est un véritable diagramme et le corps un pur schéma.

Isolés par l'arcade et fermement définis par des contours d'une précision géométrique, les corps sont vus de face, cependant que la tête est presque de profil, ainsi que les jambes. Les pieds, obliquement écartés, semblent ballants en avant du piédestal ou des marches d'escalier où ils devraient s'appuyer. L'articulation du corps ne dépend ni du relief ni du modelé, mais d'une certaine organisation des lignes qui délimitent les vêtements et en dessinent les plis. Les œuvres, dont la qualité est essentiellement graphique, paraissent accrochées aux piliers.

Néanmoins, ces figures si fortement stylisées ne sont pas dépourvues de présence, car l'auteur [130] a su leur conférer une réelle personnalité. Chaque visage est doué d'expression. L'artiste était conscient des résultats obtenus dans ce sens en variant le port de la tête et le tracé de la bouche. Selon le cas, le personnage affiche un air d'autorité ou de réserve. Sur ses lèvres passe un sourire ou s'exprime une volonté. Chaque modification dans le dessin de la barbe et de la chevelure est également chargée d'intention. Les apôtres se distinguent les uns des autres par l'extrême diversité des détails du costume. La forme du manteau varie selon le cas, ainsi que son décor ou encore la forme et l'importance des plis.

La mission de ceux-ci ne consiste d'ailleurs pas uniquement à suggérer un volume. Leur géométrie conventionnelle, de même que la stylisation des gestes, est source d'une vie nouvelle qui anime la figure. Ces lignes sinueuses ou obliques, ces zigzags et ces flexions brutales, comme celle qui replie la main droite de saint Pierre sur sa poitrine, sont génératrices de mouvements par lesquels s'exprime une tension intérieure.

Car c'est bien là, en définitive, le but recherché. Le personnage roman n'entre dans l'architecture religieuse qu'avec une mission d'ordre surnaturel. Libéré par la vertu du style de la contrainte des lois naturelles, il accède à une réalité supérieure. La sculpture romane a troqué la vraisemblance objective contre le mystère du sacré et elle fait participer ses figures à une vie qui est celle de Dieu.

Il paraîtra inutile, si on adopte cette manière de voir, de revenir sur le prétendu rôle du matériau dans la définition du style roman. D'aucune manière la minceur des plaques de marbre n'est responsable à Moissac du relief méplat et comme écrasé des apôtres du cloître. Au

84. Moissac, cloître, saint Jacques le Majeur.

▷ 85. Moissac, cloître, saint Pierre.

contraire, on dira que la sculpture romane, à cette phase de son développement, pouvait s'accommoder du matériau que lui offraient les sarcophages en marbre des Pyrénées provenant d'une ancienne nécropole proche, peut-être celle qui entourait l'église Saint-Martin de Moissac [131].

Pas davantage on ne saurait rendre compte du caractère des figures moissagaises par un concept purement stylistique, comme celui d'archaïsme. Il s'en faut que tout soit archaïque dans cet art conscient et déjà fortement élaboré. Disons que la sculpture du cloître de Moissac représente un moment privilégié dans la définition d'une écriture adaptée à la représentation d'une certaine forme de sacré.

Ce terme d'écriture, qui convient si pleinement à un art plus graphique que réellement plastique, nous aidera à en rechercher les sources. L'esprit de la sculpture moissagaise et sa stylisation expressive sont issus du décor des livres. Depuis longtemps, des rapprochements justifiés ont notamment été faits avec les enluminures représentant les évangélistes debout, vus de face sous un porche, dans un manuscrit du Nouveau Testament dont on ignore la provenance exacte, mais dont l'origine méridionale ne saurait être contestée (Bibl. Nat., Lat. 254) [132]. Les mêmes rapprochements ont été proposés entre l'abbé Durand du cloître et une figure de saint Isidore de Séville dans un Recueil des Pères de l'Église venant de l'abbaye de Saint-Maurin au diocèse d'Agen (Bibl. Nat., Lat. 2819) [133]. Simplement peut-on se demander si on expérimenta d'abord ce style dans l'ivoire avant de l'exprimer dans le marbre. Car il y eut, à n'en pas douter, des ivoires apparentés. Ils ont disparu dans le Sud-Ouest de la France, mais la Péninsule ibérique montre à la fin du XIe siècle une correspondance étroite entre l'ivoirerie et la sculpture monumentale qui n'existait pas auparavant [134].

Les chapiteaux

CE QUI FRAPPE D'ABORD, lorsqu'on considère l'iconographie des chapiteaux du cloître [135], c'est le nombre considérable des corbeilles historiées. Elles ne sont pas moins de quarante-cinq sur un total de soixante-seize. Il y a là une grande nouveauté par rapport à ce que nous ont offert les chevets de Sainte-Foy de Conques et de Saint-Sernin de Toulouse, où les préférences vont aux décors de feuillages et au pur ornement. La raison de ce changement réside en partie dans l'emplacement des chapiteaux dans le cloître. Situés à la hauteur des yeux, ils étaient en mesure de faire passer un message, de nourrir une méditation, d'appuyer une prière, toutes activités spirituelles au sujet desquelles nous sommes renseignés par les ouvrages provenant de la bibliothèque de Moissac [136].

La vie quotidienne est un combat du péché et de la grâce. À Moissac, il n'est pas question, comme dans d'autres milieux, de l'intervention d'horribles démons acharnés à tourmenter le moine. Le mal dont souffre celui-ci est lié à la chair dont l'âme est prisonnière. Les tendances au mal qui s'insinuent dans les profondeurs du cœur sont les vices invisibles tendant leurs embûches dans le secret de l'âme. « Mon cœur, s'écrie le moine, n'a jamais pu rester en prière une demi-heure, et pas même un moment avec pureté, sans penser aux choses terrestres et charnelles plutôt qu'aux célestes ». Il ne se leurre pas sur son état et il demande plutôt à Dieu de l'éclairer toujours davantage sur sa misère. La conscience de cette misère ne le conduit pas au désespoir. Tout au contraire elle le ramène par la prière à Dieu créateur et sauveur. Dans le drame intérieur d'un être soumis aux tentations de la chair et travaillé par Dieu, la confiance est la plus forte. Si l'homme qui tombe est incapable de se relever seul, il se remet debout avec l'aide de Dieu, de son amour et de sa puissance, dont les manifestations emplissent les livres sacrés. L'amour divin, la puissance de Dieu refont ce que les vices ont défait, et l'âme confiante est en outre assurée du triomphe final, après l'ultime combat, au jour du Jugement.

Les images représentées dans le cloître de Moissac sont destinées à affermir cette foi et cette espérance. Elles sont d'un accès direct et il suffit à leur compréhension de quelques brèves inscriptions jouant un peu le rôle des neumes dans la notation du plain-chant. Elles nous aident encore aujourd'hui à identifier certains sujets que les iconoclastes ont cruellement mutilés pendant la Révolution Française.

Le drame humain se noue avec la Chute. Sur la face nord du chapiteau n° 63, Adam et Ève, dans leur innocence, sont debout de chaque côté de l'arbre de la connaissance du bien et du mal dont le tronc est enlacé par le serpent. À l'est, la faute est consommée : Adam comparaît devant Dieu dans une attitude craintive, conscient de sa faute. Il cache son sexe à l'aide d'une feuille arrachée à un arbre voisin. Le créateur énonce la condamnation qui le frappera, lui et sa descendance. Vient ensuite l'expulsion du paradis terrestre par l'ange chargé de l'exécution de la sentence. Sur la dernière face, Adam et Ève sont astreints au travail.

Avec l'histoire de Caïn et d'Abel (n° 5) le partage s'opère entre les violents abhorrés de Dieu et les pacifiques, leurs victimes, qui ont l'oreille du créateur. Les offrandes sont faites par les deux fils d'Adam sur des autels. Celle du pasteur est reçue par un ange et celle de l'agriculteur par l'Esprit des ténèbres, aux pieds fourchus et aux ailes de chauve-souris, la tête surmontée de cornes. Caïn tue Abel. Dieu maudit le meurtrier, lui et sa postérité.

C'est ensuite le pacte conclu entre Dieu et le peuple qu'il s'est choisi, et qui est scellé par le sacrifice d'Abraham librement consenti (n° 22). Abraham monté sur un âne et son fils à pied portent tous les deux le bois destiné au sacrifice. Alors que déjà jaillissent les flammes du bûcher et qu'Abraham s'apprête à égorger Isaac, le Seigneur intervient par la voix de l'ange. À côté de celui-ci est représenté le bélier, la victime de substitution.

Du temps des Juges n'est retenue que l'histoire de Samson (n° 66), repensée par l'esprit symbolique chrétien, en sorte que ce géant à la force herculéenne, mais assez dépourvu de moralité, est devenu une figure du Christ. Sur la face orientale du chapiteau, un ange debout représente l'esprit de Dieu qui va l'inspirer. Puis, sur la face septentrionale, Samson, reconnaissable à ses longs cheveux, et en outre désigné comme tel par une inscription, enfourche le lion qui s'est précipité sur lui et il lui ouvre violemment la gueule avec ses mains. C'est pour l'homme du Moyen Âge le Christ vainqueur du diable et de la mort, ouvrant les portes de l'Hadès. Sur la face occidentale, Samson debout, vêtu d'une tunique et d'un manteau, élève dans ses bras un objet, peut-être la mâchoire d'âne, le trophée de sa victoire sur les Philistins, qui mit le diable en fuite.

On continue par l'évocation de David, qui est non seulement comme Samson une figure du Christ, mais aussi un de ses ancêtres selon la chair. Il symbolise sa puissance et sa royauté. Dieu l'a tiré de son état de berger pour le faire régner sur son peuple, comme le Christ règnera sur les nations. Trois chapiteaux lui sont consacrés.

Sur la face occidentale du chapiteau n° 11, le prophète Samuel, vêtu d'une robe et d'un manteau retenu par une fibule gravée d'une croix, conduit un animal destiné au sacrifice et arrive sous les murs de Bethléem. Sur les faces orientale et septentrionale quatre membres de la famille de Jessé, le père de David, se rendent à sa rencontre, le premier d'entre eux élevant dans sa main un sceptre court terminé par la fleur de lis, emblème du pouvoir. La cérémonie de l'onction royale est représentée au sud : Samuel verse sur le front de David agenouillé l'huile sainte renfermée dans une corne.

David possède la force comme Samson. C'est ce qu'indique sa victoire sur le géant Goliath (n° 2). Sur la face orientale du chapiteau, Saül, qui exerce encore les fonctions royales, est assis sur un siège pliant et il est encadré par deux guerriers la main posée sur la garde de leur épée. La face septentrionale met David en présence de son ennemi. Il brandit un bâton de la main gauche et, de la droite, tient la fronde déjà armée. D'autres pierres qu'il a choisies dans le torrent remplissent sa « giberne », en fait un simple sac de berger. L'esprit de Dieu qui l'inspirera est présent sous la forme d'un ange. Sur la face occidentale se dresse Goliath armé d'une lance et d'un énorme bouclier. À sa ceinture pend en outre le glaive qui finalement servira à lui trancher la tête. « Ce n'est ni par l'épée ni par la lance que Dieu donne la victoire, car Dieu est maître du combat ».

Un troisième chapiteau (n° 80) montre le roi David assis, accompagné de ses musiciens debout. L'identification de leurs instruments est parfois difficile en raison de la dégradation de la pierre et bien que chaque figure soit accompagnée d'une inscription donnant son nom et celui de son instrument. David jouait d'une vièle aujourd'hui mutilée : DAVID CITARAM PERCVTIEBAT IN DOMO DOMINI. Devant lui Asaph pince des doigts de sa main gauche une *lira* : terme amphibologique, qui désignait alors plusieurs types d'instruments à cordes. Celui-ci a trois rangées de cordes, celle du milieu plus longue que les autres. Si « deux autres inscriptions — ETAN CVM TIMPHANO, ET IDITVN CVM CIMBALIS — nous lèguent deux termes *[tympanum* et *cymbalum]* qui correspondent sans ambiguïté à l'iconographie du chapiteau et à ce que l'on sait par ailleurs du tambourin et des cymbales, il n'en est pas de même de la *rota* mentionnée dans la [dernière] inscription : EMAN CVM ROTA. Ici *rota* désigne une harpe ou une harpe-psaltérion triangulaire, alors que le mot peut avoir d'autres acceptions » [137]. La scène est empreinte d'une solennité hiératique convenant à un événement se déroulant « dans la maison de Dieu ».

Le livre de Daniel a été largement sollicité en raison de ses récits qui livrent sous des formes très apparentées le même message de salut à travers les pires épreuves. C'est un message de confiance qui doit dissiper la peur.

Conformément au texte, le prophète est représenté dans la fosse aux lions deux fois, ce qui montre l'importance du thème considéré comme le symbole par excellence de l'âme sauvée du mal. Il fut précipité dans la fosse une première fois en raison de sa fidélité au vrai Dieu. Il avait continué à l'adorer bien que le roi Darius eût interdit par décret d'adresser des prières à quiconque hormis lui (Dn. 6, 22). Sur le chapiteau n° 18, Daniel est assis et lève les mains pour louer le Seigneur. Deux lions l'encadrent, dressés contre des arbres aux feuilles pointues et allongées.

86

Daniel rendit un second témoignage de sa foi en empoisonnant un serpent sacré à l'aide de boulettes faites de poix, de graisse et de cire (Dn. 14, 1-39). Pour le punir de ce qu'ils considéraient comme un sacrilège, les Babyloniens le jetèrent à nouveau dans la fosse aux lions où il demeura six jours au milieu des bêtes affamées. Non seulement elles l'épargnèrent, mais Dieu pourvut à sa nourriture. Sur la face orientale du chapiteau n° 33, les fauves encadrent une seconde fois Daniel en prière. Sur la face occidentale l'ange du Seigneur tient par les cheveux le prophète Habacuc qu'il a fait voyager à travers les airs de cette étrange façon. Habacuc porte sur ses épaules un long bâton aux extrémités duquel sont suspendus deux seaux. Ils contiennent le repas qu'il avait lui-même préparé pour les moissonneurs et que le Seigneur réserva à Daniel. Sur la face méridionale, Habacuc, sa mission accomplie, regagne son pays.

Déjà dans les plus anciennes prières, le salut d'Isaac et celui de Daniel sont unis à un autre récit du livre de Daniel, le salut des trois jeunes Hébreux jetés tout habillés dans la fournaise pour avoir refusé d'adorer la statue que le roi Nabuchodonosor avait fait confectionner (Dn. 1, 1-7 et 3, 1-96). Une fois encore Dieu protégea ceux qui lui rendirent témoignage. Nabuchodonosor put constater que le feu n'avait eu aucun pouvoir sur leur corps. La fournaise occupe toute la partie 87 centrale du chapiteau n° 28. Aux angles sont figurés les trois Hébreux accompagnés de leur double nom : celui qu'ils avaient porté parmi les gens d'Israël et celui que leur imposa le chef des eunuques babyloniens : Ananias (Siddrac), Misael (Misac) et Azarias (Abdenago) (Dn. 1, 7). Le quatrième angle est occupé par l'ange du Seigneur qui était descendu avec eux dans les flammes pour faire régner dans la fournaise « comme une fraîcheur de brise et de rosée ». Il tient une croix dans la main gauche. Sans doute s'associe-t-il aux louanges que les jeunes Hébreux adressent à Dieu évoqué sur le tailloir par quatre figures sculptées dans des médaillons que présentent des anges : sa face, sa main, l'Agneau et la colombe du Saint-Esprit.

86. Moissac,
cloître,
chapiteau n° 18.
Daniel dans la fosse aux lions.

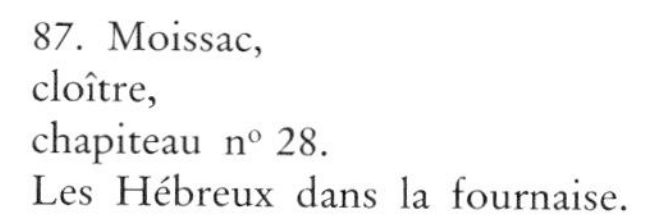

87. Moissac,
cloître,
chapiteau n° 28.
Les Hébreux dans la fournaise.

Vient ensuite le châtiment de l'orgueil de Nabuchodonosor développé sur le chapiteau n° 83, d'après Daniel (4, 1-53). Le roi de Babylone siège sur son trône entre un devin et Daniel auxquels il demande la signification du songe qui l'avait profondément troublé : celui de l'arbre gigantesque abattu. Le devin ne sait que dire et s'éloigne. Daniel lui explique que l'arbre, c'est lui-même, et que son orgueil sera abattu. Nabuchodonosor contemple Babylone représentée sur une des faces voisines et s'écrie : « N'est-ce pas là Babylone la grande que j'ai bâtie ? ». Le tailloir a recueilli ce cri d'autosatisfaction et aussi l'avertissement : « On te dit, roi Nabuchodonosor, que ton règne a passé loin de toi. Tu mangeras de l'herbe comme le bœuf et sept temps passeront sur toi ». La métamorphose annoncée par une voix tombée du ciel s'accomplit sur la dernière face du chapiteau. Alors qu'un ange sorti d'un nuage symbolise la voix, Nabuchodonosor changé en bête marche à quatre pattes et broute dans un pré planté d'arbres. Il a néanmoins conservé sa couronne car, au temps fixé, l'intelligence lui reviendra avec la gloire et la royauté. Il louera alors le roi du ciel.

L'œuvre de salut annoncée par les prophètes se réalise à travers la bonne nouvelle de l'évangile, la parole de Dieu. Ses quatre versions, celles de Matthieu, Marc, Luc et Jean sont symbolisées par leurs auteurs respectifs, avec deux groupes différents de représentations. En 76, les évangélistes s'identifient avec leurs symboles, l'homme, le lion, le taureau et l'aigle, qui tiennent un livre ouvert sur lequel étaient gravées les initiales des premiers mots de leur récit. En 30, il s'agit de la série qualifiée d'anthropozoomorphique, à tort selon nous, car les visages animaux (ou humain pour Matthieu) des symboles n'y sont pas combinés avec un corps d'homme, comme on le dit généralement, mais avec l'image d'un ange. Rien de surprenant à ce sujet, puisque nous avons observé à maintes reprises que dans l'Ancien Testament déjà la parole divine est transmise par un ange.

Le message évangélique est d'abord adressé à Marie par l'ange de l'Annonciation (n° 46). La Vierge manifeste son acceptation en étendant les mains. À gauche du groupe, sous une arcade, une compagne ou une servante écoute. À droite on a sculpté la Visitation. L'espace ménagé entre les deux scènes est occupé par un portique surmonté de trois lanternons et drapé de tentures qui s'accrochent aux colonnes en plis symétriques. Une suspension eucharistique est fixée à la voûte de ce sanctuaire ou de ce ciborium. Sa présence rappelle que l'eucharistie est la *bona gratia* (en grec *eucharis*) envoyée du ciel par l'Incarnation du Fils de Dieu en l'homme Jésus pour le salut de l'humanité. Peut-être est-ce la première représentation dans nos régions de ce *corpus elevatum* qui viendrait de Cluny [138].

La Nativité n'est pas représentée, mais évoquée par la scène de l'Annonce aux Bergers (n° 18). L'envoyé de Dieu tient de la main droite, entre le pouce et l'index, un sceau marqué d'une croix, l'emblème du Christ. Lui aussi est parole, celle de son message qu'on lit dans saint Luc (2, 10) : « Aujourd'hui dans la cité de David, un Sauveur nous est né, qui est le Messie Seigneur. Et ceci vous servira de signe : vous trouverez un nouveau-né enveloppé de langes et couché dans une crèche ». Déjà le berger a pris son bâton fourchu pour se rendre à Bethléem. D'une manière sans doute délibérée on a sculpté l'Annonce aux bergers sur le même chapiteau que Daniel dans la fosse aux lions.

88

Ce dernier n'est-il pas la figure du Sauveur dont l'ange annonce la naissance aux bergers ?

L'accent est ensuite mis sur les théophanies, les apparitions glorieuses du Christ Messie, à commencer par l'Épiphanie, la vénération de l'Enfant Dieu par les Mages (n° 52). Leurs présents, l'or, l'encens et la myrrhe évoquent les trois aspects de la personne du Christ, qui est à la fois prêtre, roi et sauveur. Au centre de la face occidentale du chapiteau est figurée une des portes de Jérusalem, la ville où siège Hérode entouré de ses conseillers. Il vient de s'entretenir avec les Mages dont les montures quittent la cité sainte. La porte de Bethléem occupe une position symétrique à celle de Jérusalem sur la face orientale. À côté siège la Vierge en majesté sous un pavillon aux courtines relevées, l'Enfant sur les genoux. Au-dessus brille l'étoile qui s'est arrêtée à cet endroit après avoir guidé le voyage des Mages. On a désigné ceux-ci du terme générique de rois *(Sancta Maria cum regibus)* et non par leur nom personnel, afin d'insister sur le caractère symbolique de leur mission. À travers eux, ce sont toutes les nations de la terre qui reconnaissent en Jésus le Messie sauveur. On leur a donné une communauté d'attitude dans le geste d'offrande. Le personnage d'Hérode forme un trait d'union entre l'Épiphanie et la scène voisine, le Massacre des saints Innocents, à travers lesquels on célèbre les premiers martyrs de l'époque chrétienne.

La deuxième théophanie s'opère à l'occasion du Baptême du Christ (n° 69). Celui-ci représenté nu est immergé dans les eaux du Jourdain jusqu'à la ceinture : ses vêtements, une tunique et un manteau, étant tenus par deux disciples. Jean-Baptiste debout impose sa main sur la tête du Sauveur. Sur les rives du fleuve se tiennent deux anges remplissant

88. Moissac,
cloître,
chapiteau n° 18.
Annonce aux bergers.

le rôle de diacres : l'un en élevant de la main droite un livre ouvert, l'autre en portant une croix munie d'un manche. La signification de la scène est multiple. En premier lieu, c'est une affirmation du caractère messianique de Jésus à la fois par la colombe nimbée de l'Esprit saint sculptée sur le dé central et par la voix du Père qui rend témoignage au Fils. Mais la scène a aussi valeur sacramentelle : le baptême de Jésus prélude à celui des fidèles. Enfin la figure de Jean-Baptiste est exaltée : il est le Précurseur du Christ, le dernier des prophètes de l'Ancienne Loi, un martyr de la Nouvelle.

Son supplice est représenté sur le chapiteau n° 87. Sur les faces orientale et méridionale on voit le festin d'Hérode et la danse de Salomé ; sur la face septentrionale, la décollation du saint : le bourreau tranche d'un coup d'épée la tête du Précurseur enchaîné dans sa prison.

La Transfiguration (n° 71) est comme le baptême une manifestation de la Trinité divine. Sur la face orientale Jésus, dont les pieds reposent sur la nuée lumineuse, symbole de l'Esprit saint, s'entretient avec Moïse et Élie, qui avaient été témoins de la montagne de Dieu dans l'Ancien Testament. L'un des apôtres qui accompagnait Jésus a mis un genou à terre. Cette attitude de vénération devant la manifestation du divin est partagée par les deux autres apôtres représentés sur la face méridionale.

89

89. Moissac, cloître, chapiteau n° 71. Transfiguration.

Les trois disciples, Pierre, Jacques et Jean n'ont pas été choisis au hasard, car ce sont eux qui, après avoir été témoins de la gloire du Messie, seront aussi témoins de son agonie à Gethsémani. D'ailleurs, sur la face occidentale, Jésus, qui descend avec eux de la montagne et se dirige vers Jérusalem (face septentrionale), leur parle de sa mort et de sa résurrection, mais en leur interdisant d'en parler à quiconque avant que tout ne soit arrivé.

La mise à l'épreuve du Messie s'exprime dans le cloître de Moissac non pas à travers le Calvaire, qui n'est pas représenté, mais par la triple

Tentation (n° 73). Sur la face orientale Satan, reconnaissable à sa tête bestiale, à ses pieds fourchus et à ses ailes d'ange déchu, spécule sur la faim de Jésus qui a jeûné pendant quarante jours et quarante nuits. Il lui montre des pierres en lui suggérant de les changer en pain. L'esprit des ténèbres tâte ensuite de l'orgueil. Perché sur le faîte du Temple, il défie Jésus de se jeter dans le vide (face septentrionale). Enfin, sur la face méridionale, il le prend familièrement par le bras en lui faisant miroiter les fausses gloires. Sur la dernière face, à l'ouest, les anges servent leur Maître.

On examinera ensuite les récits du Nouveau Testament et spécialement les paraboles dont le choix vise à célébrer les vertus évangéliques et donc monastiques. Tel est le sens de la parabole du riche et du pauvre Lazare (n° 58), déjà représentée à la Porte des Comtes de Saint-Sernin de Toulouse et qui affirme l'antinomie entre Dieu et l'Argent. Le tailloir appartient clairement à ce chapiteau, car il présente une suite continue de petites têtes ailées, autrement dit un cortège d'anges dont se sont détachés ceux qui s'occupent de l'âme de Lazare : celui qui la reçoit à son dernier soupir et celui qui va la prendre ensuite pour la porter dans le sein d'Abraham. Sur la partie plate du tailloir est gravé l'appel au Dieu justicier : « Ô Dieu, sauve-moi par ton nom, et dans ta puissance fais-moi justice. Ô Dieu, écoute [ma] prière » (Ps. 54 (53), 3-4).

La parabole du bon Samaritain (n° 74) énonce le commandement de l'amour, qui est la lumière de l'Évangile. Chacune des scènes est identifiée par une citation biblique : « Et il tomba aux mains des voleurs [...]. Un certain Samaritain [...]. Un prêtre, un lévite passèrent [...]. Prends soin de lui ».

C'est donc un Samaritain, c'est-à-dire un étranger méprisé par les Juifs qui pratique l'amour du prochain, un amour égal en valeur pour Jésus à l'amour de Dieu. C'est aussi au cours d'un entretien avec une Samaritaine auprès du puits de Jacob et de son eau stagnante que Jésus parle de l'eau vive, de l'eau vivifiante, symbole du bonheur sans fin des élus (n° 25). Il annonce à la Samaritaine que le vrai culte ne se pratiquera plus dans le Temple de Jérusalem, ni dans celui du Mont Garizim, le temple des Samaritains. Ce culte nouveau, inspiré par l'Esprit, sera un culte « en vérité », le seul qui réponde à la Révélation de Dieu en Jésus. Tout homme y est convié quelle que soit son origine.

D'une manière audacieuse, compte tenu de la pauvreté des moyens, mais qui correspond bien à la haute spiritualité de la sculpture moissagaise, on a même prétendu représenter sur un chapiteau (n° 7) les Béatitudes, c'est-à-dire le bonheur surnaturel. Les sentences extraites de l'évangile de saint Matthieu (5, 3-10) sont généralement réduites à l'*incipit*. Sur chaque face deux béatitudes sont personnifiées chacune par une figure humaine désignant le texte qu'elle représente : *Beati pauperes spiritu* (Bienheureux les pauvres en esprit), *Beati qui esuriunt* (Bienheureux ceux qui ont faim)... Les personnages ont tous à peu près le même costume, à l'exception du premier, qui désigne la pauvreté.

Pour cette iconographie rare nous sommes assurés que des ivoires ont pu proposer leurs modèles. Songeons au coffret-reliquaire qui fit partie de la riche donation réalisée en 1063 en faveur de Saint-Isidore de León par le roi Ferdinand et la reine Sancha, et qui fut transféré de la collégiale au Musée Archéologique de Madrid en 1869. Ici les Béatitudes qui tiennent un livre sont accompagnées d'un ange représentant la parole divine. Une Béatitude se distingue également de l'ensemble non par son costume mais par un objet que porte l'ange. Il s'agit des *Beati mundo corde* (Bienheureux les cœurs purs) [139].

Les illustrations de miracles sont nombreuses, car le miracle conserve sa force de conviction et il est générateur d'espérance autant que de foi. Le temps présent en est encore aussi fertile que les temps apostoliques. Une sélection a néanmoins été opérée parmi eux, et ceux qui ont été retenus le furent intentionnellement.

Si nous les prenons dans l'ordre, nous trouverons, en 75, dans la galerie méridionale, deux guérisons, celle de la fille de la Cananéenne et celle du serviteur du Centurion, justement rapprochées sur le même chapiteau. Les bénéficiaires en furent deux étrangers au peuple juif. Les moines de Moissac reprennent une nouvelle fois l'idée de l'universalité du message chrétien. La Cananéenne et l'officier romain sont les deux premiers Gentils convertis et le Christ s'est émerveillé de leur foi.

Dans la galerie orientale, en 54, ce sont les Noces de Cana, le premier des miracles accomplis par le Christ, et le plus riche de signification à cause des relations que les chrétiens y ont reconnues avec l'eucharistie. Il se développe sur trois des faces du chapiteau, la quatrième étant réservée à la représentation de la maison des noces. Les scènes sont remplies de détails concrets qui manquent souvent ailleurs, où l'idée prime sur l'événement. En premier lieu (face méridionale) vient le changement de l'eau en vin par Jésus en présence de sa mère et de deux disciples. Jésus étend la main sur trois jarres alignées et remplies d'eau, pour les bénir. Sur la face occidentale une cruche où l'on a puisé de cette eau a été dressée sur une petite colonne. Un serviteur qui l'a prise par l'anse fait couler le vin miraculeux dans une coupe. Vient ensuite la table du banquet : le maître d'hôtel *(architriclinus)* a présenté à l'épouse une coupe de ce vin qu'il a préalablement goûté et que les invités assis à la droite de l'épouse savourent également.

90

90. Moissac, cloître, chapiteau n° 54. Noces de Cana.

Dans la galerie occidentale la résurrection de Lazare (n° 15) illustre un autre type de miracle. Marthe et Marie sont prosternées aux pieds de Jésus et l'implorent. Sur la face septentrionale les deux sœurs ont accompagné Jésus au tombeau et Jésus ordonne au mort de se lever, ce qui se produit sur la face occidentale. Lazare debout sur son tombeau — un sarcophage reposant sur de petits piliers carrés — a son corps encore lié de bandelettes, mais son visage est déjà dégagé du suaire. Ce miracle, gage de la résurrection corporelle, est sans doute celui qui a été le plus souvent reproduit dans l'art chrétien. Sa popularité a fini — et Moissac n'a pas échappé à la règle — par évincer les autres résurrections opérées par le Christ.

91 Un autre récit, celui de la Pêche miraculeuse (nº 35) est aussi de très large portée, car il concerne la vocation des apôtres et la fondation de l'Église. Sur la face occidentale, Jésus est monté dans la barque de Pierre pour y enseigner la foule. La barque avec son étendard qui flotte au vent devient la nef du Christ et de l'Église, une allégorie de l'*Ecclesia*. Sur la face orientale, la barque est remplie de poissons, mais Simon Pierre et ses compagnons, Jacques et Jean, les fils de Zébédée, n'en ont cure. Ils écoutent l'appel du Maître et laissent tout pour le suivre : désormais ils seront pêcheurs d'hommes.

Curieusement, ni la Cène, ni la Passion du Christ, ni sa Résurrection ne sont représentées. Deux chapiteaux seulement correspondent au temps de ces événements.

En 60, c'est le Lavement des pieds, prélude à la Cène, une manifestation d'humilité et d'amour qui est entrée dans la liturgie, notamment celle des cloîtres, avec la cérémonie du mandat (le premier mot, *mandatum*, de l'antienne récitée à son début : *Mandatum novum do vobis* : « Je vous donne ce commandement nouveau : aimez-vous les uns les autres »). Au sud, le Christ agenouillé près d'un bassin se 92 prépare à laver les pieds de saint Pierre en dépit des protestations de ce dernier. Les autres apôtres attendent leur tour. Ceux qui sont dans les angles du chapiteau déploient des linges pour essuyer les pieds lavés par le Seigneur. Des lettres tracées sans ordre permettent néanmoins de reconstituer MANDATVM.

△ 91. Moissac, cloître, chapiteau nº 35. Pêche miraculeuse.

92. Moissac, cloître, chapiteau nº 60. Lavement des pieds.

Le second chapiteau montre la croix (nº 21), l'instrument du salut qui a fait du non-juif comme du juif l'héritier des promesses faites à Abraham. Elle leur a permis de communier dans une même foi au Dieu d'Abraham, d'Isaac et de Jacob, qui est aussi celui de Jésus-Christ. En approfondissant ce qui déjà les unissait, elle a fait d'eux un homme nouveau. Sur la face septentrionale c'est la croix de bois sur laquelle le Christ est mort pour le salut du monde et sur laquelle il a triomphé de la mort. Elle est devenue la plus précieuse des reliques, celle dont toute maison religieuse rêvait de posséder un fragment, à laquelle toute église importante consacrait un autel. Le Saint Bois est béni par la main de Dieu qui sort des nuées et il est présenté par deux anges. Sur la face méridionale, deux nouveaux anges tiennent une autre croix dressée sur une petite éminence. Elle est recouverte d'un riche décor orfévré et porte à la jonction de ses bras un médaillon au monogramme du Christ. Elle se détache sur un fond d'étoffe. Sans doute s'agit-il de la croix que Constantin avait fait élever sur le sommet rocheux du Golgotha. (93) Sur les deux autres faces du chapiteau deux anges isolés proclament un message. Peut-être entonnent-ils avec les moines le *Vexilla regis* de Fortunat, qui célèbre la victoire de la croix en débutant par la violente antithèse du roi et de la potence : *Vexilla regis prodeunt* [...] (Les étendards du roi se déploient). Sur le tailloir, le mal terrassé est représenté par des animaux monstrueux renversés sur le dos. (94)

93-94. Moissac,
cloître,
chapiteau nº 21.
Glorification de la croix.

Après le temps de Jésus vient celui de l'Église, de cette Église dont les apôtres sont figurés dans le cloître comme ses piliers. Pierre et Paul, les patrons de l'Église romaine, Pierre surtout qui est en outre celui du monastère de Moissac, sont l'objet d'une attention particulière.

Le chapiteau nº 38 représente la guérison de l'impotent devant la porte du Temple de Jérusalem appelée la Belle Porte (Ac. 3, 1-22 et 4, 1-22). On a gravé au milieu d'une face le monogramme du Christ pour rappeler que le miracle fut fait en son nom. Il eut une large diffusion — un témoin sonne dans une corne pour l'annoncer à la multitude — et il provoqua de nombreuses conversions. Convoqué devant le Grand Sanhédrin, Pierre ne dissimule rien. Il proclame que l'infirme a été guéri au nom de Jésus-Christ crucifié et ressuscité, qui est la pierre angulaire de l'Église. Jean, présent à l'audience, tient un livre marqué du X (khi) et un assistant porte dans ses bras une énorme pierre angulaire. Principe de guérison miraculeuse, le nom de Jésus est pour ceux qui l'invoquent l'assurance du salut à obtenir lors du Jugement.

La Libération de saint Pierre (n° 70) de sa prison de Jérusalem (Ac. 12, 1-11) est l'occasion de montrer que, même après l'Ascension, Dieu n'a pas abandonné le monde et qu'il continue par les miracles à intervenir personnellement sur le cours des événements. Le thème avait déjà été
20 représenté à Conques (ci-dessus p. 63), mais avec des intentions différentes. Ici, l'accent est mis sur l'ange du Seigneur, qui descend du ciel dans la prison — entre saint Pierre ébloui par le flot de lumière
95 inondant son cachot et les soldats de la garde endormis —, puis qui conduit l'apôtre à la liberté. Celui-ci reconnaît alors sur le phylactère qu'il tient à la main : « Maintenant je sais vraiment que le Seigneur a envoyé son ange et m'a soustrait à la main d'Hérode ».

95. Moissac,
cloître,
chapiteau n° 70.
Libération de saint Pierre.

Cependant, le témoignage le plus authentique rendu à Dieu par saint Pierre et saint Paul le sera par leurs martyres [140]. Le chapiteau n° 65 sur lequel ceux-ci sont représentés a été intentionnellement rapproché du pilier où les deux apôtres se dressent en effigie. Mieux encore, saint Pierre était matériellement présent à cet endroit à travers l'une de ses reliques. Sur la face méridionale du chapiteau est creusée une cavité qui était autrefois recouverte d'une plaque de verre. On y voyait une châsse minuscule dans laquelle la relique était enfermée. À l'occasion de la fête du saint, l'abbé suivi de la communauté venait l'encenser et la vénérer. Il en fut ainsi jusqu'en 1793 et les profanations de la Terreur [141]. La présence de Dieu est sans cesse affirmée. Sur le tailloir une phrase tirée des Actes des Apôtres (9, 4) : « Saul, Saul pourquoi me persécutes-tu ? » rappelle la conversion de Paul sur le chemin de Damas. Ici, allant au supplice, il est accompagné par un ange et c'est encore un ange nimbé, debout les ailes largement éployées, qui reçoit dans ses bras pour les conduire au ciel les âmes des deux martyrs.

Le choix des autres saints tient compte à la fois des dévotions de l'Église universelle, de choix plus spécialement monastiques et d'intentions particulières à l'abbaye de Moissac.

Immédiatement après les apôtres prend place Étienne, officiellement vénéré comme le protomartyr chrétien. Ordonné diacre par les Douze, il opérait des prodiges et des miracles. Son histoire est traitée sur le chapiteau nº 82. Sur la face orientale, il trône nimbé au centre d'un découpage de la corbeille évoquant une mandorle. Sans doute s'agit-il d'une transfiguration produite par la contemplation du mystère de Dieu. Avant de mourir il vit les cieux ouverts et le Fils de l'homme debout à la droite de Dieu. Il émanait de son visage un rayonnement lumineux, véritable réverbération de la gloire divine. On l'emmène ensuite pour être lapidé (face septentrionale). Le martyre est traité sur la face occidentale. « Tandis qu'on le lapidait, Étienne faisait cette invocation : ' Seigneur Jésus, reçois mon esprit '. Puis il fléchit les genoux et dit dans un grand cri : ' Seigneur ne leur impute pas ce péché ' » (Ac. 7, 59-60). La face méridionale illustre la découverte de son tombeau en 415 et le transfert de ses reliques à bras d'homme. La main de Dieu, qui apparaît sur le dé central, authentifie une invention qui fut contestée.

Les reliques de saint Étienne étaient jointes à celles du diacre Laurent dans la basilique romaine de Saint-Laurent-hors-les-murs. Rien de surprenant dans ces conditions à ce que le souvenir des deux diacres se trouvât aussi uni dans le cloître de Moissac. Laurent d'origine espagnole était diacre de l'Église romaine lors de la persécution de 258. Il fut alors appréhendé et sommé de livrer le trésor de l'Église qu'il avait en dépôt. Il n'avait rien à rendre ayant tout distribué aux pauvres. Sa comparution devant l'empereur Valérien est figurée sur la face septentrionale du chapiteau nº 61, le reste de la corbeille étant consacré à son martyre dont le récit légendaire frappait les imaginations par sa cruauté. Son corps est étendu sur un gril. Deux bourreaux munis de puissants soufflets activent l'ardeur du foyer. Cependant deux anges apparaissent au-dessus de l'instrument de supplice. L'un tient un *flabellum* de forme circulaire, du type de celui de Tournus au musée du Bargello à Florence. Il l'agite pour détruire l'effet de la chaleur des flammes. Comme c'était l'une des missions du diacre de se tenir à droite de l'autel pour ventiler au-dessus des saintes espèces, il s'agit d'une évidente transposition. L'autre ange agite un encensoir pour embaumer l'air. Tout concourt, par conséquent, à associer ce supplice au sacrifice de l'autel.

96

Les derniers martyrs représentés ont peut-être été choisis pour des raisons de politique ecclésiastique. Ce serait le cas pour saint Saturnin, le premier évêque de Toulouse, un siège épiscopal avec lequel Moissac entretenait des relations étroites. Durand de Bredons, le premier abbé clunisien de Moissac, ne fut-il pas évêque de Toulouse et son successeur Isarn n'avait-il pas décidé de remettre la collégiale de Saint-Sernin entre les mains des moines moissagais ? Sur le chapiteau nº 49 sont donc représentés la condamnation de saint Saturnin, son supplice et sa glorification. Certains détails méritent de retenir plus particulièrement l'attention. On a disposé en croix, sans doute intentionnellement, les pétales de la fleur qui décore le dé au-dessus de la scène de martyre. Sur la face occidentale la main de Dieu se saisit de la gloire ovale dans laquelle est représentée l'âme de saint Saturnin pour conduire celle-ci au paradis. On a sculpté à droite et à gauche de cette mandorle deux feuilles de lierre, symbole d'éternité.

Une raison de même ordre explique l'hommage rendu dans le cloître de Moissac à saint Fructueux, évêque de Tarragone, et à ses deux diacres Augure et Euloge. À travers eux, il s'adresse à la métropole ecclésiastique catalane. Elle avait disparu lors de l'invasion de l'Espagne par les musulmans, et Charlemagne avait rattaché à Narbonne les évêchés catalans libérés, parmi lesquels Tarragone ne figurait pas. À la fin du XIe siècle la situation a changé en faveur des chrétiens et ceux-ci commencent à espérer la réoccupation durable des ruines de la ville et sa restauration. La province ecclésiastique de Tarragone a été rétablie en 1097 et les pouvoirs du métropolitain ont été provisoirement confiés à l'évêque Bérenger d'Ausona (Vic). Moissac surveille attentivement ces événements en raison des intérêts qu'elle possède en Catalogne.

Le chapiteau n° 47 évoque donc les origines chrétiennes de Tarragone. Sur sa face septentrionale saint Fructueux et ses diacres sont représentés : le premier tient la crosse, les deux autres présentent des livres liturgiques. Sur la face orientale le gouverneur Émilien siégeant sur une chaise curule, avec derrière lui un joueur de lyre *(fidicen)*, condamne les accusés au bûcher. Celui-ci est traité sur la face méridionale de la même façon que la fournaise où furent jetés les jeunes Hébreux. Les trois martyrs prient au milieu des flammes, cependant qu'une main sort des nuages et leur présente la croix. Sur la face occidentale leurs âmes sont réunies à l'intérieur d'une mandorle ornée de motifs d'orfèvrerie et tenue par deux anges debout. À nouveau la main de Dieu sort des nuages. Elle est encadrée par les lettres A et ω et elle entraîne la mandorle vers le ciel.

On a choisi saint Martin pour représenter les confesseurs, apparemment non pour des raisons de simple convenance, mais pour élever à nouveau à ce haut degré de spiritualité chrétienne où s'étaient installés les moines de Moissac. Les scènes choisies pour le décor du chapiteau n° 27 sont extraites de la *Vita sancti Martini* de Sulpice Sévère, de même que les commentaires gravés sur le tailloir, mais il ne s'agit que d'une sélection dont le choix est instructif. La plus célèbre de ces scènes se passe aux portes d'Amiens où le saint encore légionnaire romain tenait garnison. Il partage son manteau avec le pauvre, ce qui nous vaut sur le tailloir le texte suivant : « Martin encore catéchumène m'a revêtu du vêtement ». Celui qui parle est le Christ qui dit dans l'évangile : « Ce que vous avez fait à l'un des plus petits de mes frères, c'est à moi que vous l'aurez fait » (Mt. 25, 40). C'est pourquoi le Christ lui-même a pu apparaître à saint Martin en tenant l'étoffe du manteau tendue par deux anges. La seconde scène concerne une

97

96. Moissac, cloître, chapiteau n° 61. Martyre de saint Laurent.

97. Moissac, cloître, chapiteau n° 27. Charité de saint Martin.

résurrection, celle d'un néophyte mort avant d'avoir reçu le baptême. Le corps de ce catéchumène repose sur un grabat. À ses pieds un moine garde encore la barre qui a dû servir au transport du corps. À gauche, saint Martin devenu évêque tient dans sa main une croix et un livre. C'est donc au nom du Christ que saint Martin a opéré son miracle, comme les apôtres le firent avant lui, et parce que la consécration épiscopale en a fait leur successeur. C'est ce que laisse entendre l'inscription du tailloir : « Voici Martin, devenu pontife de Dieu ».

On n'a pas oublié saint Benoît, le père des moines d'Occident (nº 40), qui paraît avoir été particulièrement invoqué par les moines contre le démon dont il avait su si bien déjouer les pièges. Les deux scènes qui lui sont consacrées célèbrent ses victoires contre Satan. En fait, la première témoigne plutôt de la sagesse d'un esprit qui ne se laisse pas duper par ce qui n'existe qu'en apparence. C'est l'histoire du malheureux moine qui ne voulait pas faire oraison et laissait son âme vagabonde s'adonner aux choses terrestres et transitoires. Benoît « sait » apercevoir un petit homme noir qui entraîne dehors le moine incapable de rester à la prière (face méridionale). L'abbé averti par saint Benoît dut prier pendant deux jours pour arriver à le « voir » lui-même, quant au moine, il n'y parvint jamais. Pour le guérir de l'aveuglement de son cœur, saint Benoît dut recourir aux grands moyens, c'est-à-dire le frapper avec une verge (face occidentale). « Depuis ce jour, le moine n'eut plus à souffrir des sollicitations du petit homme noir, mais stable désormais il s'appliqua à la prière, et ainsi l'antique ennemi, comme s'il eût été lui-même frappé de la verge, n'osa plus tyranniser ses pensées » [142].

L'autre scène (faces orientale et septentrionale) est la résurrection du jeune moine tué sur le chantier du Mont Cassin par un écroulement de muraille provoqué par le démon. Elle double la résurrection opérée par saint Martin et sa signification — celle du miracle obtenu au nom du Christ — est la même, ainsi que le précise une inscription gravée sur le tailloir : « L'homme de Dieu, Benoît, de sa baguette frappa le moine et le Seigneur le guérit par son intermédiaire ». On observe que sur le chapiteau saint Benoît utilise comme moyen de la guérison la prière et non la baguette du thaumaturge, comme si l'image et le texte avaient des sources différentes.

Le temps de l'Église va jusqu'à l'actualité immédiate puisqu'il comprend la croisade à Jérusalem (nº 32). En direction de la ville sainte marche un personnage portant un livre dans sa main gauche et une croix dans la droite. Celle-ci donne son sens à l'expédition : la croisade est un phénomène religieux entrepris par « les hérauts du Christ ». Ils comprennent deux porteurs de haches de combat ayant en bandoulière une sorte de bourse marquée aussi d'une croix, le signe distinctif des croisés, et un guerrier armé d'une lance. La présence devant Jérusalem d'un ange qui bénit et tient une croix donne à cet acte pieux, qui remua en profondeur la conscience de l'Occident, sa portée eschatologique.

98

Faisant abstraction de l'avenir qui n'appartient qu'à Dieu, on nous conduit directement à la consommation des siècles et à la venue du Jour du Seigneur. La Révélation est faite à saint Jean, un vieillard à longue barbe couché dans son lit, vers lequel se dirige un ange sorti d'un nuage. Il le saisit par le bras droit pour l'élever en esprit vers le ciel (chapiteau nº 72, face méridionale). Sur la face septentrionale du même chapiteau, un ange tient une faucille. C'est le vendangeur de l'Apocalypse, dont la vendange fut foulée hors de Jérusalem. « Il en coula du sang

99

98. Moissac,
cloître,
chapiteau n° 32.
Jérusalem.

▷ 99. Moissac,
cloître,
chapiteau n° 72.
Vision de saint Jean à Patmos.

qui monta jusqu'au mors des chevaux » (Ap. 1, 20). Les chevaux représentés sur les faces orientale et occidentale, montés par des cavaliers nimbés et ailés, sont ceux qui sont mentionnés dans l'Apocalypse en 19, 11-16 : « Alors le ciel s'ouvrit et voici qu'apparut à mes yeux un cheval blanc ; celui qui le monte s'appelle ' Fidèle ' et ' Vrai ' : il juge et fait la guerre avec justice [...]. Les armées du ciel le suivaient sur des chevaux blancs, vêtues de lin d'une blancheur parfaite [...] et lui, il foule dans la cuve le vin de l'ardente colère de Dieu, le Maître de tout. Un nom est inscrit sur son manteau et sur sa cuisse : Roi des Rois et Seigneur des Seigneurs ». Il s'agit du premier combat eschatologique qui vit l'extermination des nations païennes.

Il suit le châtiment de « Babylone la Grande », « la cité du mal », « la grande prostituée », figurée sur le chapiteau n° 85 avec l'inscription BABILONIA MAGNA en lettres en relief. Son enceinte crénelée est percée de six portes, chacune d'elles étant encadrée par de hautes tours aux toits coniques. Six personnages présents à l'intérieur évoquent la troupe impure des sujets de Satan.

Saint Jean assiste sur le chapiteau n° 43 au grand combat que saint Michel et ses anges livrent dans le ciel au dragon (Ap. 12, 7). Ce combat est représenté également, et à plusieurs reprises, comme nous l'avons observé, au chevet de Saint-Sernin de Toulouse.

100

100. Moissac,
cloître,
chapiteau n° 43.
Combat apocalyptique.

Les conséquences de l'affrontement sont détaillées sur le chapiteau n° 77. Sur sa face orientale un monstrueux dragon à la queue fourchue et enroulée sur elle-même est enchaîné. Une inscription le désigne sans équivoque : SERPENS ANTICVS QVI EST DIABOLVS, L'antique serpent qui est le diable. Le vainqueur, l'archange Michel, désigné par les deux initiales de son nom, tient d'une main l'extrémité de la chaîne qui retient le dragon et il ouvre de l'autre avec une clef la porte du Puits de l'abîme (face méridionale), un petit édifice recouvert d'une toiture côtelée (face occidentale).

101. Moissac, cloître, chapiteau n° 77. Gog et Magog.

102. Moissac, cloître, chapiteau n° 16. Le diable déchaîné.

La source des images de ce chapiteau n° 77 est l'Apocalypse 20, 1-3, qui précise que l'esprit des ténèbres fut relâché pour peu de temps. « Ce temps révolu, Satan relâché de sa prison s'en ira séduire les nations des quatre coins de la terre, Gog et Magog » (Ap. 20, 7-8). Ces symboles des nations coalisées contre l'Église apparaissent sur la face septentrionale du même chapiteau, où ils accueillent le dragon sortant du Puits de l'abîme et désigné cette fois du nom de GOLIAS (Goliath). On a voulu

101

établir un parallèle entre le combat livré par David contre le géant et celui que l'Église devra mener contre ses ennemis. La coalition de Gog et Magog fut en effet suivie du second combat eschatologique.

Le diable déchaîné se prépare avec ses alliés à la lutte, sur le chapiteau n° 16. Des démons, malheureusement décapités, soufflent dans des olifants aux quatre angles du chapiteau pour prévenir les nations. Des êtres fantastiques, dont on n'aperçoit que la tête semblable à celle d'un lion, font de même au milieu des faces orientale et occidentale. Deux autres démons, avec un corps d'homme nu et une tête monstrueuse, servent une arbalète sur les deux derniers côtés. Ce chapiteau est extrêmement précieux sur le plan de l'iconographie, car ses différents éléments ont fréquemment été repris par la suite dans d'autres monuments, mais isolément. Détachés de leur contexte il devenait difficile de les identifier, alors que leur sens est ici évident. L'arbalète, à cause de sa puissance de mort, était alors considérée comme singulièrement démoniaque par l'Église, qui voulut en interdire l'emploi entre chrétiens au deuxième concile du Latran en 1139.

102

Le livre de l'Apocalypse s'achève avec le récit du Jugement des nations et deux descriptions de la Jérusalem future. Le premier n'est pas reproduit dans le cloître de Moissac et Jérusalem la sainte — IHERVSALEM SANCTA — ne fait l'objet que d'une seule image (chapiteau n° 79), très semblable sur le plan formel à celle de Babylone la Grande. Aujourd'hui, seules les inscriptions qui les désignent permettent de distinguer les deux cités l'une de l'autre. À l'origine, l'identité de leurs habitants, leurs attitudes et leurs gestes contribuaient aussi à les individualiser, mais ces éléments n'apparaissent plus en raison des dégradations occasionnées par la Révolution.

Le trait le plus constant de l'iconographie des chapiteaux du cloître de Moissac est l'omniprésence de l'ange. Son rôle le plus constant est celui du messager de la Parole divine aussi bien dans l'Ancien que dans le Nouveau Testament. Son nom correspond à cette fonction, *Aggelos* signifiant en grec messager. Grâce à l'ange, Dieu sort du silence où une religion monothéiste comme le judaïsme aurait pu l'enfermer. L'ange engage la lutte contre le démon, l'antique serpent, l'implacable ennemi de l'homme. Sa mission est aussi un service de louange et d'adoration. Les anges participent à la liturgie céleste avec des emplacements particuliers impliquant des hiérarchies qu'évoque la préface de la messe, la liturgie eucharistique.

Un chapiteau, le n° 36, est entièrement consacré aux personnalités et aux hiérarchies angéliques. Chacune de ses faces est réservée à un ange nommément désigné. Michel (MICAHEL) est un des trois archanges nommés par la Bible, et le livre de Daniel précise qu'il occupe un rang élevé dans la hiérarchie des anges. Dans l'Apocalypse il combat le dragon avec les milices célestes. Le second ange représenté, Gabriel (GABRIHEL) est le messager de l'Annonce faite à Marie, il annonça également la naissance de Jean-Baptiste à Zacharie et il apparut deux fois à Daniel. Viennent enfin le chérubin (CHERVBIN) et le séraphin (SERAPHIN) qui se tiennent éternellement l'un à la droite, l'autre à la gauche de Dieu.

Comme tous les autres, ces quatre anges ont une forme humaine, mais de l'homme ils n'ont que l'apparence, car leur corps est subtil, spirituel. Leurs ailes largement éployées signifient qu'ils sont par essence mouvement, tension vers la transcendance, lien entre le ciel et la terre, articulation entre l'humain et le divin. Par leur présence ils rappellent aux moines que l'homme aussi est un être spirituel, promis à la contemplation.

Qu'ils soient simples ou doubles les chapiteaux du cloître de Moissac présentent un même épannelage original consistant en un bloc pyramidal renversé, tronqué à sa base et largement évasé sous le tailloir. Les sculpteurs ont atténué la rigidité de ces surfaces en leur donnant une bordure supérieure en zigzag directement empruntée au chapiteau corinthien. Deux volutes s'enroulent aux angles et un dé volumineux se trouve dégagé au centre. L'aspect de celui-ci est très varié. Meyer Schapiro a observé « qu'on ne compte pas moins de douze formes différentes, allant de simples blocs rectangulaires avec une face biseautée, à des consoles finement incurvées qu'aucun modèle géométrique simple ne suffirait à décrire. Les formes les plus élaborées et les plus variées apparaissent dans la galerie sud, les plus simples à l'est » [143]. Sur le chapiteau des Noces de Cana, deux volutes supplémentaires viennent s'enrouler à la partie inférieure du dé central, accentuant encore la référence au modèle antique. On voit aussi parfois réapparaître à cet endroit la feuille centrale de la couronne supérieure du corinthien. À juste titre, Meyer Schapiro estime qu'il ne s'agit pas d'une pure routine résultant d'une tradition. Au contraire, les sculpteurs de Moissac avaient conscience de la valeur structurale du motif originel et ils l'ont transposé dans leurs compositions, généralement sous l'aspect d'un triangle plat, pour des fins semblables [144].

90
96, 101

La réalité dont les sculpteurs avaient à rendre compte n'est pas celle de l'expérience quotidienne ; elle appartient au monde spirituel. Par là s'expliquent sans doute les parentés qu'offrent les chapiteaux moissagais et certaines créations des arts primitifs. Elles dénotent des affinités et des expériences religieuses apparentées. Plus précisément, dans le cas actuel, les chapiteaux devaient être en mesure d'accueillir et de faire vivre deux catégories d'êtres mis en relation par le projet de Dieu : les anges qui sont de purs esprits et les hommes à la fois spirituels et charnels.

Il est excessivement rare qu'une face de chapiteau soit exclusivement réservée à un ange. C'est néanmoins le cas pour les faces orientale et occidentale du chapiteau de la Glorification de la croix (nº 21). L'ange, nimbé car il est saint, étend les bras pour annoncer le triomphe du divin bois. Son corps rayonne de la gloire de Dieu qu'il reflète, parce qu'il en a la vision. Cet éclat, qui est lumière, est rendu par un jeu de lignes courbes fermées vers le bas et ouvertes vers le haut, vers l'infini de Dieu. Le milieu où évolue l'ange est latéralement clos par deux autres anges appartenant aux faces voisines et dont le corps dessine une légère courbe soulignée par le tracé de leurs ailes. À l'intérieur du cadre le manteau et les ailes de l'ange central prennent l'aspect d'un énorme croissant doublé par les tiges des volutes. « La masse axiale de cet ange ne donne pas au thème un centre rigide ; elle est elle-même distordue et contournée pour produire au cœur même du dessin une asymétrie énergique qui incorpore le mouvement circulaire des formes les plus importantes [...]. La tête est tournée vers la droite, les pieds vers la gauche ; la diagonale du torse s'oppose à celle de la jambe gauche si bien qu'une ligne en zigzag naît du mouvement des membres, ligne accentuée par la bande sertie de joyaux qui traverse la poitrine et par la bordure en diagonale de la tunique qui recouvre les jambes. L'asymétrie

94

du nimbe donne lieu à un contraste supplémentaire. L'ensemble du personnage est coulé dans un strict *contrapposto* [...] » [145]. Cet exemple est une parfaite illustration d'un art essentiellement décoratif et symbolique ou, pour mieux dire, qui ennoblit le décor en symbole.

Parfois le milieu de l'ange se différencie de celui de l'homme en se superposant à lui. On reconnaît un procédé fréquemment utilisé par l'art roman pour distinguer à travers cette hiérarchisation verticale le surnaturel du naturel. Des exemples de cette composition par bandes parallèles disposées les unes au-dessus des autres sont fournis par le martyre de saint Laurent et par la vision de saint Jean à Patmos. 96, 99

Le plus souvent, cependant, ses fonctions de messager divin font pénétrer l'ange dans le monde des hommes. Sa présence signifie que les compositions réalisées dans le cloître de Moissac ne sont pas des scènes ordinaires mais des moments privilégiés de l'histoire de l'humanité, riches de symbolisme et de valeur éternelle. Les sculpteurs moissagais les ont introduits à côté des théophanies et des visions surnaturelles. Tout cet ensemble est libéré des illusions de l'espace ordinaire et se développe dans un espace dépourvu de profondeur, étranger même aux artifices de la perspective linéaire. Les figures sont projetées sur un fond lisse comme le sont aussi les apôtres des piliers. Lorsque la scène a lieu dans un monument, celui-ci est sculpté à côté et non derrière les personnages. 95 Tout au plus admet-on l'emploi de l'arcade. Les monuments et même les villes introduits pour localiser le récit ne sont généralement pas plus grands que les personnages voisins. Ils se situent sur le même plan et 89, 97, 98 ils ont le même relief. Ils donnent l'impression d'une paroi plaquée contre la surface du chapiteau, sans raccourcis ni vues plongeantes. Leur relief est généralement faible, sauf lorsque celui des personnages, exceptionnellement important, amène à les traiter eux-mêmes avec un sentiment de masse. Ainsi en est-il de la représentation du Puits de l'abîme sur le chapiteau n° 77 de la galerie méridionale, où l'on a pu percer la porte d'où surgit Golias dans une paroi perpendiculaire au 101 fond. Le volume n'est donc pas nécessairement évité : pour les personnages, relativement à leur petite taille, on peut même parler de haut-relief. Seule est bannie une représentation en profondeur qui irait au-delà de l'épaisseur réelle du relief, autrement dit les effets illusionnistes.

Pas plus que l'espace, le temps n'appartient à l'expérience commune : c'est le temps de Dieu. Nombre de représentations échappent même au temps ou le nient. Ainsi en est-il des scènes de prière strictement construites sur l'axe central d'une seule face. Comme la vraisemblance importe peu, on accepta alors sans difficulté les contraintes du cadre trapézoïdal. Celles-ci confèrent aux thèmes une allure héraldique ou hiératique qui leur convient spécialement. Ces images ne sont cependant pas immuables, car l'esprit décoratif s'en est emparé pour les traiter suivant la sensibilité et l'imagination des auteurs, pour ne pas parler de leur talent. Prenons l'exemple de Daniel dans la fosse aux lions, un thème traité à deux reprises, comme nous l'avons vu. Dans la galerie 86 occidentale, au numéro 18, l'auteur a résolument privilégié les verticales et une parfaite symétrie, aussi bien pour la figure du prophète que pour les lions redressés à ses côtés sur leurs pattes arrière. Deux arbres schématiques, qui suivent avec rigidité le tracé incliné des côtés, font de cette composition une image d'éternité. La seule fantaisie que se soit autorisée le sculpteur concerne les inscriptions. Il a très librement disséminé des lettres entre les figures. Sur une face voisine, où deux chèvres qui broutent un arbuste confirment l'aspect héraldique de l'ensemble, le mot CABRAS, répété à deux reprises, est une fois écrit à l'envers. Une seconde représentation du thème de Daniel, dans la galerie septentrionale cette fois, au numéro 33, en atténue fortement l'aspect liturgique. Le tailloir qui la surmonte, s'il est bien à sa place d'origine, disperse même l'attention en proposant sur sa tranche une composition pleine de mouvement et de fantaisie : un personnage renversé par terre et mordu à l'épaule par un griffon saisit désespérément la queue d'un lion qui se précipite lui-même sur un oiseau.

Il n'existe pas de séquences narratives. Sur chaque face se trouve une scène unique qui est fréquemment construite sur un point ou un axe central et nettement encadrée par des personnages ou par des architectures. Ainsi, dans la scène de la Pêche miraculeuse « presque tous les détails ont été soumis à une symétrie conçue au préalable. Malgré leur caractère continu, les vagues divergent à partir du centre du chapiteau comme deux ailes onduleuses. Le filet est suspendu exactement au centre du bateau ; deux volutes en jaillissent qui se rencontrent directement sous le dé central. La succession claire et uniforme des surfaces du relief maintient admirablement la symétrie [...] » [146].

91

Tous les chapiteaux n'ont pas une composition aussi simple. On trouve dans le cloître des groupements de caractère asymétrique et non centré mettant en œuvre des arrangements ingénieux pour conserver à la scène sa stabilité. Entre autres exemples, Meyer Schapiro a analysé la composition de la Charité de saint Martin. « Martin et son cheval forment ensemble une masse prépondérante ; le mendiant, par sa pose et par sa forme, diffère tellement du saint et du cheval que l'unité du relief en semble d'autant plus remarquable. Le sculpteur a lié les deux personnages par une série de courbes qui se déploient sur la moitié supérieure de la surface — courbes qui sont constituées par la grande aile d'un ange, venue de la face adjacente du chapiteau ; par les bras levés de Martin et du mendiant ; et par les plis sinueux et concentriques du vêtement tendu entre eux. Les côtes du mendiant et les plis de la tunique et du corps du cheval permettent d'autres courbes similaires » [147].

97

Aucun chapiteau du cloître ne présente une combinaison de lignes et de formes aussi complexe que celle de la Libération de saint Pierre. « Trois hommes munis de grands boucliers pointus se tiennent sous un arc polylobé qui symbolise la prison. Ici la symétrie est inévitable, mais les figures de l'ange et de saint Pierre sur la face adjacente du chapiteau se prêtent moins volontiers à une telle répétition. Alors que Pierre, enchaîné, se tient les genoux pliés, l'ange qui sort des nuages, au-dessous de la volute, s'étend pratiquement à l'horizontale. Par le beau dessin de ses ailes déployées et de son nimbe, par le mouvement de sa tête et de ses bras, il forme une séquence linéaire qui contraste avec les contours de Pierre, en dessous de lui, tout en les diffusant et en les répétant » [148].

95

Dans la séquence à quatre temps de chaque chapiteau le développement n'est pas celui de la continuité historique qui entraîne les humains et les mêle confusément dans un mouvement apparemment sans but. À Moissac la succession a pris la place de la continuité. Les sculpteurs et les moines qui leur ont prodigué des conseils ont choisi un ordre de lecture des scènes qui distingue clairement chacune d'elles et oriente leur déroulement selon des orientations précises, en distinguant un point de départ et un point d'arrivée : l'unité de chaque chapiteau s'exprimant finalement à travers une conception artistique d'ensemble.

Ses analyses stylistiques ont conduit Meyer Schapiro à distinguer la collaboration de plusieurs artistes dans la sculpture du cloître qui fut réalisée, comme nous l'avons dit, dans un temps très bref. Certaines œuvres ont une allure archaïque en raison du canon trapu des figures, d'un manque complet de proportions, du caractère compact des compositions, de la lourdeur des formes, de l'indécision dans le tracé des plis. C'est le cas, dans la galerie orientale, du Massacre des Innocents
90 et de l'Adoration des Mages, des Noces de Cana et du Lavement des
92 pieds. Des œuvres d'un plus grand raffinement s'apparentent étroitement au style des apôtres des piliers, notamment, dans la galerie nord, les
87, 91, 97 Hébreux dans la fournaise, la Pêche miraculeuse, saint Martin et, dans
94 la galerie occidentale, la Glorification de la croix. On apprécie alors la clarté dans l'exposition des thèmes, la réserve des attitudes des personnages, l'arrondi du relief, la netteté d'exécution des détails. L'attention se porte plus spécialement sur saint Jean contemplant le
100 combat de saint Michel contre le dragon. La manière, inhabituelle dans le cloître, dont il fléchit la jambe gauche renvoie à la fois à des modèles antiques et aux études de mouvement effectuées dans l'atelier de Bernard Gilduin à Saint-Sernin de Toulouse. Cette qualité stylistique s'accompagne dans ce groupe d'une épigraphie très soignée. Enfin, une dizaine de chapiteaux de la galerie méridionale ouvrent de nouvelles perspectives de développement à l'iconographie romane en s'attaquant résolument à des problèmes plus difficiles de composition et en variant le rendu des draperies. Ainsi en est-il de la Canéenne et du Centurion, du Bon
99 Samaritain, de la Tentation de Jésus, de la Vision de saint Jean à Patmos,
89, 95 de la Transfiguration, de la Libération de saint Pierre.

* * *

Comme à Sainte-Foy de Conques et à Saint-Sernin de Toulouse, les décors zoomorphes se mêlent aux scènes religieuses. L'originalité du cloître de Moissac provient du fait que leur nombre y est relativement faible et que le plus souvent on leur a attribué un sens, qui ne fait d'ailleurs que prolonger celui des chapiteaux de la série historiée.

On ne peut guère retenir comme motifs purement décoratifs que quatre groupes d'oiseaux et de dragons affrontés ou adossés (n°s 19, 29, 39, 84).

Le chapiteau n° 55 reprend déjà l'image, chère au maître de la Porte des Comtes, de l'homme tourmenté par des dragons infernaux, qui est antinomique de celle de Daniel dans la fosse aux lions. Elle sous-entend une idée de damnation qui s'exprime également en 57, où les dragons

103. Moissac,
cloître,
chapiteau n° 57.
Personnage
en proie aux dragons.

étouffent littéralement un personnage dont on ne voit plus que la tête
103 apeurée.

Il convient de rapprocher trois chapiteaux de la galerie occidentale qui illustrent les assauts du mal, ses victoires et peut-être aussi ses
104 défaites. En 9, des lions dressés aux angles du chapiteau saisissent avec leurs griffes les ailes largement éployées d'un oiseau sculpté au centre de chacune des faces de la corbeille. En 13, c'est un personnage qui lutte désespérément contre deux grands animaux fantastiques, oiseaux à
105 la partie supérieure du corps, serpents à la partie inférieure. Dans les deux cas la lutte semble tourner à l'avantage des démons. Au contraire, le numéro 3 pourrait être une image de salut. Sur les faces méridionale et septentrionale un personnage est lié par une corde au cou de deux
106 oiseaux qui prennent leur envol pour l'entraîner. On a cru reconnaître l'Ascension d'Alexandre [149] et sans doute avec raison. Le groupe se dirigerait vers le ciel astral évoqué sur le tailloir par des génies présentant dans une gloire circulaire des têtes humaines anormalement rondes, imberbes sur deux côtés, barbues sur les deux autres : la face du soleil et celle de la lune. S'il incarne parfois dans le merveilleux chrétien la passion démoniaque de la connaissance, Alexandre peut aussi y symboliser, comme il le fait probablement ici, l'âme sauvée.

104. Moissac, cloître, chapiteau nº 9.

105. Moissac, cloître, chapiteau nº 13.

▽ 106. Moissac, cloître, chapiteau nº 3.

107. Moissac, cloître, chapiteau n° 50.

La référence au corinthien, manifeste sur plusieurs chapiteaux figurés ou historiés, est appuyée par la présence de dix œuvres de ce style. Les unes (n°s 20, 50, 62, 81) ont deux couronnes où prédominent les feuilles emboîtées et les feuilles fendues. Ces œuvres sont extrêmement proches des chapiteaux correspondants des tribunes de Saint-Sernin. Il en est de même pour trois chapiteaux à une seule rangée de feuilles (n°s 8, 17, 48). Dans les deux séries les motifs floraux envahissent fréquemment les hampes des volutes suivant un goût pour la richesse décorative qui s'affirmera de même sur les tailloirs. On considérera aussi comme une particularité du cloître de Moissac le souci d'affirmer les nervures des feuilles, spécialement pour celles qui se trouvent aux angles des chapiteaux. On y verra une transition entre la structure corinthienne et la structure en pyramide renversée qui finit par s'imposer.

107 108

On a transporté directement de Saint-Sernin un motif qui sort de l'ordinaire (n° 14). Des faisceaux de tiges lancéolées redressés à la verticale

58 109

108. Moissac, cloître, chapiteau n° 48.

et largement étalés sur la corbeille, ceinturés en outre à leur base par un ruban festonné, constituent l'épanouissement de demi-palmettes toutes petites. Rien ne manque pour que la copie soit à peu près parfaite : ni les coquilles accrochées aux angles du chapiteau, ni les petites feuilles occupant les parties de la corbeille demeurées libres. On ne saurait

△ 109. Moissac,
cloître,
chapiteau n° 14
(Cliché A. Serres).

110. Moissac,
cloître,
chapiteau n° 59.

souligner plus clairement les relations existant entre les deux chantiers majeurs de la fin du XIe siècle.

Non moins originales les grandes feuilles d'angle du chapiteau n° 59, décomposées en folioles parallèles taillées en creux et pourvues de minuscules tiges enroulées autour d'un trou percé à leur naissance. 110

111. Moissac, cloître, chapiteau n° 51.

Quant au magnifique chapiteau n° 51, dérivé du système des plans emboîtés, il développe un décor ajouré de tiges, de feuilles et de palmettes. Des têtes de lions pointent à l'emplacement des volutes des dés centraux, dans une attitude fort drôle. À l'intention de qui l'une de ces bêtes tire-t-elle la langue ? 111

Il est souvent de règle dans les grands ensembles de chapiteaux sculptés de la seconde moitié du XIe siècle, non seulement dans le sud-ouest de la France et dans le nord-ouest de l'Espagne, mais aussi dans la vallée de la Loire, que des séries à base de palmettes alternent avec les séries corinthiennes. Ainsi en est-il à Moissac où ces palmettes paraissent avoir une double origine. Dans cinq cas (n°s 4, 10, 37, 41, 53) l'inspiration vient de Saint-Sernin de Toulouse. Telle est l'origine des belles palmettes souples encore très proches du végétal auxquelles se mêlent des pommes de pin. 112 Une manière de concurrence s'établit avec des motifs empruntés, semble-t-il, à des ivoires musulmans (n°s 26,

112. Moissac, cloître, chapiteau n° 53.

113. Moissac, cloître, chapiteau n° 26.

31, 64) : des palmettes menues et très plates procurent un décor couvrant parfaitement adapté aux surfaces bien planes de l'épannelage en tronc de pyramide. En 26, on s'est plu à opposer à ces abstractions dans le goût oriental un décor de palmettes souples occupant le tailloir. On a au contraire renforcé les influences musulmanes en 31, en sculptant sur le tailloir des suites de caractères coufiques. Chacun de ces signes est traité pour lui-même comme un pur motif décoratif. L'ensemble ne forme pas une inscription pourvue d'un sens. Le monde musulman lui-même avait donné l'exemple de cette pratique et des pays chrétiens le suivirent dans cette voie [150]. Aux décors végétaux très plats s'apparentent de beaux oiseaux perchés dans des arbustes, d'origine peut-être byzantine (n° 86). La même origine serait également celle des aigles à deux têtes et à collier ouvragé qui ornent le tailloir de ce chapiteau [151].

Comment expliquer la présence dans le cloître, si profondément marqué par la plus haute spiritualité chrétienne, de chapiteaux n'ayant apparemment pas d'autre intérêt que leur qualité esthétique ? Mais n'étaient-ils vraiment que de simples manifestations du goût pour l'œuvre d'art ? On peut en douter lorsqu'on aperçoit la présence sur le chapiteau 20, à la double couronne de feuilles d'acanthe, du monogramme du Christ deux fois répété sur les dés médians. Sur celui de la face orientale, il est figuré par XP et sur celui de la face méridionale il se compose de l'I première lettre du nom de Jésus et du X première lettre du nom du Christ, le tout traversé d'une ligne horizontale qui forme une croix avec l'I. Ce chiffre donne à penser que la beauté pour les moines de Moissac ne se réduisait pas à une simple appréciation esthétique. La raison d'être du chapiteau décoratif n'était pas la simple jouissance du beau. En apposant la marque de Dieu, le sculpteur conseillé par le moine entendait affirmer que la beauté a une valeur symbolique comme l'iconographie, qu'elle est le signe de la Beauté pure, immatérielle et parfaite. L'ordre de la beauté, comme celui de la nature n'a pas sa raison d'être en soi. L'artiste, lorsqu'il crée une œuvre belle, poursuit l'œuvre du créateur et met à découvert un reflet de Dieu. La beauté, c'est l'Éternel dans les choses. Avec ses limites la création artistique s'apparente à une théophanie et révèle l'éternité.

114. Moissac, cloître, chapiteau n° 31.

▷ 115. Moissac, cloître, chapiteau n° 86.

△ ▷
116-117. Moissac,
cloître,
tailloir du chapiteau n° 60.
Détails *(Clichés A. Serres).*

Les tailloirs

LES CORBEILLES DES CHAPITEAUX sont unies à leurs tailloirs non seulement par la fonction architectonique, mais aussi et même surtout parce qu'ils forment ensemble des décors cohérents.

Les tailloirs comprennent deux éléments : un bandeau à la partie supérieure, un biseau à la partie inférieure. Par suite de sa faible hauteur le premier est voué aux ornements géométriques lorsqu'il n'est pas simplement rayé par des traits horizontaux. Souvent il est couvert d'imbrications, un motif qui appartenait depuis longtemps au répertoire décoratif des sculpteurs du sud-ouest de la France et dont nous avons noté la réapparition sur la table d'autel de Saint-Sernin de Toulouse. Les autres motifs se répètent en une succession horizontale, soit juxtaposés, soit disposés à intervalles réguliers : triangles, losanges, disques, demi-cercles formant des arcades ou s'entrecroisant, rosaces, festons, crossettes, boutons floraux dans des losanges. Sur un petit nombre de tailloirs on a utilisé un schéma fait de deux motifs alternés très simples : un losange et des perles, un disque et un dard.

Le bandeau supérieur du tailloir est aussi un endroit de prédilection pour de belles inscriptions, avec ou sans réglures. Parfois, elles recueillent les paroles de personnages de la corbeille (Songe de Nabuchodonosor, n° 83). Plus simplement elles résument une parabole illustrée sur la corbeille (celle du Bon Samaritain, n° 74), et commentent le miracle d'un saint (Miracles de saint Benoît, n° 40) ou l'une de ses actions (Charité de saint Martin, n° 27). C'est là que Dieu interpelle directement saint Paul (n° 65). C'est encore le lieu où sont inscrites les prières. Sur le tailloir n° 64, il s'agit de l'*incipit* du psaume 54 (53) : DEVS IN NOMINE TVO SALVVM [ME FAC], « Ô Dieu, sauve-moi par ton nom ». Le texte biblique apparaît au milieu des lettres de deux alphabets, dont l'un a ses lettres intentionnellement enchevêtrées. « Peut-être convient-il,

pour comprendre le sens [de cette inscription] [...] de se reporter à la signification que la littérature patristique donne à l'alphabet. Les liturgistes du Moyen Âge s'accordent à penser que l'alphabet signifie l'intelligence de l'Écriture, de la lettre aussi bien que de l'esprit, et que si les lettres qui le composent sont peu nombreuses, elles suffisent cependant à contenir la totalité du savoir » [152].

L'inscription précédente est reprise non loin de là, sur le tailloir n° 58, mais donnée d'une manière plus complète : DEVS IN NOMINE TVO SALVVM ME FAC ET IN VIRTVTE TVA IVDICA ME. DEVS EXAVDI ORACIONEM [MEAM], « Ô Dieu, sauve-moi par ton nom et dans ta puissance fais-moi justice. Ô Dieu, écoute [ma] prière ». Ce texte accompagne admirablement la parabole du riche et du pauvre Lazare représentée sur la corbeille du chapiteau. Il pourrait être la prière adressée par Lazare à Dieu et il n'est pas douteux qu'elle ait été entendue, puisque son âme est recueillie et conduite dans le sein d'Abraham par des anges sans doute venus du groupe de ces messagers célestes sculptés sur le biseau du tailloir.

Cette volonté de combiner le tailloir et la corbeille du chapiteau dans un ensemble iconographique et esthétique cohérent se manifeste encore dans le choix du décor de la partie inférieure du tailloir. Alors que le bandeau supérieur accueille des motifs géométriques et des inscriptions, ici, c'est un monde de formes végétales, animales et même surnaturelles.

Cette tranche taillée en biseau, étroite par rapport à sa longueur, possédait des proportions convenables pour le développement du thème de l'*imago clipeata,* utilisée au même moment par Bernard Gilduin pour le décor de la table d'autel de Saint-Sernin. Les relations entre Moissac et Toulouse s'en trouvent une nouvelle fois confirmées, d'autant plus que les trois tailloirs du cloître moissagais concernés présentent aussi, comme l'autel toulousain, ce thème glorieux sous des imbrications.

92 En 60, les médaillons portés par deux anges contiennent la main 116 divine sur les côtés oriental et occidental et une tête, qui est peut-être 117 celle de l'Emmanuel, sur les côtés nord et sud. La présence divine

signale l'importance décisive, pour l'histoire des hommes, de l'acte qui s'accomplit en dessous, sur la corbeille : le Lavement des pieds. À la veille d'entrer dans sa Passion, Jésus agit ainsi en pleine conscience de sa dignité souveraine, « sachant que le Père lui avait tout confié et qu'il était venu de Dieu et retournerait à Dieu » (Jn. 13, 3).

En étudiant le chapiteau n° 28, qui représente les Hébreux dans la fournaise, nous avons également observé une union étroite entre les quatre figures des médaillons des tailloirs — la face divine, l'Agneau de Dieu, la colombe de l'Esprit Saint, la main de Dieu sculptée sur une croix orfévrée — et le thème iconographique de la corbeille, les Hébreux dans la fournaise. 87

C'est un autre ciel, celui des astres, que symbolisent les figures du tailloir du chapiteau n° 3. Deux génies, en tous points semblables aux anges des tailloirs précédents, présentent dans un même médaillon de gloire deux figures barbues et deux figures imberbes, probablement le soleil et la lune. C'est en direction de ce ciel que s'envolerait Alexandre, considéré comme symbole de l'âme sauvée. Le mythe d'Alexandre était 106 118, 119

△ ▷
118-119. Moissac, cloître, tailloir du chapiteau n° 3. Détails *(Clichés A. Serres).*

spécialement vivant à Moissac. La chronique de l'abbé Aymeric de Peyrac décrivant la création légendaire du monastère par Clovis indique que celui-ci, se rendant de Bordeaux à Toulouse, aurait vu deux griffons portant des pierres pour lui indiquer l'endroit où opérer sa fondation. D'après le chroniqueur, le souvenir de cette vision se voyait encore de son temps sur le pavement en mosaïque de l'église. Il s'agissait d'une mauvaise lecture. L'image en question n'était pas celle de Clovis, mais bien une autre représentation de l'Ascension d'Alexandre [153].

La disposition de la partie inférieure du tailloir, son inclinaison, le surplomb par rapport aux faces de la corbeille pouvaient convenir aux anges comme messagers d'en-haut, à condition de leur trouver une forme adaptée à ce milieu étroit. Moissac s'est peut-être inspiré de Toulouse et de Conques pour imaginer ses bustes d'anges disposés en frises, mais il les a traités avec plus de délicatesse. On les trouve au-dessus du chapiteau n° 58, ainsi qu'en 34 où ils couronnent le pilier médian de la galerie septentrionale, de la même manière que l'imposte aux anges de Saint-Sernin surmonte un pilier du rond-point du déambulatoire.

Au-dessus de la corbeille du chapiteau n° 39, où s'affrontent des oiseaux, le tailloir est orné du même motif. Ces oiseaux se suivent en frise, emprisonnés dans des rinceaux, comme sur la tranche orientale de la table d'autel de Saint-Sernin, avec toujours la même individualité stylistique. Le même tailloir a été repris en 59 et une imposte identique couronne le pilier de l'abbé Durand de Bredons. Sur le tailloir n° 74 les oiseaux sont désormais pris dans des enroulements et ils n'occupent plus que les faces nord et sud. Le décor est complété sur la face ouest par des griffons prisonniers des mêmes enroulements et sur la face est par un groupe d'enfants nus.

Les tailloirs sont surtout le lieu de prédilection des animaux et des monstres. Ceux-ci constituent un monde fantastique ou rempli de

fantaisie, aussi bon à inspirer l'effroi qu'à créer le divertissement.

On a exploité le thème oriental des animaux affrontés de part et d'autre de l'arbre de vie sur le tailloir n° 61. Il s'agit de deux lions sur les faces nord et sud, d'une chèvre et d'un bouc sur la face orientale et de deux griffons sur la face occidentale. Le même ensemble réapparaît en 41, avec une simple rotation des motifs. Mais le thème originel n'est certainement plus compris et il peut même être tourné en dérision : sur la face orientale du n° 76 les queues des lions sont nouées à des arbres de fantaisie.

96

Il y a aussi des lions au repos adossés (n° 19). Cependant, le plus souvent, les animaux et les monstres sont engagés dans des combats qui peuvent être féroces. En 81, des lions se poursuivent, chacun d'eux mordant la patte de derrière de celui qui le précède. En 51, ce sont des griffons qui mordent des lions ou un oiseau. Le tailloir n° 37 présente sur les faces est et ouest un cerf à l'arrêt face à un cheval

111

dont le harnachement est si soigneusement rendu qu'à lui seul il mériterait une étude particulière. Des oiseaux s'affrontent sur les autres faces ou enroulent leurs cous. Ce dernier motif sera repris tel quel en 29. Il a aussi inspiré ailleurs de véritables grouillements monstrueux, soit qu'il s'agisse toujours des enlacements de cous (ceux de quadrupèdes et d'oiseaux fantastiques, qui en outre se mordent les pattes ou la queue, en 80), soit que les enroulements concernent les queues des monstres :
91 celles de basilics au n° 35. Les affrontements bestiaux ont été empruntés au décor des manuscrits, peut-être des canons d'évangiles. De là, la facilité avec laquelle on leur a plaqué une signification démoniaque.
99 Celle-ci est en effet indéniable en 72 où des motifs de ce genre encadrent une tête humaine cornue. Le griffon tient parfois le rôle d'un oiseau
97 céleste engagé dans la lutte contre les forces du mal : en 27. Il y a cependant du burlesque dans ces jeux de l'imagination. La justification religieuse ne serait alors qu'un simple alibi. Les scènes du tailloir n° 33 sont particulièrement animées en raison de l'entrée de l'homme dans l'action. Violemment courbé sur la face nord, il étrangle un oiseau et enfonce un épieu dans la gueule d'un lion. Dans la même attitude, sur la face opposée, il enlace deux oiseaux. Sur les faces est et ouest un personnage, renversé par terre et mordu à l'épaule par un griffon, saisit la queue d'un lion qui se précipite sur un oiseau. Cette vie violente, organisée en marge de la vraie vie suivant les règles de la stylistique ornementale romane, demeurera une des orientations de la sculpture romane languedocienne au moins jusqu'à l'apparition du trumeau de Souillac.

Dans un seul cas, en 70, au-dessus du chapiteau de la Libération
95 de saint Pierre, les diablotins occupent toute la surface inclinée du tailloir. Entièrement nus, le ventre proéminent et la tête bestiale, groupés deux par deux, ils se mordent l'épaule par rage ou par dépit, à moins que ce ne soit sur ordre. Un démon assis au centre de la face, dans un encadrement de rameaux desséchés, est peut-être le souverain dérisoire de cette troupe d'êtres déchus. La composition en frise évoque certains décors de la céramique sigillée d'Arezzo.

L'unité esthétique avec la corbeille peut être obtenue par la migration sur le tailloir d'éléments de sa flore. Ainsi en est-il des belles palmettes souples du type de Saint-Sernin disposées dans les sinuosités d'une tige :
101, 113 n°s 40, 63, 65, 77, 85. Elles peuvent être doubles : en 11, 26, 54, 66, 69, 73, 83. Les mêmes palmettes peuvent être encadrées par leurs tiges
104, 88, 100 et prennent une forme plus classique : en 8, 9, 18, 22, 25, 38, 43, 46,
108, 107 47, 48, 49, 50. En 7, sans raison apparente, on a introduit la face de la lune au milieu de ces palmettes sur les petits côtés du tailloir. Un autre style, libéré de toute référence à la vie végétale, et donc plus plat et plus rigide, mais non moins élégant, se développe parallèlement, aussi
102, 114 bien dans la représentation de rinceaux de demi-palmettes (n°s 16, 31,
89 71) que dans celle de palmettes reconstituées à partir de ces éléments :
109 n°s 2, 14, 36, 73, 79, 87. Il conduit insensiblement au type de palmettes apparenté à des motifs d'ivoires musulmans (n°s 52 et 57) dont nous avons déjà noté la présence sur deux corbeilles.

D'autres palmettes s'enroulent en coquille en 82. En 17, ce sont de véritables rameaux qui portent d'énormes fruits globuleux. Fort bizarre apparaît le motif de 6, en forme d'ombrelle. Enfin, en 30 et en 55, on a développé en frise le motif du chapiteau n° 14 : des palmettes étalent largement les faisceaux de leurs tiges.

Une place importante est accordée aux roses et aux marguerites, ou plutôt à des formes qui en dérivent, car les sculpteurs continuent à faire preuve d'une imagination inépuisable, toujours servie par un admirable métier : n°s 5, 12, 13, 15, 20, 32, 53, 64, 78.

105, 98, 112

Un milieu artistique déployant un tel faste a naturellement oublié l'austère entrelacs des origines du style. C'est à peine si les cordons entrelacés des tailloirs n°s 4, 10 et 84 peuvent apparaître comme des réminiscences de ce lointain passé. Ceux du n° 84 passent dans un coulant représentant une tête de lion.

Le premier atelier de la Daurade toulousaine

AUSSITÔT APRÈS AVOIR ACHEVÉ l'œuvre du cloître les sculpteurs romans de Moissac se transportèrent à Toulouse dans le prieuré urbain de la Daurade dépendant de l'abbaye, pour y commencer un nouveau cloître apparenté au précédent par son iconographie et son style.

L'ancienne église Sainte-Marie, dénommée *deaurata* en raison des mosaïques à fond d'or qui l'ornaient, fut une des curiosités de la ville de Toulouse jusqu'à sa démolition au XVIIIe siècle [154]. Ce décagone de forme irrégulière demeure une énigme aujourd'hui encore relativement à sa destination première, et sa chronologie est aussi incertaine [155]. Des fouilles effectuées à son emplacement n'ont rien donné.

À l'époque carolingienne c'est un *monasterium* dont le privilège d'immunité fut confirmé par un diplôme de Charles le Chauve (5 avril 844). Il est en possession d'un domaine récemment constitué, semble-t-il. L'événement décisif fut son entrée dans l'ordre de Cluny. En 1077, l'évêque de Toulouse Isarn renonce à tous ses droits sur l'église au bénéfice de l'abbé Hugues. Vingt ans plus tard, le 7 mai 1097, une bulle d'Urbain II datée de Toulouse, confirmant les possessions de l'abbaye de Moissac, cite le prieuré Sainte-Marie de Toulouse parmi elles. Les caractères des chapiteaux de la Daurade que nous allons étudier résultent de cette dépendance, mais la construction même du cloître doit être aussi rapprochée d'un autre événement à peu près contemporain. Rompant avec une tradition vieille de près d'un siècle, le comte de Toulouse Guillaume IV renonce à se faire enterrer à Saint-Sernin et décide d'aménager un cimetière pour lui et les siens dans le prieuré bénédictin. Ceci se passa en 1093/1094, et il n'est pas douteux que cette décision du comte, preuve de ses dispositions favorables, facilita la campagne de travaux qui eut lieu au tournant du siècle.

La construction du cloître se fit en deux temps. Immédiatement après 1100, les sculpteurs de Moissac décorèrent probablement deux galeries : celle qui se développait au nord, le long de la nef de l'église tout récemment ajoutée au décagone primitif et celle qui desservait à l'est la salle capitulaire. Cette œuvre fut complétée vers 1130 par l'édification de deux autres galeries, au sud et à l'ouest, dans un style tout à fait différent.

Le cloître ne paraît pas avoir été affecté par les événements qui marquèrent l'histoire du prieuré jusqu'au milieu du XVIIIe siècle : ni par la crise morale et les troubles caractérisant les XVe et XVIe siècles, pas davantage par l'œuvre de restauration spirituelle et matérielle entreprise par les religieux de la congrégation de Saint-Maur à partir de 1624. Celle-ci conduisit à une reconstruction d'ensemble du monastère, mais heureusement à un emplacement nouveau, au-delà de l'aire du cloître, vers le sud. Le danger vint, dans la seconde moitié du XVIIIe siècle, de la substitution, à l'église préromane et romane, d'un vaste édifice néoclassique qui entraîna en 1775 la démolition de la galerie septentrionale du cloître et d'une partie de sa galerie occidentale [156].

Le coup de grâce fut donné par la Révolution qui supprima le monastère. Le 25 mai 1791, deux particuliers, Boyer-Fonfrède et Lecomte, passent un contrat avec la ville de Toulouse pour en obtenir la jouissance, afin d'y créer une manufacture de cotonnades. En définitive, le seul Boyer-Fonfrède achète les bâtiments à l'administration centrale le 6 avril 1798. L'acte de vente ne comprenait pas le cloître laissé à la disposition des habitants du quartier afin de leur faciliter l'accès à l'église — la paroisse devant être maintenue. Mais il fut à son tour aliéné cinq jours plus tard. Dans des conditions qu'on ignore, mais qui ne furent sans doute pas étrangères à la décision d'établir finalement une manufacture de tabac dans l'ancien monastère, Boyer-Fonfrède décida de démolir le cloître ainsi que ses dépendances au début de 1811. Cependant, lors de l'adjudication des matériaux, il accède le 26 mars à la demande du Bureau d'administration de l'École spéciale des arts de Toulouse d'en distraire les objets d'antiquité en faveur du musée de la ville. L'archéologue toulousain Alexandre Du Mège évalue à quarante-quatre le nombre des chapiteaux provenant du cloître dans un rapport qu'il adresse au Bureau le 12 mars 1817, alors qu'il n'en compte plus que trente-sept dans une notice sur le musée qu'il publia l'année suivante.

Huit d'entre eux, en calcaire local (pierre de Belbèze, Haute-Garonne), offrent la plus étroite parenté avec les œuvres du cloître de Moissac [157]. L'existence de quatre chapiteaux simples, de deux chapiteaux de colonnes jumelées et de deux autres chapiteaux doubles destinés à être adossés suggère la même alternance de colonnes simples et de colonnes accouplées entre des piliers d'angle. Certes, cette disposition n'apparaît pas sur deux plans du monastère antérieurs à la démolition [158], mais l'exactitude de ces derniers est sujette à caution.

Les plus anciens chapiteaux de la Daurade ont adopté l'épannelage particulier à ceux de Moissac. Qu'ils soient simples ou doubles, ils ont la forme d'une pyramide tronquée et renversée, à laquelle adhère l'astragale. Il existe des volutes d'angle et, au centre de la partie supérieure de la corbeille, un dé arrondi, sectionné à sa base de manière à suggérer les contours d'une feuille à bec. Cet élément se trouve à Moissac également, mais il n'y constitue qu'une solution au problème du dé, alors qu'il s'agit ici d'un modèle unique, sans cesse reproduit.

La parenté se poursuit dans les motifs représentés, puisque plus de la moitié (cinq sur neuf) ont été empruntés à la maison-mère avec simplement l'introduction de quelques variantes.

Celui des Musiciens du roi David est désormais anépigraphe [159], mais les instruments de musique sont identiques à ceux de Moissac, au moins pour trois d'entre eux. Le roi, assis sur un siège à quatre pieds, à un angle de la corbeille, a conservé sa vièle à archet. Comme sur le modèle il pose le pied sur un petit tabouret. Devant lui le premier musicien « pince de la main gauche les cordes d'un instrument qui à première vue serait une harpe triangulaire dépourvue de colonne », mais

120. Toulouse,
musée des Augustins,
chapiteau de la Daurade.
David et ses musiciens.

qui, en raison de son relief, pourrait être une harpe-psaltérion, c'est-à-dire pourvue d'une caisse de résonance. Puis s'avance un second musicien qui fait sonner de la main gauche un gros tambour. Sur les deux autres faces les personnages mutilés sont plus difficiles à identifier : celui de gauche, coiffé d'un bonnet côtelé, semble agiter deux cloches ; celui de droite pourrait frapper des cymbales [160].

120

Le chapiteau de Daniel dans la fosse aux lions [161] comporte un texte sur chacune des grandes faces : DANIEL INTER LEONES. DEVORATI SVNT IN MOMENTO, « Daniel entre les lions. Ils furent dévorés à l'instant ». Ceci indique que la scène se rapporte à la première version de l'événement, celle qui est décrite dans le Livre de Daniel au chapitre 6, versets 7-25 et qui fait état de la punition des accusateurs du prophète : « Le roi manda les gens qui avaient calomnié Daniel et les fit jeter dans la fosse aux lions, eux, leurs femmes et leurs enfants, et avant même qu'ils eussent atteint le fond de la fosse, les lions s'étaient emparés d'eux et leur avaient broyé les os ». Le récit se développe plus largement qu'à Moissac où il devait partager la corbeille nº 18 avec l'Annonce aux bergers. D'une part, les lions ne sont plus redressés aux angles de la face, mais superposés, comme sur la seconde représentation du thème à Moissac (nº 56), ou sur le chapiteau du déambulatoire de Saint-Sernin de Toulouse. D'autre part, et surtout, on a complété le décor en figurant, sur la seconde des grandes faces, des lions en train de dévorer des membres humains.

121

À Moissac le récit de la Décollation de saint Jean-Baptiste avait dû être comprimé sur deux demi-chapiteaux adossés à un pilier. Ici, il peut se développer sur les quatre faces d'un chapiteau de colonne simple [162]. Chacune des scènes disposant d'un large espace y gagne en clarté. Le festin d'Hérode, qui occupe la totalité d'une grande face, est traité à la manière des Noces de Cana de Moissac. À gauche, Salomé est en train

122

121. Toulouse,
musée des Augustins,
chapiteau de la Daurade.
Daniel dans la fosse aux lions.

▷ 122. Toulouse,
musée des Augustins,
chapiteau de la Daurade.
Festin d'Hérode.

de danser et près d'elle figure la forteresse de Machéronte où la scène est censée se passer. Symétriquement saint Jean-Baptiste apparaît dans une prison symbolisée par une arcade. Le bourreau le saisit par les cheveux et lève le glaive pour lui trancher la tête. La composition a été transportée de Moissac à Toulouse sans subir aucun changement. Elle est suivie sur l'autre grande face d'un épisode qui avait été supprimé à Moissac, faute de place : Salomé présente la tête du Précurseur à Hérodiade sur un plat. Dans ces conditions, on put faire disparaître de la table du festin ce détail trop cru.

Sur un même chapiteau on a rapproché la Transfiguration et le Doute de Thomas, absent à Moissac [163]. On a donc été contraint de réduire l'importance de la première composition pour dégager la place nécessaire à la seconde. Ainsi a disparu l'épisode de Jésus et de ses apôtres descendant de la montagne et se dirigeant vers Jérusalem après l'événement. La Transfiguration se présente donc à la Daurade de la manière suivante. Le Christ debout s'entretient avec Moïse — tenant

123. Toulouse, musée des Augustins, chapiteau de la Daurade. Transfiguration.

les Tables de la Loi — et Élie, situés à sa gauche. À sa droite, les trois apôtres témoins de sa glorification sont à demi aveuglés par la lumière émanant de lui et ils réagissent d'une manière personnelle, comme ils le font à Moissac : saint Jacques se prosterne, les mains voilées par un pan de son manteau, saint Jean tente de se relever et étend les mains devant ses yeux, saint Pierre tend les siennes vers le Maître. Au-dessus d'eux est gravée l'inscription : TRANSFIGURACIO DOMINI. Les deux arbres encadrant les apôtres répondent à une suggestion de Moissac, mais on a cru devoir ajouter un détail nouveau. Derrière Moïse et Élie s'élèvent trois tours qui devaient être surmontées d'une croix (il en reste une). Elles correspondent à la suggestion de saint Pierre : « Maître dressons ici trois tentes [*tria tabernacula*], une pour vous, une pour Moïse, une pour Élie ». Ce curieux détail était connu en Occident bien avant l'époque romane. Il apparaît notamment sur un plat de reliure carolingien du Victoria and Albert Museum de Londres [164]. Peut-être est-ce parce que la Transfiguration s'apparente aux Apparitions de Jésus après sa résurrection qu'elle est accompagnée sur le chapiteau de la Daurade par l'Incrédulité de Thomas. On a voulu confronter deux théophanies complémentaires. Sur le Thabor, le Christ a manifesté sa gloire à ses disciples préférés. Après sa résurrection il permet de la contempler à Thomas, l'apôtre du doute.

123

Le chapiteau de la Guérison de la fille de la Cananéenne, le dernier des sujets communs avec Moissac, a une histoire curieuse. Jusqu'en

1976, on n'en possédait qu'une faible partie. C'est à l'occasion des travaux de restauration de l'ancien couvent des Augustins effectués cette année-là, qu'on en a mis au jour une bonne moitié jusque-là inconnue. Elle avait été enterrée à cause de son état de dégradation dans les premières décennies du XIXe siècle et on n'avait conservé dans les collections du musée que l'élément le moins abîmé [165] que l'on identifiait, d'ailleurs à tort, comme la Descente de la montagne après la Transfiguration. En réalité, l'histoire de la Cananéenne se développe sur tout le chapiteau en reprenant la composition de la scène à Moissac. Jésus suivi de deux apôtres se rend dans la région de Tyr. Devant lui sont figurés un troisième apôtre, la Cananéenne et sa fille. À gauche du nimbe du Christ est écrit : [NON SVM MISSV]S NISI [AD O]VE[S QVE PERIERVNT] DOMVS ISR[A]E [L], « Je n'ai été envoyé que pour les brebis perdues de la maison d'Israël » (Mt. 15, 24).

Les autres motifs ont été conçus spécialement pour la Daurade. La Passion est introduite par un chapiteau comportant deux scènes : l'Entrée du Christ à Jérusalem et le Baiser de Judas [166].

Monté à califourchon sur son ânon, nu-tête, les pieds ballants, Jésus, une palme à la main, se dirige vers la ville sainte représentée par une petite architecture romane élevée à proximité d'un palmier. Placé à l'intérieur de la porte, un personnage étend un vêtement que l'ânon foule de son sabot. Le visage d'un autre personnage apparaît dans la baie ouverte au-dessus. 124

Le Baiser de Judas est traité avec une extrême discrétion, sans effet spectaculaire ni manifestation de violence. Le traître prend dans ses bras le Christ qui étend les siens pour se livrer. Ce groupe central est équilibré à droite par un petit groupe de deux apôtres et à gauche par autant de soldats armés de lances. 125

124. Toulouse, musée des Augustins, chapiteau de la Daurade. Entrée du Christ à Jérusalem.

▷ 125. Toulouse, musée des Augustins, chapiteau de la Daurade. Baiser de Judas.

Les deux derniers chapiteaux sont d'un intérêt extrême, puisqu'ils constituent peut-être la première représentation d'un Jugement dernier dans la sculpture monumentale.

Sur une des petites faces de l'un d'eux [167], le Christ est assis dans une mandorle portée par deux anges. C'est le Christ de la Parousie

126. Toulouse, musée des Augustins, chapiteau de la Daurade. Jugement dernier.

dont le geste des bras étendus prélude au Jugement, à la séparation des bons d'avec les méchants. De part et d'autre, sur les grandes faces, une même scène est représentée deux fois. Dans chaque cas, deux anges debout et tournés l'un vers l'autre sonnent de la trompe. À cet appel, les morts ressuscitent et sortent de leurs tombeaux en soulevant le couvercle d'un sarcophage. Sur l'autre petite face apparaît dans le ciel le signe du Fils de l'homme, la croix glorieuse présentée par deux anges. Elle s'apparente à celle du cloître de Moissac, sauf qu'elle ne repose pas sur un support et que les étoffes tendues derrière elle ont disparu. En son centre les deux extrémités d'un linge se croisent à la manière d'une écharpe.

126

L'autre chapiteau du Jugement est plus particulièrement consacré à la Pesée des âmes [168]. Sur une grande face, Michel, l'archange de la justice, tient la balance. À gauche se trouvent deux démons aux pieds fourchus dont l'un déroule un phylactère où on lit : IN IGNEM ETERNVM, c'est-à-dire une référence à Matthieu 25, 41, concernant l'exclusion des damnés : *Discedite a me, maledictis, in ignem æternum qui paratus est diabolo et angelis ejus.* Sur l'autre grande face deux élus se dirigent vers la Jérusalem céleste. Celui qui marche devant tient un livre dont la signification est donnée par l'Apocalypse 20, 12 : « On ouvrit des livres [...] alors les morts furent jugés d'après le contenu de leurs livres, chacun selon ses œuvres ». L'Apocalypse établit une distinction entre ces livres particuliers, où se trouvent notées les actions bonnes et mauvaises de chacun, et un autre livre, celui de la Vie, précisément celui que brandit un grand ange dressé à l'opposé de la Jérusalem céleste. Ce messager déploie largement ses ailes à la manière des deux anges

isolés du chapiteau à la croix de Moissac. Avec son autre main il élève une autre croix de petite dimension.

Les chapiteaux de la Daurade au musée des Augustins sont accompagnés de tailloirs qui ont également été épargnés lors de la destruction du cloître, en raison de l'originalité de leur décor. Ils ont la structure de ceux du cloître de Moissac avec un bandeau le plus souvent à imbrications et des motifs divers sur leur partie en biseau. Les uns viennent directement de Moissac. C'est le cas de dragons dévorant un animal, de lions s'entre-déchirant et de quadrupèdes mordant des rameaux parmi lesquels s'épanouit une fleur magnifique [169]. D'autres illustrent avec une précision surprenante des scènes de la vie aristocratique ou simplement profane, qui, tout récemment, ont fait l'objet de commentaires perspicaces de la part de Monique Rey-Delqué.

Dans une composition traditionnellement désignée sous le nom de *Toilette du prince,* il conviendrait de reconnaître l'habillement et l'armement d'un chevalier [170]. Un personnage central assis sur une chaise carrée dépourvue de dossier semble enfiler un vêtement à manches longues. Il est servi par quatre personnes qui toutes ont un genou à terre. L'une le chausse et la seconde lui présente un objet qui serait une épée glissée dans son fourreau. Les deux dernières tiennent verticalement la même arme aux deux extrémités de la scène. 127

Sur les petites faces d'un autre tailloir, étiqueté *Scènes de la vie domestique,* est évoquée la formation intellectuelle et physique des jeunes nobles [171]. Des personnages brandissent des livres ouverts, peut-être utilisés pour l'enseignement. 128 « Leur font face deux scènes d'épreuves de force qui insistent sur l'importance des jeux de mouvements, assimilés à un sport et qui représentent un véritable entraînement physique. Deux hommes, assis par terre, se font face, dans une sorte de ‘ bras de fer ’ tandis que, dans l'autre groupe, un personnage central est solidement maintenu par les avant-bras par deux compagnons qui l'empêchent de se dégager en croisant leurs bras derrière son torse. Il doit très certainement tenter de se libérer dans un temps déterminé ».

Les grandes faces concernent des divertissements particulièrement prisés, bien que souvent condamnés par les autorités ecclésiastiques : la

◁ 127. Toulouse, musée des Augustins, tailloir de la Daurade. Toilette du prince.

128. Toulouse, musée des Augustins, tailloir de la Daurade. La lecture.

danse et les jeux de hasard. « Une danseuse est complètement renversée en arrière, prenant appui sur son pied droit et sa main gauche tandis qu'elle cale son pied gauche dans le creux de son genou droit. Cette position met en valeur la souplesse du corps qui est véritablement ployé comme une liane. De larges bracelets à longues pendeloques ceignent ses deux avant-bras et accentuent le caractère sensuel de la représentation. L'autre scène est une danse à l'épée. La danseuse, également renversée en arrière, se contorsionne, tenant dans sa main droite une épée à large talon et pommeau rond [...] [qui] lui permet d'effectuer des figures compliquées et d'évoluer en cadence au son d'une mélodie jouée par un musicien sur une harpe » [172]. Le côté lascif de la représentation est confirmé par le costume de la femme : un bliaud court et serré, qui moule étroitement son corps tout en dévoilant les genoux. Cependant, le musicien porte une sorte de bonnet à oreilles dont l'aspect burlesque donne à la scène une distanciation satirique. À côté de la danse, le jeu. Il est impossible de déterminer avec précision celui qui est ici pratiqué. On pense aux dés, un jeu très répandu au Moyen Âge et auquel on jouait de multiples façons.

129

130

△
129. Toulouse, musée des Augustins, tailloir de la Daurade. Danse de l'épée *(Cliché A. Serres).*

130. Toulouse, musée des Augustins, tailloir de la Daurade. Joueurs de dés (?) *(Cliché A. Serres).*

Naturellement, la chasse trouve sa place dans ce panorama de la vie aristocratique. Sur les quatre faces d'un dernier tailloir, et sur un fond de forêt se succèdent : « des cerfs, avec leurs bois majestueux, des chiens dont la race est fidèlement représentée, des veneurs sonnant du cor et les montures des chasseurs, sellées et bridées, tenues en main par de petits personnages. Le harnachement des chevaux est complet » [173].

Ces analyses établissent que les rapports entre le cloître de Moissac et celui de la Daurade toulousaine étaient à la fois simples et complexes. Simples, en raison de l'unité d'inspiration et de style, les variantes dans l'exécution provenant aussi bien de la pluralité des mains que de la différence de lieu. Complexes néanmoins, puisque le cloître de la Daurade laisse entendre à plusieurs reprises que les idées exprimées à Moissac y avaient été repensées. L'apparition de motifs nouveaux, notamment le bel ensemble d'images relatives à la vie aristocratique, montre que le jaillissement créateur demeurait intact. Encore ne possédons-nous qu'un nombre limité d'œuvres. Les avatars du chapiteau de la Cananéenne autorisent à penser que d'autres corbeilles historiées ont disparu. Quant aux décors de type géométrique, végétal ou zoomorphe leur naufrage a été quasi total.

La table d'autel de Lavaur

131. Lavaur, Saint-Alain, table d'autel.

IL CONVIENT DE PLACER dans l'orbite du cloître de Moissac une table d'autel à Lavaur (Tarn) pour des raisons de parenté stylistique, alors que sa composition iconographique conduit plutôt vers la table d'autel de Saint-Sernin de Toulouse [174]. Ce double patronage situe chronologiquement l'œuvre dans les toutes premières années du XIIe siècle.

Après un exil dans la chapelle de l'hôpital de la ville, la table a récemment été érigée comme maître autel dans l'église Saint-Alain d'où elle provenait, selon toute vraisemblance.

Le prieuré Saint-Alain de Lavaur fut fondé le 5 août 1098 et donné à l'abbé Frotard de Saint-Pons-de-Thomières, à charge pour lui d'en faire construire l'église. Après avoir joué un rôle de premier plan dans la réforme religieuse de la seconde moitié du XIe siècle, il devait mourir le 20 août de l'année suivante. Les travaux avaient dû commencer sur-le-champ, avec une attention particulière accordée à l'autel.

Comme la table d'autel de Saint-Sernin de Toulouse, celle de Lavaur est ornée sur ses tranches de divers motifs iconographiques répartis en frise sur un chanfrein, au-dessous d'un bandeau à imbrications. C'est aussi, nous l'avons vu, un parti utilisé pour le décor de tailloirs à Moissac et à la Daurade toulousaine.

Sur la face antérieure deux anges allongés présentent, tout en détournant la tête d'un geste convenu, un médaillon perlé contenant le buste d'un Christ imberbe, qui bénit de la main droite. Dans la gauche, malheureusement mutilée, il semble tenir un petit objet qui pourrait être une hostie [175]. De part et d'autre, d'autres anges brandissent des voiles généralement dessinés en forme de croissant, sauf l'un qui est largement déployé. Tout à fait à gauche, une femme voilée, dans l'attitude

131

de l'orante, sans doute la figure de l'Église, contemple la gloire du Christ. À l'opposé, un dernier ange tient dans une main un voile et de l'autre une croix.

132

Sur la face de droite, deux anges soutiennent maladroitement d'une seule main un objet rectangulaire creusé en évier, avec une bordure présentant un ressaut. Le sculpteur a laissé en réserve six portions de cercle : quatre aux angles et deux au centre des grands côtés. L'identification de l'objet est aisée, car la table d'autel possédait elle-même à sa partie supérieure la même mouluration, qui a été plus ou moins mutilée par la suite lorsqu'on l'a consacrée à nouveau en y plaçant des reliques. On songe immédiatement aux deux sculpteurs présentant sur un tailloir des tribunes du bras nord du transept de Saint-Sernin la table d'autel de l'abbatiale qu'ils venaient de réaliser. La différence résulte dans le fait qu'à Toulouse il s'agit de l'image d'un objet matériel, alors qu'à Lavaur les anges présentent un objet symbolique, l'autel de la liturgie céleste, conçu à l'image de celui qui servait quotidiennement dans l'église Saint-Alain au sacrifice eucharistique.

133

L'idée de liturgie céleste est précisée sur la face de gauche où deux anges vénèrent, dans un linge représenté de la même manière stylisée que les étoffes précédentes, une sorte de pain surmonté par trois petites flammes. Il s'agit sans nul doute du pain du ciel dont parle le Christ dans l'évangile selon saint Jean 6, 32 : « En vérité, en vérité, je vous le dis, ce n'est pas Moïse qui vous a donné le pain du ciel, c'est mon Père qui vous le donne, le pain du ciel, le vrai, car le pain de Dieu c'est celui qui descend du ciel et qui donne la vie au monde ». La signification de ce pain est clairement précisée peu après (6, 51) : « C'est moi, le pain vivant, descendu du ciel. Qui mangera de ce pain vivra éternellement. Et le pain que moi je donnerai, c'est ma chair pour la vie du monde ».

132

Le décor de la table d'autel de Lavaur dépasse en richesse et en cohésion iconographique celui de la table de Saint-Sernin. Mais cette richesse même posa au sculpteur de difficiles problèmes de composition. Il n'était pas aisé de répartir sur des espaces étroits les divers personnages appartenant à des thèmes aussi ambitieux. Passe encore pour les faces latérales, dont la longueur de peu supérieure à 80 centimètres permettait d'adopter la solution proposée par les tailloirs figurés de Moissac, en disposant les anges d'une manière symétrique de part et d'autre de l'autel céleste et du pain des anges. Mais pour la face principale qui ne comprend pas moins de neuf personnages, soit deux de plus qu'à Saint-Sernin, la reprise de la formule toulousaine, c'est-à-dire la juxtaposition de

◁ △
132-133. Lavaur, Saint-Alain, table d'autel.

personnages allongés de part et d'autre du médaillon central, produit un effet peu heureux, d'autant plus que chacun d'eux est uniformément séparé de son voisin par le croissant symbolique. La preuve était faite que les tables d'autel convenaient mal à la représentation de programmes iconographiques complexes.

4. Saint-Sever

DEPUIS LONGTEMPS on plaçait Saint-Sever parmi les premiers foyers créateurs de la sculpture romane, mais sans être en mesure de le situer avec exactitude. Une originalité reconnue fut à l'origine de mythes, comme celui d'une influence exercée sur ce centre gascon par un monument aussi éloigné que la grande mosquée de Cordoue [176]. Il fallut attendre l'époque immédiatement contemporaine pour que des analyses plus fines démontrassent que la solution au problème des origines ne se trouvait pas dans la recherche de modèles exotiques mais bien plutôt dans l'exploration du passé local avec réappropriation de l'héritage antique [177].

Fondé peu avant l'an mil, en 988 ou 989 [178], Saint-Sever fut à la fois un des instruments de la politique de renaissance gasconne entreprise par le comte Guillaume-Sanche et un symbole de la réussite de cette entreprise. Une riche dotation, accrue par de nombreuses donations, les unes issues également de la générosité comtale, d'autres provenant de l'aristocratie locale, permit au monastère de disposer d'un riche patrimoine foncier [179]. Le sommet de sa prospérité se situe sous le gouvernement de l'abbé Grégoire (1028-1072), qui appartenait à la famille des vicomtes de Montaner [180]. Tout enfant il avait été envoyé à Cluny. Aussi quand il revint à Saint-Sever pour occuper la charge d'abbé, il y introduisit les usages clunisiens, c'est-à-dire la manière particulière à la grande abbaye bourguignonne d'observer la règle de saint Benoît. Sans avoir à s'intégrer à son empire, Saint-Sever réussit à acquérir les privilèges d'immunité et d'exemption dont elle jouissait et qui le libérèrent lui-même de toute sujétion à l'égard du pouvoir laïc et de l'autorité de l'évêque du diocèse.

L'abbatiale, dont la construction pourrait avoir été commencée à la fin de l'abbatiat de Grégoire de Montaner, illustre l'un des grands partis architecturaux romans, le plan dit bénédictin, caractérisé par l'extrême profondeur du chevet en raison de l'échelonnement de chapelles latérales, ici au nombre de six, trois de chaque côté de l'abside centrale. Cependant ce parti, qui signifie une hiérarchie croissante des masses non seulement en plan mais aussi en élévation, interfère à Saint-Sever avec une composition véritablement antinomique caractérisée par l'installation de sanctuaires d'étage sur les deux chapelles extrêmes tant au nord qu'au sud, « accessibles par une tribune-pont jetée sur chacun des bras du transept ». Par cette disposition Saint-Sever s'apparente à un groupe de tribunes de fond de transept que l'on trouve en Normandie dans le dernier quart du XIe siècle [181].

Selon l'abbé Jean Cabanot [182], la construction du chevet, la seule partie de l'édifice qui nous intéresse vraiment ici, aurait été réalisée en trois étapes. La première est caractérisée par un appareil de pierres taillées d'assez grandes dimensions alternant avec des assemblages de

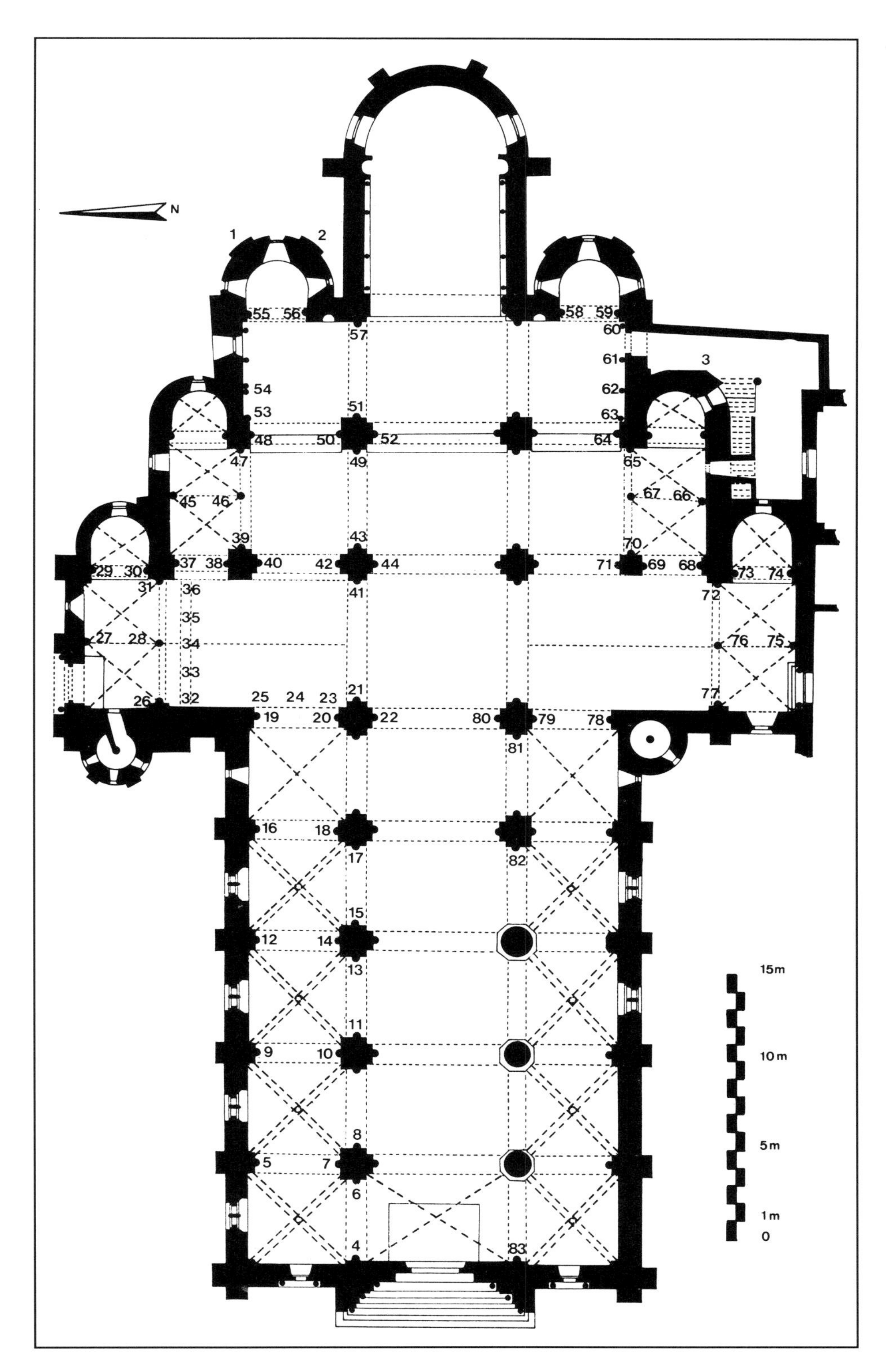

134. Saint-Sever,
église,
plan au sol.
D'après Jules Kaehrling.

moellons. Sur la première absidiole sud il atteint une hauteur d'environ trois mètres et il est lié à de larges contreforts à l'extérieur et à des pilastres à l'intérieur. Il existe aussi sur des hauteurs variables dans le reste du chevet à l'exception du mur ouest du bras méridional du transept et de la tourelle qui lui est adossée.

La deuxième partie du programme vit l'achèvement du chevet à l'exception des parties hautes du transept. Son caractère le plus constant, outre l'emploi d'un appareil homogène de pierres de taille, réside dans un décor sculpté offrant les marques d'une évolution.

La troisième étape correspond à un changement de parti architectural. On décide de compléter le système de tribunes de fond de transept par des tribunes de nef en s'inspirant probablement de l'exemple offert par Saint-Sernin de Toulouse. De ces nouvelles tribunes il ne subsiste aujourd'hui que les amorces du côté du transept. Avaient-elles même été réellement construites dans la nef ? C'est ce qu'on ignore. Si elles le furent, elles auraient été détruites dès avant la fin du Moyen Âge, soit par le tremblement de terre survenu dans la nuit du 2 mars 1272, soit à la suite de saccages opérés par des troupes françaises en 1295, en 1360 et surtout en 1435.

Saint-Sever souffrit aussi cruellement des Guerres de religion. En 1569, après avoir massacré plusieurs religieux, pillé le trésor, brûlé la bibliothèque et les archives, les protestants s'attaquèrent à l'église elle-même. Les dégâts furent énormes, mais par chance les voûtes du transept et de la nef résistèrent. L'œuvre de remise en état fut réalisée par les moines de la congrégation de Saint-Maur introduits à Saint-Sever en 1645. Un plan de l'église en ruine levé trois ans plus tard permet de mesurer l'ampleur des travaux à réaliser. Ils comprirent notamment la reconstruction totale de l'abside principale.

Au XIXe siècle, l'abbatiale subit une « restauration » radicale et donc outrancière. En 1849, on refait les parties du chevet et du transept encore en mauvais état. « Dans le même temps, un sculpteur de Montpellier, Jean Lairolle, est chargé de dégager, de restaurer et au besoin de compléter de nombreux chapiteaux de l'intérieur, mais aussi de remplacer ceux qui ont disparu [...] » [183]. En 1859, on rétablit la tribune méridionale du transept, et on entreprend une restauration de la façade occidentale, qui sera bientôt suivie de sa réfection complète. Vers la fin du XIXe siècle, soi-disant pour restituer une allure romane à la nef, on ménage de faux triforiums dans ses murs gouttereaux.

Si l'on peut fixer vers les environs de 1100 l'achèvement de la décoration sculptée du chevet, la date du démarrage est plus difficile à établir. On sait que Grégoire de Montaner avait pu consacrer l'autel du saint patron avant sa mort survenue le 11 janvier 1072. Mais on ignore quel était son emplacement exact et, de toute manière, la consécration d'un autel est souvent dépourvue de signification pour l'histoire de la construction d'une église. Selon toute vraisemblance, la deuxième campagne de construction à Saint-Sever, celle qui correspond à l'apparition du décor sculpté, n'a débuté qu'un peu après la disparition du grand abbé, soit vers 1075. Autrement dit, l'activité des sculpteurs du chevet se serait développée pour l'essentiel dans le dernier quart du XIe siècle.

À leur sujet on peut se hasarder à employer le terme d'atelier, compte tenu de l'existence de permanences, notamment en ce qui concerne la faveur durable dont a joui un certain type de chapiteau, celui dont le décor est constitué par des feuilles lisses issues du corinthien [184]. Nous avons signalé la renaissance de la feuille lisse à peu près au même moment dans les chevets de Sainte-Foy de Conques et de Saint-Sernin de Toulouse, mais elle n'y avait pas connu l'importance qu'elle prend ici aussi bien en raison de la densité des œuvres que de la diversité des formes. On croit discerner l'effet d'une véritable fascination exercée par les modèles antiques, qui s'exprima non par la « copie » mais par une « recréation » au bénéfice de formes vraiment modernes. Au fur et à mesure de l'écoulement du temps les sculpteurs prirent de plus en plus de liberté à l'égard de leurs sources, cependant que s'introduisaient des influences différentes. Cette évolution oblige à étudier séparément et successivement l'ensemble des absidioles nord, le plus ancien, groupant les chapiteaux les plus proches des solutions antiques, et celui des absidioles sud où la désorganisation des types anciens s'accélère. Simultanément, les décors de surface relativement rares au nord connaissent un grand développement.

Thème majeur des absidioles septentrionales le chapiteau à feuilles lisses y manifeste d'emblée une extrême variété dans les dimensions, les proportions, la composition, l'importance plus ou moins considérable du relief. Le schéma le plus banal, comprenant exclusivement une rangée de feuilles, n'a guère retenu l'attention (n°s 26, 42, 43), sans doute en raison de sa faible valeur plastique, une donnée essentielle pour l'atelier de Saint-Sever et qui demeurera son idéal constant. On lui a préféré une formule plus souple, davantage articulée, dont l'enrichissement plastique a été obtenu par l'émergence sous le dé central — qui adopte généralement la forme d'un cône enfoncé entre les tiges des volutes et parfois, plus rarement, celle d'une surface trapézoïdale — de l'extrémité recourbée d'une nouvelle feuille (n°s 19, 27, 30, 48, 50, 58). 135

Toujours suivant le même parti d'ensemble un sculpteur a conçu une expérience qui semble prendre le contre-pied de la « feuille fendue ». La nervure centrale des feuilles d'angle s'épaissit et prend l'aspect d'une languette triangulaire. La pureté des formes de ce chef-d'œuvre insolite le situe quelque peu en dehors du temps. 136

135. Saint-Sever, église, chapiteau n° 27.

136. Saint-Sever, église, chapiteau n° 29.

137. Saint-Sever,
église,
tribune du fond
du bras nord du transept.

138. Saint-Sever, église, chapiteau n° 28.

139. Saint-Sever, église, chapiteau n° 46.

Les autres chapiteaux à feuilles lisses possèdent deux couronnes (nos 28, 32, 33, 35, 36, 40, 46, 51). Dans les plus récents d'entre eux, à la tribune du fond du bras septentrional du transept, qui ne date que de la fin du XIe siècle, la pierre paraît avoir acquis sous le ciseau du sculpteur une grande malléabilité. En outre, la corbeille s'étire démesurément en hauteur, cependant que ses divers éléments s'épaississent : les feuilles, mais aussi les volutes, qui deviennent semblables à des coquilles d'escargots.

137

La créativité romane transforme aussi la structure du chapiteau pour le rendre conforme à son rôle dans le monument. Si des exemples comparables ne manquent pas dans d'autres endroits, puisque le phénomène est lié à l'esprit même du style, Éliane Vergnolle observe [185] qu'on est rarement allé aussi loin dans cette voie. L'expression la plus spectaculaire est fournie par deux chapiteaux des parties basses surmontant des colonnes isolées (nos 28 et 46). « Dans les deux cas le sculpteur a adapté l'épannelage et la structure du chapiteau aux retombées d'arcs à double rouleau : tandis que la première couronne est de plan circulaire et prolonge le volume de la colonne, la partie supérieure de la corbeille, avec la seconde rangée de feuilles et les volutes, mais également le tailloir, sont découpés en forme de croix ; bien que le chapiteau soit taillé dans un seul bloc, quatre demi-chapiteaux — ou deux chapiteaux à trois faces — semblent ainsi fusionner [...]. [Le procédé] traduit une conception illusionniste renforcée encore par la diversification des faces : chacune d'entre elles appartient à un type structural différent ».

138, 139

Selon toute vraisemblance, les sculpteurs de Saint-Sever ont trouvé leurs modèles sur place. L'hypothèse est d'autant plus plausible qu'elle

140. Saint-Sever, église, chapiteau nº 39.

▷ 141. Saint-Sever, église, chapiteau nº 38.

peut être vérifiée sur certains des chapiteaux d'acanthe, peu nombreux, qui accompagnent la série aux feuilles lisses. L'abbé Jean Cabanot [186] en a fait la démonstration pour le chapiteau nº 39. Sur un épannelage de grandes feuilles d'angle un petit nombre de longues folioles lancéolées souplement incurvées encadrent la nervure médiane. D'autres folioles sont plaquées sur cette nervure, d'autres encore accompagnent le dessin des volutes et enveloppent la partie inférieure des dés médians. Relativement à des modèles antiques ou préromans répertoriés sur place ou dans la région, l'interprétation romane se distingue par la liberté dans l'organisation des divers éléments et la souplesse du modelé. Le chapiteau nº 34 de la tribune, dont le style est très évolué, se rattache cependant encore à des sources de même origine.

140

137

Les grands ensembles romans du sud-ouest de la France, ainsi d'ailleurs que ceux des pays de la Loire, ont coutume de mettre en parallèle une série corinthienne aux qualités plastiques et une autre série de chapiteaux dont le décor n'est plus à base de feuillages, mais de palmettes et de demi-palmettes traitées en méplat. On n'est donc pas étonné de trouver dans le bras nord du transept de Saint-Sever deux chapiteaux de ce type. L'un d'eux, situé à l'entrée du chœur de la deuxième absidiole (nº 38), est particulièrement intéressant. Bien que la restauration en ait été exagérément poussée, elle a néanmoins épargné suffisamment d'éléments authentiques pour que le dessin d'ensemble demeure parfaitement lisible. Le support est une structure de grandes feuilles d'angle issue du corinthien sur laquelle on a plaqué des rinceaux dont tous les éléments sont nettement découpés, comme à l'emporte-pièce. L'abbé Jean Cabanot [187] a observé que cette œuvre offre les plus grandes parentés, tant par le dessin des éléments que par la technique de la taille, avec un chapiteau du Panthéon des Rois à Saint-Isidore de León [188]. On trouve dans les deux cas sur les corbeilles « des rinceaux qui s'entrecroisent avant de donner naissance à de fines palmettes dont deux dessinent une sorte d'as de cœur en saillie au centre de la face principale ». De pareilles similitudes ne peuvent s'expliquer que par l'existence de relations directes entre le foyer gascon et celui de León. L'autre chapiteau de même style, situé dans la même absidiole (nº 47), produit un effet moins heureux, car les parties du décor sont moins bien intégrées dans une conception d'ensemble. Le sculpteur n'a pas su triompher des difficultés que lui posait un épannelage complexe composé d'un cylindre et d'un parallélépipède. Lorsqu'ils avaient été confrontés à des problèmes identiques les premiers sculpteurs de Sainte-Foy de Conques, ceux des entrelacs, leur avaient apporté des solutions plus habiles.

141

157

Dans les absidioles nord apparaît aussi un motif zoomorphe appelé au plus bel avenir, non seulement à Saint-Sever mais également dans de nombreux monuments du sud-ouest de la France [189], celui des lions souriants (n° 45) : un enrichissement iconographique qui va de pair avec une nouvelle transformation des feuilles lisses, l'apparition de boules à l'extrémité des feuilles. L'introduction et le développement de ces nouveautés dans le bras sud du transept milite en faveur d'une continuité dans la vie de l'atelier.

Dans la première série d'œuvres la plupart des tailloirs sont modernes. Quelques-uns néanmoins paraissent anciens et sont traités dans une parenté stylistique avec Saint-Sernin de Toulouse et des ensembles apparentés. 135

La désorganisation de la structure du modèle antique des feuilles lisses se poursuit dans les absidioles méridionales du transept alors que, parallèlement, des motifs inédits apparaissent sur certains chapiteaux ayant opté pour un décor de surface.

L'abandon des proportions antiques bénéficie à la partie supérieure des chapiteaux à feuilles lisses, c'est-à-dire à la zone des volutes. La surface en forme de trapèze, qui s'était dès la zone nord du transept substituée dans certains cas au dé central, s'impose désormais et s'étire démesurément en longueur. 142 Sur le chapiteau 61, qui n'a qu'une seule couronne de feuilles peu différenciées, cette surface accueille deux hélices dressées à la verticale. Au numéro 66, des volutes raides et ce dé-trapèze laissé brut surmontent brusquement les deux couronnes mollement modelées. Entre les deux parties traitées dans un esprit si différent, le contraste est vif. 143 Sur le numéro 67, doté aussi de deux couronnes, le rôle du dé est tenu par une tablette géante qui s'étend depuis la couronne inférieure jusqu'au tailloir. On a sculpté sur ses angles supérieurs des enroulements en escargot ou en tire-bouchon parce que la principale originalité de Saint-Sever est de s'exprimer par les volumes et les masses. Il faut toute la conscience de la continuité des cultures pour reconnaître ici un avatar du destin des hélices corinthiennes. Le dé-trapèze est nu sur le n° 71 qui n'a qu'une seule couronne, mais dont les volutes forment d'énormes enroulements. Ce chapiteau est imité en 78 avec une distribution des feuilles en deux couronnes.

142. Saint-Sever, église, chapiteau n° 61.

143. Saint-Sever, église, chapiteau n° 67.

144. Saint-Sever, église, chapiteau n° 69.

145. Saint-Sever, église, chapiteau n° 72.

146. Saint-Sever, église, chapiteau n° 59.

Vient ensuite la série des feuilles lisses alourdies de boules à leurs extrémités, qui a débuté elle aussi dans le bras nord du transept, comme nous l'avons observé. Il n'existe qu'une seule couronne en 75, où les hélices se redressent comme elles le faisaient sur le n° 61, et deux couronnes en 64.

Mais voici qu'apparaît, aussi bien sur des tailloirs que sur des corbeilles, un motif décoratif parfaitement original : « des tiges entrelacées ou liées par des chevrons [qui portent] des crossettes ou de minces folioles dessinant des demi-palmettes [...] soit isolées, soit assemblées par deux de manière à recomposer une palmette » [190]. Son expansion s'effectue tantôt sous la forme d'une conquête partielle, tantôt en prenant l'aspect d'une emprise totale. Le motif se développe en frise sur les tailloirs, où il peut jaillir de la gueule d'un lion. Il s'installe d'une manière très ponctuelle sur les tiges des volutes et à la surface du dé trapézoïdal où il se combine aux enroulements des hélices (n° 69). Mais il peut aussi couvrir la totalité d'une corbeille. Le sculpteur l'utilise alors pour souligner une structure à deux couronnes (n° 72), ou à une seule couronne (n° 60). Il peut aussi lui accorder une liberté totale de développement sans plus se préoccuper de l'épannelage (n° 63).

142
144
145

Selon toute vraisemblance ce motif représente une variante des rinceaux de palmettes et de demi-palmettes apparus dans les absidioles du nord (n°s 38 et 47). Son développement s'effectua selon un processus que l'on retrouvera, il est vrai à partir d'éléments différents, dans les tribunes de la nef de Sainte-Foy de Conques. Il fait même une place à la figure humaine, mais elle demeure très limitée. L'homme, lorsqu'il apparaît, se trouve isolé et perdu dans son exubérante prolifération. Sur le chapiteau n° 59 les personnages sont au nombre de trois, tous parfaitement identiques et indifférents les uns aux autres : ils ne sont finalement pas autre chose eux-mêmes que décor. « Montés sur une ou sur deux petites feuilles plates incurvées vers l'avant, ils portent une robe à plis verticaux qui descend jusqu'à mi-jambe, une courte pèlerine tombant en triangle sur la poitrine. La tête, assez réaliste, est prise dans un capuchon pointu qui enserre les oreilles et passe sous le menton » [191].

141
146

Le motif de demi-palmettes et de palmettes avec crossettes issues de tiges et de rinceaux, exécuté dans le style épais de Saint-Sever se diffusera directement de l'abbatiale à Hagetmau. On le trouve également

147. Saint-Sever,
église,
chapiteau n° 65.

dans le porche de Saint-Seurin de Bordeaux et il deviendra un véritable poncif dans la région girondine dans la première moitié du XIIe siècle [192].

Sur le numéro 65, il n'intéresse plus qu'un tiers de la surface du fond, le reste étant occupé par des formes absolument différentes et qui se distinguent en outre chacune l'une de l'autre : « palmette isolée et palmette encadrée par de longues folioles, lobes assemblés de part et d'autre d'une tige portant une boule [...] enfin assemblage de deux hautes palmettes composant une nervure saillante marquée de perforations triangulaires et encadrées de deux rangées de folioles. Cette extraordinaire juxtaposition de formes est d'autant plus remarquable, poursuit l'abbé Jean Cabanot, que la plupart d'entre elles sont rares, sinon absentes, sur d'autres œuvres de l'édifice, alors qu'elles s'observent dans des ensembles assez éloignés, comme la cathédrale de Jaca, mais aussi le Panteón de los Reyes de León » [193].

Ce décor aussi éclectique que surabondant sert de fond à un personnage unique vêtu comme ceux du chapiteau n° 59. Il a gagné en taille et il est engagé dans une composition iconographique d'une grande simplicité et d'une parfaite symétrie. À pleines mains il se saisit d'énormes langues sortant de deux gueules de lions sculptées presque en ronde-bosse sous les volutes d'angle. Il s'agit d'un thème banal, probablement en rapport avec la victoire de la foi sur les forces du mal. 147

Cette apparition du lion est essentielle à Saint-Sever car ce motif zoomorphe se substitue à la feuille lisse dans les jeux de l'imagination.

148. Saint-Sever, église, chapiteau n° 68.

▷ 149. Saint-Sever, église, chapiteau n° 73.

Il est aisé d'établir la fiche signalétique de l'animal tant ses traits sont bien caractérisés : « proportions élancées, finesse de la tête, crinière bouclée, pattes noueuses aux griffes en forme de serres » [194]. Avec leur allure dégingandée, leur démarche balourde et leur énigmatique sourire, les lions se suivent, les uns derrière les autres, se conformant au motif convenu des animaux passants que les arts mineurs ont transmis à la plupart des milieux artistiques (n°s 68, 74 et 76). Au début du XIIe siècle, la composition symétrique des lions encadrant un personnage humain, qui peut parfois être Daniel, colonisera les collatéraux de la nef.

148

Dans le bras méridional du transept le lion demeure cependant essentiellement un motif décoratif auquel on a pu substituer sans aucune difficulté un autre animal à la mode dans les milieux artistiques du temps : l'oiseau. Il est l'objet de compositions antithétiques dont on trouve des homologues presque parfaits à Saint-Sernin de Toulouse [195] : les têtes sont accolées, la queue épaisse et striée semble pénétrer dans le bloc de pierre, un motif floral sort du bec. En 73, les pattes se rejoignent sur une petite tête humaine qui ajoute une touche de valeur symbolique à cette création de la stylistique romane.

149

L'atelier de Saint-Sever a abordé trop tardivement et d'une manière trop ponctuelle les problèmes posés par les compositions historiées pour qu'il en soit question ici. Sa préoccupation essentielle, une spéculation sur des formes structurales héritées de l'Antiquité, n'allant pas le plus souvent au-delà de la simple expérience, le maintint en marge des préoccupations communes à la plupart des grands foyers artistiques du sud-ouest de la France et du nord de l'Espagne qui avaient surtout misé sur l'acanthe pour renouveler l'art de la sculpture. Non pas qu'il les ignorât complètement, puisque nous avons trouvé des traces non équivoques de contacts avec Toulouse et la Péninsule ibérique, mais ceux-ci se limitèrent à l'échange de quelques motifs décoratifs. Ces apports furent trop fugaces pour détourner l'atelier de sa véritable vocation qui fut de cultiver son originalité propre. Il lui fut dès lors difficile d'ambitionner pour son rayonnement un cadre autre que simplement régional. C'est en effet dans ces limites que celui-ci fut effectivement contenu [196].

5. Le Panthéon des Rois à León

DANS SA THÈSE DE DOCTORAT sur « Les débuts de la sculpture romane espagnole » Georges Gaillard [197] note les parentés existant entre les chapiteaux de Saint-Sernin de Toulouse et ceux de Saint-Isidore de León. Il en propose une explication cohérente. Les sculpteurs de la collégiale léonaise auraient bénéficié au départ de la présence de modèles constitués par des chapiteaux mozarabes ainsi que de la persistance d'une sculpture décorative de même origine [198]. Toulouse aurait connu une situation comparable. Des chapiteaux romains et wisigothiques y auraient joué le même rôle que les chapiteaux mozarabes à León et en outre une continuité technique aurait rattaché directement le premier atelier de Saint-Sernin à l'art mozarabe par l'intermédiaire de la Catalogne et des marbriers roussillonnais et narbonnais des Xe et XIe siècles [199].

Cette explication, en partie exacte, a cependant le tort de simplifier à l'extrême une situation beaucoup plus complexe et d'en déformer certaines données. Tout à Saint-Isidore de León n'appartient pas à l'héritage mozarabe et le mozarabisme est totalement absent de Toulouse.

Pour compléter sa démonstration, Georges Gaillard ajoutait à la similitude des conditions originelles l'existence de contacts et d'influences réciproques entre les grands foyers romans. Ce fait peut être considéré comme acquis et nous en avons déjà donné plusieurs exemples. Encore convient-il d'appuyer le phénomène sur une chronologie exacte. Georges Gaillard proposait une excellente méthode de recherche lorsqu'il avançait que « des conditions analogues ont donné lieu à des productions analogues, environ au même moment, en divers endroits » [200]. Que n'a-t-il appliqué cette méthode à l'étude comparée de Saint-Isidore de León et de Saint-Sernin de Toulouse, au lieu de sacrifier à des préjugés qui attribuaient au monument léonais une ancienneté exagérée [201] ! L'étude de Saint-Isidore passe donc par un réexamen de sa chronologie.

Un événement politique de première importance pour l'histoire de l'Espagne chrétienne, le mariage de Sancha, héritière du royaume de León, avec le roi de Castille Ferdinand Ier (1035-1065) est à l'origine de la fortune de cette église [202]. Cédant aux instances de son épouse, le roi renonça à se faire enterrer dans ses domaines propres — il avait d'abord songé à Oña et à San Pedro de Arlanza — et il choisit comme lieu de sépulture le sanctuaire léonais alors dédié à saint Jean-Baptiste. C'était une construction faite de boue et de brique — *de luto et latere* — qu'avait élevée le roi Alphonse V (999-1027), père de Sancha, pour recevoir son tombeau. L'épitaphe de Ferdinand Ier indique que celui-ci la fit refaire en pierre : *Fecit ecclesiam hanc lapideam quæ olim fuit lutea.* Il obtint du roi musulman de Séville, son tributaire, les reliques de saint Isidore, l'ancien évêque de la ville, et il consacra la nouvelle église au saint prélat qui avait été le réorganisateur de l'Église d'Espagne sous les Goths et l'un des sauveurs de la culture classique après la disparition de la Rome antique. La dédicace eut lieu le 21 décembre 1063 à l'occasion de la translation, bien que l'église ne fût pas encore terminée. Ferdinand étant mort deux ans plus tard, le mérite de

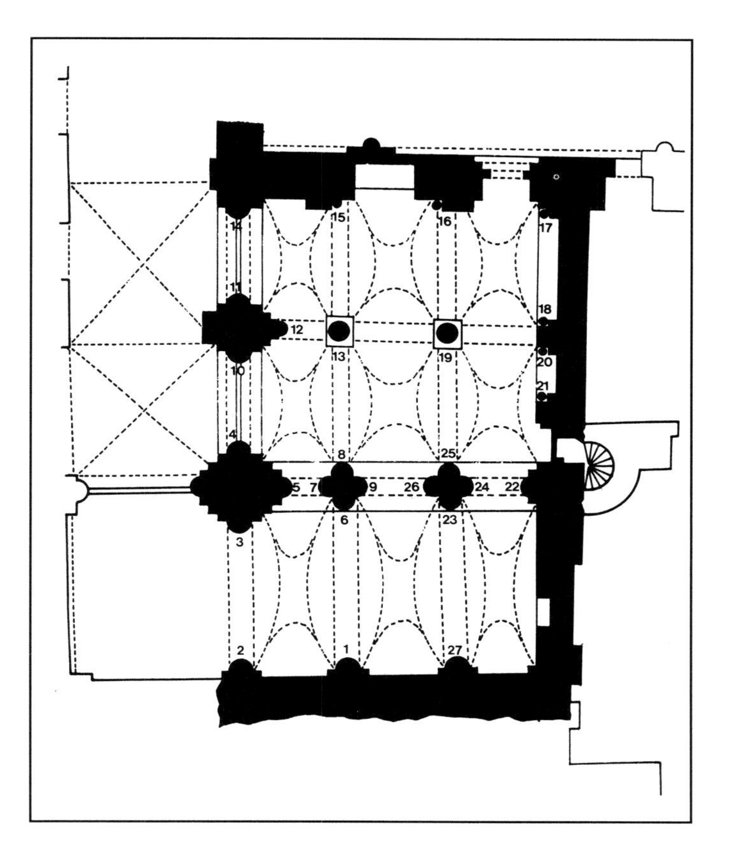

150. León, Saint-Isidore, Panthéon des Rois, plan au sol. *D'après Zodiaque.*

◁ 151. León, Saint-Isidore, Panthéon des Rois, vue d'ensemble *(Photo Yan).*

l'achèvement de l'édifice revint à Sancha, comme l'indique une inscription : *Sancia regina Deo dicata peregit.* Elle-même mourut en 1067 et fut ensevelie auprès de son mari et de son père.

Le plan de l'église de Ferdinand et de Sancha est connu par des fouilles réalisées en 1908-1909 par l'architecte Juan Crisóstomo Torbado. Leurs résultats ont pu être vérifiés et partiellement corrigés tout récemment, à l'occasion de la réfection du pavement de l'église actuelle. Il s'agissait d'une nef à collatéraux de dimensions modestes, dont les trois vaisseaux étaient terminés à l'est par trois chapelles rectangulaires. On a conservé le mur gouttereau septentrional ainsi qu'une partie de la façade occidentale et l'on sait que les vaisseaux étaient voûtés d'un triple berceau. On s'aperçoit que l'édifice reproduisait les dispositions de l'église asturienne de San Salvador de Valdediós, consacrée 170 ans auparavant en 893. Autrement dit, au milieu du XIe siècle, les principes de l'architecture asturienne demeuraient la norme à León.

Ce n'est donc qu'après 1063 qu'on plaqua à l'ouest de l'église de Ferdinand et de Sancha le Panthéon des Rois qui appartient à un tout autre monde artistique [203]. Il s'agit d'une adaptation à un usage funéraire des belles tours du type de Saint-Benoît-sur-Loire et de Saint-Hilaire de Poitiers. La principale différence avec ces modèles résulte du fait qu'il n'ouvre pas sur l'extérieur. En outre, il comprend trois parties : un noyau central et deux dépendances latérales. (150)

Le noyau central est un carré dont le côté est égal à la largeur de l'église. Il comporte au rez-de-chaussée trois petits vaisseaux de deux travées, dont les voûtes d'arêtes prennent appui au centre sur deux colonnes et pour le reste sur des piles composées. Les colonnes et les (151) piles sont accompagnées de remarquables chapiteaux, en sorte que la structure architecturale ainsi que le décor appartiennent tous deux à l'art roman pleinement constitué.

Une travée fut ajoutée à l'ouest de ce noyau central pour l'unir à une tour de l'enceinte urbaine remaniée à ce moment-là. En outre, un porche fut adossé du côté du nord et prolongé le long de l'église. Plus tard, ce porche fut transformé en une galerie de cloître. Tout récemment l'architecte Luis Menéndez Pidal l'a restauré. L'opération de décapage et de curetage à laquelle on procéda permit de retrouver des éléments des supports primitifs, ainsi que quelques chapiteaux d'origine. Ces découvertes, ainsi que quelques autres, ont été commentées par John Williams [204].

Cet auteur a démontré que les chapiteaux du porche mis au jour avaient été taillés par l'atelier du Panthéon des Rois, de même que ceux de la travée occidentale. Autrement dit, les trois éléments : Panthéon des Rois, travée occidentale et porche septentrional sont à peu près de la même époque. La restauration de Luis Menéndez Pidal a en outre confirmé que le porche nord était postérieur à l'église de Ferdinand et de Sancha. Le Panthéon des Rois et ses deux dépendances occidentale et septentrionale seraient l'œuvre de leur fille Urraca, morte en 1101, dont l'épitaphe indique en effet qu'elle agrandit l'église de ses parents : *Hæc ampliavit ecclesiam istam.* Ils ne seraient pas antérieurs à 1072, année où Urraca triompha de son frère et ennemi, le roi de Castille Sanche, et ouvrit la voie à l'œuvre unificatrice d'un autre de ses frères, qu'elle chérissait particulièrement, Alphonse VI (1072-1109). Cependant l'analyse stylistique nous montrera que leurs chapiteaux ne sont que d'assez peu postérieurs à cette date.

Avant de procéder à cette analyse il convient d'interroger le merveilleux ensemble de peinture murale décorant le rez-de-chaussée du Panthéon des Rois proprement dit, afin de savoir s'il ne constituerait pas en soi un élément de datation. Son programme iconographique comporte, outre un cycle de la Nativité et un autre de la Passion, des images du Christ apocalyptique. Le peintre a encore représenté les donateurs au pied de la Crucifixion en les désignant par leurs noms : FREDENANDO REX et URRACA. On a longtemps supposé qu'il s'agissait du roi Ferdinand II (1157-1188) et de l'une de ses épouses : Urraca de Portugal (1167-1175) ou Urraca López de Haro (1181-1188). John Williams propose une autre identification. Le roi serait Ferdinand Ier, et Urraca, sa fille, qui continua son œuvre. Les fresques ne seraient pas de la seconde moitié du XIIe siècle, mais des environs de 1100, ou peu après.

Acanthes et palmettes

LE DÉCOR DES CHAPITEAUX reprend les grandes options de la tour-porche de Saint-Benoît-sur-Loire, qui sont aussi celles du chevet de Saint-Sernin de Toulouse et du cloître de Moissac.

L'imitation de l'acanthe demeure le passage obligé et elle s'opère à travers les deux structures sur lesquelles se porta simultanément le choix des premiers sculpteurs romans : le chapiteau à couronnes de feuillages et le chapiteau à grandes feuilles d'angle.

Au centre du Panthéon des Rois, les deux colonnes supportent des chapiteaux à deux couronnes de feuilles superposées — clairement individualisées et même, sur l'un, séparées par une moulure — qui 152 occupent à peu près entièrement la corbeille (nos 13 et 19). En effet, la zone des volutes et des caulicoles a presque entièrement disparu. Il n'existe plus à cet endroit qu'une étroite moulure terminée à ses extrémités par de petits enroulements. Elle s'incurve en son centre pour laisser place à un dé couvert d'un petit élément végétal et elle sert de bordure à un alignement de marguerites à quatre pétales comme il en existe à Saint-Sernin de Toulouse, qui se cachent derrière les acanthes de la couronne supérieure.

Les acanthes ont partout un dessin simplifié de feuilles doublement lobées dont les deux moitiés sont dessinées symétriquement de part et d'autre d'une nervure centrale comparable à une tige. Elles sont plaquées contre la corbeille. Seules s'en détachent leurs extrémités auxquelles sont accrochées des boules dans un cas, des pommes de pin dans l'autre.

Les astragales portent des bagues qui les serrent de place en place en imitant, très approximativement, le motif antique des perles et des pirouettes.

Une source de ces œuvres bien typées pourrait être un groupe de quatre chapiteaux de l'église mozarabe de San Cebrián de Mazote [205] aux confins de la Castille et du León. L'inspiration, sensible dans la simplification de la structure, la schématisation des formes, le recul de la plasticité, ne conduit cependant d'aucune façon à la pure copie. Le schéma mozarabe a simplement servi, comme à Saint-Sernin de Toulouse les modèles de basse Antiquité, de point de départ à la mutation romane.

C'est également à San Cebrián de Mazote, dans un autre groupe de chapiteaux [206] qu'on trouvera l'origine possible de l'un des chapiteaux à grandes feuilles d'angle (n° 9), dont les nombreuses folioles sont marquées à leur départ d'un coup de trépan. Cependant, si la source

153

152. León, Saint-Isidore, Panthéon des Rois, chapiteau n° 19.

▽ 153. León, Saint-Isidore, Panthéon des Rois, chapiteau n° 9.

est différente à l'instar de l'effet produit, l'exécution a probablement été confiée au même artiste qui domine l'atelier : les tiges aux extrémités enroulées de la zone supérieure jouant le rôle de volutes demeurent soulignées par les mêmes élégantes marguerites à quatre pétales et le dé central est toujours pris dans une gaine végétale. Il prend l'aspect d'un tronc de cône sectionné, c'est-à-dire une forme largement représentée à Saint-Sever. Au centre de la face, entre les grandes feuilles d'angle, jaillit une feuille plus courte, à l'extrémité recourbée, couverte d'étroites folioles lancéolées. Le même schéma a été utilisé pour le numéro 25, avec toutefois des variantes : l'abandon du trépan pour le décor de surface des feuilles d'angle et la substitution de feuilles allongées aux marguerites bordant la zone des volutes [207].

Alors que le chapiteau n° 9 paraît avoir inspiré un chapiteau de Moissac (n° 59), toute référence à l'art mozarabe disparaît à León même par la suite. Le chapiteau n° 14 adopte une structure qui s'inspire plutôt d'un chapiteau de Saint-Sever. Quant au modelé superficiel il semble un pur produit de l'imagination. De part et d'autre de la nervure centrale de la feuille des sortes de gouttes pétrifiées se détachent de la bordure.

110
154
136

154. León, Saint-Isidore, Panthéon des Rois, chapiteau n° 14.

▷ 155. León, Saint-Isidore, Panthéon des Rois, chapiteau n° 10.

155

Une mutation fondamentale s'opère sur le chapiteau n° 10, avec l'introduction de la palmette emprisonnée dans un as de cœur renversé. La source se trouve à Saint-Sernin de Toulouse où ce type de chapiteau est utilisé dès le déambulatoire et sa vogue ne se démentira pas par la suite. Tous les éléments en ont été reproduits avec un soin extrême aussi bien en ce qui concerne la structure d'ensemble en deux registres, que le dessin de la palmette au cœur vigoureusement saillant, ou encore la distribution des pommes de pin accrochées tant aux volutes d'angle qu'aux moignons de feuilles subsistant entre les palmettes. Seule différence, un durcissement dans l'exécution qui ne fera que s'accentuer dans les œuvres suivantes : le chapiteau n° 11 qui combine les motifs des types précédents (y compris avec copie de l'un des tailloirs) ; le n° 26, où

45

le second registre est constitué par de grandes palmes inclinées suivant la direction des volutes [208]. Une incompréhension progressive de l'esprit du modèle conduit à une série de chapiteaux où les palmettes du registre inférieur, développées en hauteur, s'inscrivent sous une véritable arcature.

156 C'est le cas du n° 27, mais aussi des n°s 17, 21, et 24 [209]. La simplification régressive se poursuit dans la galerie septentrionale. On n'accordera jamais assez d'importance et d'attention à ce phénomène si parfaitement contraire à une idée d'« évolution » nécessairement « progressive », la marche du temps se révélant au contraire la source d'un durcissement des formes. Il établit du même coup l'antériorité de Toulouse où les formes sont encore plus riches et plus souples que les plus parfaites créations léonaises. Cet enseignement continuera à nous prévenir dans l'avenir contre toutes les erreurs de jugement résultant de la confusion entre ancienneté et archaïsme.

156. León,
Saint-Isidore,
Panthéon des Rois,
chapiteau n° 27.

Rinceaux et têtes d'angle

LEÓN A AFFECTIONNÉ, comme d'autres centres romans, le motif décoratif des rinceaux qui s'entrecroisent sur le fond du chapiteau pour donner naissance à des demi-palmettes recomposant parfois des palmettes entières et il associe ici ce décor couvrant à des têtes généralement animales qui en constituent fréquemment le point de départ. Sur la parfaite réussite

141, 157 — imitée à Saint-Sever — que constitue le n° 12, le réseau des rinceaux est tendu comme un voile soulignant les formes de l'épannelage sans en émaner. Il est comme accroché aux têtes animales pointant aux angles un museau pointu et il développe ses évolutions d'une manière quasi picturale sur le fond d'ombre de la corbeille.

157. León,
Saint-Isidore,
Panthéon des Rois,
chapiteau n° 12.

Les compagnons du maître refusèrent cependant d'adopter sa démarche souple et élégante. Leur rudesse peut parfois s'expliquer par un conflit entre l'esprit décoratif et l'esprit monumental, mais souvent il ne s'agit que de rusticité. En 22, la zone inférieure du chapiteau est encore occupée par des palmettes enfermées dans des as de cœur renversés. C'est de là que partent des tiges raides et maladroitement dessinées, terminées en volutes et qui portent des demi-palmettes. Les têtes animales sont des masses taillées rudement mais non sans humour. Cet esprit fait défaut au nº 21 où tout est empreint de gaucherie. La composition est confuse, les rinceaux et les palmettes sont mal dégagés du fond ; les têtes, grossièrement équarries, sont disposées un peu au hasard [210]. L'une est une tête humaine aux oreilles bizarrement pointues et les deux autres peuvent être comparées à des têtes de loup. Dans la galerie occidentale, le chapiteau de ce type offre une meilleure organisation. Les rinceaux se détachent clairement sur un fond dont une bonne partie demeure nue. Les deux têtes animales se différencient l'une de l'autre par leur aspect et leurs dimensions [211].

158

158. León, Saint-Isidore, Panthéon des Rois, chapiteau nº 22.

Chapiteaux à figures

LES TÊTES D'ANGLE parmi les rinceaux peuvent être considérées comme les signes avant-coureurs des scènes figurées. Certaines de celles-ci ont été sélectionnées parmi de très anciens thèmes traités tant en Orient qu'en Occident, à cause de leur valeur symbolique.

Voici, à deux exemplaires, des animaux ailés, images de l'âme, buvant dans un vase le breuvage d'éternité. En 20 [212], il s'agit de deux oiseaux trapus ; en 25 [213], de deux griffons.

L'homme tient sa place parmi les animaux dans des scènes à la signification convenue. En 7 [214], on reconnaît sans peine Daniel entre les lions, un autre symbole de l'âme sauvée. La tête de l'un des animaux est vue de face et l'autre de profil. Le prophète élève sa seule main droite. Par ces détails bien choisis le sculpteur a rompu la symétrie trop parfaite qui caractérise souvent la scène. Il a introduit un mouvement et une ébauche de relations entre les divers protagonistes. Le chapiteau voisin, nº 8, montre un homme transperçant d'une lance un lion rugissant : c'est encore une image de salut. Un dernier chapiteau, nº 1, est celui du personnage aux serpents, une image déformée de la Terre nourricière. Bien que le visage ait une allure masculine, il s'agit d'une femme dont

159 160

deux serpents sucent les seins. Chacun de ces animaux possède à l'autre extrémité du corps une deuxième tête qui vomit un ruban. Celui-ci s'enroule sur lui-même puis vient dessiner le contour d'une grande feuille d'angle dont l'intérieur s'orne d'une palmette. Le personnage brandit de ses deux bras levés deux petits serpents ou dragons dont les corps s'étendent horizontalement sous les volutes. On découvrirait à ce geste également des antécédents antiques plus ou moins déformés, car incompris. La figure brandissant des serpents a pris une place aussi importante dans l'art roman ibérique que le thème dénaturé de la Terre nourricière devenu image de la femme luxurieuse. L'a priori moralisant médiéval les a tous les deux incorporés à la culture de l'époque. Cette appropriation de signaux émis par un monde englouti dans la nuit du passé les a chargés d'une nouvelle puissance émotionnelle, qui elle-même a subi à son tour l'action érosive du temps. Ces signes sont en partie redevenus muets pour nous qui n'avons pas conservé toutes les clefs de leur message.

Pour tous les autre chapiteaux à figures, y compris pour une scène étrange, demeurée jusqu'ici inexpliquée, où l'on voit un personnage chevaucher une licorne qui avale un poisson dont la tête est encore tenue et examinée par un autre personnage, le passage des « modèles » antiques à l'expression romane s'est opéré par le truchement du chapiteau corinthien à feuilles lisses, qui n'est pourtant représenté que par un seul exemplaire au Panthéon des Rois, ou plutôt sous son portique septentrional, dont il limite une extrémité. Ce ressourcement est à l'origine de formes denses et fermes. Bien qu'elles ne soient traitées qu'en demi-relief, elles procurent une impression de plénitude et de puissance provenant en partie de l'absence de modelé superficiel.

161

159. León, Saint-Isidore, Panthéon des Rois, chapiteau n° 8.

160. León, Saint-Isidore, Panthéon des Rois, chapiteau n° 1.

◁ 161. León, Saint-Isidore, Panthéon des Rois, chapiteau n° 18.

On joindra à la série des chapiteaux à figures deux chapiteaux de la salle d'étage du Panthéon des Rois. Ils figurent de chaque côté de la baie faisant communiquer celle-ci avec l'église. Georges Gaillard a fait observer à juste titre qu'ils sont à peu près contemporains de ceux du rez-de-chaussée et de toute manière antérieurs à la nef de l'église dont le mur occidental est venu buter contre la baie et l'a obstruée.

À gauche est représentée l'image de l'avarice sous une forme extrêmement fréquente dans tout le sud-ouest de la France, avec l'avare portant une bourse pendue à son cou [215]. Sur la même corbeille, et à l'autre angle, une figure de la luxure, à l'attitude obscène, lui fait pendant. L'autre chapiteau offre un thème déjà apprécié à Saint-Sernin de Toulouse, même s'il y est traité un peu différemment. C'est celui de l'homme attaqué à la tête par deux reptiles redressés et prenant appui sur leurs queues enroulées [216]. Les différences concernent la nature des animaux : serpent à León, dragons — parfois à deux têtes — à Toulouse, et aussi l'attitude du personnage. À León, l'homme est debout et lève les bras. À Toulouse, il est assis, ses mains s'appuyant sur ses genoux ou saisissant le corps du monstre. 59

Chacun des grands ateliers de sculpture de la fin du XIe siècle présentait dans sa collection de chapiteaux une sélection d'animaux affrontés. Il s'agissait par là de sacrifier à un goût largement partagé et sans doute de pas autre chose le plus souvent, car il est douteux que ces motifs aient pu avoir habituellement une signification quelconque. Si l'on veut néanmoins tirer de ces chapiteaux un enseignement, celui-ci concernera le style dans la mesure où ils sont marqués de l'empreinte personnelle du créateur et portent un témoignage sur le génie du lieu.

C'est le cas au Panthéon des Rois où n'existe qu'un seul chapiteau de ce genre. Des quadrupèdes s'affrontent, dressés dos à dos, leurs têtes rejetées en arrière (n° 5). De leurs gueules sortent des serpents qui s'enroulent ensuite sur leurs corps. La présence des serpents, tout autant que la particularité d'un relief arrondi et dépourvu de tout détail superficiel, et encore la vigueur des têtes en ronde-bosse, témoignent de l'intimité des liens unissant l'auteur avec l'ensemble de l'atelier. 162

162. León, Saint-Isidore, Panthéon des Rois, chapiteau n° 5.

Chapiteaux historiés

AUCUN TYPE DE CRÉATION n'est plus révélateur de la personnalité des premiers artistes romans que leurs représentations historiées, aussi bien en raison du choix de leurs sujets que de la manière dont ils les ont traités. Dans le Panthéon des Rois elles sont relativement peu nombreuses,

163. León, Saint-Isidore, Panthéon des Rois, chapiteau nº 4. Le sacrifice d'Abraham.

▷ 164. León, Saint-Isidore, Panthéon des Rois, chapiteau nº 3. Histoire de Balaam.

un trait que l'on observe d'ailleurs dans tous les autres ateliers contemporains, à l'exception du cloître de Moissac.

Il conviendra de traiter d'abord des deux chapiteaux nºˢ 3 et 4, qui occupent un emplacement privilégié. Engagés dans deux faces de l'un des piliers limitant le carré primitif au nord, ils attiraient nécessairement le regard de toute personne pénétrant dans l'espace funéraire en venant de l'extérieur.

163 Sur le nº 4, le Sacrifice d'Abraham est représenté d'une manière plus compacte qu'à Conques et aussi plus dramatique. Isaac est couché sur l'autel, les mains liées. Son père le saisit par les cheveux, prêt à l'égorger avec l'énorme couteau qu'il tient dans sa main droite levée. Le couteau rappelle que le salut de l'humanité était au prix du sacrifice, du sang versé et de la douleur. La liturgie de la circoncision en maintint le souvenir et le sacrifice du Christ fut lui-même sanglant. Le bélier se trouve à un niveau supérieur, comme le suggère le texte de la Genèse : « Abraham leva les yeux et vit le bélier » (Ex. 22, 13). Cet emplacement offre le mérite supplémentaire de s'accorder avec cet autre détail retenu par la Bible : « [Le bélier] s'était pris les cornes dans un buisson », car la scène est sculptée sur un fond de feuillage. L'ange a été déplacé de la droite vers la gauche, mais il demeure toujours de grande taille pour être en mesure d'arrêter le bras d'Abraham. Viennent ensuite deux personnages barbus comme Abraham, vêtus d'amples manteaux et tenant un livre à la main. Nous proposons sans hésitation de reconnaître des prophètes et, comme ils semblent commenter l'événement, le choix se portera de préférence sur ceux d'entre eux qui ont annoncé la Passion du Christ dont le sacrifice d'Abraham est le symbole. Par ailleurs, comme l'a bien indiqué saint Paul (He. 11, 17-19), l'acte de foi d'Abraham est un triomphe sur la mort puisqu'il a mérité le salut d'Isaac ; ce dernier en échappant à l'immolation figure la résurrection générale : « Par la foi, Abraham, mis à l'épreuve, a offert Isaac, et c'est son fils unique qu'il offrit en sacrifice, lui qui était le dépositaire des promesses, lui à qui il avait été dit : C'est par Isaac que tu auras une postérité portant ton nom. Mais il pensait que Dieu est assez puissant même pour ressusciter les morts ; et c'est pour cela qu'il recouvra son fils, et ce fut un symbole ».

Également sur un fond de feuillage le chapiteau nº 3 illustre l'histoire de Balaam. Un grand ange aux ailes éployées, comparable à celui que Dieu envoya pour sauver Isaac de la mort, et occupant comme lui la moitié de la corbeille, arrête l'ânesse du devin qui avait été mandé par 164 Balaq, roi de Moab, pour maudire Israël. Des inscriptions identifient les personnages : ANGELVS et BALAAM SVPER ASINAM SEDENS.

La personnalité de Balaam a préoccupé les premiers chrétiens. Ils l'ont assimilé aux faux prophètes entraînant les fidèles dans leurs désordres. « Ils ont les yeux pleins d'adultère et insatiables de péché, ils allèchent les âmes mal affermies, ils ont le cœur exercé à l'ambition, enfants maudits ! Après avoir quitté la voie droite, ils se sont égarés en suivant la voie de Balaam, fils de Bosor, qui chérit un salaire d'iniquité, mais qui fut repris de son méfait. Une monture sans voix, avec une voix humaine, arrêta la démence du prophète » (2 P. 2, 14-17). Cette allusion à l'ânesse résume un long développement des Nombres (22, 28-33) où l'animal se montre l'auxiliaire de l'ange. Le symbolisme de Balaam est encore développé dans l'épître de saint Jude. Le faux prophète a donné l'exemple de l'orgueil et de la débauche. Ceux qui ont suivi cette voie seront confondus au jour du Jugement : « Malheur à eux, car c'est dans la voie de Caïn qu'ils sont allés, c'est dans l'égarement de Balaam qu'ils se sont jetés » (Jud., 11). L'Apocalypse reprend la tradition hostile à Balaam qui courait chez les Israélites. Contraint par Dieu, il n'avait pu prophétiser que des bénédictions en face de Balaq, roi de Moab, mais il n'en aurait pas moins tenté de perdre les Israélites par traîtrise et en les attirant à l'idolâtrie grâce au charme des filles de Moab (Ap. 2, 14).

Debout près de l'ange du Seigneur un personnage barbu est identifié avec Moïse par sa baguette et surtout par les deux tablettes qu'il tient. Ce sont les tables de la Loi, comme l'indique l'inscription : TABVLÆ MOISI. Moïse symbolise l'ancienne Alliance. Ceux qui ont alors obéi à la Loi et ont écouté les prophètes ont été sauvés. Ceux qui se sont détournés des commandements de Dieu et qui, comme Balaam, dans leur égarement et leur délire ont souillé la chair et méprisé l'autorité divine, se sont perdus : « Nuées sans eau que les vents emportent, arbres de fin de saison, sans fruits, deux fois morts, déracinés. Houle sauvage de la mer, écumant sa propre honte, astres errants auxquels les ténèbres épaisses sont gardées pour l'éternité » (Jud., 12-13).

Mais déjà pointe l'annonce du salut par le Christ. C'est l'interprétation que nous proposons pour le groupe énigmatique des deux personnages représentés tout à fait à gauche du chapiteau. Un jeune garçon est assis à califourchon sur le dos d'un homme déjà âgé. Il s'agirait d'un exemple de l'iconographie audacieuse — une des célébrités des vitraux de Chartres, mais utilisée bien antérieurement — où les évangélistes prennent appui sur les prophètes pour voir plus haut et plus loin [217].

Les temps sont accomplis sur les deux chapiteaux qui ornent la porte qui primitivement mettait en communication le Panthéon des Rois et l'église de Ferdinand et de Sancha. Elle fut murée lorsque, par suite de la reconstruction et de l'agrandissement de cette église, l'axe de la nef fut déplacé vers le sud, ce qui nécessita le percement d'une autre porte. Le thème des deux chapiteaux placés de chaque côté du passage primitif est le triomphe du Christ sur la maladie (n° 16) et sur la mort (n° 15).

On a choisi la plus hideuse des maladies, la lèpre, celle qui dans l'esprit des contemporains du Christ s'identifiait avec la mort de l'âme

165 (n° 16). Alors que Jésus traversait la Galilée, prêchant dans les synagogues et chassant les démons, « un lépreux vient à lui et tombant à genoux lui fait cette prière : ‘ Si tu le veux, tu peux me guérir ’. Ému de compassion, Jésus étendit la main, le toucha en lui disant : ‘ Je le veux, sois guéri ’. Aussitôt la lèpre le quitta et il fut guéri » (Mc. 1, 40-42). L'image est en tout point conforme au récit évangélique. Le lépreux,

pour lors agenouillé, s'était précipité vers le maître en courant. À preuve son manteau qui flotte encore au vent. Sa hâte était l'indice d'une foi profonde. Jésus a toujours exigé, avant toute intervention surnaturelle, la foi de celui qui devait être l'objet de son action. Par ailleurs, il n'opérait la guérison des corps que parce qu'il envisageait celle de l'âme. Qu'on se souvienne de la parabole du paralytique (Mt. 9, 2-8). Accompagné de Pierre et d'un autre apôtre, il touche la tête du lépreux. Sur le fond du chapiteau, un texte emprunté à l'évangile identifie la scène : VBI [IHESVS] TETIGIT LEPROSVS ET DIS[I]T [*sic*] VOLO : MVNDARE.

Le pouvoir de guérir les corps et les âmes est le propre de Jésus, qui est aussi le maître de la mort. À ce sujet, la résurrection de Lazare,
166 représentée sur le chapiteau voisin, en est le meilleur témoignage. Déjà, sur l'ordre du Christ, un personnage a enlevé la pierre qui recouvrait un sarcophage décoré d'arcatures romanes. Marthe est debout, prisonnière des apparences : « Seigneur, il sent déjà, c'est le quatrième jour ». Jésus pointe son index en direction du tombeau et ce geste est parole, c'est un ordre : « Lazare, viens ici, dehors ! ». Le mort commence à se dresser. Derrière le Christ se succèdent un apôtre, peut-être saint Jean, le seul des évangélistes a avoir mentionné le miracle, et Marie dont la douleur avait ému Jésus, mais qui en ce moment est à l'écart. Rien de l'émotion passée ne transparaît plus. Dans cette scène dramatique, le plus remarquable est sans doute l'impassibilité apparente des acteurs.

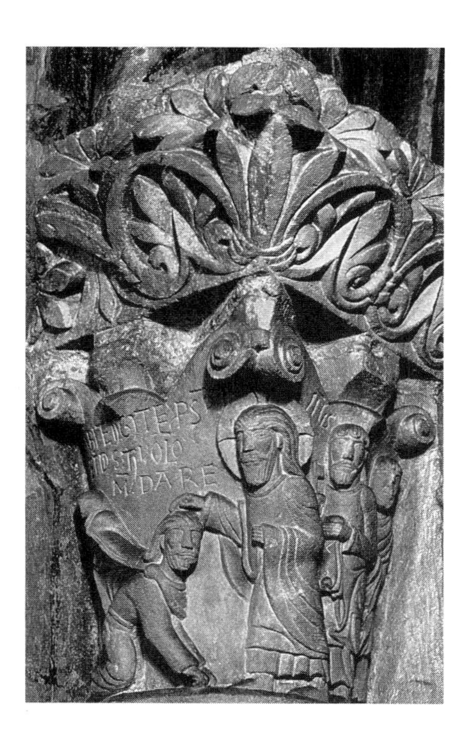

165. León,
Saint-Isidore,
Panthéon des Rois,
chapiteau n° 16.
Guérison du lépreux.

▷ 166. León,
Saint-Isidore,
Panthéon des Rois,
chapiteau n° 15.
Résurrection de Lazare.

Peu importent les réactions humaines, les gestes et les paroles d'hommes en cet instant solennel. Les personnages ne comptent que pour autant qu'ils renvoient à la parole essentielle, à la révélation suprême dont l'événement est l'occasion et qui engage le ciel et la terre : « C'est moi la résurrection, dit Jésus. Qui croit en moi, fût-il mort, vivra ; et quiconque vit et croit en moi ne mourra jamais » (Jn. 11, 25-26). Au-delà de la mort physique, Jésus vise aussi la mort spirituelle. La résurrection de Lazare est le signe de la victoire totale sur toutes les forces de destruction du corps et de l'âme. Quiconque est passé, grâce à la foi, de la mort à la vie et a persévéré dans la foi a triomphé de la mort pour toujours et vivra éternellement.

Aurait-on pu imaginer que l'on puisse en un si petit nombre d'images nourrir une méditation sur la destinée de l'homme ? Existe-t-il une iconographie mieux adaptée à une chapelle funéraire, comme le Panthéon des Rois, que ces thèmes de lutte contre le péché, de combat contre le mal, de victoire de la vie ? L'art de la sculpture relaie la liturgie des défunts qui rappelle la promesse aux patriarches, proclame la foi dans le Christ, exprime un sentiment de l'âme où se mêlent la crainte, à cause du péché, et l'espérance, en raison de la résurrection du fils de Dieu, lance l'appel au pardon et chante le passage à l'éternité.

Deux styles ont été utilisés pour exprimer ce raccourci de l'histoire spirituelle de l'humanité. Pour la période ayant précédé la venue du Christ les fonds sont entièrement couverts de feuillages. Les personnages sont trapus. « Quelles que soient les différences du relief, le modelé est dur et presque toujours aussi simple que celui des chapiteaux ornés seulement de figures : les plis des vêtements sont peu nombreux, indiqués soit par un trait, soit par un léger relief d'un plan sur l'autre, selon la technique des plis repassés [...]. Les visages, barbus ou non, se ressemblent tous. Ils sont allongés avec le menton pointu. Les traits sont élémentaires [...]. Toutes les chevelures forment un casque qui descend très bas près de l'arcade sourcilière, couvrant entièrement le front : c'est là un caractère que nous retrouverons souvent à León » [218].

Le passage de l'Ancien au Nouveau Testament s'effectue à travers l'arrivée d'une sculpture moins « primitive ». Désormais les personnages se détachent sur un fond nu qui est aussi utilisé parfois pour recevoir des inscriptions gravées. « La corbeille s'est allongée en hauteur et les figures, qui ne sont plus gênées par le feuillage, ont grandi et pris des proportions plus vraies. Le sculpteur, plus habile et plus préoccupé du naturel, a su mieux dessiner leurs membres et construire les attitudes. Mais leur relief et leur modelé restent les mêmes [...]. Seulement ce modelé commence à perdre sa dureté et devient expressif [...]. La composition de ces chapiteaux est encore plus remarquable : il ne s'agit plus ici, comme dans les chapiteaux ornés simplement de figures, de retrouver avec les formes humaines ou animales les lignes architecturales de la corbeille, mais seulement de grouper harmonieusement, sur un champ donné de forme tronc-conique, des scènes expressives et d'utiliser pour le mieux les surfaces libres » [219]. On pourrait établir des comparaisons très suggestives avec les sculptures des chapiteaux du cloître de Moissac en ce qui concerne les procédés de composition et d'exécution. On observerait le parallélisme des démarches.

La référence à Moissac, mais aussi à Saint-Sernin de Toulouse, se poursuivra en ce qui concerne l'environnement décoratif proposé par les tailloirs. Au Panthéon des Rois il s'agit presque exclusivement de rinceaux de demi-palmettes en méplat ou d'alignements de palmettes encadrées par des as de cœur. Les deux motifs viennent des corbeilles. C'est notamment le cas pour les rinceaux à demi-palmettes décorant le tailloir du chapiteau n° 32. Quant aux palmettes, elles s'alignent avec leur cœur triangulaire saillant, parfois accompagnées d'une bordure de marguerites de même valeur plastique, émigrées comme elles des corbeilles où elles soulignent le tracé des volutes. Ainsi, que l'on aille en cette fin du XIe siècle de Moissac à Toulouse et de Toulouse à León, on retrouve partout un style identique et parfaitement maîtrisé.

152

154, 155, 157, 165, 166

6. Le tombeau d'Alfonso Ansúrez à Sahagún

LE DÉCOR du sarcophage de Lazare sur le chapiteau du Panthéon des Rois à Saint-Isidore de León consacré à sa résurrection autorise à penser que le style roman, en cette fin du XIe siècle, n'« informait » pas seulement un grand nombre de chapiteaux d'églises et de cloîtres, ainsi que quelques portails, mais aussi une sculpture funéraire. Cette dernière catégorie d'œuvres a cependant entièrement disparu en dehors du couvercle d'un tombeau en marbre blanc provenant de Sahagún et conservé aujourd'hui au Museo Arqueológico Nacional de Madrid [220].

Sahagún était une étape importante du *Camino francés*. Dans cette ville arrosée par le Cea « régnait la prospérité » [221]. C'était aussi une puissante abbaye, fondée en 904, et qui avait conservé la faveur des souverains successifs [222]. Hugues le Grand tenta de la faire entrer dans l'empire clunisien en envoyant comme abbé en 1079, et bien que l'emploi ne fût pas vacant, un de ses moines, Robert. Il avait l'appui de l'autorité royale, mais il se heurta à la résistance d'une partie de la communauté monastique. Un accord finit par se réaliser en 1083, grâce à l'intervention du pape, sur la personne d'un autre clunisien, Bernard de Sédirac, issu d'une famille noble de la région d'Agen, et moine de Saint-Orens d'Auch. Cette forte personnalité, qui jouit de la confiance d'Alphonse VI, devint peu après archevêque de Tolède et dirigea dans le domaine religieux la politique d'ouverture à l'Occident voulue par le roi [223].

Le profond attachement qu'Alphonse VI portait à Sahagún explique qu'à sa mort, survenue en 1109, il désigna l'église abbatiale comme lieu de sa sépulture. Auparavant y avaient été enterrées quatre de ses épouses successives — Inès, fille du duc Guillaume d'Aquitaine († 1078), Constance, petite-fille du roi de France Robert le Pieux, fille de Robert le Vieux, duc capétien de Bourgogne et veuve du comte de Chalon († 1093), Berthe († 1100), Isabelle († 1101) — ainsi qu'une de ses concubines, la mauresque Zaïda († 1099 ?), fille du roi musulman de Séville et le fils qu'il avait eu d'elle, Sanche (mort prématurément à la bataille d'Uclés, 1108) [224]. Tous ces tombeaux ont malheureusement disparu lors de la destruction à peu près totale du monastère au XIXe siècle, et on ne peut avancer à leur propos que des conjectures [225].

La présence de ces tombes royales décida certains nobles à choisir eux aussi l'abbatiale comme dernière demeure. Ce fut notamment le cas d'Alfonso Ansúrez, le fils du comte Pedro Ansúrez, sénéchal et conseiller écouté d'Alphonse VI, qui se trouva mêlé, de même que plusieurs autres membres de sa famille, à l'histoire de Sahagún et à la politique d'hégémonie menée par Cluny en Castille [226]. Alfonso Ansúrez mourut en 1093,

l'indique (en utilisant l'ère d'Espagne) une inscription gravée sur une plate-bande ménagée sur l'arête supérieure du couvercle de son sarcophage [227]. † IN ERA MCXXXI VI IDVS DECEMBRIS OBIIT AN[FOS PETRI ANSUREZ COMITIS] ET EILONIS COMITISSE CARVS FILIVS †

167. Madrid, Museo Arqueológico Nacional, tombeau d'Alfonso Ansúrez, face antérieure *(Photo Arxiu Mas).*

▽ 168. Madrid, Museo Arqueológico Nacional, tombeau d'Alfonso Ansúrez, face arrière *(Photo Arxiu Mas).*

Le couvercle, qui est donc tout ce qui reste du tombeau, appartient par sa forme à un modèle connu en Espagne depuis l'époque paléochrétienne et dont le prototype fut peut-être le sarcophage d'Ithacius à Oviedo, qui est de la seconde moitié du Ve siècle [228]. Il offre deux grands versants peu inclinés qui s'appuient au sommet non sur une arête vive, comme il arrive fréquemment, mais sur la plate-bande servant de support à l'épitaphe. Ces versants ont reçu une iconographie rare, dont l'interprétation eût pu se révéler laborieuse, et peut-être même hasardeuse, si l'artiste n'avait pris soin de nous éclairer sur ses intentions à travers plusieurs inscriptions.

167, 168

Tout commence à gauche de la face principale par une série d'arcs de cercles concentriques semés d'étoiles : bien évidemment l'image du ciel d'où surgit la main de Dieu identifiée par une légende comme étant celle du Christ : DEXTRA XPISTI BENEDECIT ANFVSVM DEFVNCTVM. Elle est dirigée vers le mourant qui accomplit un dernier mouvement dans sa direction, soulevé par la grâce qui en émane. Sa tête tournée vers le spectateur, en raison d'une convention de l'archaïsme, a les yeux grands ouverts. Le sculpteur a représenté Alfonso Ansúrez au moment précis où il quitte la vie terrestre et jouit du face à face avec son Sauveur

169. Madrid,
Museo Arqueológico Nacional,
tombeau d'Alfonso Ansúrez,
détail de la face antérieure
(Photo Arxiu Mas).

qui le prend sous sa protection. Ses mains sont étendues dans l'élan de la prière pour exprimer la direction de son âme. La source de cette attitude doit être cherchée dans l'enluminure et plus spécialement, comme le suggère Serafín Moralejo, dans une illustration du verset 6 du psaume 3, que saint Augustin applique au Christ mort et ressuscité : *Ego dormivi, et soporatus sum : et exsurrexi, quia Dominus suscepit me* [229].

169

Vient ensuite un aigle tenant un livre dans ses griffes. Bien qu'il ne soit pas nimbé, sa légende le désigne comme le symbole de l'évangéliste Jean : SANCTVS IOHANNES. Il regarde vers la droite, en direction d'un ange en train de voler, les ailes largement éployées et la moitié inférieure du corps allongée. Il s'agit de l'archange Michel : MICHAEL ARCHANGELVS, qui brandit une croix, le signe du salut, de la victoire du messie sur la mort. Il est suivi, tout à fait à droite, par l'archange Gabriel : GABRIEL ANGELVS, que l'étroitesse du cadre oblige à se replier sur lui-même.

La composition se poursuit sur la face arrière — où les arcs de cercles étoilés se prolongent pour signifier l'unité de lieu — avec quatre figures ailées symétriques deux à deux. Toutes les quatre portent un livre d'une main et pointent l'index de l'autre main en direction d'un calice représenté au centre de la composition. Il s'agit du troisième archange : RAPHAEL ANGELVS, puis des trois derniers évangélistes : MARCVS ET LVCAS EVANGELISTE ; MATHEVS EVANGELISTA.

La représentation d'un évangéliste par son ange est relativement fréquente dans la Péninsule ibérique aux époques préromane et romane. On la trouve dans le décor des manuscrits, dans la peinture murale et même en sculpture, l'ange étant le plus souvent accompagné par le symbole de l'évangéliste [230]. Il le porte sur ses épaules dans les extraordinaires figures qui ornent la célèbre Bible de la cathédrale de León (cod. 6275), commandée en 920 par l'abbé Maur du monastère Sainte-Marie-Saint-Martin — situé quelque part sur le territoire léonais —, exécutée par le diacre Jean sous la direction du moine Vimara [231]. Il peut aussi tenir le buste ou la tête du symbole dans ses bras, dans un linge ou dans un disque, par exemple sur les fresques romanes de Sant

Climent de Taull, de Saint-Martin de Fenollar et de Sant Miquel d'Engolasters, et encore sur le portail sculpté de Santo Domingo de Soria et sur les supports du sarcophage de l'évêque saint Raymond de Durban († 1126) dans la cathédrale de Roda de Isábena. Il peut arriver que dans ce contexte un ange tenant le livre suffise, comme ici, à identifier saint Matthieu (Sant Climent de Taull) et que l'aigle de saint Jean, sans doute parce qu'il est lui-même pourvu d'ailes, n'ait pas besoin de la présence de l'ange (Sant Miquel d'Engolasters).

Si l'on veut rendre compte de l'ensemble de l'iconographie de cette sculpture funéraire, on est d'abord tenté de suivre la piste que paraissent ouvrir les anges et les archanges représentés en nombre. On songe ainsi au récit que la Chanson de Roland donne de la mort de son héros (laisses CLXXV-CLXXVI). Les anges avec deux archanges nommément désignés, Michel et Gabriel, descendent du ciel pour recueillir son âme et la conduire au paradis : « Roland s'est couché sur un tertre escarpé, le visage tourné vers l'Espagne [...]. Les anges descendent à lui [...]. Il a offert à Dieu son gant droit : saint Gabriel l'a pris de sa main [...]. Dieu lui envoie son ange Chérubin et saint Michel du péril ; avec eux y vint saint Gabriel. Ils portent l'âme du comte en paradis ». La noblesse d'Alfonso Ansúrez aurait pu lui valoir, à l'instar de celle de Roland, une attention particulière au moment de son décès. Il s'agirait d'un cas privilégié de l'accueil du défunt par les anges décrit par la liturgie et notamment par l'antienne *In paradisum* chantée lorsqu'on conduit le mort à sa sépulture : « Que les anges te conduisent en paradis [...]. Que les anges, en chœur, te reçoivent et que tu jouisses du repos éternel ». La mission de recevoir l'âme du défunt pour la conduire dans le sein d'Abraham revenait plus spécialement à l'archange Michel précisément représenté non loin d'Alfonso Ansúrez.

En fait, une réflexion plus poussée montre que la voie ainsi tracée est une fausse piste. Les quatre anges voisins des trois archanges ne sont pas des anges ordinaires, mais les anges des évangélistes. La signification de l'ensemble de ces figures ailées ne s'établit donc pas en fonction du défunt mais du Christ présent à travers la main divine. Entre elles et avec le Christ ces figures forment une théophanie équivalente à celle qu'offre le Christ glorieux trônant entre les symboles des évangélistes et des représentants des puissances célestes dans des scènes de majesté. Ce qu'aperçoit Alfonso Ansúrez au moment de mourir, c'est donc le ciel qui s'ouvre.

L'exactitude de cette lecture est confirmée par l'existence du calice au centre du versant arrière du couvercle. Il s'agit de la coupe de bénédiction représentant la communion au sang du Christ (I Co. 10, 16), gage de la vie éternelle, suivant le témoignage de Jésus : « En vérité, en vérité, je vous le dis, si vous ne mangez la chair du Fils de l'homme, si vous ne buvez son sang, vous n'aurez pas la vie en vous. Qui mange ma chair et boit mon sang a la vie éternelle et je le ressusciterai au dernier jour » (Jn. 6, 53-54). Cependant, le calice encadré par les hôtes des cieux est aussi l'évocation de la liturgie céleste, que celle de l'Église de la terre reproduit. Il évoque l'autel dont parle l'Apocalypse, sous lequel se trouvent « les âmes de ceux qui furent égorgés pour la Parole de Dieu et le témoignage qu'ils avaient en eux » (Ap. 6, 9).

La tâche confiée à l'artiste était particulièrement délicate puisqu'il lui fallait, à travers l'image, clore une vie terrestre et ouvrir l'éternité à l'âme du défunt. Le sculpteur n'a pas su correctement relever le défi.

Il s'est contenté d'aligner les diverses figures les unes à la suite des autres sur le versant principal du couvercle et à les disposer suivant le principe d'une absolue symétrie sur le versant arrière. Il n'a même pas cherché à établir des hiérarchies ou, lorsque celles-ci existent, elles sont à l'opposé de ce qu'on attendait, puisque le défunt possède au point de vue de la taille la prééminence sur n'importe laquelle des figures sacrées. La raison en est simple : l'auteur s'est borné à remplir le cadre proposé par le couvercle qui est de forme trapézoïdale. Aussi les figures se coulent-elles dans un moule de plus en plus étroit au fur et à mesure que l'on va de la gauche vers la droite. C'est pourquoi le procès que l'on est tenté de faire au sculpteur est-il d'abord celui du cadre choisi, bien peu favorable a priori à la réalisation de l'ambitieux programme iconographique projeté.

Une réalisation de cet ordre n'ayant jamais été tentée jusque-là dans la Péninsule ibérique, c'est à l'extérieur de ses frontières qu'il convient de rechercher ses sources d'inspiration. Serafín Moralejo [232] a songé au couvercle du sarcophage de Bernward, qui fut évêque de Hildesheim de 993 à 1022. Il joua un rôle politique et diplomatique important d'abord à la cour de l'impératrice Theophano, puis à celle de son fils Otton III, dont il avait été le précepteur. Après sa mort, il fut vénéré comme un saint.

Des bustes d'anges accompagnés de flammèches, qui se rapportent peut-être aux langues de feu brûlant devant l'Anonyme de l'Apocalypse (Ap. 4, 4), occupent la totalité des versants (cinq sur l'un, quatre sur l'autre) et accompagnent l'Agneau de Dieu et la croix visibles sur les petits côtés. C'était une croyance ayant pris place dans l'imaginaire chrétien que Dieu avait créé, antérieurement à la Genèse, dix ordres d'anges pour son service. L'un d'eux ayant été entraîné par Lucifer dans sa chute, Dieu créa l'homme pour le remplacer [233].

Des différences assez grandes existent entre Hildesheim et Sahagún. Elles s'établissent d'abord au plan de la composition et de la signification. Le couvercle du sarcophage de Bernward a une iconographie plus harmonieusement et plus habilement disposée. Elle ne se rapporte plus à l'idée du face à face avec Dieu au moment de la mort, mais exprime l'espoir de la résurrection à travers une longue inscription empruntée au Livre de Job (19, 25-27), qui encadre les théories d'anges [234] :

SCIO ENIM QVOD REDEMPTOR MEVS VIVIT
ET IN NOVISSIMO DIE DE TERRA SVRRECTVRVS SVM
ET RVRSVM CIRCVMDABOR PELLE MEA
ET IN CARNE MEA VIDEBO DEVM SALVATOREM MEVM
QVEM VISVRVS SVM EGO IPSE
ET OCVLI MEI CONSPECTVRI SVNT ET NON ALIVS
REPOSITA EST HEC SPES MEA IN SINV MEO

Car je sais que mon Rédempteur est vivant
et que le dernier jour je me lèverai de la terre.
Et je revêtirai à nouveau ma peau
et dans ma chair je verrai Dieu mon Sauveur.
Moi-même je le verrai
et mes yeux le regarderont et non un autre.
Cet espoir, mon espoir, repose en mon sein.

Cependant, beaucoup plus sérieux que les problèmes de composition et d'iconographie, se révèle celui de la chronologie, qui s'oppose formellement à l'hypothèse visant à faire du couvercle de Hildesheim un antécédent possible de celui de Sahagún. On prenait appui sur la date de la mort de Bernward pour fixer son exécution dans la première moitié du XIe siècle, mais on oubliait que l'évêque n'avait pas été un mortel ordinaire mais un saint. Il fut donc l'objet d'un culte et son tombeau reçut des transformations à plusieurs reprises. Le couvercle actuel pourrait correspondre à celle qui suivit l'érection d'un autel sur la tombe en 1150, car son style convient parfaitement à cette époque [235].

Il semble donc nécessaire de tourner nos regards dans une autre direction que celle de la lointaine Germanie et nous proposons tout bonnement de revenir au milieu hispano-languedocien pour prendre en compte des expériences en cours, à la fin du XIe siècle, dans le décor du mobilier de marbre.

Nous songeons naturellement aux tables d'autel de Saint-Sernin de Toulouse et de Saint-Alain de Lavaur dont les tranches, encore plus étroites que les versants du couvercle de sarcophage de Sahagún, n'en ont pas moins paru dignes de donner à voir le ciel de Dieu avec ses hôtes.

La manière la plus simple d'installer des figures à l'intérieur d'espaces aussi réduits était de les représenter en buste, comme on l'avait déjà fait auparavant sur des tailloirs de Sainte-Foy de Conques et de Saint-Sernin justement. Ainsi procéda-t-on sur les faces septentrionale et méridionale de la table d'autel de Bernard Gilduin. Cependant, étant donné que les anges et les archanges sont pourvus d'ailes, on eut l'idée, dans les trois cas, de les saisir dans leur vol, en leur réservant la totalité de l'espace disponible là où ils se trouvaient. Cet espace ayant cependant été insuffisant pour permettre de leur donner un développement normal, les sculpteurs furent contraints de faire subir à leur corps des contractions, des déformations ou de brutales ruptures d'axe, toutes solutions comparables, car ayant les mêmes causes, mais variant en fonction de l'idéal esthétique des divers artistes, selon que ceux-ci se satisfaisaient du pur méplat, comme à Lavaur, ou qu'ils se montraient au contraire soucieux d'affirmer le volume des corps, comme à Sahagún, à Toulouse et à Moissac.

170, 62
116, 117

170. Madrid,
Museo Arqueológico Nacional,
tombeau d'Alfonso Ansúrez,
détail de la face antérieure
(Photo Arxiu Mas).

Par comparaison avec ses confrères languedociens contemporains le sculpteur de Sahagún offre des traits particuliers que l'on peut qualifier d'ibériques, car ils trouvent leurs correspondances les plus exactes dans d'autres endroits de la Péninsule. Manuel Gómez Moreno a suggéré des rapprochements avec le portail du Pardon à Saint-Isidore de León [236], que je considère comme valables, tout en sachant bien qu'une vingtaine d'années sépare le portail du sarcophage. Autrement dit, on vit naître à Sahagún, à l'extrême fin du XIe siècle, dans le cadre des relations entre Toulouse et Moissac, un style très vigoureux et même un peu rude, qui alla en se développant par la suite en Espagne. Sur le monument funéraire, il en est encore au stade archaïque, marqué par une composition d'une simplicité un peu élémentaire, par la surcharge des éléments et par une technique du relief qui, ignorant le modelé, superpose brutalement les figures aux fonds. Serafín Moralejo, quant à lui, a cherché des correspondances du côté des corbeaux décorant l'abside de Saint-Martin de Frómista [237]. Celles-ci me paraissent moins évidentes, sans doute parce que je ne reconnais pas à ce monument l'ancienneté qu'il lui attribue lui-même. Ainsi le vois-je d'un œil différent.

Pour terminer, nous dirons que le tombeau d'Alfonso Ansúrez n'eut pas de suite dans la sculpture funéraire, pas plus que les tables d'autel de Toulouse et de Lavaur n'en eurent dans le mobilier liturgique. Ces monuments avaient fourni la preuve que la grande sculpture historiée, à laquelle on aspirait ardemment à la fin du XIe siècle, nécessitait pour s'épanouir des cadres infiniment plus vastes que ceux offerts par les monuments du mobilier de marbre. Le besoin d'images, et surtout d'images sorties de l'imagination de visionnaires, allait pour se satisfaire favoriser l'émergence, dès le début du siècle suivant, du grand portail à programme.

Rappelons que l'abbatiale romane de Sahagún a été détruite. À peine peut-on faire état à son sujet d'un fragment de chapiteau conservé, comme la pierre tombale d'Alfonso Ansúrez, au Museo Arqueológico Nacional [238]. Sur une face un ange assis étend la main gauche et sur une autre face un quadrupède ailé à tête de femme paraît livrer les tresses de sa chevelure au vent. Dans chaque cas la figure se détache sur un fond de rameaux stylisés. Le style, d'une grande délicatesse, révèle la présence à Sahagún, aux environs de 1110, d'un sculpteur antiquisant probablement formé à León.

171

172

171-172. Madrid, Museo Arqueológico Nacional, fragment de chapiteau provenant de Sahagún *(Gracieuseté du musée)*.

7. Saint-Jacques de Compostelle avant l'épiscopat de Diego Gelmírez

RARES SONT LES ÉDIFICES romans dont l'histoire puisse être suivie à travers des documents. La cathédrale de Compostelle est de ceux-là. Des sources concordantes permettent d'y distinguer trois campagnes de travaux séparées par des interruptions de plus ou moins longue durée. La première se situe dans le dernier quart du XIe siècle, la deuxième correspond au premier quart du siècle suivant, la troisième s'identifie avec l'activité de maître Mathieu, qui acheva le monument dans le dernier quart du XIIe siècle. Les deux premières campagnes avaient leur place tout indiquée dans cet ouvrage et elles y ont été introduites avec d'autant plus d'aisance qu'elles en épousent exactement la structure.

Les textes

DEUX SOURCES fixent les débuts de la construction de Saint-Jacques de Compostelle en 1078 [239] : l'*Historia Compostelana* [240], un texte destiné à perpétuer la mémoire de Diego Gelmírez, le grand prélat de la première moitié du XIIe siècle (1100-1140), qui conféra à l'Église de Compostelle et au pèlerinage au tombeau de saint Jacques un prestige rayonnant sur l'Europe entière, et le *Liber Sancti Jacobi,* encore appelé *Codex Calixtinus* [241], parce qu'on l'attribuait, au moins partiellement, au pape Calixte II. Il s'agit, comme nous l'avons vu, d'un recueil d'œuvres ayant pour but d'exalter le souvenir de l'apôtre saint Jacques le Majeur et de promouvoir son culte. Le *Guide du pèlerin de Saint-Jacques de Compostelle* [242], qui en constitue le livre V, indique que « l'église fut commencée en l'an 1116 de l'ère [d'Espagne] » [243], autrement dit 1078 de notre ère. L'*Historia Compostelana,* encore plus explicite, confirme l'année et précise le jour : le 5 des Ides de juillet (11 juillet 1078) : *Est autem Beati Jacobi specialis et præclara nova Ecclesia incœpta Era I.C.XVI.V Idus Julii (an. 1078)* [244].

En fait, la décision de reconstruire l'église était prise au moins dès l'année précédente et le plan du nouvel édifice déjà établi à cette date. C'est ce que laisse entendre un accord conclu le 17 août 1077 [245], à l'instigation du roi Alphonse VI, entre l'évêque d'Iria-Compostelle Diego Peláez et l'abbé du monastère de San Pelayo de Antealtares (devant les autels), ainsi appelé parce qu'il était établi au chevet même de l'église antérieure, celle qu'avaient construite Alphonse III et l'évêque Sisnandus et dont la consécration avait eu lieu en 899. Après une destruction partielle lors de la razzia du chef cordouan Al Mansour en 997, elle avait été immédiatement restaurée par le roi Bermude II et l'évêque Pedro Mezonzo.

L'accord réglait de délicats problèmes posés par la reconstruction projetée de l'église Saint-Jacques. Dans cette église l'exercice du culte était assuré par la communauté monastique de San Pelayo qui percevait de ce fait la moitié de tous les droits ecclésiastiques et séculiers de l'autel de l'apôtre. Elle consentit à en céder les deux tiers à l'évêque d'une manière provisoire, pendant la durée des travaux, afin de permettre le financement de la nouvelle église. En outre, comme l'agrandissement du chevet allait s'opérer au détriment du terrain monastique et qu'il provoquerait notamment la disparition des trois autels de l'abbatiale, il fut convenu que ceux-ci seraient relevés dans la nouvelle église Saint-Jacques, sous les vocables du Sauveur, de saint Pierre et de saint Jean l'Évangéliste, dans un espace qui serait la propriété des moines.

Il était prévisible qu'une situation aussi compliquée et aussi ambiguë avait peu de chance de durer. Dès 1095, une bulle d'Urbain II modifiant l'organisation ecclésiastique du diocèse, avec le transfert officiel du siège épiscopal de la petite ville galicienne d'Iria, depuis longtemps déchue, à Compostelle où l'évêque avait pris l'habitude de résider, rendit l'accord caduc. Il en résulta un conflit entre la cathédrale et le monastère qui dura pendant une bonne partie du XIIe siècle.

On retiendra surtout ici que les trois autels du Sauveur, de saint Pierre et de saint Jean, qui ont toujours existé dans les trois chapelles rayonnantes les plus orientales du déambulatoire, étaient projetés à cet endroit dès 1077. Autrement dit, ce déambulatoire était déjà prévu à son emplacement actuel. Le plan du nouveau chevet était sans doute dessiné et on peut présumer qu'il servit de base aux négociateurs pour la réalisation de l'accord.

Le *Guide du pèlerin* fournit de précieuses indications sur l'organisation du chantier de la nouvelle église : « Les maîtres lapicides qui entreprirent la construction de la basilique du bienheureux Jacques s'appelaient Bernard le Vieux — c'était un maître génial *(mirabilis magister)* — et Robert avec l'aide d'autres lapicides au nombre de cinquante environ qui travaillaient sous la direction de don Segeredo, vicaire et maître du chapitre, et de l'abbé Gundesindo, sous le règne d'Alphonse, roi d'Espagne et de Diego Ier, vaillant chevalier et homme généreux » [246].

Ces renseignements concernent donc à la fois le personnel technique et les responsables politiques et administratifs. En premier lieu vient l'architecte Bernard, surnommé « le vieux » pour le distinguer de Bernard Gutiérrez qui plus tard, sous le pontificat de Diego Gelmírez, prit à son tour une part active aux travaux de la basilique avec la charge de trésorier [247]. Il construisit notamment la fontaine monumentale érigée devant le portail septentrional du transept, ou Porte de France, et inaugurée le 11 avril 1122 [248].

Bernard « le vieux » introduisit donc en Espagne, vers 1077, un plan d'église romane adapté aux besoins d'un sanctuaire de pèlerinage, qui avait été mis au point en France et dont un exemplaire conçu d'une manière presque identique sortait justement de terre à Toulouse. Si ce Bernard n'était pas Français d'origine, il avait dû au moins effectuer un voyage outre-Pyrénées pour y faire ou y parfaire son apprentissage. En

1078, il était à la tête d'une cinquantaine de lapicides, ce qui signifie que, pour l'église de Galice, on avait abandonné l'ancienne et médiocre technique de la maçonnerie grossière — désignée par des expressions comme *ex petra et luto opere parvo* ou encore *de luto et latere* [249] — pour la construction en pierre de taille. Sans nul doute l'introduction de la sculpture monumentale à Compostelle passa par ce changement de matériau. Les lapicides fournirent les premiers sculpteurs.

Aux côtés de Bernard, qui exerçait pleinement les fonctions d'architecte, Robert devait jouer le rôle d'un conducteur de travaux. Segeredo et Gundesindo, les « administratifs », exercèrent leurs fonctions jusque bien avant dans le XIIe siècle : le premier mourut un peu avant 1107 et le second vers 1112 en laissant la moitié de ses biens immobiliers à l'œuvre.

L'initiative dans la décision et la responsabilité du financement appartenaient à l'évêque Diego Peláez et au roi Alphonse VI. Le sort du chantier dépendait de leur accord. Malheureusement, entre eux les rapports ne tardèrent pas à se dégrader. Diego Peláez fut accusé de favoriser le séparatisme galicien et d'intriguer avec le roi normand d'Angleterre.

Vraies ou fausses, ces accusations justifièrent sa déposition et son emprisonnement en 1088. Le pape considéra la mesure comme anticanonique et refusa de reconnaître le successeur désigné Pierre de Cardona. Celui-ci s'étant retiré dès 1090, il en résulta une vacance du siège épiscopal pendant trois années. Durant cet interrègne le diocèse tomba d'abord entre les mains de gestionnaires peu scrupuleux, avant qu'il ne fût fait appel à ce titre, en 1093, à Diego Gelmírez, secrétaire du comte de Galice Raymond de Bourgogne, gendre d'Alphonse VI. L'année suivante on procéda à l'élection épiscopale de Dalmace, ancien visiteur de Cluny en Espagne. Celui-ci bénéficiait de la faveur d'Urbain II qui lui accorda le transfert du siège d'Iria à Compostelle et le privilège de l'exemption en 1095. Sa mort, quelques jours après l'obtention de la bulle pontificale, devait ouvrir pour l'Église compostellane une seconde période d'incertitude. À nouveau, Diego Gelmírez fut chargé de l'administration du diocèse en attendant le règlement définitif du sort de Diego Peláez qui se considérait toujours en droit comme évêque de Compostelle et qui tenta de se réinstaller sur le siège épiscopal. Les qualités exceptionnelles dont faisait preuve Diego Gelmírez le désignèrent comme l'homme de la situation. Alphonse VI et Raymond de Bourgogne s'accordèrent pour obtenir sa nomination comme évêque en 1100. Déjà auparavant, il avait fait le voyage de Rome et obtenu que le pape ratifiât la déposition de Diego Peláez [250].

Il était indispensable d'étudier les conditions de la vie politique entre 1078 et 1100 pour être en mesure d'interpréter correctement l'histoire de la construction, car elles agirent d'une manière déterminante sur son développement dans cette période troublée. À un démarrage rapide succéda, dès 1088, un arrêt brutal provoqué par la destitution de l'évêque Diego Peláez. Cependant, la présence plus ou moins épisodique à un poste de responsabilité d'un clerc qui allait se révéler une personnalité de tout premier plan, Diego Gelmírez, autorisa le maintien d'une certaine activité. Il faudra néanmoins attendre sa désignation officielle en 1100 à la tête du diocèse pour que soient réunies les conditions d'un nouveau et vigoureux départ qui allait se révéler décisif. En moins d'un quart de siècle, il allait conduire le grand chantier presque jusqu'à son terme.

La construction du déambulatoire et de ses chapelles entre 1078 et 1100

173, 174 LES ARCHÉOLOGUES ayant étudié le chevet roman [251] signalent l'existence dans les maçonneries extérieures du déambulatoire de la cathédrale d'une césure résultant d'une interruption des travaux. Elle se situe entre la

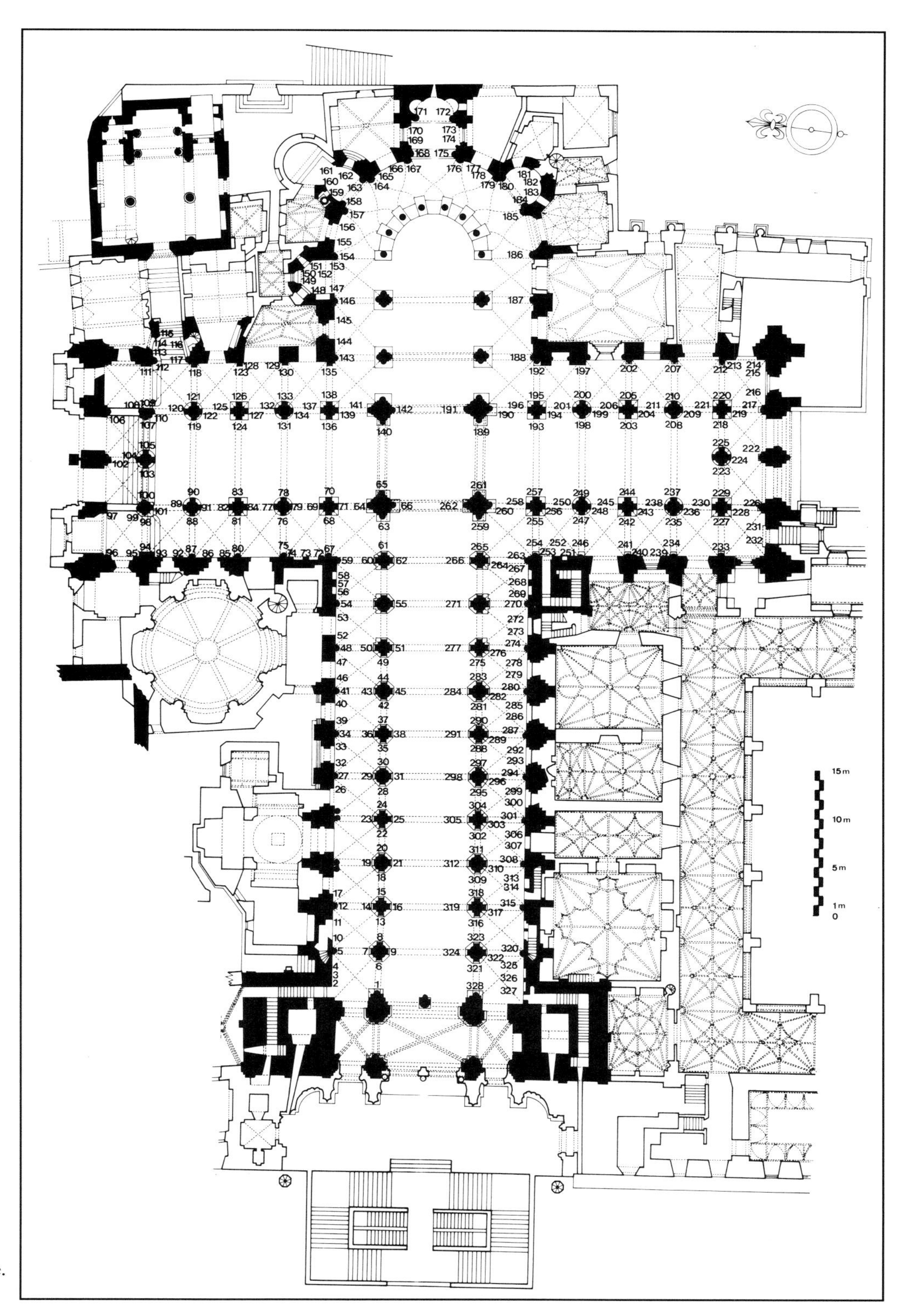

3. Saint-Jacques
Compostelle,
hédrale,
n du rez-de-chaussée.
après Zodiaque.

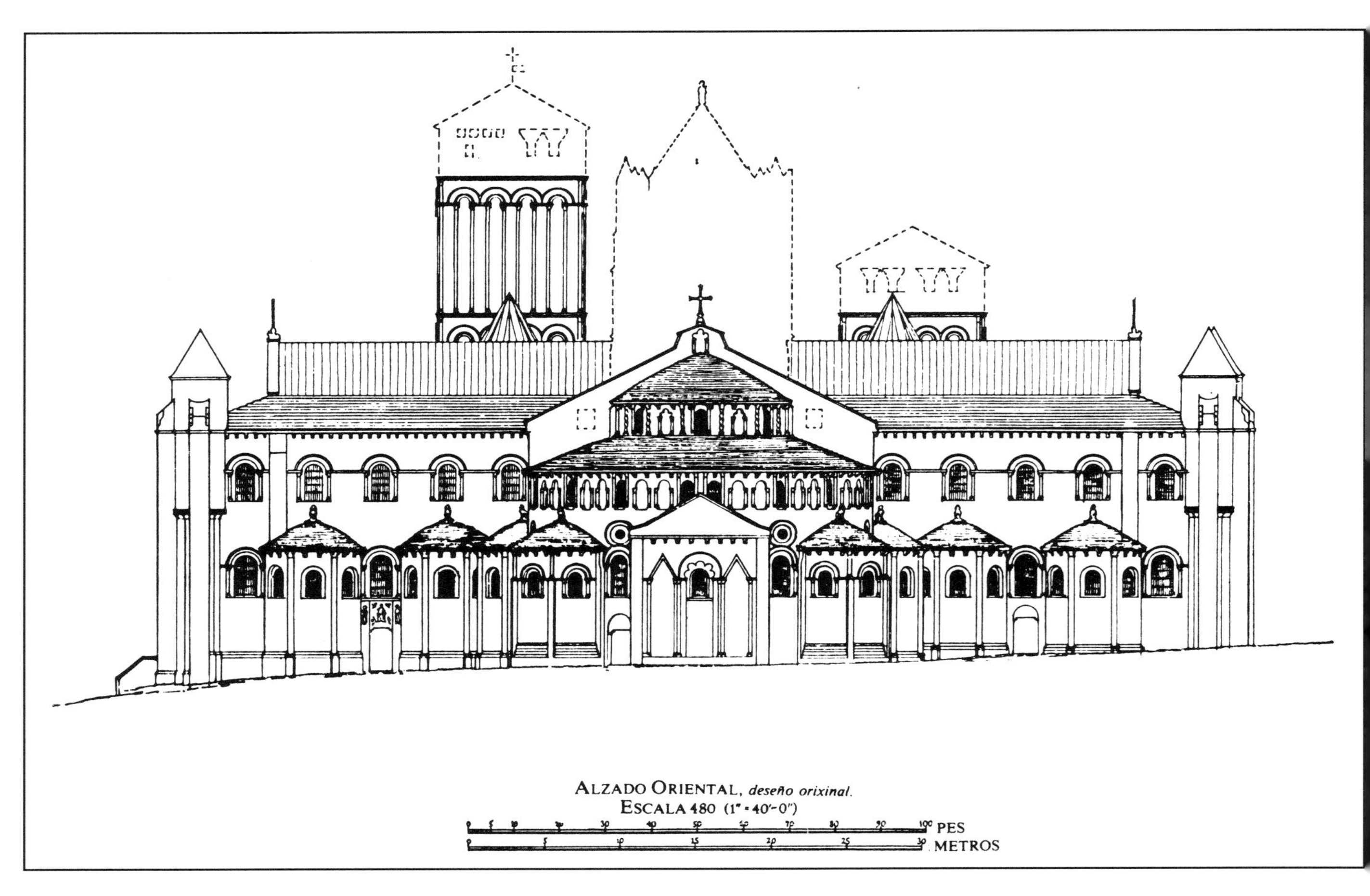

174. Saint-Jacques de Compostelle, cathédrale, restitution du chevet roman, par K. J. Conant.

partie tournante du déambulatoire et sa partie droite. Autrement dit, les trois chapelles rayonnantes du fond du chevet, celles qui sont dédiées au Sauveur, à saint Pierre et à saint Jean l'Évangéliste, appartiennent à une première campagne de construction que l'on doit raisonnablement attribuer à Diego Peláez. À l'occasion des fouilles réalisées dans le chevet par Manuel Chamoso Lamas au cours des premiers mois de 1955 on crut non seulement avoir trouvé la preuve de l'interruption des travaux, mais aussi l'indication que leur reprise aurait été précédée d'une modification du plan de l'édifice [252]. Dans un projet primitif, qui aurait donc été celui de l'architecte Bernard le Vieux, l'abside aurait été moins profonde de deux travées et aurait dessiné un arc outrepassé. Ce projet aurait été abandonné et dans une deuxième étape, commencée en 1100 à l'instigation de l'évêque Diego Gelmírez, on aurait renoncé au tracé en fer à cheval et on aurait prolongé le déambulatoire au nord et au sud de deux travées droites. De meilleures observations devaient établir que cette vision des choses n'était pas exacte et que le chevet de la cathédrale avait été dès l'origine conçu suivant le plan qui sera sa forme définitive, c'est-à-dire avec une abside à déambulatoire doté de trois chapelles rayonnantes et une partie droite où le déambulatoire se prolonge pour desservir deux autres chapelles : Sainte-Foy au nord, Saint-André au sud. En outre, si la réalisation de la partie orientale revient bien à Diego Peláez, le reste fut exécuté dès la période intermédiaire allant de sa déposition à l'élection de Diego Gelmírez [253].

La sculpture sous l'épiscopat de Diego Peláez

LES ŒUVRES qui caractérisent peut-être le mieux la période allant de 1078 à 1088 sont deux chapiteaux occupant des emplacements d'honneur à l'entrée de la chapelle d'axe dédiée au Sauveur, sans être cependant exactement en face l'un de l'autre (n°s 168 et 176). Ils exaltent la collaboration du roi Alphonse VI et de l'évêque Diego Peláez à l'origine du chantier de la cathédrale, aux temps heureux qui précédèrent et suivirent immédiatement la pose de la première pierre. On est sans doute très près de la vérité en situant leur mise en place entre 1080 et 1085.

Celui qui commémore le rôle du roi est à gauche où il porte le doubleau de l'entrée de la chapelle. Deux anges nimbés sont debout aux angles. Leurs grandes ailes largement déployées occupent tout le fond de la corbeille. Ils posent une main protectrice sur l'épaule du souverain et de l'autre ils tiennent une large banderole où est écrit : REGNANTE PRINCIPE ADEFONSO CONSTRVCTVM OPVS. Le chapiteau réservé à l'évêque, légèrement décalé, se trouve placé à la retombée d'un doubleau du déambulatoire. La composition est identique à la précédente. Sur la banderole on lit : TEMPORE PRESVLIS DIDACI INCEPTVM HOC OPVS FVIT [254]. Le style manque de distinction : les proportions sont mauvaises et l'exécution négligée. Trop volumineuses les têtes ont néanmoins un assez bon modelé. Par contre, les corps n'apparaissent pas, dissimulés comme ils le sont sous de vagues draperies généralement réduites à quelques traits parallèles. Les motifs décoratifs sont sculptés avec la même rusticité, qu'il s'agisse des palmettes encerclées juxtaposées sur la partie chanfreinée du tailloir ou de la tige ondulée à demi-palmettes symétriques qui se développe sur sa partie droite. Quel contraste avec León où les mêmes motifs apparaissent aux mêmes endroits, non plus traités avec mollesse et grossièreté, mais avec élégance et fermeté !

175

176

L'intérêt de ces chapiteaux est considérable en raison d'évidentes parentés avec Sainte-Foy de Conques, que plusieurs historiens de l'art se sont plu à signaler. Parmi les nombreux anges de Conques concernés

175. Saint-Jacques de Compostelle, cathédrale, chapiteau n° 168.

176. Saint-Jacques de Compostelle, cathédrale, chapiteau n° 176.

d'une manière plus ou moins directe, on accordera la préférence à l'ange au phylactère signé Bernardus. Situé à la naissance de l'arcature de l'une
36 des fenêtres du bras sud du transept, il se situe au début de la construction des tribunes et se trouve être ainsi à peu près contemporain des chapiteaux compostellans de l'évêque et du roi.

L'auteur de ces derniers a également sculpté un chapiteau avec
177 sirènes, qui fait face à celui du roi Alphonse (n° 175). Il l'a exécuté sur une structure corinthienne affirmée par la présence de volutes dont les tiges sont ornées d'alignements de petites crossettes. Deux sirènes surgissent des angles et relèvent leurs doubles queues vers les faces du chapiteau où elles dissimulent la majeure partie du corps de trois personnages qui empoignent vigoureusement les bras des femmes-poissons. On ignore si ce motif de la sirène capturée a une signification particulière, mais on ne manquera pas de signaler que des sirènes, accompagnées cette fois de centaures, apparaissent à la même place d'honneur, à droite de l'entrée
12 de la chapelle d'axe du déambulatoire de Sainte-Foy de Conques. Il y

177. Saint-Jacques de Compostelle, cathédrale, chapiteau n° 175.

a là, semble-t-il, plus qu'une coïncidence. Les premiers sculpteurs de Compostelle ont dû voir cette œuvre, en place depuis un certain temps ; ils s'en sont inspirés tout en la traitant dans un style différent.

Toujours dans la chapelle du Sauveur de Saint-Jacques de Compostelle on prend contact, sur le chapiteau n° 171, avec un nouvel artiste beaucoup
178 plus raffiné que l'auteur des chapiteaux du roi et de l'évêque. Un personnage assis au centre de la face principale saisit par le cou deux énormes oiseaux, ni semblables ni même symétriques, occupant les faces latérales. Au-dessus d'eux s'épanouissent des bouquets de fines palmettes divisées, taillées en creux, parmi lesquelles apparaissent des motifs semblables à des fleurs de houblon. Le style des palmettes est particulier à l'atelier de Conques qui l'a utilisé pratiquement à toutes les étapes de son histoire. Il ne peut venir que de là. Quant au personnage central, il a un beau visage arrondi, impassible, bien modelé, qui appartient aussi à l'humanité de Conques. Ses bras étendus relèvent avec souplesse les bords de son manteau et la tunique recouvre les cuisses en dessinant des plis parfaitement naturels. La présence dans la même chapelle, et à proximité les unes des autres, d'œuvres de qualité très différente n'a rien de surprenant puisque la même situation se présente dans les tribunes du transept de Conques où ont travaillé un artiste aussi « primitif » que Bernard et un sculpteur qui, au contraire, paraît anticiper sur l'avenir en direction du maître du tympan, je veux parler
30 de l'auteur du chapiteau de l'avare.

178. Saint-Jacques de Compostelle, cathédrale, chapiteau n° 171.

C'est encore à Conques que nous conduit le chapiteau n° 167 de Compostelle, qui se trouve à gauche de la chapelle du Sauveur, dans le déambulatoire, tout à côté par conséquent du chapiteau du roi Alphonse. Sur une structure corinthienne deux grandes feuilles appuyées sur l'astragale se déploient sur toute la hauteur de la corbeille jusqu'à l'angle des volutes, où elles se recourbent et retombent en palmettes. Entre les feuilles se dresse une tige à l'allure de colonnette torse qui porte à la place de la rosette corinthienne une toute petite palmette encerclée [255]. Cette composition dérive directement d'un type de décor du rez-de-chaussée du transept de Conques — comme le n° 33 — qui fut utilisé également à Moissac et à Toulouse. Cette concordance dans le temps pour l'apparition de la même forme dans quatre monuments fort éloignés les uns des autres est une preuve parmi d'autres du déplacement des artistes tout au long de la route de Saint-Jacques de Compostelle.

179

17

Du groupe précédent doivent être rapprochés, pour des raisons stylistiques, et bien qu'il n'en existe pas de modèles à Conques, deux chapiteaux reproduisant à deux exemplaires l'image antique de la Terre nourricière (n°s 165 et 177 et Gaillard, pl. LXXVII, 9). Une femme nue, dont l'énorme tête occupe l'angle, allaite deux crapauds goulus, cependant que ses bras écartent des serpents enroulés à des arbres. Ce détail, sans

180

179. Saint-Jacques de Compostelle, cathédrale, chapiteau n° 167.

▷ 180. Saint-Jacques de Compostelle, cathédrale, chapiteau n° 177.

181. Saint-Jacques de Compostelle, cathédrale, chapiteau n° 172.

doute emprunté à des représentations du Péché originel, confirme que la Terre nourricière est devenue le symbole du péché de la chair. L'image illustre la peur de la femme chez les hommes d'Église et plus généralement la misogynie caractéristique de l'époque.

Doit-on encore interpréter comme un « clin d'œil » en direction de Conques les entrelacs qui garnissent une partie du chapiteau n° 166 (Gaillard, pl. LXXVII, 8) ornant avec le numéro 165 la fenêtre du déambulatoire située entre la chapelle du Sauveur et celle de Saint-Jean l'Évangéliste ? C'est d'autant plus vraisemblable que la sirène qui occupe le reste de la corbeille a une figure grossière proche de celle de la Terre nourricière devenue Luxure.

Une fort belle image, également d'origine antique, est proposée en 172 par deux griffons encadrant un calice dans lequel se trouve une boisson procurant le salut et l'éternité. Cette boisson est devenue chez les chrétiens le sang même du Christ. Un antécédent, avec une variante relativement à la nature des animaux — qui ne sont plus des griffons — et aussi au niveau de la qualité, qui est plus faible, existe à Conques, non loin du chapiteau aux sirènes et aux centaures. Son but est le même : proposer un antidote au poison du péché, source de mort. Le chapiteau de Compostelle, d'une qualité exceptionnelle, a bénéficié de la nature du matériau, un marbre utilisé également pour le chapiteau qui lui fait face dans la chapelle du Sauveur, celui du personnage étranglant deux oiseaux.

181

13

Tous les sculpteurs de l'atelier de Bernard le Vieux ne venaient pas de Conques, mais tous s'accordèrent à représenter les deux catégories d'animaux le plus fréquemment présents dans les édifices de la fin du XIe siècle : les oiseaux et les lions.

Il semble qu'un type d'oiseau propre à Saint-Jacques ait été défini par rapport à celui de Saint-Sernin de Toulouse [256]. Alors que dans la capitale languedocienne les têtes de ces animaux sont accolées et que de leurs becs s'échappent des motifs végétaux, à Compostelle les têtes sont séparées par des motifs saillants : soit une palmette retournée en forme de coquille (en 184, en 179, Gaillard, pl. LXXIX, 17), accrochée

52

182

182. Saint-Jacques de Compostelle, cathédrale, chapiteau nº 184.

183. Saint-Jacques de Compostelle, cathédrale, chapiteau nº 158.

aux angles, soit une protubérance pointue dont les côtes sont couvertes d'écailles (nº 158). Avec ce dernier élément, nous assistons à la naissance d'un motif décoratif original qui s'imposera particulièrement à la sculpture de Jaca et qui sera diffusé jusqu'à Saint-Gaudens en France. On retiendra aussi le rôle joué sur les trois dernières œuvres — sur les tailloirs ou à la partie supérieure des corbeilles — par des palmettes ouvertes, aux feuilles terminées en crossettes, d'un type apparu à peu près au même moment à Saint-Sever en Gascogne.

183

L'auteur des oiseaux précédents a probablement sculpté les deux beaux chapiteaux aux lions, très semblables l'un à l'autre, qui se trouvent dans le déambulatoire, le premier en 157, le second en 185 (Gaillard, pl. LXXIX, 20). Ils offrent une composition très fréquente dans la sculpture romane, celle que forment les bêtes dressées sur leurs pattes de derrière et tordant leur cou pour s'affronter. Mais ici ils n'y parviennent pas car, entre leurs têtes, resurgit le motif de la coquille côtelée ou le piton d'angle qui a acquis sa forme définitive de protubérance en forte saillie et pointue. Des tiges qui emprisonnent les corps des lions et même la queue de ces animaux sont terminées par des demi-palmettes à vrilles renvoyant à Saint-Sever.

184

L'emploi du piton d'angle, associé à certaines particularités techniques et stylistiques, autorise à distinguer un nouvel artiste auquel nous attribuons en outre les chapiteaux nos 169, 170 et 174, tous situés dans la chapelle d'axe. En 170, des lions prenant appui sur l'astragale tournent

185

184. Saint-Jacques de Compostelle, cathédrale, chapiteau nº 157.

▷ 185. Saint-Jacques de Compostelle, cathédrale, chapiteau nº 170.

186. Saint-Jacques de Compostelle, cathédrale, chapiteau nº 174.

la tête pour mordre l'extrémité de leur queue. Il existe des volutes d'angle sous lesquelles se développent des demi-palmettes qui enserrent elles-mêmes un piton. Très semblables entre eux les nos 169 (Gaillard, pl. LXXVI, 4) et 174 accueillent un griffon dont les ailes s'enroulent à l'angle pour former les volutes. Dans les trois cas, par conséquent, les volutes s'incorporent intimement à la composition zoomorphe.

186

Ces animaux ont une élégance qu'ignore un autre groupe de lions, cette fois massifs et balourds, dont les pattes reposent sur l'astragale. Sur deux chapiteaux, le nº 180 (Gaillard, pl. LXXIX, 17) et le nº 163 (Gaillard, pl. LXXIX, 16), deux lions ont une tête commune placée à l'angle, tandis que l'un des corps occupe une face latérale et le second la face principale ; un troisième animal isolé sur l'autre face latérale avance sa tête en direction de la croupe de son voisin. Un lion du même style dévore un oiseau en 178, dans un décor de demi-palmettes qui symbolise la ramure d'un arbre. Enfin, des animaux, toujours de ce type, entrent dans la composition d'une scène que l'on retrouvera à Jaca. Les lions s'affrontent deux à deux à chaque angle. Sur la face principale, au-dessus d'eux, un personnage sonne d'un olifant qu'il soutient d'une main, tandis que de l'autre main il brandit un bouquet de petites crossettes évoquant à nouveau Saint-Sever. Des feuillages traités de la même façon occupent la moitié supérieure des faces latérales (Gaillard, pl. LXXXVIII, 22). Les sonneurs d'olifant sont rares dans la sculpture romane, mais il se trouve que Conques en offre précisément un autre exemple [257].

187

456

Les quelques chapiteaux qui complètent à l'intérieur du chevet cet ensemble de l'époque de Diego Peláez ne comprennent rien d'autre que des compositions élémentaires à base de demi-palmettes, de crossettes, de rinceaux et de rosettes dans des disques : en quelque sorte la menue monnaie de l'œcuménisme de l'atelier.

187. Saint-Jacques de Compostelle, cathédrale, chapiteau nº 178.

De la déposition de Diego Peláez à l'élection de Diego Gelmírez

ENTRE LA FERMETURE DU CHANTIER, consécutive à la déposition de Diego Peláez, et la reprise des travaux sur une grande échelle en 1100, après l'élection de Diego Gelmírez, le chantier de la cathédrale ne demeura pas totalement inactif, comme on l'a cru un certain temps. On y réalisa quelques travaux, essentiellement la construction et la décoration des deux chapelles Sainte-Foy et Saint-André et les portions du déambulatoire voisines. Durant cette période, on n'enregistre pas de réelle mutation dans le domaine de la sculpture monumentale, mais plutôt une certaine continuité.

Parfois on effectua des répliques de motifs antérieurs. Ainsi a-t-on reproduit la scène du lion dévorant un oiseau dans un environnement d'arbres à demi-palmettes et celle des animaux s'abreuvant à un calice, en remplaçant les griffons par des oiseaux. La composition aux grandes feuilles du chapiteau n° 167 a été enrichie de demi-palmettes et de tiges entrelacées pour donner naissance aux deux chapiteaux n°s 155 et 156 de la fenêtre du déambulatoire ouverte entre les chapelles Saint-Jean et Sainte-Foy : ces deux œuvres, qui se font face, sont à peu près identiques. Le plus souvent on se contenta d'isoler des motifs très simples, comme des feuilles nervurées (n°s 148, 150 et 154) ou un rinceau de palmettes, pour couvrir la totalité d'une face (n° 180).

179

188

188. Saint-Jacques de Compostelle, cathédrale, chapiteau n° 180.

▷ 189. Saint-Jacques de Compostelle, cathédrale, chapiteau n° 154. Condamnation de sainte Foy.

La présence de Conques, qui s'était manifestée sur le plan du style à l'origine du chantier, alimente désormais une dévotion. Une des deux chapelles alors construites le fut en effet pour le culte de sainte Foy et cette décision explique l'iconographie des deux chapiteaux qui l'encadrent [258]. À droite, le n° 154 représente la condamnation de la sainte par Dacien. Celui-ci se tient à gauche ; près de lui le bourreau brandit l'épée destinée à l'exécution. À l'autre extrémité de la face un garde emmène la condamnée. Le thème du chapiteau symétrique (n° 146, Gaillard, pl. LXXX, 23, 1 et 3 ; 24, 2) est moins évident. On peut supposer qu'il s'agit de la comparution devant Dacien de saint Caprais d'Agen qui, entraîné par l'exemple de sainte Foy, s'en vint confesser sa foi et subit le martyre immédiatement après.

189

La scène de la condamnation de sainte Foy est traitée selon une iconographie très voisine à Conques même, dans la nef de l'abbatiale,

38

mais il s'agit d'une création plus tardive déjà proche stylistiquement du tympan du Jugement dernier. Ici, le style commun aux deux chapiteaux historiés de Compostelle est au contraire encore archaïque, comme le montre la description donnée par Georges Gaillard [259]. « Tous deux sont composés de la même façon très simple : cinq personnages sont debout l'un à côté de l'autre, trois sur la face principale et un sur chaque côté. Leurs pieds sont posés sur l'astragale et leur tête vient toucher le tailloir. Leurs bras seuls sont en mouvement : l'attitude du corps est toujours la même, de face, les pieds en équerre. Leurs têtes, légèrement tournées de côté, sont en ronde bosse et bien détachées du fond, quoiqu'elles n'occupent pas les angles, mais soient rangées sagement côte à côte. Ces gros visages ovales, forts et pleins, les pupilles garnies de plomb, se ressemblent tous et sont très pauvres d'expression. Les corps sont plus allongés et ont plus de relief propre que sur les chapiteaux de la série précédente, les vêtements sont indiqués avec une certaine précision par des plis superposés les uns aux autres ; les festons au bas des robes accumulent même plusieurs épaisseurs ». Georges Gaillard ajoute que « ces figures sont sans parenté dans la sculpture romane espagnole. Seule, ajoute-t-il, l'armature de la corbeille sur laquelle elles sont montées nous est connue : les volutes épaissies en escargot sont un détail caractéristique des chapiteaux du chevet de Saint-Isidore de León : une sorte de draperie côtelée qui en sort par-dessous est une interprétation du piton caractéristique de Jaca. Mais c'est tout : nous ne connaissons pas de figures qu'on puisse rapprocher avec précision de celles-ci ».

Cette analyse est correcte, encore que ces figures soient moins surprenantes qu'il n'y paraisse au premier abord dans le milieu compostellan lui-même. Ainsi les visages volumineux et pleins, avec le détail caractéristique des pupilles percées, peuvent fort bien prendre place dans la suite du style originaire de Conques acclimaté dans la chapelle d'axe, et les particularités des plis des étoffes prolonger une évolution ayant conduit auparavant de l'absolue raideur des vêtements du roi Alphonse aux tissus souples du costume du personnage empoignant le cou de deux oiseaux. Quant aux prétendues draperies accrochées aux volutes tirebouchonnées — plus vraisemblablement issues de Saint-Sever que de León suivant notre chronologie — qui sont, en fait, tout bonnement leurs tiges redressées à la verticale, si l'on est en droit, comme le fait Georges Gaillard, de les rapprocher du fameux piton d'angle, ce sera moins pour y déceler une influence de Jaca que pour y reconnaître l'une des diverses expériences ayant accompagné, toujours à Saint-Jacques même, l'apparition du motif.

Toutes les œuvres de la période allant de 1088 à 1100 que nous venons d'énumérer se trouvent dans la partie nord du chevet. Au sud, la chapelle Saint-André, homologue de celle de Sainte-Foy, a été détruite en 1711, après que l'archevêque Monroy eut obtenu du chapitre cathédral l'autorisation d'utiliser son emplacement pour construire sa chapelle funéraire sous l'invocation de la Vierge du *Pilar*. Le souvenir en est cependant maintenu par les chapiteaux n°s 186 et 187 qui se trouvaient de part et d'autre de l'entrée. Que nous apprennent-ils ? D'abord, comme ils sont identiques, ils confirment l'habitude apparue dès le début du chantier de reproduire certains chapiteaux à deux exemplaires. Cette fois, leur décor de grandes feuilles à folioles rigoureusement symétriques et à boules accrochées à leurs extrémités a même été reproduit une

190

troisième fois, et sur un chapiteau de la chapelle Sainte-Foy, de l'autre côté du déambulatoire, avec de faibles variantes résultant d'une réduction du format.

Autrement dit, selon toute vraisemblance, il n'y avait pas de différences fondamentales entre le décor sculpté des parties nord et sud du déambulatoire. C'est-à-dire que nulle part il ne se produisit de rupture significative avec le passé durant la période qui suivit la déposition de Diego Peláez. Quelques hommes ayant appartenu à l'ancienne équipe de lapicides durent demeurer en place pour soutenir une activité considérablement réduite. Tout changea seulement en 1100 lorsque Diego Gelmírez entreprit de rendre au chantier son dynamisme. Il confia à un architecte de la nouvelle génération le soin de reconstituer une équipe importante à la mesure de la tâche immense qui allait être la sienne.

On aimerait savoir si avant cette date on avait aussi, en même temps que l'on construisait le rez-de-chaussée du chevet, élevé les piles du chœur et du rond-point pour voûter le déambulatoire. Il est malheureusement impossible de répondre à cette question, car le sanctuaire de Saint-Jacques fut un des tout premiers éléments de la cathédrale à avoir été « baroquisé » suivant le programme mis au point, entre 1658 et 1660, par le chanoine érudit José de la Vega y Verdugo. Quant au décor extérieur du chevet, son étude reste à faire. Cependant, la restauration récente de la couverture de deux chapelles a fait apparaître des modillons du début de la deuxième campagne de travaux, dont deux figures d'excellente qualité, ainsi qu'un chapiteau végétal du type de Jaca [260].

190. Saint-Jacques de Compostelle, cathédrale, chapiteau nº 187.

TROISIÈME PARTIE

AUTOUR DU « MAÎTRE DE JACA »

⁂

LE PREMIER À AVOIR PARLÉ d'un maître de Jaca fut Manuel Gómez-Moreno dans son beau livre sur l'art roman espagnol [1]. Il appliqua dans ce domaine la méthode biographique et ses *a priori* esthétiques en y ajoutant un acte de foi : la croyance en l'identité du sculpteur et de l'architecte. C'est ainsi que prit forme dans son esprit l'artiste génial qui aurait substitué aux formes dégénérées et aux procédés frileux hérités du passé les créations méthodiques et gigantesques du nouveau style [2]. Le maître de Jaca serait personnellement intervenu à Frómista où il aurait été appelé en renfort pour la décoration du chevet [3]. Peut-être aurait-il participé également au décor de la nef de Saint-Isidore de León [4].

Les positions encore relativement prudentes de Manuel Gómez-Moreno, parfois présentées comme des hypothèses, se durcirent chez Francisco García Romo [5]. « On sait, affirme-t-il, que selon Gómez-Moreno le maître de Jaca est le même que celui de Loarre, du chevet de Frómista et de la partie la plus ancienne des nefs de Saint-Isidore de León, avec le portail de l'Agneau et le portail nord du transept » [6]. Tout cela lui apparaissait à lui-même comme incontestable. Ainsi une partie importante de la première sculpture romane était-elle identifiée avec l'activité d'une personnalité exceptionnelle.

Une extension aussi exagérée prouvait que l'œuvre artistique avait été mal cernée, faute d'analyses stylistiques précises. Ce sera l'œuvre de Serafín Moralejo [7]. La construction antérieure trop ambitieuse et trop fragile fut ainsi ramenée par lui aux relations entre les deux centres de Frómista et de Jaca. Après avoir coupé le cordon ombilical reliant la sculpture à l'architecture Serafín Moralejo entendit démontrer que le sculpteur que l'on désigne du nom de « maître de Jaca » avait d'abord exercé son activité à Frómista. Il se serait ensuite rendu dans la ville aragonaise, seul ou en compagnie d'un petit nombre de compagnons moins qualifiés [8].

En ce qui me concerne, je fus d'abord séduit par l'hypothèse d'un grand sculpteur itinérant, mais en maintenant l'antériorité de Jaca sur Frómista [9]. Cette chronologie était pour moi fondamentale. Aussi, lorsqu'il s'avéra que l'unité des mains lui était préjudiciable, je rebroussai chemin et me convertis à leur dualité, plus conforme en définitive aux données du style.

⁂

1. La cathédrale de Jaca

MÊME RAMENÉ À LA PERSONNALITÉ de principal sculpteur de la cathédrale aragonaise, le « maître de Jaca » demeure une personnalité considérable et l'une des plus attachantes de la famille franco-espagnole. Il se distingue par le nombre et la diversité de ses sources d'inspiration dont certaines remontent jusqu'à l'Antiquité païenne, mais aussi par la liberté avec laquelle il traite ces données, soit qu'il en propose des sortes de copies, soit, plus habituellement, qu'il prenne à leur égard suffisamment de distance pour en tirer des créations toutes nouvelles. Il se dégage alors de son œuvre un esprit de jeunesse, une vivacité et une spontanéité remplis de séduction.

Naturellement, toutes les sculptures de la cathédrale de Jaca ne sont pas de sa main. Des différences dans la qualité et même dans la manière, à l'intérieur d'un goût commun pour l'Antique, impliquent la collaboration d'apprentis moins experts et de compagnons arrivés sur le chantier après avoir déjà reçu une formation particulière. Nous n'aborderons ces problèmes d'attribution qu'avec prudence en raison du caractère subjectif de cette approche et seulement lorsque nous disposerons d'éléments de solution suffisamment convaincants.

Données chronologiques

AU DÉBOUCHÉ DU SOMPORT, Jaca commande une importante voie de pénétration en Espagne empruntée par les pèlerins de Saint-Jacques. La bourgade entama un processus de développement rapide et s'ouvrit au commerce européen sous le règne du roi d'Aragon Sancho Ramírez (1063-1094), qui lui accorda des *fueros* avantageux [10]. Dans la nouvelle *civitas* s'établirent à demeure les évêques aragonais demeurés jusque-là sans siège fixe. Une communauté de chanoines, qui allait adopter la règle de saint Augustin, veilla sur la cathédrale où le rite romain s'était substitué à la vieille liturgie espagnole [11].

Cependant les progrès de la Reconquête en Aragon firent rapidement évoluer la situation. À la fin de 1096, la prise de Huesca fit perdre à Jaca son rôle de capitale politique. Sur le plan ecclésiastique la cité conserva son chapitre mais l'évêque releva l'antique siège d'*Osca* où il se transporta deux ans plus tard [12]. D'une plus grande importance encore apparaît la conquête de Saragosse en 1118 : le centre d'intérêt du royaume d'Aragon se déplaça irrésistiblement des petites cellules cloisonnées du milieu pyrénéen vers les vastes espaces de la vallée de l'Èbre.

La connaissance du décor sculpté de la cathédrale de Jaca a longtemps été obscurcie par une chronologie erronée qui attribuait à l'édifice une antiquité usurpée. Elle s'appuyait sur deux documents prétendument datés de 1063, mais dont la critique moderne a établi qu'ils avaient été falsifiés [13].

L'un était considéré comme les actes d'un concile qui se serait tenu à Jaca. Composé de neuf évêques, de trois abbés et des grands du royaume aragonais, ce concile aurait été convoqué par le roi Ramire Ier (1035-1063), dans le but de transférer à Jaca le siège épiscopal qui se trouvait à Huesca encore sous la domination musulmane. Il aurait procédé à une réforme de l'église aragonaise, comprenant le passage du rite mozarabe au rite romain, l'introduction de la vie canoniale, la reconnaissance du droit ecclésiastique, la dotation du diocèse et la fixation de ses limites [14]. Ce qu'on appelle les « actes » de ce concile de Jaca se présente en fait comme une lettre du roi Ramire et de son fils Sancho Ramírez relative à ces décisions. Il s'agirait d'un faux fabriqué pour authentifier une série de donations. À la base se trouverait un document perdu traitant de la réforme ecclésiastique dans le royaume d'Aragon, en accord avec les décisions prises en 1059 par le synode romain présidé par le pape Nicolas II.

Le second document est une donation par le roi Ramire des revenus du péage de Jaca — sur toutes les marchandises : or, argent, vin, blé — pour l'achèvement de la cathédrale et plus précisément pour la construction des voûtes au-dessus des trois nefs, depuis le grand portail jusqu'aux autels principaux, situés au chevet de l'église, et pour l'édification d'une tour à destination de clocher au-dessus du portail précité. Ce clocher devait être pourvu de huit cloches : quatre grandes, deux moyennes et deux petites [15]. L'étude du monument montrera l'irréalisme de telles dispositions à l'époque.

Peut-être en réaction contre la tendance au vieillissement inconsidéré de la cathédrale et de son décor sculpté, un mouvement inverse s'est récemment fait jour, tout aussi excessif. Il est le fait de Mosén Antonio Durán Gudiol qui a cru pouvoir descendre tout l'ensemble de la construction jusqu'au XIIe siècle. Il s'appuie sur le testament d'un fils naturel de Ramire Ier, le comte Sancho Ramírez — mort en 1105 — qui ordonne de dégager les fonds nécessaires à l'achèvement de sa chapelle funéraire dans la cathédrale de Jaca [16]. L'auteur identifie cette chapelle avec l'absidiole nord de la cathédrale : une localisation qui a été contestée avec de bons arguments par Serafín Moralejo [17].

En définitive, seuls peuvent être considérés comme sûrs les deux faits suivants [18] : la création du diocèse de Jaca vers 1075-1077, qui donne la date la plus haute possible pour le début des travaux, et surtout une donation pour la construction de la cathédrale — *ad laborem Sancti Petri de Jacha* — par doña Sancha, l'une des trois sœurs du roi Sancho Ramírez, alors que ce dernier était encore en vie, ce qui la situe avant 1094 [19]. Le choix de l'expression *ad laborem*, de préférence à celles plus courantes de *ad opus* et *ad fabricam*, autorise à penser, comme l'observe Serafín Moralejo [20], qu'à cette date on travaillait effectivement à l'œuvre.

Le parti architectural

PAR SA STRUCTURE [21], la cathédrale de Jaca correspond à une église conçue et réalisée à la fin du XIe et au début du XIIe siècle. Elle possède une nef à collatéraux très élevés et un transept non saillant sur lequel s'ouvraient trois absides semi-circulaires. Celle du centre a été remplacée en 1790 par le chœur actuel [22]. À la croisée du transept, dont les bras sont voûtés de deux berceaux, s'élève une coupole sur trompes. Elle

191

est décorée ou soutenue par huit arcs croisés reposant sur des modillons à rouleaux. On a voulu y voir l'héritage d'un procédé de construction mozarabe [23]. Dans la nef alternent des piles cruciformes à colonnes engagées et des supports cylindriques : un système d'alternance fréquent dans les édifices du Sud-Ouest de la France et que l'on trouve notamment dans la cathédrale Saint-Nazaire de Carcassonne, pour laquelle nous disposons d'une chronologie précise, puisque le pape Urbain II y bénit le 11 juin 1096 les pierres rassemblées pour ouvrir le chantier [24].

192

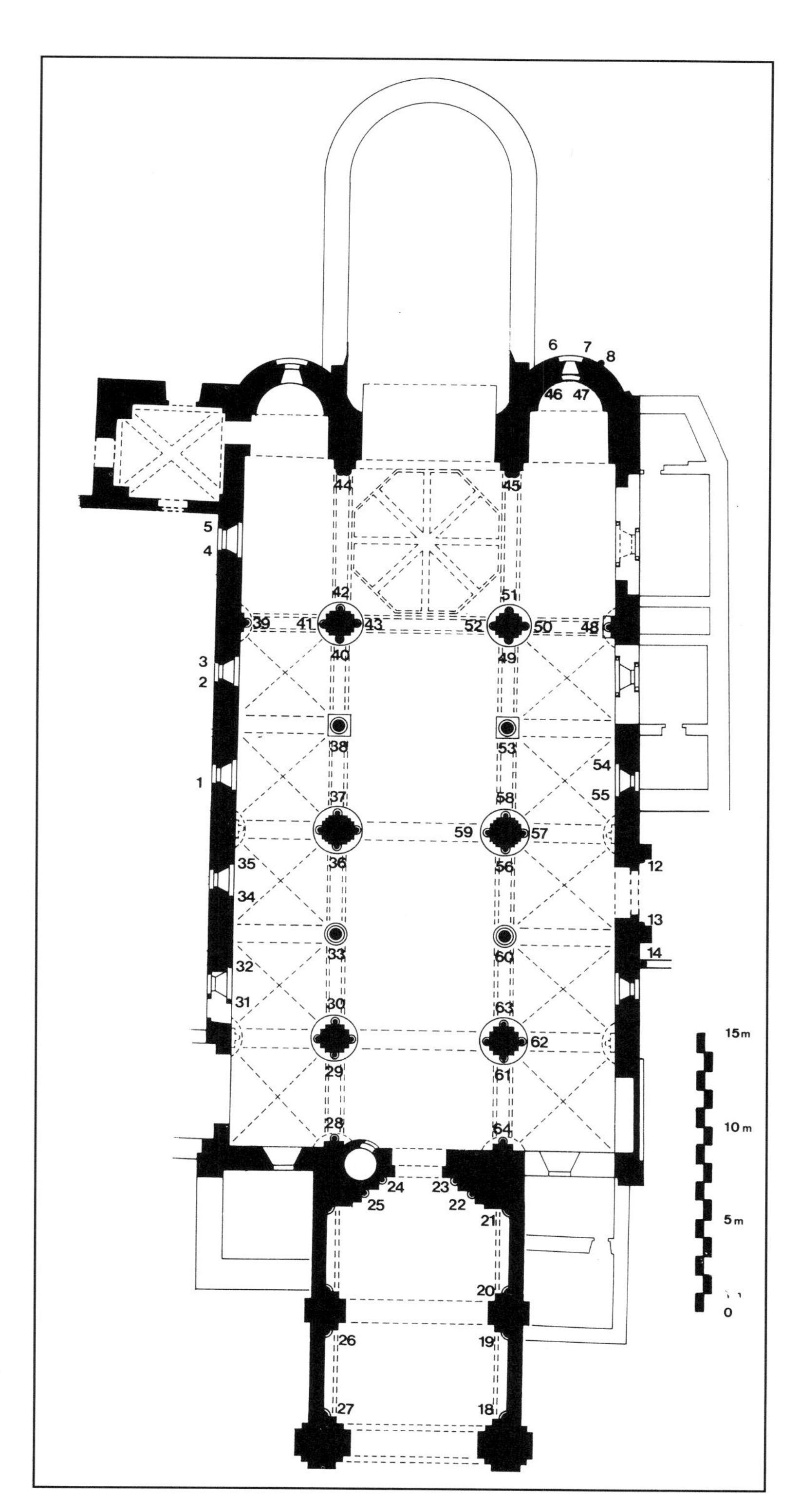

191. Jaca, cathédrale, plan au sol. *D'après Zodiaque.*

◁ 192. Jaca, cathédrale, vue intérieure *(Photo Zodiaque).*

Des particularités sur lesquelles Angel San Vincente a attiré l'attention permettent de penser que les murs de la nef furent les premiers construits. En effet, ils ne sont pas absolument parallèles, mais s'élargissent vers le fond, une maladresse constituant l'indice d'un véritable archaïsme, qui ne se retrouve pas dans les supports intérieurs. Par ailleurs, il existe deux types d'appareil mural : « dans les murs latéraux la pierre, sous forme de blocs à peine layés, ressemble à une maçonnerie aux joints assez mal faits ; dans les absides, les portails, les piliers et le narthex [entendez le porche occidental], on a employé des blocs bien taillés, aux faces layées, aux joints fins et alignés » [25]. Il existe des marques de tâcherons qui sont des lettres de type classique.

Les trois vaisseaux de la nef attendirent leurs voûtes jusqu'au XVIe siècle, ce qui prouve que les astuces des chanoines, pour en obtenir le financement par le roi en forgeant l'un des faux documents de 1063, demeurèrent sans effet. Le plafond de bois fut la proie des flammes en 1440, selon le témoignage d'un habitant de Jaca, Pedro Villacampa, qui affirme que cette année-là : « se cremó muchas casas de la calle mayor de Jacca y pocos días después en un día se cremó todo la Seo, que todo era de fusta » [26].

Les voûtes gothiques actuelles ne furent construites qu'en 1520 par l'architecte Juan de Segura dans les collatéraux, et par Juan Béscos de Saragosse en 1598 pour le vaisseau central [27]. Dans le contrat mentionnant les derniers travaux il est précisé que « la forme et la disposition de la dite voûte doivent suivre le modèle donné sur une esquisse [...] ; cette voûte doit être exécutée et faite sous la couverture qui existe aujourd'hui dans la nef centrale de la dite église, sans modifier l'état actuel de la couverture du toit, en s'efforçant d'appliquer et de coller le plus possible la voûte de pierre à la couverture, car plus on l'élèvera, plus on aura de lumière et meilleure sera la proportion de la nef en hauteur » [28]. On ordonne ensuite : « De chaque côté de la dite voûte, comme le montre l'esquisse, que l'on dispose cinq fenêtres qui seront faites et ornées comme le montre l'esquisse, en leur donnant toute l'ouverture que permettra chacun des versants du toit [...] » [29].

Il existe aussi deux porches, l'un à l'ouest, dont il a déjà été question, en avant du portail principal, voûté et surmonté d'une tour modeste ; l'autre au sud, protégeant le petit portail méridional, en bois et moderne, appuyé sur des chapiteaux romans de récupération. Ces derniers sont très intéressants, mais comme ceux du porche principal — qui le sont moins — ils sont, à une exception près, postérieurs à notre époque.

Les chapiteaux des fenêtres des collatéraux

LES PLUS ANCIENNES SCULPTURES de l'édifice semblent être les chapiteaux des fenêtres des collatéraux de la nef, ou tout au moins la plupart d'entre eux. Plusieurs orientations paraissent s'y dessiner.

L'une d'elles semble se rattacher aux origines mêmes du style roman dans toute la région. Il s'agit du motif des entrelacs terminés par des demi-palmettes tel qu'il apparaît sur un chapiteau du collatéral nord (n° 34) dont le tailloir, d'une importance disproportionnée, présente une

193. Jaca, cathédrale, chapiteau nº 34.

194. Jaca, cathédrale, chapiteau nº 1.

195. Jaca, cathédrale, chapiteau nº 3.

figure nue asexuée, d'un caractère très archaïque, maniant une sorte de cimeterre à lame courbe et à un seul tranchant. À ce type se rattachent les délicats rinceaux d'un chapiteau de la fenêtre voisine (nº 1), qui sont traités non plus en relief et avec trois brins, comme précédemment, mais en creux.

193

194

Une seconde orientation est proposée par des palmettes circonscrites, autrement dit un motif que les différents ateliers de la route de Compostelle ont utilisé à un moment ou à un autre de leur existence. Elles sont exécutées d'une manière très plate qu'on peut interpréter aussi bien comme un archaïsme que comme un élément de style. Sûrement archaïque, par contre, est la façon dont elles sont alignées côte à côte sur deux registres superposés, d'une manière monotone et répétitive. Le tailloir (restauré), où le motif apparaît encore, ajoute un troisième registre aux deux précédents (nº 3).

195

On estimera que le maître de Jaca était présent dès cette étape de la vie de l'atelier, c'est-à-dire dès les débuts, si un chapiteau d'une fenêtre du collatéral sud (nº 54), où l'on reconnaît sa manière, sinon sa main, n'a pas été déplacé lors de la restauration. Le thème représenté possède le caractère obscur de plusieurs de ses compositions reconnues. Deux personnages à mi-corps, vêtus d'une tunique et à la chevelure frisée, enveloppent d'une longue étoffe un troisième personnage nu dont on ne distingue que la tête et les bras qui saisissent l'astragale. Les visages sont peu expressifs, mais les mains fines.

196

La modénature élaborée de ces fenêtres et leur important décor de billettes ne permettent pas de les remonter considérablement dans le temps, sans doute pas au-delà de 1080-1090.

196. Jaca, cathédrale, chapiteau nº 54.

Le décor du chevet

197. Jaca, cathédrale, absidiole méridionale.

LE CHEVET a particulièrement souffert, puisque l'abside centrale a été détruite et reconstruite sur des bases nouvelles en 1790 et que l'absidiole nord a vu également ses dispositions premières profondément altérées. Seule l'absidiole méridionale a conservé l'aspect d'origine. Elle s'inspire du modèle fourni par les absidioles du déambulatoire de Saint-Sernin de Toulouse, mais en l'enrichissant. À son tour elle deviendra une référence pour des édifices espagnols postérieurs.

197

Un bandeau de billettes continu souligne la base de l'unique fenêtre. Un bandeau semblable prolonge les tailloirs des chapiteaux de cette baie, qui était par ailleurs encadrée par deux colonnes en délit jouant le rôle de contreforts.

L'attention est surtout attirée par la corniche dont le décor est particulièrement abondant et soigné. Elle repose sur des modillons bordés de simples moulures décrivant une courbe peu marquée. Par-dessous est généralement accroché un animal dont la tête et parfois le corps tout entier se détachent du bloc, mais il existe aussi d'autres motifs.

La recherche réaliste qu'on a parfois cru déceler dans ces représentations est une illusion. Elles constituent les manifestations d'une certaine culture et elles répondent à des intentions symboliques. Un paquet d'entrelacs se souvient du passé encore tout proche qui avait imprimé sa marque sur les premières productions de Conques. Les animaux n'ont pas été choisis au hasard. Une tête de cerf surmontée de ses bois est l'emblème de l'âme fidèle qui aspire vers Dieu. L'ennemi du cerf est le serpent, qui apparaît précisément sur un modillon immédiatement voisin où il enlace une bête à tête de chien. Plus loin, on a sculpté une tête de lion rugissant, puis un lion tout entier. Celui-ci tourne vers le spectateur, qui le voit d'en bas, une tête menaçante. Enfin vient un démon grimaçant, les mains jointes, le corps lié par une corde.

198. Jaca,
cathédrale,
détail de la corniche
de l'absidiole méridionale
(Cliché J. Lacoste).

Pour la tranche de la corniche on a repris l'ornement des billettes, cependant que chacune des dalles qui la composent a sa face inférieure décorée d'un élément floral. Il s'agit fréquemment d'une marguerite enfermée dans un cercle, un motif emprunté à des modèles romains, mais que les sculpteurs de Saint-Sernin de Toulouse avaient déjà employé pour la décoration de la corniche de la Porte des Comtes. Néanmoins, il y a beaucoup plus de variété à Jaca.

Plus originales encore apparaissent d'autres plaques sculptées utilisées à la manière de métopes à la partie supérieure du mur entre les modillons. Si l'une reproduit la marguerite des « soffites », la plupart proposent des figures animales ou humaines traitées en faible relief et dans un modelé très souple. On reconnaît un dromadaire, deux lions dressés sur leurs hautes pattes, un basilic, une manière d'ours qui dirige sa tête vers le sol. Les personnages sont vifs et alertes. Entraînés dans un mouvement rapide ils semblent esquisser un pas de danse. Parfois ils brandissent des serpents, l'animal qui exerça sur l'imagination du maître de Jaca un pouvoir quasi obsessionnel. Ces personnages « sont nus, ou vêtus seulement d'une chlamyde que le vent soulève en même temps que leur longue chevelure. Dans ces silhouettes charmantes, dans ces nus aux jambes longues et souples, on entrevoit déjà le type des beaux éphèbes que les sculpteurs de Jaca ont aimé et qui atteindra sa perfection sur un chapiteau du portail de cette église » [30].

198

Georges Gaillard s'est demandé si ces métopes n'imitaient pas, au moins en partie, les carreaux en terre cuite qui entrèrent dans la décoration antique et protomédiévale. C'est possible, mais comme on ne peut signaler aucun de ces antécédents dans la région, il faut supposer que leur auteur eut connaissance d'exemples plus lointains et pas nécessairement en terre cuite, mais peut-être aussi en marbre. Quelque temps auparavant [31] une expérience un peu comparable à celle de Jaca avait été réalisée dans l'Ouest de la France. Il s'agit de la riche corniche du clocher de Saint-Hilaire de Poitiers qui offre un même contraste appuyé entre des modillons ornés de figures en fort relief, et des « métopes » et des « soffites » accueillant des personnages nus, des centaures et divers animaux réels ou fabuleux — parmi lesquels des lions et un dromadaire — traités en méplat. Le style est cependant extrêmement différent de celui de Jaca, en ce sens qu'il prolonge d'une certaine manière l'art du haut Moyen Âge, alors que le maître de Jaca renoue directement avec des modèles antiques.

199. Jaca, cathédrale, modillon.

Ces observations donnent à penser que le maître de Jaca était un homme riche d'expériences acquises au cours de contacts avec d'autres milieux artistiques également entraînés dans l'aventure antiquisante, parmi lesquels il conviendra de privilégier Saint-Sernin de Toulouse.

Au moment de la démolition de l'abside principale, on conserva soigneusement les modillons de sa corniche romane et on les remploya en leur laissant la même destination dans la construction qui la remplaça. Leur forme est plus variée. Parfois ils affectent l'aspect d'une feuille nue dont l'extrémité se replie en boule. Lorsqu'on reprit le modèle de l'absidiole sud, on en enrichit les moulures de motifs variés et notamment de petits modillons à copeaux de forme élémentaire que l'on retrouve aussi à Saint-Hilaire de Poitiers. Des animaux et des personnages s'accrochent toujours par-dessous et ils sont, comme précédemment, traités en fort relief et même en ronde-bosse. Ils sont vus de face ou de profil. Ici, un singe est enchaîné, là un petit personnage chevauche un lion qui engloutit un corps d'homme. À proximité, un second lion dévore une autre proie. La volonté de représenter le mal en action à travers des formes symboliques est évidente.

Serafín Moralejo a distingué parmi ces œuvres généralement du plus pur « style Jaca », un motif directement emprunté au décor de la table d'autel de Saint-Sernin de Toulouse sculptée par Bernard Gilduin et consacrée par le pape Urbain II le 24 mai 1096. Un ange sortant des nues brandit de sa main gauche la croix, le signe du Fils de l'Homme.

199

200. Jaca, cathédrale, détail de la corniche de l'absidiole méridionale.

Presque tout dans le dessin de la figure répète les éléments du modèle toulousain qu'on voit sur la tranche antérieure de l'autel. Seuls diffèrent l'aspect de la croix — entourée à Toulouse d'une sorte d'ovale réservé, qui manque ici — et la posture de l'ange, adaptée à l'ordonnance en hauteur d'un modillon. Sur le plan stylistique la parenté avec l'art de Bernard Gilduin n'est pas moins grande, avec cependant les nuances bien analysées par Serafín Moralejo, et correspondant à un sentiment plus grossier des formes et à un effet d'ensemble plus compact et plus massif. « Encore convient-il de signaler que l'apparence trapue de la figure est en partie provoquée par un effet d'optique : étant donné le profil concave du modillon, les jambes se raccourcissent lorsqu'elles sont vues d'en bas. Ces particularités peuvent aussi s'expliquer en partie par la différence d'effet recherché. Dans le cas de la table toulousaine nous avons affaire à un objet mobilier en marbre, et l'effet tend vers une certaine préciosité. À Jaca, il s'agit d'une œuvre architecturale, dont les volumes sont conçus avec plus d'exagération, en dépit du soin apporté à la finition » [32]. Le sculpteur aurait reçu une formation à Toulouse dans le cercle de Bernard Gilduin. Il serait venu travailler à Jaca peu après la mise en place de la table d'autel de Saint-Sernin. Ainsi disposons-nous d'un jalon chronologique solide pour la construction du chevet de la cathédrale aragonaise. Si l'on en terminait l'abside centrale vers 1096, il avait dû normalement commencer à sortir de terre peu de temps après l'édification des murs de la nef.

61

Outre la corniche, le décor de l'absidiole comprend un certain nombre de chapiteaux. Celui de la colonne adossée au mur, à gauche de la fenêtre (n° 8) — la colonne de droite a disparu lors de la reconstruction de l'abside centrale — est un corinthien à un seul rang d'acanthes finement sculptées, avec des boules accrochées aux extrémités des feuilles et une couronne de palmettes à la base. On retrouvera des pièces comparables à l'intérieur de la cathédrale.

200

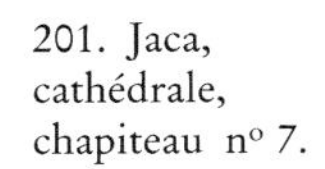

201. Jaca, cathédrale, chapiteau n° 7.

▷ 202. Jaca, cathédrale, chapiteau n° 46.

La fenêtre d'axe a conservé ses quatre chapiteaux. Sur l'un de ceux de l'extérieur (n° 7), des rinceaux sortent d'une tête d'angle. Un chapiteau presque identique occupe le même emplacement au chevet de l'église de Saint-Isidore de León. Seul diffère le traitement. Le second chapiteau de l'extérieur (n° 6) est médiocre, mais le sujet, une sorte de chouette qui déploie ses ailes, existe aussi à León. Les comparaisons se poursuivent encore au niveau des tailloirs couverts de palmettes circonscrites, avec des têtes animales surgissant aux angles.

201

Sous des tailloirs absolument identiques, les chapiteaux de l'ébrasement intérieur reprennent des motifs des modillons : de larges entrelacs à trois brins (n° 46) sur l'un, un singe assis entre deux félins sur l'autre (n° 47). L'opposition, sans aucun doute voulue, entre le plein relief et la qualité de ses figures et le caractère plat et sommaire de ses autres éléments (volutes et feuillage du fond) autorise un rapprochement avec une corbeille déposée depuis 1934, date de la restauration de la cathédrale, à l'intérieur de l'absidiole méridionale. En raison de ses dimensions relativement faibles — elle ne mesure que 34 cm de hauteur — et compte tenu aussi du fait qu'à l'origine elle était engagée dans une maçonnerie, on peut estimer qu'elle a fait partie du décor d'une autre fenêtre romane du chevet, soit dans l'abside centrale, soit dans l'absidiole nord.

202
203

Le thème traité se lit aisément, bien que l'œuvre soit en mauvais état. Un personnage assis, solidement campé tire violemment à l'aide d'une corde sur la patte d'un animal ressemblant à un ours. À un autre

204

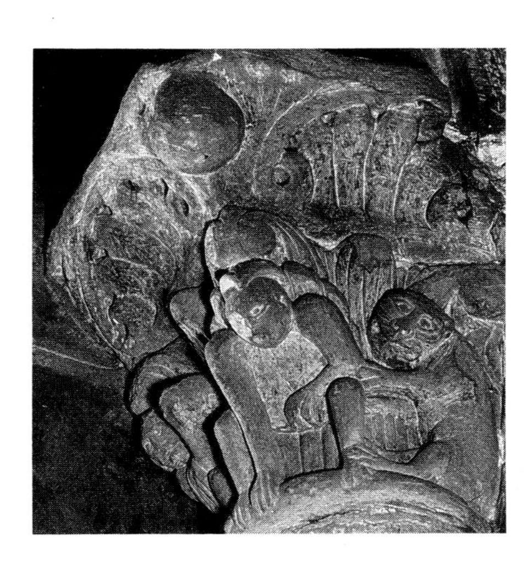

203. Jaca, cathédrale, chapiteau n° 47.

▷ 204. Jaca, cathédrale, chapiteau déposé.

endroit [33] nous avons analysé les indéniables parentés stylistiques qu'il offre avec un personnage debout sur une des faces d'un chapiteau de la galerie occidentale des tribunes du bras sud du transept de Saint-Sernin de Toulouse, qualifié d'hispanique en raison de ses particularités. Nous avons spécialement retenu le mouvement du manteau dont les plis dessinent un plastron sur la poitrine et surtout un certain type de visage à la bouche lippue, au menton lourd, aux yeux globuleux, couronné par une chevelure bouclée. Le sculpteur n'est pas le maître de Jaca lui-même, dont il se distingue par la rudesse des formes, mais un de ses compagnons. Il fit le voyage de Toulouse où il put rencontrer l'artiste qui était venu, ou qui allait venir, sculpter à Jaca le modillon à l'ange.

76, 77

Les chapiteaux de l'intérieur de la cathédrale

LEUR RÉALISATION a succédé directement dans le temps à la décoration du chevet. Ces chapiteaux constituent l'essentiel de la production du maître de Jaca et de son équipe et ils illustrent la sculpture romane du tournant du siècle sous tous ses aspects.

Parmi les œuvres purement ornementales, les chapiteaux dérivés du corinthien sont les plus nombreux. Les feuilles d'acanthe, dont la pointe s'orne fréquemment d'une boule ou d'une pomme de pin, connaissent des transformations similaires à celles qui s'opèrent dans les autres centres.

205

Parfois (en 15, en 29 et en 62) les feuilles arrondies constituent avec leurs lobes en faible relief une sorte de coupe en surimposition pour présenter la boule ou le fruit qui est le principal élément plastique.

206

Sur d'autres corbeilles (n°s 36 et 58), selon un processus analysé à Saint-Sernin de Toulouse, à Saint-Isidore de León et à Saint-Jacques de Compostelle, les lobes inférieurs des feuilles se soudent pour donner naissance à des palmettes.

205. Jaca, cathédrale, chapiteau n° 62.

206. Jaca, cathédrale, chapiteau n° 36.

207. Jaca, cathédrale, chapiteau n° 57.

Le type de la feuille fendue, si fréquent à Toulouse et à Compostelle, n'existe qu'à un seul exemplaire (n° 57), mais celui-ci est doté d'une forte originalité. Un long épi, ressemblant à l'inflorescence de l'arum, se dresse derrière les feuilles et son extrémité pointe comme un piton sous les volutes d'angle.

Sur certaines corbeilles n'existe qu'une seule rangée de feuilles. Les unes ont une présentation très simple (n°s 51 et 52). Une autre (n° 30) est comme striée par des lobes effilés qui parfois enserrent une pomme de pin.

Le chapiteau double à droite de l'entrée de l'abside (n° 45) offre une composition complexe et même confuse, sans doute parce qu'on avait mal calculé au départ la hauteur de ses deux corbeilles. Lorsqu'on prit conscience de l'erreur, on dut ajouter à chacune un registre supplémentaire sculpté à part. L'ensemble donne une superposition d'éléments sans liens les uns avec les autres. Au-dessus d'une rangée de feuilles ornées de pommes de pin s'élèvent « des volutes de grande taille à section quadrangulaire, se projetant vers les angles par une corde tendue, conçues comme des membres indépendants de la corbeille » : une formule très utilisée à Jaca et ayant des antécédents dans les premiers chapiteaux de Compostelle [34]. Puis vient le bloc ajouté garni de demi-palmettes. On termine avec les palmettes du tailloir.

Cette composition a peut-être inspiré un chapiteau très curieux (n° 41) dont le motif des boules forme l'élément du décor sur trois registres superposés. Aux deux étages supérieurs elles demeurent pendues à la pointe d'une feuille, mais à l'étage inférieur elles se transforment en têtes humaines surmontant des bustes. Cette mutation, tout à fait conforme à l'esprit roman, donne naissance à une rangée de petits personnages très élémentaires, parfois déjà engagés dans un gestuel. Le type humain est celui que nous avons observé sur le chapiteau de fenêtre portant le n° 54.

207 208 209 196

208. Jaca, cathédrale, chapiteau n° 45.

▷ 209. Jaca, cathédrale, chapiteau n° 41.

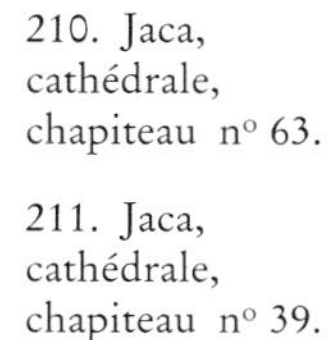

210. Jaca, cathédrale, chapiteau nº 63.

211. Jaca, cathédrale, chapiteau nº 39.

Enfin, comme nous l'avons déjà vu précédemment, notamment à Conques, à Toulouse et à Moissac, les bords des feuilles au lieu de se réunir vers le bas peuvent se recourber vers l'extérieur. Ils donnent alors naissance à une suite de lignes ondulées (nº 37).

Parmi les motifs ornementaux de l'intérieur de la nef on retrouve les entrelacs épanouis en demi-palmettes à leurs extrémités, comme il en existe sur des chapiteaux des fenêtres. Deux beaux exemplaires existent 210 en 42 et 63.

Sur les deux chapiteaux des bas-côtés situés à l'entrée du transept (en 39 et 48) ces entrelacs se transforment en un réseau serré de vannerie qui semble préfigurer certaines des productions les plus raffinées de la 211 dernière génération des sculpteurs toulousains. Dans le premier cas, les 212 entrelacs constituent à eux seuls tout le décor. Dans le second, ils sont « habités ». Deux personnages jouent dans ces rinceaux. Ils se tiennent debout sur toute la hauteur de la corbeille, les jambes largement écartées, les pieds solidement appuyés sur l'astragale. Pour tout costume ils portent une courte draperie accrochée sur l'épaule droite et rejetée sur la gauche. Il existe en outre un lion qui crache l'une des tiges. Cette œuvre, remarquable par « la fierté de l'attitude » des personnages et « la sincérité du nu », inaugure une série de chapiteaux figurés et historiés.

212. Jaca, cathédrale, chapiteau nº 48.

On retiendra d'abord une composition serrée où des figures humaines sont associées à des animaux d'une manière complexe et dans un style lourd convenant davantage à un simple compagnon qu'au maître lui-même (n° 49). Nous lui accordons une attention particulière parce qu'elle a été reproduite avec suffisamment d'exactitude à Loarre et qu'on en trouve une version au musée de Pavie, sur un chapiteau de la fin du XIe ou du début du XIIe siècle, c'est-à-dire datant sensiblement de la même époque [35]. Un grand lion occupe la face principale. Sur son dos sont installés deux oiseaux dont les queues sont mordues par un masque faisant office de dé central. Un petit personnage aplati sous la volute de droite ouvre la gueule du lion tel un Samson. Le motif est reproduit à gauche, où le même petit personnage s'attaque d'une manière identique à un autre lion dont on ne voit que la tête. Ce second fauve déchire avec ses dents la queue du lion de la face principale. On retire de cette composition une impression semblable à celle que produit le trumeau de Souillac avec son grouillement d'oiseaux, de quadrupèdes et de monstres dévorant des damnés. La scène de Jaca est encadrée par deux personnages debout. Celui de gauche, drapé dans de lourds vêtements, s'y intéresse directement : il saisit par le bras le plus proche des lutteurs. Celui de droite, nu, tient dans ses mains une torche. On y reconnaît sans peine un motif funéraire sans doute emprunté à un sarcophage [36].

213

213. Jaca, cathédrale, chapiteau n° 49.

214. Jaca, cathédrale, chapiteau n° 64.

214

Un thème probablement apparenté fait l'objet du chapiteau n° 64. Sur sa face principale trois personnages élégamment vêtus à la manière antique et engagés, semble-t-il, dans une conversation animée, se dressent derrière deux lions symétriquement adossés. Deux sont nimbés et celui du centre, qui est de ceux-là, saisit un serpent à pleine main. Sur la face latérale gauche, un personnage nu, à la musculature puissante, tient en laisse le lion voisin. Sur la face de droite, un autre personnage a jeté sur sa tunique une écharpe qui tombe de l'épaule droite sur l'avant-bras gauche. Il s'agit d'un détail vestimentaire traditionnel à Jaca. Deux têtes de lions rugissants sont en outre placées sous les volutes. Apparemment, on a voulu évoquer ici la victoire sur l'animal satanique, qu'il s'agisse du serpent ou du lion. Par rapport au chapiteau précédent, le style est plus fin, plus délié, plus élégant. Serafín Moralejo a fait observer que le *putto* maîtrisant un lion avec une corde est un motif qui renvoie aussi aux sarcophages à représentations dionysiaques et que « les lions des chapiteaux de Jaca, avec leur modelé large et doux, avec des crinières manquant d'entité plastique, rappellent davantage des panthères dionysiaques que de vrais lions » [37].

Un thème antique fréquemment reproduit au début de l'époque romane — à Toulouse, à Moissac, à Lavaur — celui de l'*imago clipeata*, s'enrichit à Jaca de détails originaux (n° 37). Deux personnages drapés dans leurs manteaux offrent à la vénération un buste dans un médaillon circulaire. Ils se tournent vers deux autres figures latérales qui ploient le genou, une main étendue dans l'attitude de l'acclamation, l'autre tenant un livre. On peut reconnaître la vénération et l'acclamation du Christ par les apôtres, scène inspirée d'un décor de sarcophage, comme

215

215. Jaca, cathédrale, chapiteau n° 37.

216. Jaca, cathédrale, chapiteau n° 56.

celui d'une petite face du sarcophage dit de Guillaume Taillefer dans l'enfeu des Comtes à Saint-Sernin de Toulouse [38].

Parmi les chefs-d'œuvre de l'intérieur de la cathédrale se distingue une composition d'une grâce toute antique. Quatre personnages, à peu près complètement nus, s'ébattent au milieu des vagues (n° 56). Deux

216

d'entre eux jouent d'une double flûte. Les autres dansent. À l'origine de cette composition il y eut une source antique qui, pour Serafín Moralejo, est à chercher dans le répertoire des sarcophages romains à représentations dionysiaques marines. « En effet, la formule adoptée pour le rendu des eaux y renvoie — une formule étrangère à la morphologie romane habituelle — tout comme l'ambiguïté voulue entre la calligraphie et le rythme des ondes et celui des draperies [...]. Les deux amours accroupis, jouant de la double flûte, qui flanquent la scène centrale sont aussi des emprunts au même répertoire. La filiation des deux protagonistes adultes semble moins claire, quoique leur air antique n'en soit pas moins évident. Le torse mollement courbé de la figure de droite évoque le souvenir d'une néréide et le ruban qui tient la chevelure de son compagnon est un trait qui revient dans les figures des *thiasoi*, bien qu'il soit généralisé dans l'imagerie antique » [39].

Cependant la composition a reçu une signification chrétienne. Elle est en effet encadrée par deux démons à la face bestiale. On se souviendra que la mer est le symbole de la mort. Elle est le grand abîme d'où montent les monstres redoutables (Dn. 7, 3 ; Ap. 13, 1). Le Christ a marché sur les flots pour annoncer sa victoire sur la mort. L'idée a été développée par saint Augustin : « Attention, frères, attention au siècle, à la mer, aux orages, au vent impétueux [...]. Si tu aimes Dieu, tu marcheras sur la mer, l'enflure du siècle est sous tes pieds. Si tu aimes le siècle, le siècle t'engloutira ». Dans la mer se trouve le principal danger de l'homme, le dragon, l'antique serpent, qui séduisit Adam et Ève et qui poursuit son entreprise. « Il y a dans la mer quelque chose qui l'emporte sur tous les animaux, petits et grands. Qui donc ? Écoutons le psaume : *Draco hic quem fecisti ad illudendum* [...]. C'est là un grand mystère, et pourtant vous savez déjà ce que je vais dire. Vous connaissez le dragon, ennemi de l'Église [...]. Il faut le viser à la tête, l'écraser dès la première apparition mauvaise. » [40] Telle n'est pas la décision prise par les êtres insouciants qui écoutent « le pipeau du plaisir » [41] et « ce dragon que tu fis pour jouer ».

217 Une autre œuvre de grande distinction (n° 50) a été déchiffrée par Serafín Moralejo qui y a reconnu une Annonciation et la victoire du Christ sur l'antique serpent [42].

L'ange Gabriel livre son message à la Vierge Marie, très belle et rayonnante de jeunesse. Un autre ange se trouve derrière Marie, comme sur le chapiteau de l'Annonciation de la porte Miègeville de Toulouse à peu près contemporain.

Deux curieux motifs encadrent la scène pour souligner la place centrale de l'Incarnation dans l'économie du Salut. À droite, il s'agit d'un singe ou d'une guenon — l'état de détérioration de la sculpture ne permettant pas de décider en faveur de l'une ou l'autre lecture — qui porte la main à sa bouche comme si l'animal était en train de mordre quelque chose. Serafín Moralejo reconnaît une association très précoce à l'Annonciation d'un thème iconographique étudié par H.W. Janson, celui du singe accroupi mangeant un fruit, conçu comme parodie du péché originel [43]. En effet, les traits supposés du singe en font une image privilégiée de la dégénérescence de l'homme pour le monde médiéval. « Il y avait en premier lieu son instinct d'imitation, dont on a même cru qu'il expliquerait l'étymologie de son nom — *simia = similitudo* — et qui favorisait son utilisation comme élément parodique de la comédie humaine. Ce même instinct, interprété comme une manifestation de l'orgueil, correspondait à la prétention qui conduisit Adam et Ève au péché : le singe essaie de ressembler à l'homme comme celui-ci essaya de ressembler à Dieu. D'autre part le folklore médiéval a déjà pressenti quelque parenté biologique entre l'homme et le singe, mais à l'inverse du darwinisme vulgaire, il a conçu la relation en terme de ' dévolution ' : le singe était présenté comme la métaphore de la dégradation physique et morale de l'homme après sa chute » [44].

Le motif de gauche confirme l'interprétation précédente et prolonge la dialectique damnation-salut. Une figure féminine, courbée selon le mouvement de la feuille d'angle, tient de ses deux mains un long serpent qui s'enroule autour de son cou, sous le regard d'un démon menaçant. Ainsi a été mise en place une sorte d'« Annonciation démoniaque », la femme aux serpents étant l'antithèse de la Vierge Marie.

Les quatre chapiteaux couronnant les colonnes, qui constituent les temps faibles dans l'alternance des piles, n'ont été sculptés que plus tardivement. Ceux du sud sont d'ailleurs demeurés à demi épannelés. L'un de ceux du nord est décoré de feuilles lisses et plates préfigurant le dépouillement d'œuvres cisterciennes. À l'inverse, son homologue illustre le « baroque roman », avec l'épanouissement de ses grosses feuilles frisées surchargées d'un modelé gras.

Le maître de Jaca excelle dans la composition historiée grâce notamment aux secours techniques et iconographiques tirés des sarcophages antiques, sauf lorsqu'il aborde le décor des portails où il se montre beaucoup moins créatif [45].

217. Jaca, cathédrale, chapiteau n° 50.

Le portail méridional

218 LE PETIT PORTAIL qui ouvre sur le collatéral méridional n'avait guère retenu l'attention des historiens de l'art en raison des profondes modifications dont il fut l'objet au XVIe siècle. Il fallut que Serafín Moralejo se penchât sur lui pour que l'on prît conscience de son intérêt [46].

◁ 218. Jaca, cathédrale, portail méridional.

△ 219. Jaca, cathédrale, relief du portail méridional.

L'écusson papal qui occupe le centre du tympan est le principal apport de la Renaissance. Il est flanqué de deux pièces en remploi, deux très petits tympans, redressés, contenant deux symboles des évangélistes : le bœuf et le lion. Manuel Gómez-Moreno avait déjà suggéré de les remettre à l'horizontale et de les juxtaposer afin d'articuler le champ de l'ancien tympan roman sous son arcade d'origine [47]. Il restait à compléter le programme. En imaginant un tympan du type de ceux de Sainte-Marie d'Oloron et de Sainte-Foy de Morlaas dans le Béarn voisin, Serafín Moralejo propose un Christ en majesté comme figure centrale et il attribue la place encore disponible aux signes de saint Jean et de saint Matthieu qui ont disparu [48]. Il fait également entrer dans le jeu de la restitution un dernier élément jusqu'à présent totalement négligé par l'ensemble des archéologues. Il s'agit d'un relief très abîmé — on l'a récemment complété avec une tête grotesque —, représentant dans 219 l'écoinçon de droite un personnage debout, un livre à la main. Des traces de remaniement dans la maçonnerie de gauche permettent d'imaginer qu'il avait son pendant à cet endroit. Cette composition d'ensemble du portail, avec un tympan encadré par deux saints personnages, fut reprise pour la Porte Miègeville et pour les deux portails méridionaux de Saint-Isidore de León. L'exécution grossière de tous les éléments mentionnés autorise des rapprochements stylistiques avec le chapiteau n° 49 de l'intérieur, sur lequel se trouvent deux personnages comparables au saint mutilé de l'écoinçon de droite.

213

Lors de la restauration du portail méridional au XVIe siècle, il ne fut pas touché aux colonnes qui soutiennent l'archivolte ni à leurs chapiteaux.

Sur celui de droite (n° 12) est représenté un Sacrifice d'Abraham où tout est surprenant. Abraham, figure puissante, entraîné par un mouvement violent, voile à demi sa nudité par une draperie qui pend de son bras gauche. Le haut du corps est rejeté en arrière et la main droite brandit un couteau — dont l'ange se saisit — tandis que la gauche empoigne la chevelure d'Isaac. « Sa jambe gauche, nue et fortement moulée, d'une longueur démesurée, occupe plus de la moitié de la hauteur du chapiteau ». La tête est monstrueuse : « un cou de taureau l'attache aux fortes épaules ; la chevelure, comme celle des autres personnages, traitée par grosses mèches tordues qui ont l'aspect de la laine, forme autour de sa tête un casque encore plus volumineux. Cette figure d'Abraham est à la fois la plus incorrecte et la plus expressive qui soit » [49].

220

221

À l'angle du chapiteau « Isaac, complètement nu, les mains attachées derrière le dos, offre son corps athlétique, le plus extraordinaire nu que nous connaissions dans la sculpture romane. Les jambes très longues, écartées, puissamment musclées, avec à l'aine un repli qui rappelle le bourrelet des athlètes et de la statuaire antique, la taille extrêmement mince et l'abdomen moulé par une ceinture de muscles. La partie supérieure du corps est très courte par rapport à la longueur des jambes, mais les épaules sont larges et puissantes. Enfin, la tête rentrée dans les épaules par un mouvement de crainte est portée par un cou énorme ; les yeux sont agrandis par la peur » [50].

Il s'agit d'un langage formel plus rude et plus affirmé que sur la plupart des chapiteaux historiés de l'intérieur de la cathédrale, mais non moins antiquisant. On peut l'interpréter comme l'indice d'une plus grande maturité du style du maître de Jaca, mais on peut aussi supposer l'utilisation d'autres sources d'inspiration. Georges Gaillard cite le sarcophage ayant servi à la sépulture du roi d'Aragon Ramire le Moine (1134-1137) et qui se trouve dans une dépendance du cloître de Saint-Pierre le Vieux de Huesca. « On y voit une *imago clipeata* soutenue par deux génies symétriques, nus, allongés dans la position horizontale, les jambes longues et musclées écartées et décrivant un dessin tout à fait semblable à celui des figures nues debout sur les chapiteaux de Jaca » [51]. Serafín Moralejo écarte cette source et songe plus spécialement au magnifique sarcophage du Musée archéologique de Madrid qui se trouvait au Moyen Âge dans l'abbaye de Santa María de Husillos au sud de Frómista [52], dont nous parlerons plus longuement par la suite.

Le groupe d'Abraham et d'Isaac est encadré à gauche par l'ange du Seigneur qui, comme nous l'avons dit, se saisit du couteau au moyen duquel le père s'apprêtait à immoler son fils, et à droite par l'autel sur lequel le bélier est couché, les pattes repliées. Il est maintenu par un personnage « ressemblant à une Gorgone ou à une Méduse. Les mèches laineuses de ses cheveux s'échappent de tous les côtés comme des serpents. L'expression des volumes est ici poussée à son paroxysme,

▽ 220. Jaca,
cathédrale,
chapiteau n° 12
du portail méridional.
Abraham.

▷ 221. Jaca,
cathédrale,
chapiteau n° 12
du portail méridional.
Isaac.

dans les joues, le cou, la poitrine débordante »[53]. Le sacrifice de la victime envoyée par Dieu pour épargner Isaac ayant rarement été représenté, l'identification du personnage féminin plaçant le bélier sur l'autel demeure hypothétique. Il ne s'agit probablement pas de l'ange, puisqu'il ne possède pas d'ailes. Bien qu'il occupe une place parfois attribuée à Sara — sarcophages de Saint-Orens d'Auch[54] et de Lucq-de-Béarn[55] —, il est douteux qu'on ait pu faire jouer ce rôle à la mère d'Isaac. La création iconographique de Jaca conserve donc ici son mystère[56].

222 Sur le chapiteau de gauche du portail (nº 13) est représenté un second épisode biblique : Balaam sur son ânesse et l'ange de Yahvé lui barrant la route (Nb. 22, 22-23). L'ange brandissant son épée dans un mouvement violent qu'accompagne le tracé du costume occupe à lui seul toute une face de la corbeille. Les vêtements de Balaam empruntent leurs drapés à l'antique comme ceux de la plupart des autres personnages vêtus du maître de Jaca. Aux angles jaillissent les énormes pitons couverts d'écailles minutieusement taillées.

Le rapprochement des deux thèmes n'est pas fortuit et la raison nous en est fournie au Panthéon des Rois de Saint-Isidore de León où il a été également réalisé avec des détails supplémentaires qui en précisent la signification.

À León, Balaam est précédé de Moïse portant les Tables de la Loi. L'allusion est claire : à l'ancienne Alliance a été substituée l'Alliance nouvelle prophétisée par Balaam : « Un astre sort de Jacob, un sceptre s'élève d'Israël » (Nb. 24, 17). Cette alliance nouvelle devait être fondée sur le sang (He. 9, 15-28). Le Christ, dont Isaac est la figure, est le médiateur suprême, supérieur à Moïse, parce qu'il a remporté la victoire sur la mort : une victoire symbolisée par une représentation impossible à voir, parce que sculptée sur une face invisible du chapiteau de Balaam — nous aurons à revenir sur cette curieuse anomalie — mais qu'on peut identifier au toucher. Il s'agit de la lutte de Samson contre le lion, dont il écarte les mâchoires. Après sa résurrection, le Christ a été élevé plus haut que les cieux (He. 7, 26) et il siège sur son trône de gloire. Ainsi était-il représenté sur le tympan du portail méridional entouré par les symboles des évangélistes.

222. Jaca, cathédrale, chapiteau nº 13 du portail méridional. L'ânesse de Balaam.

Le portail occidental

223. Jaca,
cathédrale,
portail occidental.

223 LE PORTAIL PRINCIPAL, ouvrant au fond d'un vaste porche postérieur à lui, appartient à un type régional caractérisé par l'existence d'un
224 tympan à chrisme. Il s'agit d'un motif que privilégie, à l'époque romane, une région à cheval sur les Pyrénées centrales et occidentales et couvrant une partie de la Gascogne, de l'Aragon et de la Navarre [57]. Celui de Jaca se trouve au cœur même de la zone, un emplacement qui confirme son caractère proprement autochtone. Le chrisme de type « pyrénéen » ajoute très fréquemment la lettre S à l'alpha, à l'oméga et au rhô, qui prend d'ailleurs ici la valeur d'un P. En effet, comme nous allons le vérifier, le monogramme du Christ a changé de sens : il s'est transformé en celui de la Trinité. D'autres lettres apparaissent encore fréquemment pour former les mots PAX, LVX et REX, des mots qu'on trouve déjà groupés par certains poètes carolingiens et qui furent aussi utilisés dans l'enluminure du haut Moyen Âge, notamment hispanique [58]. Parfois

224. Jaca,
cathédrale,
tympan du portail occidental.

encore, mais très rarement : à Lème dans le département des Pyrénées-Atlantiques, dans l'église de San Martín de Uncastillo dans la province de Saragosse et enfin à Jaca, un décor figuré est adjoint aux chrismes « parlants ». Jamais cependant il n'atteint en importance celui de Jaca, qui est aussi le plus éloquent car de nombreuses inscriptions en éclairent le sens.

L'une d'elles [59] est gravée sur le cercle entourant le chrisme et qui, telle la mandorle, est le signe du divin :

† HAC IN SCVLPTVRA LECTOR SIC NOSCERE [ou SI GNOSCERE] CURA
P PATER, A GENITVS, DVPLEX EST SPIRITVS ALMVS
HII TRES IURE QVIDEM DOMINVS SVNT VNVS ET IDEM.

Ce que l'on peut traduire : « Dans cette sculpture, prends soin de reconnaître, lecteur, que P est le Père, A le Fils, la [lettre] double le Saint-Esprit. Tous trois vraiment un seul et même Seigneur ». C'est-à-dire, le rhô devenu un P représente le Père ; A et ω le Fils, S, la première lettre de *Spiritus Sanctus* ou de *Spiritus Almus,* le Saint-Esprit.

De part et d'autre du monogramme trinitaire s'affrontent deux superbes lions — ou plutôt le lion répété deux fois — qui symbolisent le Christ représenté dans deux attitudes complémentaires qu'expliquent deux autres inscriptions.

À droite, il foule aux pieds deux bêtes démoniaques. Le texte précise :

IMPERIVM MORTIS CONCVLCANS EST LEO FORTIS.

Autrement dit : « Le lion puissant terrasse l'empire de la mort ».

On songe à Honorius Augustodunensis qui, commentant dans son *Speculum ecclesiæ,* à l'occasion d'un sermon pour le dimanche des

Rameaux, le verset 13 du psaume 90 (91) : « Tu marcheras sur l'aspic et le basilic et tu fouleras aux pieds le lion et le dragon », applique ce texte au Christ qu'il montre triomphant des puissances du mal [60].

Que le lion soit devenu le Christ, on ne s'en étonnera pas, lorsqu'on connaît l'ambivalence d'un animal qui au Moyen Âge peut être aussi bien l'image du Christ comme ici, ou au contraire, rugissant ou dévorant, le symbole du diable.

On reconnaît très bien le basilic, le « roi des serpents », que l'histoire naturelle du temps imaginait comme un composé du serpent et du coq. Du serpent il a conservé la queue, du coq il a les plumes, le bec et la crête dentelée. Quant à l'autre animal, on le voit approcher sa tête du sol. Il ne représente pas correctement l'aspic, puisqu'il ne possède rien du dragon auquel on l'assimilait, mais ressemble plutôt à un ours. Son attitude ne répond pas non plus exactement à celle qu'Honorius Augustodunensis prête à l'aspic : « C'est une espèce de dragon que l'on peut charmer avec des chants. Mais il est en garde contre les charmeurs et, quand il les entend, il colle, dit-on, une oreille contre terre et bouche l'autre avec sa queue, de sorte qu'il ne peut rien entendre et qu'il se dérobe à l'incantation. L'aspic est l'image du pécheur qui ferme ses oreilles aux paroles de vie » [61]. Comme il le fait sur une des métopes de l'absidiole méridionale et sur le chapiteau déposé dans cette abside, l'animal se contente d'approcher sa tête de la terre. Peut-être y a-t-il eu contamination du verset 13 du psaume 90 par un autre texte biblique qui propose une autre suite d'animaux symbolisant la mort du péché :

« Que sera-t-il pour vous le jour de Yahvé ?
Il sera ténèbres, et non pas lumière.
Tel l'homme qui fuit devant un lion
et tombe sur un ours » (Amos, 5, 18-19) [62].

De toute façon, la signification de la scène n'est pas douteuse : les deux animaux dont triomphe le Christ-lion représentent la mort du péché [63].

À cette évocation de la mort spirituelle est opposée de l'autre côté une image de salut. Un homme est tenté par le serpent, la bête satanique par excellence, qu'il tient dans ses mains. Mais il reconnaît sa faute, il repousse l'animal et s'agenouille aux pieds du lion. Celui-ci l'épargne et écrase le serpent. L'inscription accompagnant la scène la commente de cette façon :

PARCERE STERNENTI LEO SCIT CHRISTVSQVE PETENTI

« Le lion sait épargner celui qui se prosterne à ses pieds et le Christ celui qui le prie. »

Enfin un dernier texte, inscrit sur la bordure inférieure du tympan tire la leçon de tout ce qui précède.

VIVERE SI QVERIS QVI MORTIS LEGE TENERIS
HVC SVPLICANDO VENI RENVENS FOMENTA VENENI
COR VICIIS MVNDA PEREAS NE MORTE SECVNDA

« Si tu veux vivre, toi qui es soumis à la loi de la mort, viens ici en suppliant, renonçant aux nourritures empoisonnées. Purifie ton cœur de ses vices, afin de ne pas mourir de la seconde mort. »

À l'homme qui prie et renonce au démon est promis le Salut éternel en raison de la victoire remportée par le Christ sur le mal et sur la mort. Les images du tympan et les inscriptions qui les accompagnent sont une invitation à la pénitence sacramentelle qui passe par la prière et le repentir. Ce sont des exhortations au fidèle qui se dispose à franchir le seuil de l'église. Se reconnaissant pauvre pécheur, il ira se laver des vices de son cœur, il se nourrira de la nourriture de salut prodiguée par les sacrements, ainsi il évitera de mourir de la seconde mort, la mort éternelle opposée à la mort corporelle (Ap. 20, 6).

La réflexion théologique se poursuit sur les chapiteaux dont trois sur quatre sont historiés, comme à la Porte Miègeville de Toulouse.

225 Sur un des chapiteaux de droite (nº 23), Serafín Moralejo [64] a reconnu l'histoire de Daniel et d'Habacuc (Dn. 14, 30-38). Le prophète est assis, les lions à ses pieds. Il étend la main gauche dans le geste de l'orante. De la droite il prend la nourriture que Dieu lui envoie par l'intermédiaire d'Habacuc. C'est un pain rond qui donne à l'épisode biblique un sens eucharistique. Un ange à l'allure décidée, pris dans son vol, tient Habacuc par les cheveux. Ce chapiteau illustre l'exhortation adressée aux fidèles sur le tympan de vivre des sacrements et plus particulièrement de se nourrir de l'eucharistie.

226 Au centre du chapiteau voisin (nº 22) un personnage élancé, élégamment drapé dans un manteau qui est accroché à son épaule droite, brandit un serpent : un geste qui déclenche une réaction d'effroi chez les deux figures nues qui l'encadrent. Serafín Moralejo [65] propose de reconnaître Daniel brandissant le serpent que les Babyloniens adoraient et qu'il vient de tuer. Il leur crierait alors : « Voyez ce que vous adorez » (Dn. 14, 27). On peut aussi attribuer un sens plus général à la scène et reconnaître la défaite de l'antique serpent, c'est-à-dire du démon, avec le désespoir de ceux qu'il a entraînés à sa suite. Peut-être est-il fait allusion sur la face de droite très détériorée à l'exécution des prêtres de Bel (Dn. 14, 21).

225. Jaca, cathédrale, chapiteau nº 23 du portail occidental. Daniel et Habacuc.

▷ 226. Jaca, cathédrale, chapiteau nº 22 du portail occidental.

On retiendra encore que le décor se poursuit sur la face latérale de gauche, cependant appliquée contre le mur voisin. Cette anomalie a déjà été signalée au portail méridional et nous répétons qu'elle existe également à la Porte Miègeville de Toulouse. Par un jeu de miroirs, on aperçoit

227. Jaca, cathédrale, chapiteau nº 25 du portail occidental.

▷ 228. Uncastillo, Saint-Martin, tympan.

une sirène. Un dessin en a été exécuté d'après un moulage fait à l'aide d'une feuille d'aluminium appliquée sur la sculpture, selon le procédé utilisé à Toulouse par Th. Lyman [66].

Enfin, de vigoureux pitons ont pris aux angles la place des feuilles épaisses qui se trouvent fréquemment à cet endroit et qui semblent avoir été l'une des sources du motif.

227 Le dernier chapiteau historié se trouve à gauche (nº 25). C'est le mieux conservé de tous. Il montre d'abord sur la face latérale gauche deux personnages courts et trapus, dont la grosse tête est comme casquée par une très abondante chevelure. Ils paraissent dialoguer et l'un d'eux porte un objet allongé. Sur la face principale deux autres personnages, représentés en mouvement, ont de longues écharpes lancées sur leurs épaules et ils conjuguent leurs efforts pour porter ce qui paraît être une lourde pierre. Nous avons proposé [67] de reconnaître la « pierre de justice », la pierre qui est le Christ engendré par la Vierge Marie, sur laquelle le serpent a déroulé ses anneaux sans la pénétrer, puisque la tentation qui attaqua le Christ de l'extérieur ne put pénétrer en lui [68]. Un personnage agenouillé sur la face latérale de droite confirme par son attitude de vénération le caractère sacré de l'objet. Toujours avec valeur de signature, des pitons coniques recouverts d'écailles pointent aux angles sous les volutes, cependant qu'un piton comparable, mais tronqué, occupe la place de la rose classique au milieu de la partie supérieure de la corbeille.

Dans son ensemble, l'iconographie du portail occidental incite à la vigilance à l'égard du péché symbolisé par le serpent. Elle prêche la nécessaire pénitence, exalte la puissance du Christ, vainqueur de Satan et des forces mauvaises ; elle promet le salut à ceux qui le prient et mettent leur confiance en sa miséricorde.

Une composition très voisine a été retenue pour un tympan de l'église San Martín de Uncastillo [69] (une des *Cinco Villas* d'Aragon),
228 sans doute de peu postérieur à celui de Jaca. Il fait partie d'un portail aujourd'hui situé sous le clocher, mais qui a peut-être été déplacé. Bien

qu'il soit dépourvu d'inscriptions, il confirme les intentions du précédent et en précise les sources. Le grand chrisme de type pyrénéen est à nouveau accosté de deux grands lions, mais on a interverti les motifs. C'est le lion de droite qui accorde sa protection contre le serpent au pécheur repentant, un petit homme nu qui s'accroche à l'une de ses pattes comme à une planche de salut. Le lion de gauche dévore un animal à longue queue qui correspond à l'image que le Moyen Âge se faisait du basilic. Cependant, comme les deux lions sont couchés, la nouvelle composition prend encore plus de distance que la précédente à l'égard du verset 13 du psaume 90, évocateur d'un vainqueur debout, foulant aux pieds ses ennemis. Les chapiteaux du portail complètent le thème. On reconnaît deux lions domptés sur celui de gauche et une sirène à deux têtes sur celui de droite.

Les chapiteaux historiés du portail occidental de la cathédrale aragonaise comptent parmi les chefs-d'œuvre du maître de Jaca. Toutes les figures sont remarquables par l'aisance de leurs mouvements plus ou moins vifs ou mesurés, mais toujours naturels. Le sculpteur continue à affirmer sa prédilection pour le nu. Son art allie la puissance et la délicatesse.

Un élément de chronologie est apporté par le chapiteau de gauche non historié, purement décoratif, dérivé du corinthien (nº 24). Il appartient à la catégorie des feuilles fendues, qui sont distribuées en deux registres et auxquelles s'ajoute, sur le bas de la corbeille, au-dessus de l'astragale, une collerette de palmettes circonscrites. C'est exactement la composition

229

229. Jaca, cathédrale, chapiteau nº 24 du portail occidental.

▽ 230. Jaca, cathédrale, chapiteau du portique méridional.

d'un chapiteau appartenant à la deuxième pile composée de la nef dans l'alignement de droite. Bien que l'exécution en soit plus rude, on peut admettre que le portail occidental fut réalisé alors qu'on travaillait à la décoration intérieure de la cathédrale. Le portail méridional auquel collabora un rude compagnon, distingué par les mains énormes dont il dote ses personnages, lui serait à peu près contemporain. Tous les deux ont probablement vu le jour dans la première décennie du XIIe siècle, vers l'époque où, à Toulouse, le maître des chapiteaux de la Porte Miègeville entreprenait les premiers travaux d'édification de ce monument.

On peut attribuer à la dernière période d'activité du maître de Jaca, peut-être vers 1120, un magnifique chapiteau remployé au portique méridional et représentant une nouvelle fois le roi David et ses musiciens. (230) Ceux-ci ne sont pas moins de onze pour jouer des instruments les plus divers : les uns à cordes pincées à l'aide des doigts ou vibrant sous un archet, les autres à vent, du genre cor ou flûte. Le sculpteur a réussi le tour de force de les grouper tous sur les trois faces du chapiteau dans une composition complexe, en diversifiant les attitudes et les gestes au maximum. Les uns sont debout, les autres assis ; certains se poussent, d'autres se serrent contre leurs voisins. Georges Gaillard n'a pas manqué de remarquer que « leur chevelure abondante et plantée bas sur le front est traitée par petites mèches guillochées d'apparence laineuse, analogues à celles qui coiffent l'ange de gauche sur le chapiteau du Sacrifice d'Abraham. C'est aussi à cette figure [...] que se rattache le plus directement le traitement des draperies : de grandes écharpes, jetées sur les épaules ou sur les bras, pendent en demi-cercle sur la poitrine ; des ourlets doubles bordent le bas des tuniques, dont les plis forment des bourrelets arrondis. On voit cependant apparaître, sur la robe d'un musicien agenouillé à gauche, les plis repassés, traités ici avec une souplesse et un sens de l'épaisseur remarquables, tandis qu'ils vont bientôt ailleurs se durcir et se dessécher. Par contre [...] le sculpteur a perdu le goût du nu : les jambes qui apparaissent au-dessous des tuniques courtes sont sans modelé » [70].

Le passage d'un art antiquisant à un art pleinement roman est d'autant plus remarquable qu'à peu près au même moment, et sans doute dans le même lieu — probablement le cloître de la cathédrale aujourd'hui détruit — une renaissance des influences antiques se faisait jour, peut-être avec la venue d'un sculpteur de Compostelle. Telle paraît du moins l'interprétation que l'on peut donner à un chapiteau supportant aujourd'hui les fonts baptismaux de l'église Santiago y Santo Domingo de Jaca. (231)

231. Jaca,
Santiago et Santo Domingo,
chapiteau remployé.

2. Jaca et Iguácel

IL EXISTE deux sortes d'archaïsmes : un archaïsme vrai, synonyme d'ancienneté, et un faux archaïsme, consécutif à l'arrêt du développement d'un art. Celui-ci régresse alors et s'abandonne à la dégénérescence, à moins qu'il ne soit tenté par un mouvement nostalgique de retour aux sources. Dans les deux cas, les créations peuvent donner le change sur leur date et donc sur leur signification.

Tel est le problème posé par les sculptures de l'église Santa María de Iguácel, dont la parenté avec celles de Jaca est admise par tous. Pour les uns, elles représentent une première étape dans la formation de l'atelier de Jaca. Pour d'autres, elles ne sont que le produit d'une imitation maladroite de la part d'un artiste médiocrement doué.

L'église Santa María de Iguácel

L'ÉGLISE Santa María de Iguácel se dresse aujourd'hui dans une solitude absolue au fond d'une vallée pyrénéenne peu éloignée de Jaca, dont les eaux sont drainées par un affluent du haut Aragon [71]. La contrée est dénommée Garcipollera, déformation du toponyme médiéval *Valle Cepollaria*.

La structure de l'édifice est élémentaire et son appareil rustique. Rien de plus simple au point de vue architectural que cette nef fermée par une abside semi-circulaire et flanquée au nord d'une tour rectangulaire en partie découronnée. Les murs sont entièrement confectionnés en

233 moellons plats et allongés, disposés en assises à peu près régulières. Un couvrement voûté s'étendait tout au long et comprenait un cul-de-four au chevet et un berceau sur la nef. Ce dernier s'est un jour effondré et on l'a remplacé par une fausse voûte en plâtre. L'abside a reçu à l'époque gothique un beau décor de peintures murales dont les restes ont récemment été dégagés d'une couche d'enduit qui les dissimulait
234 à la vue.

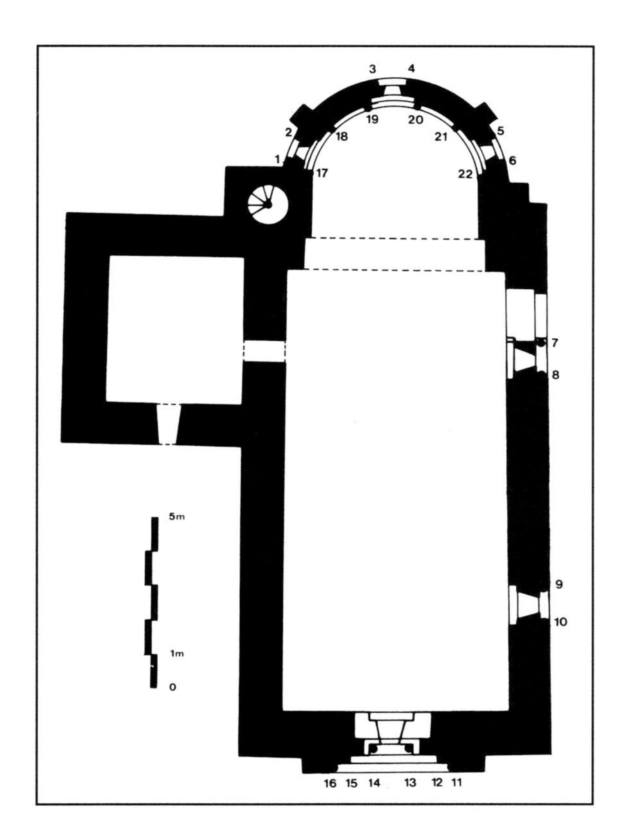

232. Iguácel,
Santa María,
plan au sol.
Dessin de Didier Sarciat.

◁ 233. Iguácel,
Santa María,
vue extérieure.

▷ 234. Iguácel,
Santa María,
vue intérieure.

Le principal intérêt du monument réside dans l'existence d'un ensemble de sculptures comportant une corniche absidale, des chapiteaux de colonnes — les unes encadrant les fenêtres, les autres intégrées à une arcature haute soutenant à l'intérieur le cul-de-four de l'abside — et enfin un portail occidental qui est l'élément le plus monumental, même si ses proportions demeurent modestes.

Il est ouvert dans un avant-corps en assez forte saillie, bâti en pierres de moyen appareil et prolongé par deux contreforts encadrant une fenêtre. Son archivolte à cinq voussures soigneusement moulurée, à la différence des arcs d'encadrement des fenêtres faits d'une simple rangée de claveaux, prend appui sur une imposte continue. Celle-ci couronne les piédroits de la porte ainsi que les ébrasements, dont les angles rentrants sont pourvus d'une colonne et d'un chapiteau de chaque côté. Un auvent comporte une corniche à billettes soutenue par onze modillons sculptés.

Les derniers auteurs conduits à s'intéresser à l'édifice, Angel Canellas-López et Angel San Vincente, d'une part [72], l'abbé Jean Cabanot, de l'autre [73] s'accordent à reconnaître que le décor sculpté à été surajouté à un édifice antérieur qui en était dépourvu. Les analyses de l'abbé Jean Cabanot sont les plus poussées et les plus convaincantes. Il constate que les assises murales s'interrompent brusquement au voisinage des fenêtres, « pour faire place à de grands moellons de grès mal proportionnés et maladroitement disposés. C'est contre ces moellons, et souvent sans lien avec eux, que sont posées les bases et les colonnes, les chapiteaux étant engagés tant bien que mal dans les piédroits de l'arc intérieur. Pour retrouver le niveau des assises du mur, pour caler les bases ou les tailloirs et pour jouer le rôle d'écoinçon des arcs, on a usé de pierres plates ou d'éclats présentant les formes et les dimensions les plus diverses [...]. Cette transformation des fenêtres n'est d'ailleurs qu'un des nombreux aménagements apportés à l'édifice pour rompre la sévérité du premier parti [...] », le plus important se situant en façade et correspondant à l'édification de l'avant-corps et des contreforts non plus en simples moellons mais en pierres taillées. « À l'intérieur enfin, malgré les enduits et les peintures, on peut discerner divers indices — liaisons imparfaites des maçonneries, irrégularités et médiocrité de la construction — qui prouvent un remaniement et peut-être une réfection de la partie la plus étroite de l'abside, afin de permettre l'édification de l'arcature et du cul-de-four actuel [...] » [74]. Ainsi, ce qui n'était à l'origine qu'une « humble et fruste bâtisse du premier art roman » s'est mué en un monument à décor sculpté relevant d'un idéal artistique différent.

Les renseignements chronologiques

LE PRINCIPAL RENSEIGNEMENT CHRONOLOGIQUE est fourni par une inscription développée juste au-dessous de l'auvent de la façade et prolongée sur le flanc sud de l'avant-corps. Kingsley Porter en publia une lecture qui a été corrigée par Mosén Antonio Durán Gudiol [75]. On doit lire sur la façade principale :

HEC EST PORTA VNDE INGREDIVNTVR FIDELES IN DOMVM DOMINI. QVE EST ECCLESIA IN HONORE SANCTE MARIE FVNDATA. IVSSV

SANTIONI COMITIS EST FABRICATA VNA CVM SVA CONIVGE NOMINE VRRACA. IN ERA T. CENTESIMA X EST EXPLICITA REGNANTE REGE SANTIO RANIMIRIÇ IN ARAGON. QVI POSVIT PRO SVA ANIMA IN HONORE SANCTE MARIE VILLA NOMINE LARROSSA VT DET DOMINVS REQVIEM ETERNAM. AMEN.

et sur le retour :
SCRIPTOR HARVM LITTERARVM NOMINE AÇENA. MAGISTER HARVM PICTVRARVM NOMINE GALINDO GARCEÇ.

Ce qui donne en français la traduction suivante pour la première inscription :
« Ceci est la porte par où les fidèles pénètrent dans la maison du Seigneur, qui est une église fondée en l'honneur de Sainte Marie. Elle fut construite sur l'ordre du comte Sancho et de son épouse nommée Urraca. Elle fut achevée en l'an de l'ère 1110 alors que régnait en Aragon le roi Sancho Ramírez. Il [le comte Sancho] établit pour le salut de son âme et en l'honneur de Sainte Marie une villa nommée Larrossa afin que le Seigneur lui donne le repos éternel. Amen ».
et pour la seconde inscription :
« L'auteur de cette inscription se nomme Aznar. Le maître de ces *picturas* se nomme Galindo Garcés ».

Il y a plusieurs manières d'interpréter cette précieuse source d'information. Les premiers archéologues à s'être occupés d'Iguácel, qui n'avaient pas encore perçu la « dualité » de l'édifice, la non-contemporanéité de l'architecture et de la sculpture, en firent une lecture « naïve ». Ils attribuèrent la date de 1072 à la fois à l'architecture et à la sculpture, reconnaissant ainsi dans cette dernière une des manifestations précoces de l'art du pèlerinage en Aragon. Cette chronologie haute leur servit corrélativement d'argument pour remonter celle de la cathédrale de Jaca.

À partir du moment où il fut admis que l'architecture était à dissocier de la sculpture, qu'elles n'étaient pas contemporaines, que la seconde avait été ajoutée à un édifice qui en était primitivement dépourvu, il fallut se demander ce qui, de l'architecture et de la sculpture correspondait à la date de 1072. Pour les uns, il s'agissait de la sculpture. Rien n'était alors changé dans la vision traditionnelle des choses, si ce n'est que la date du monument était repoussée plus avant dans le temps. Pour d'autres, dont je suis, il s'agit de l'architecture et j'entends appuyer ma démonstration sur une lecture attentive de l'inscription.

Elle comporte deux parties qui, bien qu'ayant été rédigées au même moment, se distinguent à la fois par leur emplacement, leur contenu et leur signification.

La première relate la fondation de l'église en 1072 — l'an 1100 de l'ère d'Espagne — ainsi que la dotation qui lui fut faite alors, comme on le faisait toujours en pareille circonstance : en l'occurrence la donation d'une villa dénommée Larrossa. Le donateur-fondateur, Sancho Galíndez, qui établit cette église non encore monastique, est bien connu par ailleurs. Dans un document de 1043 il est encore simplement désigné comme « senior ». En 1070, il était devenu comte et ce nouveau titre attestait son ascension sociale et ses progrès à la cour aragonaise, d'abord sous le roi Ramire, puis sous son fils Sancho Ramírez dont il était devenu le beau-frère par son mariage avec l'infante Urraca. En 1080, il légua encore divers biens à l'église d'Iguácel, mais trois ans plus tard il était certainement décédé, car on parle déjà de son successeur.

Le seconde partie de l'inscription concerne exclusivement la décoration sculptée — c'est le sens à donner au terme *picturas,* car *pictor* ne signifie pas seulement peintre, mais plus généralement faiseur d'images — par Galindo Garcés. Ce fait, soigneusement distingué de la fondation de l'église, n'est pas lui-même daté. Il reviendra à l'analyse stylistique de fixer une chronologie.

Autrement dit, l'inscription, qui a accompagné la réalisation des sculptures, distingue cet événement qui lui est contemporain, d'un événement plus ancien qui fait l'objet de la première partie du texte. Celle-ci possède dès lors une valeur documentaire et commémorative. Sans doute est-ce la raison pour laquelle on la grava dans la pierre, à un emplacement privilégié, au-dessus de la porte d'entrée. L'occasion fut peut-être la remise de l'église de la Vierge Marie à une communauté monastique. On aurait embelli l'édifice pour célébrer sa « promotion » et simultanément on aurait saisi l'occasion qui se présentait pour affirmer à travers un « document » de nature impérissable les droits que le fondateur et ses héritiers possédaient sur elle. Procédant un peu comme on aurait pu le faire sur un manuscrit, le « scribe » Aznar et l'ornemaniste Galindo Garcés inscrivirent leur nom, non pas à la suite du « document » — il ne s'agissait pas de témoins — mais latéralement et sur un autre plan.

La présence des moines à Iguácel étant attestée pour la première fois en 1094, dans l'acte de consécration de l'église supérieure de San Juan de la Peña [76], c'est autour de cette date que les sculptures ont pu être mises en place. L'analyse stylistique va établir que, selon toute probabilité, ce fut plutôt un peu après qu'avant.

Les sculptures de Santa María de Iguácel

NOUS CONDUIRONS CETTE ÉTUDE non pas dans l'absolu, mais en ayant sans cesse à l'esprit l'exemple de la cathédrale de Jaca, utilisé comme objet de référence et de comparaison. Ainsi rejoindrons-nous la démarche de Galindo Garcés lui-même, qui emprunta couramment ses modèles à cet édifice alors en construction.

L'analyse est surtout difficile à conduire sur la corniche du chevet, fortement endommagée par les intempéries. Il apparaît néanmoins qu'elle était beaucoup moins riche que ses homologues de Jaca, ne serait-ce que parce que les métopes étaient demeurées nues et que les soffites répétaient inlassablement un seul motif, celui de la marguerite. Il y avait davantage de variété dans le décor des modillons, mais il est difficile aujourd'hui de le vérifier, tant ces œuvres sont abîmées. Une particularité mérite cependant d'être notée : la présence apparemment incongrue sur les faces latérales d'une volute isolée de son contexte habituel. Nous vérifierons sur les modillons de l'auvent occidental qu'elle a réellement émigré des chapiteaux.

La plupart des motifs précédents se retrouvent précisément, avec quelques autres, et en bon état désormais, sur les chapiteaux des fenêtres.

Au sujet de leur structure, ces chapiteaux se répartissent en deux groupes. Les uns offrent deux éléments d'importance à peu près égale :

235. Iguácel, Santa María, chapiteau nº 1.

▷ 236. Iguácel, Santa María, chapiteau nº 3.

un registre d'ornements et de hautes volutes redressées à la verticale. Parmi les ornements on reconnaît les palmettes encerclées (en 1) et aussi, reproduit à deux exemplaires à la fenêtre absidale, l'oiseau semblable à une chouette emprunté à la cathédrale où il occupe, comme par hasard, le même emplacement. Comme si l'on avait horreur du vide, on a rempli les espaces libres soit en nouant les volutes (nº 4), soit en introduisant une pomme de pin, seule ou superposée à une palmette, à côté des ailes éployées des oiseaux (en 3). Ainsi des compositions caractéristiques des deux grands domaines de culture, celui de l'entrelacs et celui de l'acanthe, se trouvent désorganisées. On joue avec leurs éléments en les rapprochant ou en les superposant arbitrairement. Ces procédés ne doivent pas être identifiés aux balbutiements d'un art à ses débuts, ils relèvent de l'utilisation paresseuse d'éléments arrachés à leurs structures d'origine considérées comme inaccessibles dans leur totalité, en raison de leur complexité. Plus significatifs encore, en 6, les bustes de cinq petits bonshommes émergeant de lignes ondulées qui symbolisent la mer. Il s'agit d'une copie simplifiée et maladroite de l'une des plus belles créations de Jaca, le chapiteau des personnages prenant leurs ébats parmi des vagues déferlant sur un rivage. Les lions patauds qui s'alignent sur la corbeille voisine (nº 5) sont d'un métier affligeant de médiocrité.

Sur d'autres chapiteaux le décor des corbeilles gagne de l'importance par rapport aux volutes qui s'atrophient. En 9, un registre de palmettes encerclées et juxtaposées est surmonté d'une palmette d'angle. La tige qui entoure cette dernière se noue puis se redresse entre les volutes, à l'emplacement du dé central. Ailleurs en 10, de grandes feuilles d'angle aux lobes simplement gravés laissent à leur base suffisamment de place pour que s'y épanouissent des palmettes allongées : c'est la présentation simplifiée et raidie d'une autre composition de Jaca. On trouve aussi

237. Iguácel, Santa María, chapiteau nº 9.

238. Iguácel, Santa María, chapiteau nº 10.

une superposition de palmettes et de pommes de pin (en 2), ou bien encore un rinceau de palmettes (en 7) et même un décor lâche d'entrelacs à trois brins : toutes formes bien connues. Pour les tailloirs on a retenu a peu près exclusivement une seule des nombreuses possibilités offertes par Jaca, le motif des palmettes encerclées, déjà utilisé sur les corbeilles. Le sculpteur confirme que ses préférences se portent d'emblée sur des formes stéréotypées.

À l'intérieur de l'église le processus d'imitation et de simplification se poursuit sur les chapiteaux de l'arcature haute. À deux reprises, en 17 et en 18, réapparaissent les grandes feuilles cantonnées de palmettes à leur base. Dans un souci de diversification on a néanmoins ajouté un masque sous une volute du n° 17. Lorsque les entrelacs se nouent sous les volutes, ils emprisonnent un nabot (en 22) ou une simple tête (en 19). En 20, où la corbeille est couverte d'un rinceau de palmettes, un tronçon de « piton » écailleux tient la place du dé central entre les volutes. Enfin, le n° 21 propose une nouvelle interprétation du chapiteau aux jeunes gens jouant parmi les vagues. Elle est aussi affligeante que la précédente. Les personnages sont de simples magots aux visages disproportionnés, grossiers et grimaçants. 239

239. Iguácel, Santa María, chapiteau n° 21.

▷ 240. Iguácel, Santa María, portail.

240 Le portail occidental, d'une extrême simplicité, apparenté à celui qui occupe le même emplacement dans la cathédrale de Jaca par la faible profondeur des ébrasements, offre cependant par rapport à lui quelques particularités intéressantes. La moindre n'est sans doute pas le traitement des chapiteaux des piédroits d'une manière logique, c'est-à-dire à la façon de chapiteaux de pilastres. Le modèle utilisé appartenait peut-être à une basse antiquité déjà fort éloignée du naturalisme antique. Poursuivant dans la même direction, on est parvenu ici à la limite du dessèchement, avec des feuilles excessivement plates, traversées seulement par quelques traits gravés.

Toujours intentionnellement, on a opposé à leur platitude et à leur raideur le relief et le mouvement des deux chapiteaux des colonnes. À gauche, en 16, le sculpteur a prétendu représenter Daniel dans la fosse
241 aux lions. En fait, ce que l'on distingue, c'est un personnage à la tête énorme et aux membres grêles dont le corps disparaît sous un tracé de lignes parallèles. Deux lions maigres et efflanqués encadrent son buste. Sur l'œuvre ayant servi de modèle, ils devaient normalement en surmonter deux autres allongés au-dessus de l'astragale. On a remplacé ceux-ci par des palmettes, ce qui montre que le thème historié est insidieusement

241. Iguácel, Santa María, chapiteau n°16.

menacé par l'élément floral, qui lui-même peut subir la concurrence du motif géométrique. À droite, en 11, on a fait appel à un autre poncif, le thème de l'avare, traité dans une symétrie absolue par rapport au précédent. Rien n'a été changé ni au cadre général ni aux proportions défectueuses du personnage principal. L'avare porte une énorme bourse à son cou et deux diablotins mettent la main sur lui. Comme les chapiteaux des fenêtres, ceux du portail laissent éclater la faible culture artistique de Galindo Garcés.

Celui-ci s'est montré plus à l'aise dans le décor de l'auvent surmontant ce portail. La conception d'ensemble est identique à celle de la corniche absidale à laquelle elle emprunte la bordure de billettes et même les marguerites décorant le dessous de certaines dalles. Les modillons, plus variés dans leur forme et dans leur décor, permettent de suivre une maturation du talent de leur auteur qui fut entraîné par l'exemple alors donné par le maître de Jaca, sans réussir pour autant à triompher de la lourdeur de son propre esprit et de la pesanteur du milieu local. Galindo Garcés demeure un petit maître aux horizons étroits.

La forme d'ensemble des modillons abandonne tout ce qui pouvait se rattacher à la tradition des modillons à copeaux, c'est-à-dire à la culture mozarabe. Galindo Garcés a substitué à leur tracé animé des volumes géométriques simples. Ce sont d'abord, pour les modillons de gauche, des portions de cylindre avec des palmettes encerclées sur leurs tranches. Elles sont surmontées par une tablette dont la face latérale est ornée d'une volute et d'une sorte de cône côtelé, où l'on reconnaîtra un avatar du « piton » de Jaca. Il a suivi la volute lorsqu'elle a émigré de la partie supérieure des chapiteaux pour s'établir à cet endroit des modillons. Entre le cylindre et la tablette une torsade est tracée sur le premier modillon. Elle devient sur le second la chevelure dénouée d'une tête humaine. Sur le troisième un petit personnage chevauche un animal. 242

242. Iguácel,
Santa María,
corniche du portail,
détail de la partie de gauche.

▷ 243. Iguácel,
Santa María,
corniche du portail,
détail de la partie de droite.

Pour les modillons suivants Galindo Garcés a abandonné ces rondeurs au profit d'une forme plus habituelle, le modillon triangulaire. Sur sa face latérale la volute, qui a été conservée, est désormais accompagnée d'une simple tige verticale symbolisant le dé central d'un chapiteau. L'idée de chapiteau est renforcée par l'évocation d'une corbeille au-dessous de ces éléments. Un trait horizontal tracé au-dessus d'une palmette y a suffi. Pour décorer la face inclinée, on a eu recours a deux procédés. Parfois, on a souligné sa forme plate et rectangulaire à l'aide d'un entrelacs ou d'un rinceau de rosettes, ou encore par la représentation d'un animal couché tout de son long, les pattes allongées. D'autres fois, on s'en est servi comme d'un support pour y accrocher un personnage. On le voit tendre un visage angoissé sous le casque d'une chevelure ondée. Ce peut être aussi un acrobate contorsionné qui passe sa tête entre ses jambes. Toujours il relève du type humain défini par Galindo Garcés dans ses œuvres antérieures. 243

Poursuite du phénomène de dégradation : Santa María de Ujué

244. Ujué,
Santa María,
chapiteau à feuillages.

LE PHÉNOMÈNE DE DÉGRADATION stylistique déjà bien amorcé à Iguácel se poursuit dans l'église forteresse de Santa María de Ujué [77], juchée sur un piton pas très loin du fleuve Aragón. Elle se trouve déjà en territoire navarrais, mais les deux royaumes voisins avaient été unifiés en 1076 par le roi Sancho Ramírez qui reçut à cette occasion un accueil particulièrement chaleureux des habitants d'Ujué. Pour leur manifester sa satisfaction il leur accorda des privilèges et reconstruisit leur église. C'est ce qu'indique incidemment un document de 1089 concernant un autre édifice, Santiago de Funes : « Similiter placuit nobis volenti animo et spontanea voluntate et hedificamus ecclesiam beate Dei Genitricis Mariæ de Uxue ». Rien ne subsiste apparemment de cette construction.

La partie la plus ancienne du monument actuel, un chevet à trois absides, apparaît au contraire, avec son bel appareil de pierre de taille et ses bandeaux de billettes, comme une construction banale du début du XIIe siècle, seulement déparée par quelques maladresses dans sa réalisation. Peut-être fut-elle érigée au moment de l'établissement à Ujué d'une communauté de chanoines dépendant de la grande abbaye de Montearagón.

Il ne subsiste qu'un petit nombre de chapiteaux, et encore notre propos n'est-il pas de les étudier tous. Notre objectif vise uniquement à établir de quelle manière l'appauvrissement formel observé à Iguácel ouvrit la voie au retour en force de l'esprit d'abstraction et de schématisation.

Ainsi retrouve-t-on la grande feuille d'angle accostée de palmettes allongées, mais elle a perdu sa forme spécifique. Elle s'étale de l'astragale jusqu'à un cordage marquant la séparation avec la zone des volutes. Une moulure d'angle entre les deux faces lui tient lieu de nervure principale d'où partent des traits obliques tracés d'une manière enfantine. La massivité d'une forme cubique élémentaire a eu raison du raffinement des structures classiques et la richesse et la variété du décor de surface ont été entraînées dans ce naufrage culturel. L'oubli et l'ignorance altèrent aussi la forme, le tracé et la signification des volutes devenues de simples crossettes disposées plus ou moins obliquement, selon leur emplacement, de part et d'autre d'une petite vrille.

Cette réduction des figures à de simples schémas fut d'autant plus aisée que certains modèles d'Iguácel, et même de Jaca, possédaient déjà un caractère répétitif. C'est le cas pour la superposition sur certaines corbeilles d'alignements de palmettes. La bordure de cet élément végétal prend ici la rigidité du métal et sa forme s'altère au point qu'elle aurait pu tout aussi bien convenir au dessin d'un fer à cheval percé de trous de clous.

245

246

Que dire de l'oiseau, sorte de tonnelet vu en perspective et posé sur deux supports digités ? La tête, aujourd'hui disparue, avait été rapportée. Cette figure massive est encadrée de deux motifs cruciformes taillés à l'emporte-pièce dans un encadrement circulaire. Le motif sera retenu comme élément de base pour le décor d'un autre chapiteau.

L'image de l'homme, lorsqu'elle apparaît dans cet univers de géométrie, est une figure disproportionnée, sans référence stylistique particulière. C'est l'œuvre d'un primitif. Autour d'elle, des entrelacs se combinent à des palmettes creusées en cupules, à moins qu'elle ne soit environnée de motifs désordonnés vagabondant sur la corbeille.

247

Santa María de Ujué démontre a contrario le caractère exceptionnel de la sculpture de la route du pèlerinage dans un monde qui, dans son ensemble, appartenait encore à la culture immuable des antiques terroirs paysans.

245. Ujué,
Santa María,
chapiteau à décor de palmettes.

246. Ujué,
Santa María,
chapiteau à l'oiseau.

247. Ujué,
Santa María,
chapiteau.
Personnage et rinceaux.

3. La chapelle castrale de Loarre

DURANT LA PÉRIODE DE CONSTRUCTION de la cathédrale de Jaca (environ 1090-vers 1115) le rayonnement local de son atelier de sculpture demeura relativement faible. En dehors de Santa María de Iguácel, il ne s'exerça d'une manière exclusive que dans une autre église monastique de modeste importance, San Adrián de Sasave, dans la vallée du río Lubierre, un affluent du haut Aragon, légèrement en aval de Jaca [78]. Les deux chapiteaux du petit portail occidental dérivent d'un corinthien de Jaca. Chacun d'eux offre deux couronnes de feuillages dont l'une — la supérieure — est ornée de boules. De gros pitons pointent aux angles sous les volutes, cependant que le dé central est, dans chaque cas, couvert de minuscules colliers superposés. La lourdeur de l'exécution concerne aussi les palmettes des tailloirs. Un document des archives de la cathédrale de Jaca, que l'on date de la période située entre 1100 et 1104, indique que la dédicace de l'église eut lieu à cette époque, en présence du roi Pierre Ier d'Aragon.

Dans la célèbre abbaye de San Juan de la Peña, également très proche de Jaca, il semble, par contre, que l'on ait souverainement ignoré ce qui se passait dans la cathédrale voisine. Il convient néanmoins de ne s'engager qu'avec prudence car, des chapiteaux qui constituaient la totalité de son décor, il ne reste qu'un nombre limité de pièces par ailleurs très mutilées.

Le site est d'une exceptionnelle grandeur [79]. À l'intérieur d'un vaste abri sous roche creusé dans une montagne boisée au sud-ouest de Jaca, des ermites avaient trouvé une protection aux époques troublées du califat de Cordoue. Lorsque les victoires chrétiennes rétablirent la sécurité dans cette partie des Pyrénées, un monastère succéda à l'ermitage. Il entra dans la mouvance clunisienne en 1071 et ce fut le début d'un extraordinaire essor. On le pourvut de reliques en faisant venir des corps saints d'Almería en 1078. Par ailleurs, le transfert du corps du roi Ramire Ier, le 28 avril 1083, suscita la création d'un panthéon où les nobles aragonais tinrent à se faire enterrer. Le pouvoir de l'abbaye s'accrut d'une manière si considérable qu'elle finit par se trouver à la tête d'un véritable empire monastique bénéficiant de privilèges et d'exemptions juridiques. Mais cette puissance ne résista pas à une redistribution des cartes du jeu politique. Les progrès de la Reconquête déplacèrent vers le sud, à Huesca d'abord, à la fin du XIe siècle, à Saragosse ensuite, après 1118, la capitale du royaume d'Aragon. La faveur royale abandonna le monastère bénédictin de San Juan de la Peña au bénéfice de l'abbaye augustinienne fondée dans le château de Montearagón, au voisinage immédiat de Huesca. Ce fut le signal d'un profond déclin amorcé dès le milieu du XIIe siècle.

L'histoire architecturale marque les étapes de l'évolution de ce destin hors du commun. On peut faire remonter au Xe siècle le chevet d'une église souterraine comprenant deux chapelles géminées et l'extrémité d'une nef double. Au XIe siècle, cet édifice fut prolongé vers l'ouest pour servir d'assise à une église supérieure. Il joua désormais le rôle d'une crypte. L'ensemble des deux étages est contenu dans un bloc rectangulaire massif, bâti en moellons réguliers avec des pierres appareillées aux angles. On profita ensuite de la dénivellation du terrain pour prolonger l'étage supérieur, vers l'est cette fois, et jusqu'au rocher. C'est dans ce nouveau chevet, dont les trois absides sont assises sur le roc, que se trouvent les chapiteaux romans. Peut-être est-ce cette partie de l'édifice qui fut solennellement consacrée le 4 décembre 1094, en présence du roi Pierre Ier, par l'archevêque de Bordeaux exerçant les fonctions de légat pontifical et par les évêques de Jaca et de Maguelone.

L'extrême mutilation des chapiteaux, provoquée par un incendie qui ravagea le monastère en 1675, rend impossible leur analyse systématique. On se résignera donc à ne rechercher que des orientations stylistiques.

On vérifie d'abord l'existence d'un phénomène alors fréquent dans de nombreuses contrées de l'Occident, parfois même très éloignées de notre région, comme la vallée de la Loire : la juxtaposition de chapiteaux cubiques et de chapiteaux à la structure dérivée du corinthien.

Les premiers opposent eux-mêmes des décors couvrants à des pièces d'un total dépouillement. Dans le cas des décors couvrants, deux exemplaires sont à base d'entrelacs à trois brins terminés par des éléments végétaux. Ils sont extrêmement compacts à la différence des entrelacs beaucoup plus lâches que l'on trouve habituellement dans les édifices du *Camino francés,* comme Jaca, Loarre et León. Sur un troisième exemplaire les rubans d'entrelacs laissent la place aux rinceaux de palmettes déjà signalés à Iguácel et Ujué.

Pour les autres chapiteaux cubiques on a compensé l'absence de décor de surface par un adoucissement de la rigueur de l'épannelage. Il s'agit du type de chapiteaux aux angles abattus dont l'abbé Jean Cabanot a signalé la diffusion dans une bonne partie de l'Europe occidentale [80]. Plus précisément, de la modalité à épannelage concave dont l'évidement est entouré par une série d'imbrications concentriques. Celles-ci encadrent une arête centrale qui peut être interprétée comme la nervure principale d'une feuille.

On passe ainsi logiquement à l'épannelage dérivé du corinthien, présent à quatre exemplaires, et toujours caractérisé par l'existence de grandes feuilles d'angle. Le décor de surface a malheureusement été détruit ici aussi en grande partie. Les rares éléments épargnés laissent deviner l'existence de compositions assez libres où des palmettes tenaient une place importante.

San Juan de la Peña possédait donc une originalité propre dans l'art de la route de Compostelle. Celle-ci se prolongeait dans les compositions figurées, si l'on en croit un petit personnage nu, épargné miraculeusement, dont l'anatomie diffère sensiblement des nus de Jaca.

Le château de Loarre

LE CAS DE LA CHAPELLE castrale de Loarre est différent des précédents. D'une part, nous nous trouvons déjà à une soixantaine de kilomètres de Jaca et l'on ne saurait donc plus parler de milieu local. D'autre part on n'y observe ni une domination exclusive de l'atelier de Jaca, comme à Sasave, ni une superbe ignorance de son existence, comme à San Juan de la Peña. Il s'agit d'une situation intermédiaire, où l'influence de Jaca se mêle à celle d'autres foyers artistiques contemporains et notamment de Saint-Sernin de Toulouse.

Le château de Loarre est perché sur un roc, en un point stratégique commandant la route de Jaca à Huesca, sur les premiers contreforts de la chaîne de montagne du même nom [81]. Longtemps soumise aux musulmans, bien qu'habitée par des chrétiens mozarabes, la contrée fut reconquise par le roi de Navarre Sanche le Grand vers 1020 et un premier château fut élevé dès avant la mort du souverain : il est cité dans un document de 1033. Son importance s'accrut durant la décennie 1070 lorsque prit corps en Aragon l'idée de Reconquête. Il constitua une base de départ pour les expéditions qui allaient faire sauter les défenses musulmanes barrant l'accès à la vallée de l'Èbre. Le roi d'Aragon y séjourna fréquemment et, dès 1071, y établit une communauté de chanoines réguliers dépendant directement du Saint-Siège. Après la prise de Huesca cette situation privilégiée disparut et la collégiale fut soumise à celle de Montearagón.

On distingue dans le château la présence de deux enceintes. La première, remontant au milieu du XIe siècle, représente stylistiquement une avancée des influences méditerranéennes avec ses murailles de moellons allongés, régulièrement équarris. Elle est dominée par un donjon et comprend comme autres éléments principaux une chapelle dédiée à la Vierge Marie et une solide maison d'habitation dénommée Tour de la Reine, dont la salle d'étage est éclairée par des fenêtres géminées tout à fait semblables à celles des clochers catalans du XIe siècle.

La seconde enceinte est plus vaste. C'est sur elle que fut bâtie une nouvelle église, beaucoup plus importante que la chapelle précédente, destinée au service canonial et dédiée à saint Pierre et au Sauveur. En raison de la dénivellation du terrain, on dut l'élever sur deux étages. Le rez-de-chaussée est occupé par une crypte et par un remarquable escalier droit.

La crypte, salle basse et voûtée, aux murs très épais, éclairée seulement par trois meurtrières fortement ébrasées, était en relation avec un culte de reliques principalement centré sur le corps de saint Demetrios que la collégiale prétendait posséder. Son reliquaire [82] est une pièce d'orfèvrerie de 60 cm de longueur, décorée sur ses quatre faces par les images des douze apôtres debout sous des arcades en plein cintre, elles-mêmes séparées par des bandes de rinceaux. Le collège apostolique est associé à l'Ascension et à la Parousie représentées sur les grands côtés du couvercle, et elles-mêmes unies entre elles par des séraphins balançant des encensoirs sur les petits côtés. Longtemps cette œuvre demeura mal datée : on la croyait beaucoup plus récente qu'elle ne l'est en réalité. Ce n'est que tout récemment que Serafín Moralejo s'aperçut, et démontra, que son décor se rattache à la floraison des *scriptoria* du Midi français autour de 1100, tant en ce qui concerne l'organisation et le rendu des draperies des personnages que les particularités du décor végétal. Ainsi disposons-nous d'un témoignage nouveau sur le glissement vers l'Espagne des motifs stylistiques aquitano-languedociens. Ils poursuivirent leur progression bien au-delà de Loarre. Serafín Moralejo les a suivis dans le domaine du mobilier d'autel et de l'enluminure jusqu'à Oviedo, León et Compostelle. Voici donc établi une fois encore que dans les arts somptuaires se développa un phénomène parallèle à

248. Loarre,
château, vu du sud.

▷ 249. Loarre,
château,
frise du portail méridional.

celui que nous analysons ici dans le domaine de la sculpture. Le plus souvent même il l'a précédé.

La crypte était desservie — ainsi d'ailleurs qu'une salle de garde — par la cage d'escalier, comme elle située sous la chapelle supérieure, et dont les vingt-sept marches donnent directement accès à l'intérieur du château. L'association étroite de l'escalier et du bâtiment religieux témoigne de la volonté de mettre l'entrée de la fortification sous la protection directe du divin. L'idée, assez répandue à l'époque romane, avait d'ailleurs une origine beaucoup plus ancienne. Elle pouvait s'appuyer sur des textes de l'Écriture, comme le psaume 18, 3 : « Yahvé est mon roc et mon rempart » et le psaume 144, 2 : « Yahvé est mon rempart, ma citadelle et mon bouclier » [83].

Alors que la crypte est une construction très sobre, dont le décor se limite à quelques chapiteaux, l'église supérieure est une manifestation du bel art roman des environs de 1100, où l'architecture et le décor concourent étroitement à la création de la beauté, bien que, en raison de son emplacement sur le rempart, il ne s'agisse que d'un édifice à nef unique.

À la suite d'une travée irrégulière couverte d'un berceau et coupée obliquement à l'ouest, vient une travée carrée à usage de chœur, couverte d'une coupole sur trompes. Dans l'abside voûtée en cul-de-four une riche arcature se développe au-dessous de l'étage des fenêtres. Tant à l'intérieur qu'à l'extérieur, des bandeaux de billettes soulignent les différents niveaux, et des colonnes, avec leurs chapiteaux, se dressent dans les ébrasements des fenêtres. À l'évidence, le chevet de Loarre s'inscrit dans la suite immédiate de celui de la cathédrale de Jaca. Il n'est pas jusqu'à la composition des contreforts — des colonnes libres prenant appui sur des soubassements rectangulaires — qui ne soit identique. 248

Le portail

LA SIGNIFICATION RELIGIEUSE de l'entrée du château s'exprime à travers le décor sculpté de la porte donnant accès à la cage d'escalier. Cette porte est conçue comme un portail d'église à plusieurs voussures moulurées, ménagé dans un avant-corps saillant. Elle est dépourvue de tympan, mais s'enrichit d'un élément nouveau, une frise de couronnement appelée à se développer aux derniers temps de la sculpture romane espagnole bien loin de Loarre, dans la région de Palencia (Carrión de los Condes, Moarbes).

Bien que très mutilés, les motifs de la frise sont encore lisibles, au moins partiellement. Au centre trônait le Christ en majesté dans une mandorle encadrée par les symboles des évangélistes et portant une inscription. Ricardo del Arco [84] a cru lire : SVM EGO FONS VITÆ, un texte qui pourrait être mis en relation avec un autre élément de l'iconographie. En plus des grands anges qui flanquent la théophanie centrale il existe en effet, tant à gauche qu'à droite, c'est-à-dire symétriquement répétée, une composition empruntée à la cathédrale de Jaca dans sa disposition générale sinon dans sa signification. Un groupe de personnages se dresse parmi des vagues qui pourraient être ici interprétées comme représentant un courant d'eau. L'hypothèse convient à la Fontaine de Vie : l'eau source de joie, l'eau pure du baptême, l'eau sortie de la plaie du Christ en croix en même temps que le sang, l'eau symbole de la mort au péché dans laquelle le baptisé se plonge pour renaître, à l'instar des Hébreux sortis vivants des eaux de la Mer Rouge.

249

Stylistiquement, la frise témoigne du rayonnement de l'atelier toulousain de Bernard Gilduin, comme l'a bien vu Serafín Moralejo. « Par son modelé aplati, donnant des surfaces lisses et tendues, interrompues seulement par des plis pincés au dessin précis, cette frise doit être rapprochée des reliefs encastrés dans le déambulatoire de Saint-Sernin » [85].

Au-dessus d'elle on voit quatre modillons ornés de grosses têtes animales et présentant aussi latéralement de petites volutes qui sont les résidus des copeaux de tradition cordouane. Tout récemment, Katherine Watson [86] a signalé l'existence de quatre autres modillons insérés dans les écoinçons des grandes arcades soutenant la coupole de l'église, à la base des trompes. En fait, l'ensemble des modillons semble avoir été mis au jour en 1916, lorsqu'on démolit un bâtiment qui avait été accolé au portail. On en aurait fait alors deux lots de quatre. Ceux du premier lot, décorés de têtes d'animaux, auraient été fixés au-dessus de la frise du portail, à un endroit qui devait correspondre à peu près à l'emplacement de l'ancienne corniche. Les autres, portant des visages humains, furent mis à l'abri à l'intérieur de l'église, scellés au départ des trompes de la coupole, à quelque onze mètres au-dessus du sol. C'est la raison pour laquelle ils demeurèrent si longtemps inaperçus. Trois seulement sont en bon état. Leur intérêt est considérable. Ils se rattachent en effet d'une manière indéniable au style de Bernard Gilduin, plus spécialement celui de l'angle sud-est. Cette tête offre les plus grandes ressemblances avec celle d'un ange de la partie gauche de la tranche antérieure de la table d'autel de Saint-Sernin de Toulouse : l'ange portant la croix. Ou encore avec le visage du Christ en majesté et celui du symbole de saint Matthieu sur la plaque centrale du déambulatoire de la même église. La parenté concerne la forme d'ensemble du visage, le modelé des joues et de la bouche, la forme des yeux, ainsi que le dessin de la chevelure. Ainsi se trouve confirmée une présence toulousaine à l'ouverture du chantier de l'église de Loarre, selon toute probabilité à l'extrême fin du XIe siècle.

À la différence de la frise, mais à l'instar des modillons, les chapiteaux des deux colonnes latérales du portail sont dans un assez bon état de conservation. Celui de gauche est décoré de rinceaux entrelacés terminés
250 par des éléments végétaux du plus pur style de Jaca à ses débuts. Les bustes de deux personnages en émergent. L'un porte au travers de sa poitrine l'écharpe qui habille nombre de figures de la cathédrale aragonaise et aussi de Saint-Isidore de León. Il brandit une épée en direction de son compagnon. En outre, une tête d'animal surgit à l'angle. Comme on souhaiterait connaître la signification du combat ainsi évoqué sur la porte d'entrée du château ! Le second chapiteau, celui de droite, présente
251 des singes accroupis sur un fond de feuillage. C'est peut-être, estime Georges Gaillard, l'exemplaire le plus réussi d'une formule utilisée aussi bien à León qu'à Jaca, et pour Jaca dès ses débuts [87].

250. Loarre, château, chapiteau de gauche du portail méridional (n° 8).

▷ 251. Loarre, château, chapiteau de droite du portail méridional (n° 7).

Une épitaphe est gravée sur un bloc de l'un des montants :
IN DEI NOMINE HIC REQVISCIT FAMVLVS DEI
TVLGAS QVI OBIIT PRIDIE KALENDAS DECEMBRIS
IN ERA MCXXXIIII. QVI LEGERIT ISTAS LITERAS
ORET PATREM VT DONET ILLI VITAM SEMPITERNAM

c'est-à-dire : « Au nom de Dieu. Ici repose le serviteur de Dieu, Tulgas, qui mourut le 30 novembre 1134 de l'ère (1096). Celui qui lira ces lignes, qu'il prie le Père de lui donner la vie éternelle » [88].

Georges Gaillard dénie toute valeur chronologique à cette épitaphe en prétextant : « la pierre qui porte l'inscription peut fort bien provenir d'un édifice antérieur et avoir été utilisée dans la nouvelle construction : d'autre part nous connaissons fort bien d'autres épitaphes qui ne sont que des inscriptions commémoratives et ne sont pas contemporaines de la mort dont elles rappellent la date » [89]. C'était oublier le témoignage d'un auteur du XVIIIe siècle, Ramón de Huesca, qui avait noté la découverte à son époque de plusieurs pierres tombales, dont une se trouvait déjà précisément « à la porte du château, le long du piédroit dans sa partie extérieure » [90]. L'épitaphe n'a donc pas été déplacée et elle fournit bien une date approximative pour l'édification du portail. Celle-ci ne saurait avoir la valeur d'un *terminus ad quem* absolu, car diverses circonstances ont pu retarder légèrement l'établissement de la sépulture, mais elle s'accorde à peu près avec un renseignement de la *Crónica de San Juan de la Peña* qui situe la construction de Loarre en 1095 [91]. D'une manière peut-être encore plus décisive l'analyse a montré que la porte par laquelle, compte tenu de son emplacement, on dut commencer les travaux de la grande église, datait des environs de 1100.

Les chapiteaux de la crypte

GEORGES GAILLARD s'est refusé à envisager la possibilité d'établir une chronologie relative pour les chapiteaux décorant les diverses parties de l'église. Il les a considérés en bloc en ne distinguant que deux grandes séries en fonction de la nature du décor : les chapiteaux à feuilles et les chapiteaux à figures. Sa préoccupation essentielle fut en effet de signaler dans tout cet ensemble la présence de tendances communes aux ateliers de León et de Jaca et en même temps d'établir des rapprochements assez précis avec des chapiteaux de Saint-Sernin de Toulouse et de Moissac. Son idée directrice est « que l'atelier tout entier connaissait la diversité de ces formes et avait fréquenté chacun des centres créateurs. Les sculpteurs de Loarre n'ont pas créé de formes nouvelles, mais ils ont reproduit une collection assez complète des diverses formes créées en divers endroits ». Cette méthode d'analyse s'appuie donc sur un a priori, l'existence de sculpteurs nomades cheminant en équipe le long de la route du pèlerinage, allant d'une église à une autre. « Nous entrevoyons là l'œuvre d'ateliers voyageurs, formés en divers centres, qui travaillèrent en des points très éloignés les uns des autres » [92]. Nous entreprendrons de discuter cette théorie fondamentale, support de tout un système, lorsque nous aurons terminé nos propres analyses. Pour l'instant, nous appliquerons à Loarre la méthode que nous avons utilisée pour l'étude de tous les monuments précédents. En raison du caractère monumental de la sculpture, nous avons toujours à cœur de la conserver dans son contexte architectural, en tenant compte, le plus fidèlement possible, de la marche de la construction. C'est la raison pour laquelle, après avoir présenté la porte du couloir d'entrée, nous allons passer tout naturellement à l'examen du décor de la crypte. 252

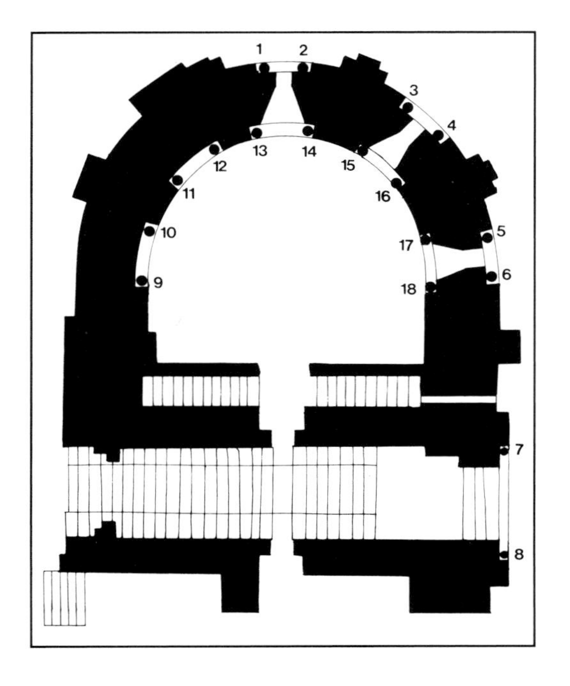

252. Loarre, Saint-Pierre, plan de la crypte par J.-M. Picot.

253. Loarre, Saint-Pierre, chapiteau n° 1.

254. Loarre, Saint-Pierre, chapiteau n° 6.

255. Loarre, Saint-Pierre, chapiteau n° 2.

À ce niveau le décor se limite aux chapiteaux des arcades encadrant les meurtrières. Ils forment deux séries nettement distinctes par la qualité de l'exécution : les plus élaborés se trouvent à l'extérieur, peut-être parce qu'ils sont les plus visibles, alors que l'on s'est contenté, pour l'obscurité de l'intérieur, de formes beaucoup plus schématiques.

À l'extérieur il s'agit d'une collection de motifs dont certains appartiennent déjà à la grammaire décorative commune à nombre de centres artistiques de la route de Saint-Jacques en ce début du XIIe siècle.

Une composition, en 1, fait référence au corinthien à deux collerettes de feuilles, tout en accordant une prépondérance à des palmettes nichées entre ces feuilles. Celles-ci se réduisent ainsi à un bouquet ou à un faisceau de petits lobes. Les palmettes encerclées par leurs tiges sont profondément creusées, mais leur cœur triangulaire est en relief. Des chapiteaux presque identiques existent à Saint-Sernin de Toulouse. Cependant, Georges Gaillard a très bien vu que dans les exemplaires toulousains le modelé est un peu plus écrasé, les angles adoucis. En outre, Toulouse ne s'est pas contenté d'un seul et unique exemplaire du motif, comme Loarre. Il les a multipliés pour donner plus de richesse aux éléments, plus de souplesse au dessin, plus de finesse au modelé. Dans un cas, on peut parler de jaillissement créateur, dans l'autre d'imitation précautionneuse.

253

On portera un jugement semblable sur les arbres à demi-palmettes du n° 6. Ils sont exécutés avec une précision et une minutie parfaites, mais la trop grande fidélité devient sécheresse. Elle ignore la poésie qui se dégage des créations toulousaines. Les arbres se terminent par des boules et des oiseaux s'y nichent.

254

42

La lourdeur de l'imitation caractérise davantage encore les oiseaux adossés tordant leur cou en arrière pour que leurs têtes se touchent, et qui tiennent une palmette à crossettes dans leur bec (n° 2). C'est par excellence une de ces figures banales que chaque atelier se faisait une obligation de réaliser. Le corps est trapu, la queue comme amputée de son extrémité. Sur le fond de la corbeille des feuilles bien modelées sont jetées un peu au hasard.

255

256. Loarre, Saint-Pierre, chapiteau n° 5.

257. Loarre, Saint-Pierre, chapiteau n° 4.

258. Loarre, Saint-Pierre, chapiteau n° 3.

Toujours sur un fond de feuillage surgit un singe venu tout droit du portail voisin. La pose n'a pas changé (n° 5). Le corps disparaît en grande partie derrière les bras et les jambes étroitement parallèles. La tête de l'animal soutient l'extrémité des volutes. Elle produit le même effet qu'une boule accrochée à l'extrémité d'une feuille. (256)

On retrouve aussi (en 4) l'oiseau de proie posé de face, les ailes éployées, apparu pour la première fois sur un chapiteau de la fenêtre de l'absidiole méridionale de la cathédrale de Jaca. Une certaine lourdeur, déjà sensible sur le modèle, s'est encore accrue ici. (257)

L'ensemble de la production est probablement l'œuvre d'un seul et même artiste qui s'est également plu à utiliser conjointement pour le décor de ses tailloirs les alignements de palmettes encerclées à la manière de Jaca, déjà visibles sur le portail du couloir d'entrée, et des compositions de palmettes, de feuilles et de demi-palmettes originaires de Toulouse.

Si la technique de cet homme n'était pas toujours à la mesure de ses dons d'observation, il était néanmoins capable de créer, et je n'en veux pour preuve qu'une composition unique dans tout l'art du pèlerinage (en 3). Une sorte de dentelle ajourée d'entrelacs couvre la partie inférieure du chapiteau. Du reste de la corbeille, demeuré lisse, surgissent à l'angle une tête cornue, au modelé arrondi, et latéralement les têtes aplaties de deux personnages qui semblent dérouler des banderoles. (258)

Il paraît découler de l'analyse précédente que deux phénomènes ont interféré au moment de l'ouverture du chantier de Loarre. D'une part, des emprunts furent effectués directement au chantier de la cathédrale de Jaca. D'autre part, on assiste à l'acclimatation de modèles provenant de Saint-Sernin de Toulouse. Celle-ci ne suppose pas nécessairement la venue d'artistes toulousains. Bien au contraire, l'existence d'une main plus lourde, d'un esprit moins créateur, d'une veine appauvrie s'accorderait davantage à quelque chose de plus général et plus diffus : la large expansion de modèles toulousains que l'on observe au début du XIIe siècle également au nord des Pyrénées [93].

Cette analyse trouve sa confirmation dans le décor intérieur de la crypte où l'on avait pris la décision d'accorder la préférence au corinthien, sous réserve d'une grande économie de moyens.

Tantôt on a affaire à une unique couronne de grandes feuilles redressées. Les unes étalent au centre de la corbeille leurs folioles en nombre réduit, traitées en plans superposés et symétriquement disposées de part et d'autre de la nervure centrale ; les autres, celles des angles, sont étroites et incapables de s'épanouir ailleurs qu'à leur extrémité recourbée (n° 14). Le motif fut répété trois fois sans qu'on eût éprouvé le besoin d'y rien changer. On doit reconnaître l'intervention de simples tailleurs de pierre, autrement dit de purs exécutants.

259

La référence à Toulouse se fait plus précise sur le n° 17, qui est un corinthien à deux couronnes de feuilles dont la pointe recourbée et épaisse forme une grosse protubérance portée par une solide nervure. Dans les intervalles entre les feuilles principales, des feuilles secondaires à cinq lobes ont été réservées à plat sur un fond creusé. À Saint-Sernin ce thème fut repris plusieurs fois, non sous l'aspect de simples copies, mais avec l'introduction de variantes offrant plus ou moins de richesse dans les détails.

260

Les chapiteaux n°s 13 et 15 reproduisent à deux exemplaires le motif des feuilles fendues verticalement par le milieu, dont on connaît la fortune à Saint-Sernin de Toulouse, ainsi d'ailleurs qu'à Saint-Jacques de Compostelle. Il s'agit de l'état le plus élémentaire de cette forme, lorsqu'elle se trouve encore dépourvue de toute espèce de modelé de détail.

C'est encore de Saint-Sernin que proviennent les rinceaux étirés sur toute une corbeille avec des ligatures au départ de demi-palmettes (n° 12), ainsi que le seul thème figuré présent dans la crypte (en 16). Deux dragons qui s'affrontent sont traités conformément à une technique mise au point à Toulouse [94]. Leurs ailes et une partie de leur corps sont modelés selon le procédé des plis repassés alors que leur queue est seulement piquée de petits trous superficiels. Cependant, l'aspect plat de l'animal dénote une conception du volume très différente de celle, beaucoup plus plastique, qui prévaut sur le modèle. Cette modification fondamentale donne à entendre que l'artiste de Loarre a travaillé non pas à partir du modèle lui-même, mais sans doute en recourant à un simple document graphique. Probablement la diffusion de dessins a joué un rôle au moins aussi important que les déplacements d'artistes dans la création d'un véritable milieu artistique le long des voies de circulation allant de Conques à Compostelle.

261

259. Loarre, Saint-Pierre, chapiteau n° 14.

260. Loarre, Saint-Pierre, chapiteau n° 17.

261. Loarre, Saint-Pierre, chapiteau n° 16.

L'arcature de l'église supérieure

262 DANS L'ÉGLISE SUPÉRIEURE, l'arcature qui se développe à la base du mur de l'abside formait une manière de « vitrine » pour la création
263 artistique, puisqu'elle se trouvait à peu près à hauteur d'œil. Mais elle constitue encore, comme l'a bien dit Serafín Moralejo, un « carrefour stylistique » [95].

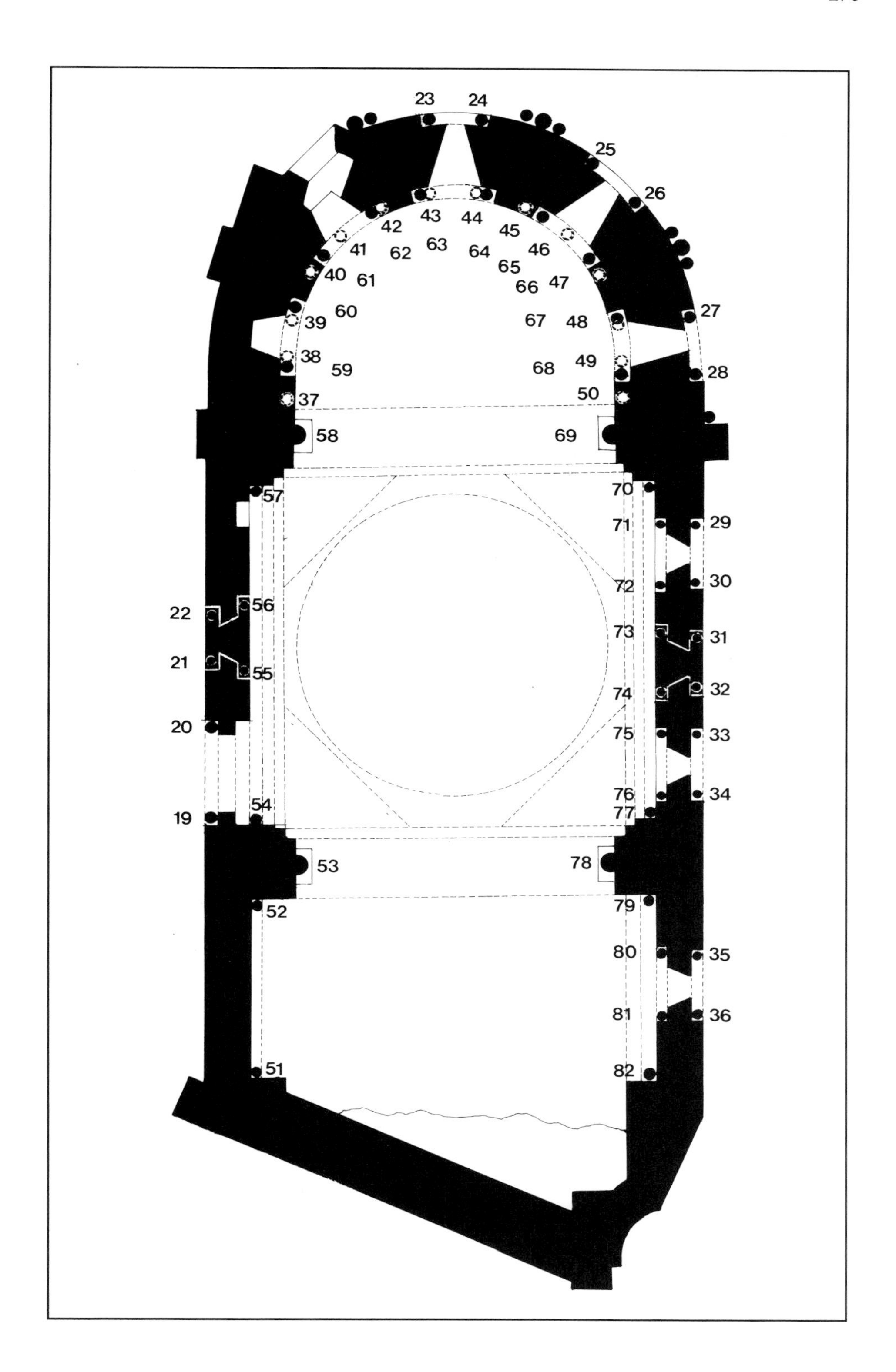

262. Loarre,
Saint-Pierre,
plan de l'église supérieure
par J.-M. Picot.

◁ 263. Loarre,
Saint-Pierre,
vue intérieure
de l'église supérieure
(Photo Zodiaque).

264. Loarre, Saint-Pierre, chapiteau n° 42.

Un témoignage éclatant de « fusion de styles » est fourni par le chapiteau n° 42. On a agi avec beaucoup de précipitation lorsqu'on a voulu expliquer par une simple influence moissagaise ce décor couvrant de fleurons traités à la manière de certains ivoires musulmans. Les choses sont infiniment plus complexes. D'abord, le corinthien à deux couronnes ici présent n'a rien à voir avec l'épannelage en forme de pyramide des œuvres moissagaises mises en cause. En outre, les rinceaux constituant le décor de surface doivent en réalité beaucoup à Toulouse au point de vue du dessin. Leurs enroulements se groupent symétriquement de part et d'autre d'une tige centrale qui remplace la nervure des feuilles. Cette tige principale, ainsi que toutes les tiges secondaires, se détache nettement sur le fond, alors que les festons serrés les uns contre les autres, pour ne laisser aucun vide entre eux, sont traités à plat. L'aspect général de broderie et son parfum mauresque peuvent fort bien être un apport direct de l'art musulman à travers un reliquaire par exemple. Naturellement, nous ne suivons pas Georges Gaillard, lorsqu'il avance l'idée que la chapelle du château aragonais aurait pu servir d'intermédiaire entre l'Espagne musulmane et le cloître moissagais pour les œuvres de ce style. Tout simplement parce que, si l'intervalle chronologique est faible entre les deux monuments, il ne s'établit pas dans le sens voulu par l'historien de l'art français. L'antériorité appartient sûrement à Moissac et non à Loarre.

264

113, 114

265. Loarre, Saint-Pierre, chapiteau n° 38.

▷ 266. Loarre, Saint-Pierre, chapiteau n° 41.

Le n° 45 semble participer du même esprit. Malheureusement, il est si détérioré qu'il est difficile d'en proposer une étude satisfaisante.

Une certaine continuité avec la crypte s'établit avec la reprise en 49 des dragons affrontés. En outre, la composition toulousaine de laquelle ils avaient été tirés est proposée également en face (en 38) dans son entier, il est vrai avec d'importantes variantes. Des dragons à double tête s'enlacent verticalement au milieu de chaque face de la corbeille, puis, en suivant la ligne des volutes, ils viennent mordre à la tête un homme debout à chaque angle. Deux autres personnages se saisissent du corps du monstre.

265

On a justement attribué au même artiste une représentation de Daniel dans la fosse aux lions très hiératique (en 41). Le phénomène de fusion stylistique se poursuit : si le personnage « dénonce une manière toulousaine dans la tradition de Bernard Gilduin », le type des lions et même la structure du chapiteau appartiennent à celle de Jaca [96]. De grands fleurons sortant de la gueule des animaux unissent ceux-ci au prophète d'une manière très décorative. Des feuillages accrochés aux volutes, ainsi que les rinceaux de grandes palmettes développés sur le tailloir, concourent à la glorification de l'homme de Dieu par cet encadrement végétal.

266

Ce maître de second plan, mais possédant une assez large expérience, a encore sculpté la composition énigmatique du chapiteau 47. Au centre de la face principale, un personnage debout portant une sorte de chasuble tend les bras dans l'attitude de l'orante, mais ses mains sont fermées. Tient-il en laisse deux singes accroupis aux angles ? Au-dessus de ces animaux des bustes féminins surgissent sous les volutes.

267

Le phénomène d'hybridation par croisement de traditions de Toulouse et de Jaca se poursuit en 40 sur un chapiteau dont les grandes feuilles

268

267. Loarre, Saint-Pierre, chapiteau n° 47.

▽ 268. Loarre, Saint-Pierre, chapiteau n° 40.

redressées à la verticale jusqu'aux volutes sont habillées de longues fougères. À cette structure provenant de Jaca se superposent à la partie inférieure de la corbeille quatre petits lions couchés dérivés de ceux de la Porte des Comtes toulousaine [97].

269. Loarre, Saint-Pierre, chapiteau n° 44.

▷ 270. Loarre, Saint-Pierre, chapiteau n° 48.

On peut considérer comme une dérivation de Jaca le style du chapiteau 44. Un personnage chaussé tenant un bâton est encadré par deux anges aux pieds nus, un livre à la main. Les visages arrondis sont encadrés par de longs cheveux, les corps couverts de vêtements aux plis réguliers en léger relief les uns par rapport aux autres. 269

Serafín Moralejo [98] attribue la même origine au chapiteau corinthien n° 48. Il n'a qu'une seule rangée de feuilles. Sur leur surface une longue tige porte une sorte de palme à laquelle est accrochée une pomme de pin. Des demi-palmettes allongées garnissent les angles sous les volutes, ainsi que la zone inférieure où elles recomposent des palmettes. Georges Gaillard [99] signalait, quant à lui, une parenté entre cette œuvre et un chapiteau de la nef de Saint-Isidore de León où les acanthes sont décomposées en palmettes, et où triomphe le même modelé sec et dur. Le rapprochement, nullement arbitraire, illustre la constitution, par des interférences multiples, du milieu artistique caractéristique de la route de Compostelle. 270

On reconnaîtra aussi un motif largement diffusé dans toute la zone géographique qui s'étend de Sainte-Foy de Conques jusqu'à Saint-Jacques dans les entrelacs de vannerie utilisés pour les chapiteaux n°s 37 et 50. De plus, la frise d'« angelots cravatés d'ailes » qui décore le tailloir du second peut aussi bien venir de Toulouse que de Conques, même si cette abbatiale est généralement considérée comme le berceau du motif. 271 56

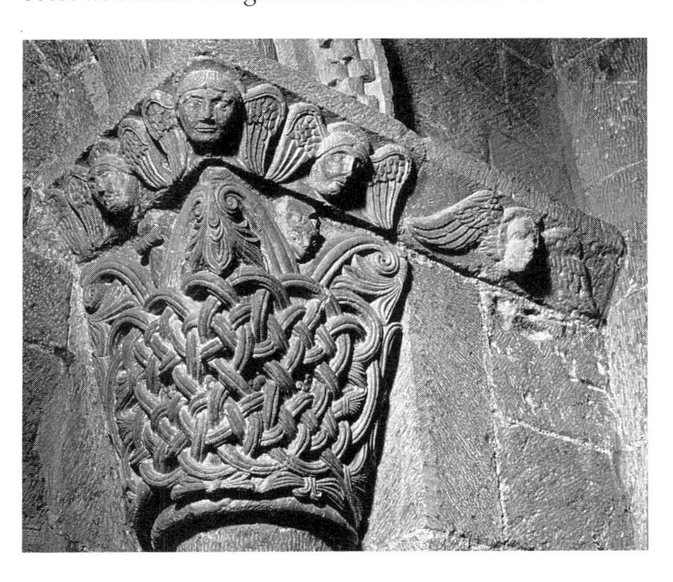

271. Loarre, Saint-Pierre, chapiteau n° 50.

Les chapiteaux des fenêtres de l'église supérieure

DANS LE DÉCOR DES FENÊTRES de l'église supérieure on joua parfois la continuité. Ainsi retrouve-t-on à deux exemplaires (en 59 et 61) des rubans entrelacés aux nœuds assez lâches. En 81, à l'extrémité occidentale de la nef, on propose une nouvelle interprétation de l'arbre à palmettes. Elle se distingue par son esprit naturaliste : les demi-palmettes sont redevenues ce qu'elles étaient à l'origine, des feuilles et des fleurs. Malheureusement, une amélioration du métier n'a pas suivi cette reconquête. Bien au contraire : l'avance chronologique s'est faite à travers une dégradation de celui-ci. Sur le chapiteau voisin (n° 80) la marche du temps se traduit par une sécheresse accrue pour les demi-palmettes déployées en éventail sur de grandes feuilles et pour les palmettes inscrites à leur base.

272. Loarre, Saint-Pierre, chapiteau n° 21.

▷ 273. Loarre, Saint-Pierre, chapiteau n° 65.

Les fenêtres de l'église supérieure sont par excellence le domaine de l'animal qui n'y joue pas qu'un rôle décoratif. Les oiseaux affrontés en 21 dans le cadre d'un chapiteau à grandes feuilles lisses sont probablement de mauvais augure. Sur les côtés, au-dessus de l'une de ces feuilles, on voit émerger la tête d'un autre animal au bec pointu ou d'un monstre dont le corps est à demi caché. Surtout, l'espace du tailloir est partagé entre des être inquiétants : un serpent au corps enroulé sur lui-même et de petites sirènes ailées. Cette œuvre vigoureuse témoigne d'un art avancé. Il est probable que le chantier a traîné. 272

Une place particulière a été accordée aux lions. Pataues, ils rapprochent leurs têtes en 65. Peut-être a-t-on voulu retenir l'aspect favorable de l'animal, car sur le tailloir se développe une double théorie de têtes d'anges nimbées, au profil de médaille, sculptées en méplat sur un fond d'ailes. 273

À deux reprises, en 75 et dans l'ébrasement extérieur de la fenêtre d'axe de l'abside, un personnage apparaît à l'arrière-plan, derrière les

274. Loarre, Saint-Pierre, chapiteau n° 22.

275. Loarre, Saint-Pierre, chapiteau n° 67.

lions. Cette composition sera adoptée très peu de temps après par les ateliers roussillonnais de sculpteurs romans qui lui assurèrent une large diffusion. Il en sera de même pour le motif des lions ployant l'échine. Ici, il s'inscrit dans un cadre de feuillage auquel le Roussillon renoncera par besoin de simplifier.

Mais voici le motif du lion chevauché par un cavalier, qui est un personnage d'âge mûr en 76 et un éphèbe au corps nu en 22. Ce dernier est stylistiquement plus proche de León que de Jaca et la remarque vaut aussi pour sa monture à la lourde crinière. Vient aussi le lion prisonnier qu'un personnage mène en laisse (en 67).

274

275

Enfin, le lion prend place parmi les animaux dévorants dont la signification satanique ne laisse guère de doute. En 63, deux lions unissent leur tête à l'angle pour engloutir leur proie. En 73, ce sont des griffons qui déchiquettent la leur.

276

Une nouvelle apparition des sirènes en 72 est surprenante. Leur solennité hiératique, la manière dont elles assument l'héritage antique pour le renouveler sans rien lui retirer de sa noblesse tranchent sur la banalité et la médiocrité assez générales de leur environnement. Leur buste nu, sur lequel retombent de lourdes tresses, couronne un corps de poisson auquel de volumineuses écailles confèrent une grande valeur plastique. Elles semblent surgir de l'eau dans laquelle nagent de petits poissons. D'autres poissons, très longs et très minces, se redressent à la verticale en direction des volutes d'angle pour conférer toute sa solidité à une composition clairement construite sur des verticales et des obliques.

On retrouve Jaca en 64, où des personnages nus aux traits épais joignent leurs efforts pour soulever et déployer une longue étoffe dont les plis évoquent le mouvement des vagues. Cette contamination de deux thèmes, celui de l'eau et celui de l'étoffe que l'on déploie, autant que la lourdeur de l'exécution, permet de mesurer le chemin parcouru depuis les délicates réalisations de la cathédrale aragonaise.

277

Le monde des fenêtres hautes de l'église n'est pas celui de l'exclusion des damnés, mais plutôt celui du combat du bien et du mal. Des anges y tiennent leur rôle de messagers et d'intermédiaires en 68 où ils balancent des encensoirs. Ailleurs, en 55, d'autres anges présentent le buste du Christ dans un médaillon, à la manière antique, comme à Jaca.

Un nombre important de chapiteaux des fenêtres de l'église supérieure témoigne de l'existence à cet endroit, à côté d'un style dur et précis, et même sec et anguleux — qui a donné fréquemment son caractère à

276. Loarre,
Saint-Pierre,
chapiteau n° 72.

▷ 277. Loarre,
Saint-Pierre,
chapiteau n° 64.

l'arcature et qui pour l'essentiel dérive de Saint-Sernin de Toulouse — d'un autre au contraire charnu et même mou, exploitation par des mains fréquemment peu expertes du style de la maturité de Jaca.

L'amplification du volume, combinée à un certain laisser-aller, est le caractère des deux chapiteaux du portail donnant accès à l'église supérieure. On a reproduit à deux exemplaires identiques une composition à deux couronnes de feuilles épaisses, avec décor de surface surimposé sur celles du registre supérieur et alternance de feuilles étroites et de palmettes à la rangée inférieure. Cette œuvre lourde imitée de Jaca ne saurait être antérieure à la seconde décennie du XIIe siècle.

Chapiteaux des voûtes de l'église supérieure

ICI ENCORE, aux derniers jours de l'atelier, la copie — ce qui signifie l'abandon à la routine — est de règle. Parfois les sculpteurs ont pris leurs modèles sur place et notamment dans la crypte. Ainsi voit-on réapparaître les chapiteaux à feuilles fendues (en 70 et 77). On a aussi reproduit avec la plus grande exactitude, sur le chapiteau 52, le motif des oiseaux nichés dans des arbres à palmettes. Rien n'a été omis, même pas la pomme de pin accrochée sous les volutes. Ce souci d'une parfaite concordance avec l'original confirme la nature du procédé employé. Il ne s'agit pas d'une réplique, mais bien d'une copie, car l'exécution, plus sèche et plus froide, est très différente.

Parallèlement, on continue à prendre des modèles à l'extérieur, concrètement à Jaca, qui fut avec Saint-Sernin de Toulouse la principale source d'inspiration. Très curieusement on choisit de reproduire une des créations les plus bizarres, les plus obscures de la cathédrale aragonaise et on en fit deux exemplaires (en 53 et 58). Sur la face principale un

213

lion est représenté sur toute sa longueur ; sur son dos sont placés deux oiseaux symétriques dont la queue sort de la gueule d'un masque. À chaque angle un petit personnage écarte violemment de ses bras les mâchoires d'un lion : celles du précédent et celles d'un second lion qui semble surgir de la masse du chapiteau. Georges Gaillard s'étonne qu'une composition aussi compliquée ait pu être reproduite avec autant d'exactitude [100] et il ne voit d'autre explication que l'intervention du même artiste dans les deux centres. En fait, il existe des différences de détail, d'ailleurs notées par cet auteur, concernant le modelé plus chargé à Loarre : « les plumes des oiseaux, la crinière du lion sont plus fournies, les traits qui dessinent les yeux et la bouche sont plus nombreux ». Surtout il s'y ajoute une transformation de l'exécution dans le sens de la rigidité. Tout cela dénote la copie probablement réalisée d'après l'original de Jaca par un compagnon ayant peut-être appartenu au chantier de la cathédrale aragonaise.

278

278. Loarre, Saint-Pierre, chapiteau n° 58.

En face de l'une de ces deux reproductions, à la retombée de droite de l'arc triomphal (n° 69), un chapiteau du péché originel a été rapproché par Georges Gaillard d'une sculpture de Frómista représentant le paradis terrestre [101]. En fait, ce chapiteau, qui est probablement de la même main que son voisin, est une œuvre banale en ce qui concerne l'iconographie, et qui appartient par sa structure et par son style au milieu hybride constitué par l'interpénétration et finalement la fusion d'éléments provenant les uns de Toulouse, les autres de Jaca, à travers diverses voies : déplacements d'artistes, échanges de modèles, copies d'œuvres [102]. De la sorte, la chapelle du château de Loarre, précisément à cause de l'absence d'un maître dirigeant capable d'imposer son style personnel, autrement dit, en raison de la qualité moyenne et même souvent faible de la production, nous renseigne sur la manière dont le style franco-espagnol de la route de Compostelle s'est vulgarisé.

279

Un autre exemple de déplacement d'un artiste isolé, non d'un maître de premier plan aux talents reconnus, mais tout simplement d'un modeste exécutant sorti du chantier de Jaca, est fourni par un second portail de San Martín de Uncastillo dans les Cinco Villas. C'est celui qui est en usage alors que le précédent, le portail au tympan symbolique, est condamné. Le chapiteau de gauche utilise des éléments de la cathédrale aragonaise comme des recettes banales, sur un schéma convenu, avec une gaucherie prononcée : c'est tout Jaca, mais, comme nous l'avons dit, vulgarisé. On confia au même sculpteur l'exécution du chapiteau lui faisant pendant, ainsi que celle des deux chapiteaux des piédroits. Il reste du premier, à demi brisé, l'arrière-train d'un lion grossièrement exécuté, les volutes et un fleuron. Sur chacun des deux autres, très effacés, on discerne l'existence de deux registres de palmettes très plates, ponctuées de coups de trépan à la naissance de leurs folioles.

228
280

279. Loarre, Saint-Pierre, chapiteau n° 69.

▷ 280. Uncastillo, Saint-Martin, chapiteau du portail.

Il exista donc à Uncastillo une première église Saint-Martin dont on conserve, outre les deux portails, une portion des murs sud et ouest de sa nef. On en ignore cependant le plan exact et même la largeur de la nef en raison des transformations subies par celle-ci au XVIe siècle. Antérieurement on avait procédé à une réfection de l'abside en s'assurant la participation du sculpteur Leodegarius qui a signé une des statues-colonnes du portail de Sangüesa. La fin des travaux de la seconde moitié du XIIe siècle fut marquée par une consécration en 1179 [103].

*
**

La méthode que nous venons une nouvelle fois d'utiliser à Loarre, appuyée sur une stratification de nature architecturale aux implications chronologiques et privilégiant les interventions individuelles, est la solution de remplacement que nous proposons à l'hypothèse contestable de Georges Gaillard sur les grands ateliers migrateurs se déplaçant d'un centre à un autre en transportant avec eux toute la diversité des formes.

4. Saint-Martin de Frómista

S'IL EST UN FAIT UNANIMEMENT ADMIS par les historiens de l'art, c'est la parenté existant entre certaines sculptures de la cathédrale de Jaca et d'autres appartenant à l'abbatiale Saint-Martin de Frómista, également située à une étape du *Camino francés,* mais bien loin de l'Aragon, en Tierra de Campos. On a parfois rendu compte de ces rapports en supposant la présence successive d'un « maître de Jaca » dans chacun des deux édifices [104]. Cette hypothèse nous avait séduit [105], mais nous l'avons finalement abandonnée, essentiellement pour des raisons qu'il faut bien qualifier de subjectives : l'analyse stylistique, qui orientait notre jugement dans le sens d'un sculpteur unique, agissant désormais dans le sens contraire. Il se trouve en outre que ce changement d'orientation s'accorde beaucoup mieux avec la chronologie des monuments.

L'église de Frómista

LE PRINCIPAL RENSEIGNEMENT HISTORIQUE sur Saint-Martin de Frómista se trouve dans le testament de Doña Mayor, de la famille des comtes de Castille, épouse du roi de Navarre Sanche le Grand. À la mort de son époux, en 1035, elle retourna dans sa patrie et s'installa à Frómista. Dans son testament daté du 13 juin 1066, elle laisse des biens au monastère de saint Martin qu'elle avait entrepris de construire : *in hoc monasterio sancti Martini quem pro amore Dei et sanctorum eius et purificatione peccatorum meorum edificare cepi in Fromesta.* On a parfois supposé que cette donnée chronologique, concernant les débuts de la construction du monastère, s'appliquait à l'église actuelle [106]. Une hypothèse à rejeter catégoriquement, compte tenu des caractères de l'architecture et du décor du monument actuel. Celui-ci a pris la succession d'une chapelle provisoire.

Pour son malheur, l'édifice a fait l'objet au tout début de ce siècle [107] d'une restauration calamiteuse, comprenant une reconstruction presque complète et la destruction des constructions annexes. Selon Manuel Gómez-Moreno [108], tout fut démonté et remonté à l'exception du collatéral nord avec sa tourelle. On n'est même pas assuré que le portail occidental ait jamais existé. On supprima des contreforts, on en monta d'autres. On restaura 86 modillons, nombre d'éléments de corniche, 11 chapiteaux, 46 bases et 12 tailloirs, soit en copiant les originaux, soit en complétant les parties anciennes avec plus ou moins de bonheur. Théoriquement on devait écrire la lettre R sur les copies modernes, mais cette règle ne fut pas toujours respectée. Quelques-uns des originaux — chapiteaux et

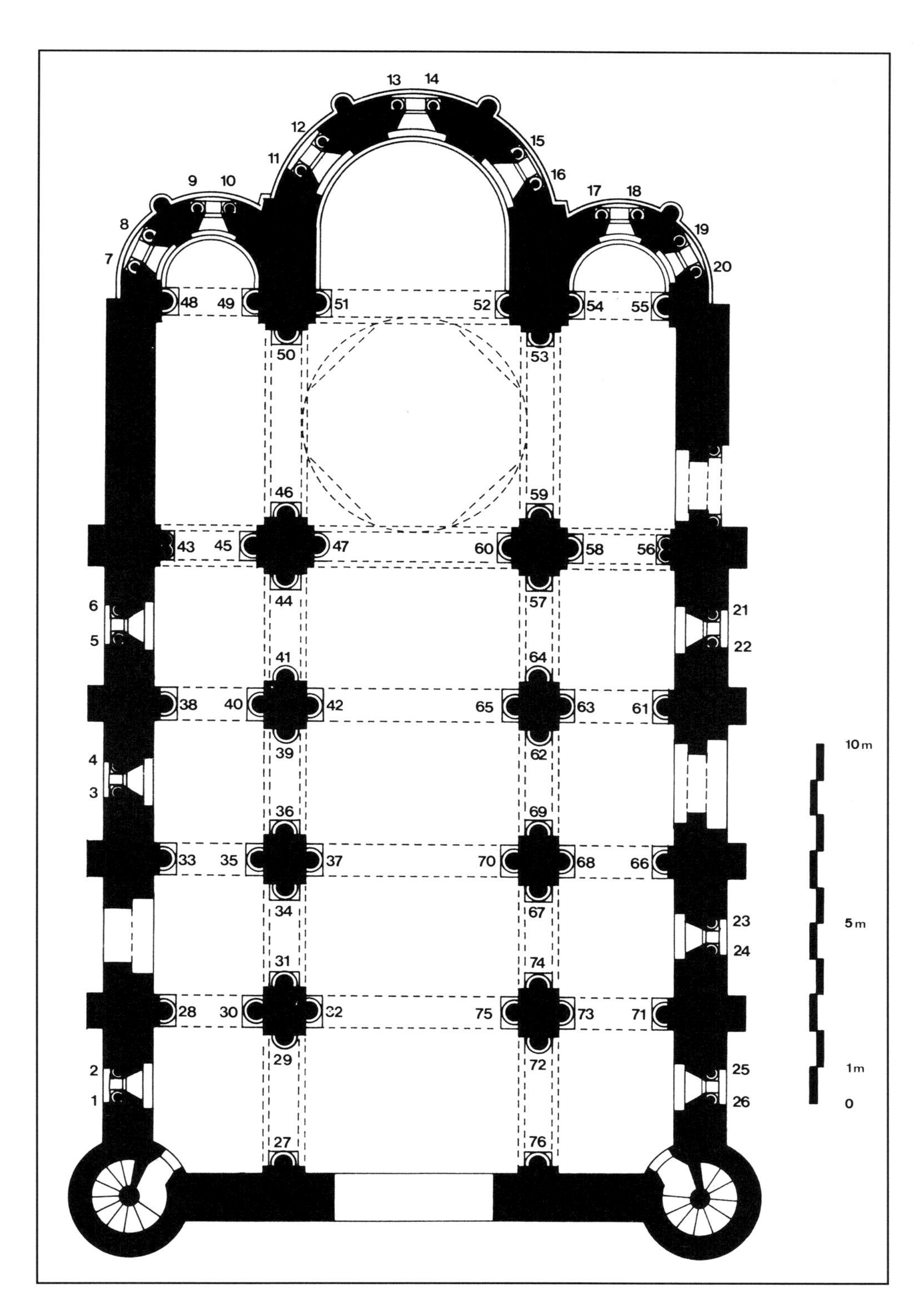

281. Frómista,
Saint-Martin,
plan.
D'après Zodiaque.

modillons — , remplacés sur place par des copies, ont été transportés à la Diputación Provincial de Palencia. On possède aussi un certain nombre de moulages, ainsi que des photographies prises durant la restauration.

281 La structure de l'église actuelle est celle d'un édifice à trois vaisseaux de hauteur à peu près égale, comme il en existe un grand nombre dans l'ouest de la France. L'éclairage ne provient que des fenêtres des

collatéraux. À la différence de ce qui existe à la cathédrale de Jaca, les trois vaisseaux sont voûtés de berceaux appuyés sur des doubleaux. Un berceau couvre également chacun des bras d'un transept non saillant, de même hauteur que le vaisseau principal de la nef. Au-dessus d'une croisée régulière s'élève une coupole établie sur un haut tambour éclairé par des fenêtres. Elle domine le chevet à trois absides.

Les portes sont dépourvues de tympan, sauf les deux petites qui s'ouvrent au bas de la nef. Celles-ci ont un tympan lisse sur lequel un chrisme est gravé. Extrêmement abondant dans la région pyrénéenne, mais autrement inexistant ici, ce signe doit être considéré comme un produit d'importation. La décoration sculptée se réduisait donc aux chapiteaux et aux modillons. Cependant, même dans ces limites, elle était d'une richesse et d'une variété extraordinaires. C'est ce trésor d'art qui a été en partie saccagé par la brutalité de la restauration.

Ces conditions jusqu'ici inédites nous contraignent, pour nous y adapter, à abandonner notre méthode habituelle. Un édifice qui a été démoli et reconstruit, et où ne subsistent guère de repères archéologiques fiables, ne saurait être traité comme l'ont été les précédents par tranches ou sections chronologiques. Nous serons contraint de l'envisager en bloc bien que, au vu de certains chapiteaux et de certains modillons, sa construction ait dû s'étaler sur une période assez longue, peut-être sur deux décennies, comme à Jaca.

Le maître de Frómista et le décor du chevet

IL PARAÎT CONVENABLE de commencer cette étude par une série de chefs-d'œuvre témoignant de la présence à Frómista d'un artiste résolument antiquisant.

Se détachent d'abord deux chapiteaux déposés et conservés au musée de Palencia.

L'un — qui est remplacé dans l'église par une copie en 64 — est brisé en deux morceaux jointifs. Il « montre deux quadrupèdes adossés ; sur leur croupe se tiennent à genoux et comme prosternés deux enfants dont la tête se pose à l'angle sur celle de la bête ; un masque occupe

282. Palencia, musée, moitié gauche d'un chapiteau provenant de Frómista *(Cliché J. Lacoste).*

283. Palencia, musée, moitié droite du même chapiteau *(cliché J. Lacoste).*

▷ 284. Palencia, musée, face latérale droite du même chapiteau *(Cliché J. Lacoste).*

le centre, entre les pieds des enfants ; sur les faces latérales un personnage est debout, habillé à gauche et nu à droite ». Georges Gaillard, à qui nous empruntons cette description [109], estime que « cette composition vient tout droit de Jaca ». Il songe plus particulièrement au chapiteau nº 49 de la cathédrale aragonaise dont il existe deux copies à Loarre.

282, 283, 284

213, 278

Des différences importantes dans le sens d'une plus grande complexité en ce qui concerne Jaca existent cependant entre ces œuvres. La scène la plus simple et la plus naturelle est celle de Frómista. Il existe deux quadrupèdes, probablement des lions, montés par deux enfants, non pas à califourchon mais agenouillés sur leur dos. Le mouvement est parfaitement maîtrisé. L'impression de vérité est accentuée par un relief rond et gros, par le modelé large et sensible et par le bonheur de l'expression : on est très près de modèles antiques de *putti* chevauchant des lions. À Jaca, la composition se complique et se durcit. On a ajouté deux oiseaux aux enfants. Un des lions semble surgir du bloc du chapiteau. On n'en voit que la tête. Il serait tentant d'inverser le sens de la chronologie proposée par Georges Gaillard et de considérer le chapiteau de Jaca comme une interprétation plus romane d'une œuvre issue d'un modèle antique. Mais cette interprétation appuyée sur le style est interdite par une meilleure connaissance de l'iconographie. La composition de Jaca, nous l'avons vu en étudiant cette cathédrale, n'est pas une création espagnole. Il s'agit de l'implantation en Aragon d'un motif « international » suffisamment stable pour se présenter d'une manière identique sur un chapiteau du musée de Pavie [110]. La conclusion paraît s'imposer. En dépit des apparences, il n'existe pas de véritable dépendance iconographique entre le chapiteau de Frómista et celui de Jaca. Ce sont deux créations parallèles, surgies sans doute à peu près au même moment, dans deux milieux qui entretenaient des relations artistiques étroites.

Une preuve en est notamment fournie par un détail très caractéristique. Une des branches des volutes du chapiteau de Frómista est recouverte par de petites virgules, tandis que sur l'autre déborde un feuillage. Cette

particularité se retrouve à Jaca, sur le chapiteau montrant des personnages debout en arrière de lions adossés. 214

L'iconographie de l'autre chapiteau de Frómista au musée de Palencia — remplacé dans l'église en 58 par une copie — a une origine strictement locale, comme Serafín Moralejo l'a récemment établi [111].

Deux hommes nus, dont l'un brandit un couteau, sont représentés dans une attitude d'extrême agitation. Ils sont encadrés par d'autres personnages, toujours nus, mais à demi-cachés par des étoffes et qui soulèvent des serpents d'une manière menaçante. Un dernier personnage, étendu sur le sol, tient lui aussi un serpent dans ses mains. 285, 286, 287

C'est en développant en frise ces images sculptées sur les trois faces du chapiteau, et en s'aidant de photographies prises avant la mutilation de l'œuvre, que Serafín Moralejo a pu démontrer que celle-ci dérivait, sans le moindre doute, d'une sculpture antique où l'on voit Oreste poursuivi par les Érinyes après le meurtre de Clytemnestre et d'Égisthe. Cette composition figure sur un superbe sarcophage romain du IIe siècle, aujourd'hui propriété du musée archéologique de Madrid, mais qui se trouvait au Moyen Âge dans l'abbaye de Santa María de Husillos, distante seulement de 25 kilomètres de Frómista vers le sud. Le chapiteau n'en est pas cependant une copie exacte et les modifications apportées résultent aussi bien de la nature de la pièce ornée — un chapiteau et non un sarcophage — que de l'intervention de la spécificité romane et de la personnalité du maître. Une image d'ensemble et probablement même un dessin n'en ont pas moins été tirés du sarcophage et ont inspiré l'iconographie générale du chapiteau. Ainsi a été confirmé un pressentiment d'Émile Bertaux qui avait reconnu, dès le début de ce siècle, la fascination exercée par les sarcophages antiques sur le maître de Frómista : « Il a étudié des sarcophages antiques, pour y copier des figures entières, qu'il a laissées nues, et qui, dans les formes de leurs corps et dans le sourire de leur visage, font apparaître, au milieu des monstres barbares qu'elles combattent ou chevauchent, une vision fugitive

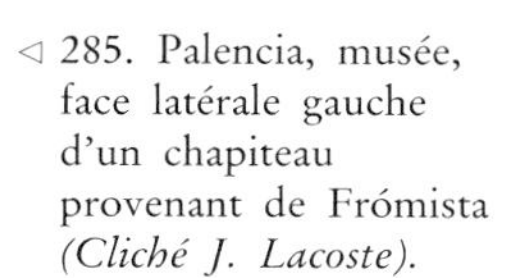

◁ 285. Palencia, musée, face latérale gauche d'un chapiteau provenant de Frómista *(Cliché J. Lacoste).*

◁ 286. Palencia, musée, face principale du même chapiteau *(Cliché J. Lacoste).*

287. Palencia, musée, face latérale droite du même chapiteau *(Cliché J. Lacoste).*

de la beauté oubliée [...]. Le souffle de Renaissance qui, venu on ne sait d'où, a passé sur la ' Tierra de Campos ', n'a touché, semble-t-il, qu'un artiste et s'est aussitôt perdu » [112].

Poursuivant son enquête, Serafín Moralejo en est venu à penser que les scènes sculptées sur la face principale du sarcophage de Husillos avaient également constitué des sources iconographiques pour plusieurs chapiteaux de Jaca [113]. Plus concrètement, il proposa d'expliquer le phénomène par l'intervention personnelle du maître de Frómista à Jaca. Après avoir réalisé les œuvres antiquisantes de l'abbatiale de la Tierra de Campos l'artiste se serait transporté à Jaca, en sorte que le « maître de Frómista » ne ferait qu'un avec le « maître de Jaca ».

S'il m'est arrivé à moi aussi de croire à l'existence d'un maître unique, je ne pus, pour des raisons stylistiques, admettre l'antériorité de Frómista sur Jaca [114]. Ces mêmes raisons me contraignent aujourd'hui, nous l'avons vu, à renoncer à l'hypothèse, à restituer son autonomie à chacun des deux artistes et à reconnaître leur dualité d'esprit. Le sculpteur de Frómista demeure très proche de l'idéal antique, sans doute parce qu'il fut fasciné par lui et rêva de le faire revivre. Celui de Jaca a limité ses emprunts à de simples motifs qu'il intégra à des compositions très personnelles. Il les traita aussi dans un esprit tout nouveau. Georges Gaillard l'a montré pour la figure le plus profondément marquée par l'influence antique : l'Isaac athlétique du sacrifice d'Abraham. « Malgré le bourrelet du ventre et la musculature des cuisses, cette œuvre rest[e] dans sa violence expressive radicalement différente de l'antique et profondément médiévale » [115]. En outre, le sculpteur de Jaca a le goût des détails minutieusement exécutés, eux aussi romans d'esprit. Parfois la préciosité le guette.

Abandonner l'hypothèse du maître unique, c'est aussi rendre toute leur signification à une partie importante de la décoration de Saint-Martin de Frómista : les modillons.

Les modillons de cette église distribués tout au long des corniches du chevet, de la nef et de la coupole avaient fortement impressionné Émile Bertaux par leurs dimensions exceptionnelles. « Ils sont aussi grands que les gargouilles des cathédrales », s'exclamait-il [116]. La plupart « sont décorés de figures qui se détachent soit sur un fond de baguettes, soit entre deux lignes de petits lobes, résidus des copeaux, soit sur une gorge nue. Ces figures très variées, têtes d'animaux, animaux entiers, hommes grotesques, etc... sont de véritables statuettes traitées en ronde-bosse ». Georges Gaillard croyait reconnaître le style puissant de Compostelle « dans l'autorité de leur relief arrondi, dans certaines expressions différentes, dans certains sujets, par exemple une femme tenant une tête monstrueuse entre ses genoux » [117].

Sur tous ces points, et notamment en ce qui concerne l'iconographie et le style, il convient de se montrer extrêmement prudent, puisque tous les modillons en place sont modernes. Seuls les originaux, lorsqu'ils ont été conservés, sont susceptibles de fournir une information valable.

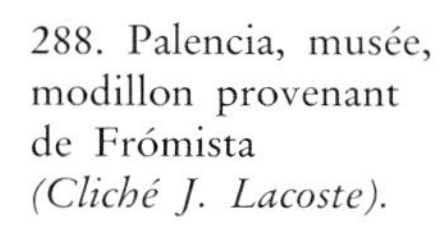

288. Palencia, musée, modillon provenant de Frómista *(Cliché J. Lacoste).*

◁ 289. Frómista, Saint-Martin *(Photo Yan).*

Ceux du musée de Palencia, qui proviennent, semble-t-il, de la corniche de l'abside principale, orientent dans une toute autre direction. Ils dérivent directement eux aussi de formes antiques, mais sans rapport 288 avec le sarcophage de Husillos. Ils sont en outre dépourvus de toute parenté avec ceux de la cathédrale aragonaise. Si des rapprochements devaient être suggérés, ce serait avec les modillons de la Porte Miègeville de Saint-Sernin de Toulouse, non, il est vrai, en raison de l'existence de rapports précis, mais à cause d'un esprit général commun, de l'appartenance à une même tradition. Simplement doit-on admettre une légère antériorité de Frómista. De toute manière, le chantier de Frómista s'est ouvert postérieurement à celui de Jaca, avec des sculpteurs différents. Les deux chantiers menèrent une vie parallèle en pratiquant des échanges qui ne furent pas toujours nécessairement à sens unique.

De grandes qualités plastiques, provenant également d'un recours à des sources antiques, caractérisent les petits chapiteaux des fenêtres du chevet, légèrement antérieurs aux modillons correspondants, et qui nous 289 conduisent ainsi à l'ouverture même du chantier. On peut les étudier,

290. Frómista, Saint-Martin, chapiteau n° 14 (copie).

selon les cas, soit à partir des originaux, soit à travers des copies dont l'exactitude est parfois confirmée par des moulages conservés au musée de Palencia. Leur décor est souvent assez proche d'œuvres de Jaca, mais il ne saurait leur être assimilé.

290 Un chapiteau de la fenêtre d'axe de l'abside centrale (n° 14), dont le moulage est à Palencia, appartient au type corinthien à rangée unique de grandes feuilles. Celles-ci épousent la forme des gros pitons du groupe de Jaca. Elles occupent tout l'espace à l'exception d'un rinceau de palmettes formant bandeau à la partie inférieure de la corbeille.

Fréquemment des rinceaux de palmettes et de demi-palmettes constituent l'essentiel du décor. Ils peuvent sortir d'une tête d'angle, ou d'un gros macaron central (n° 18). Ils peuvent aussi constituer un décor couvrant uniformément toute la surface de la corbeille.

Contrastant avec cette richesse décorative le chapiteau n° 20 ne possède qu'un seul rang de grandes feuilles nues, qui occupent tout l'espace, ne laissant de place qu'aux volutes. Simplement, une boule renforce la pointe de la feuille dont la surface est par ailleurs traversée par une large nervure centrale plate.

Le chapiteau n° 17, qui appartient comme les n°s 18 et 20 à une fenêtre de l'absidiole sud, est un autre témoignage de l'exceptionnelle maîtrise de l'atelier à ses débuts : une maîtrise à mettre certainement en rapport avec la présence, dès ce moment, de l'artiste antiquisant. Il « groupe une dizaine d'oiseaux serrés les uns contre les autres, ou en arrière et au-dessus des autres. Il fallait une grande habileté technique pour pouvoir superposer tant de reliefs sans les confondre. Nous ne sommes pas ici au commencement d'un art, mais au contraire au moment où l'art cesse d'être simple et risque de tomber dans la préciosité », estimait Georges Gaillard [118].

Ce jugement est contredit, en ce qui concerne la menace supposée de la préciosité, par la vigueur des scènes figurées où l'homme apparaît parmi les animaux, soit qu'il lutte contre un lion (en 9) soit qu'il étreigne des oiseaux, en 11. Ces œuvres montrent plutôt, comme les réalisations contemporaines de Jaca, de León et de Compostelle, que des sculpteurs espagnols, tous établis à l'école de l'Antiquité, se révélaient capables, dès les environs de 1110, de résoudre avec succès les problèmes posés par la représentation du volume et du modelé.

Les chapiteaux de la nef

LA PRÉSENCE DANS LA NEF d'un certain nombre de compositions semblables à celles du chevet témoigne d'une réelle continuité. Celle-ci ne s'impose cependant pas pleinement et on ne saurait parler d'une unité complète, en raison de la présence d'abord aux côtés, puis à la suite du sculpteur que nous considérons comme le maître principal, d'artistes différents par leur formation et souvent par leur valeur assez médiocre.

On a continué à utiliser une seule structure pour les chapiteaux à feuillages : celle qui ne comporte qu'un rang unique de grandes feuilles.

291. Frómista, Saint-Martin, chapiteau n° 63.

292. Frómista, Saint-Martin, chapiteau n° 44.

293. Frómista, Saint-Martin, chapiteau n° 76.

Nombre de celles-ci sont entièrement lisses, à l'exception de leur extrémité renforcée par une boule ou une pomme de pin (n° 63). Parfois, les feuilles dentelées ont de fortes nervures verticales (n° 44). Dans un seul cas, on les a couvertes d'un grand nombre de petits lobes ordonnés d'une manière purement décorative (n° 76). Tout n'est pas authentique dans cet ensemble. Il existe des copies modernes et des œuvres complétées ou rafraîchies. On peut néanmoins porter un jugement sur ce noyau de base : il ne correspond ni à des recherches ni à des expériences ; il représente l'exploitation assez banale d'une formule déjà pleinement fixée.

291 292 293

Mêmes qualités techniques, et égal défaut d'inspiration dans le développement d'une autre série déjà apparue au chevet : celle qui correspond à des rinceaux de palmettes et de demi-palmettes. Il existe deux formules, l'une et l'autre parfaitement maîtrisées. Ou bien les rinceaux épousent la structure du chapiteau et notamment celle des volutes (n° 50), ou bien ils envahissent toute la corbeille d'une manière plate et uniforme, les saillants de l'épannelage ayant disparu (n° 48). Malheureusement, dans les deux cas, il ne s'agit que de copies modernes.

294. Frómista, Saint-Martin, chapiteau n° 57.

294 Un chapiteau aux oiseaux affrontés — très restauré — (n° 57) nous restitue peut-être la composition primitive d'une œuvre de Jaca également très restaurée (Jaca, n° 61). Il est particulièrement étiré en longueur et comporte deux registres superposés. Sur le registre supérieur, le plus développé, de grands oiseaux se placent sous les volutes d'angle ornées de petites virgules ou sous le dé central, en adoptant des formes gracieuses qui évoquent le beau groupe d'oiseaux admiré sur un chapiteau du chevet. Au-dessous, un rinceau de palmettes se déploie entre de petits oiseaux en fort relief. Le chapiteau correspondant de Jaca (n° 61) était extrêmement détérioré. Au moment de sa restauration, on a sectionné sa partie inférieure, la plus abîmée, et on l'a remplacée par un simple bandeau de palmettes moderne.

Les compositions le plus sûrement dans l'esprit du maître de Frómista associent des hommes et des animaux dans des scènes de lutte. Aucune de celles conservées sous la forme d'originaux ne sont cependant de sa
295 main. Il faut les attribuer à des compagnons ou à des élèves (n° 59). Parmi les copies modernes, l'attention est surtout retenue par des acrobates formant des échafaudages humains (n° 75). Peut-être n'était-on pas ici très éloigné de la manière de l'artiste.

Georges Gaillard avait déjà noté l'apparition dans la sculpture de Frómista d'« un art anecdotique et pittoresque que la sculpture espagnole du XIIe siècle finissant développera avec complaisance » [119]. Il le confirmait dans l'idée que l'église n'était pas aussi ancienne qu'on le supposait généralement.

Ainsi voit-on apparaître une représentation de la fable du corbeau et du renard sur un fond ornemental de volutes et de rinceaux végétaux,
296 entre des figures de monstres (n° 34). On reconnaît aussi le motif des
297 porteurs d'eau (n° 71), qui réapparaîtra plus tard dans la même région sur un chapiteau de l'église de Granja de Valdecal, aux environs de Mave (province de Palencia), aujourd'hui au Musée archéologique de

295. Frómista, Saint-Martin, chapiteau n° 59.

296. Frómista, Saint-Martin, chapiteau n° 34.

Madrid [120]. L'œuvre est tardive, comme toutes celles qui reprennent le sujet : par exemple le chapiteau de pilier du cloître de Gérone illustrant la construction du monument.

À la différence du maître de Jaca, dont ce fut une spécialité, celui de Frómista ne semble pas avoir sculpté lui-même de chapiteau historié. Dans ce domaine l'œuvre la plus proche de sa manière était peut-être une représentation du Péché originel, malheureusement très « rafraîchie » (en 47). Adam et Ève sont accroupis ou agenouillés. Entre eux se dresse l'arbre de la connaissance du bien et du mal, couvert de pommes. Le serpent, qui enlace son tronc, dirige sa tête en direction d'Ève située à gauche de la composition et qui tient déjà dans sa main le fruit de la chute. À droite, Adam porte la main à sa gorge pour exprimer par ce geste l'étendue du trouble qui l'étreint au moment où, pour céder aux instances pressantes de sa compagne, il s'apprête à transgresser l'interdiction divine. Serafín Moralejo [121] a attiré l'attention sur l'extrême parenté existant entre cette œuvre et le Péché originel de Saint-Gaudens. Il existe cependant des différences. La plus significative n'est pas l'inversion du motif qui résulte probablement de l'utilisation d'un calque. De plus grande signification apparaît l'adjonction à Frómista de motifs supplémentaires destinés sans doute à commenter la scène. Deux figures démoniaques, l'une grimaçante, l'autre dévorante, apparaissent sous les pitons d'angle. À ces images du mal s'opposent les deux personnages vêtus d'une tunique et d'un manteau et tenant un livre, qui ferment la composition de chaque côté. Bien qu'ils ne soient pas nimbés, on peut supposer que ce sont des auteurs sacrés.

298

297. Frómista, Saint-Martin, chapiteau n° 71.

298. Frómista, Saint-Martin, chapiteau n° 47.

299. Frómista, Saint-Martin, chapiteau n° 60.

299 Sur la pile d'en face (en 60) est une œuvre qu'on a sans doute regrattée lors de la restauration. Dieu, qui tient un livre ouvert et dont la tête est entourée d'un nimbe crucifère, adresse ses réprimandes à Adam et à Ève et maudit le serpent. Les deux coupables fléchissent les genoux devant lui et dissimulent leur sexe. Le serpent ricane. Derrière Dieu un ange porte la croix du Seigneur. Cette image d'espérance est tout à fait conforme au texte de la Genèse qui laisse percer une première lumière de salut dans le tableau si sombre de la chute. Après avoir maudit le serpent, Dieu laisse en effet entrevoir la victoire finale de l'homme : « Je mettrai une hostilité entre toi et la femme, entre ton lignage et le sien. Il t'écrasera la tête et tu l'atteindras au talon » (Gn. 3, 15). Tout à fait à gauche se tient l'ange qui va probablement procéder à l'expulsion d'Adam et d'Ève du paradis terrestre. Peu d'œuvres montrent mieux que celle-ci que la sculpture romane est d'abord un langage dont le moindre signe est pourvu de sens.

Puis le style a tendance à dégénérer au fur et à mesure qu'on avance vers l'ouest. Les figures manquent de mouvement, les grosses têtes sont inexpressives.

300 En 69 un combat fait triompher un porteur de lance sur un adversaire qui n'a pas eu le temps de dégainer son épée avant d'être transpercé.

300. Frómista, Saint-Martin, chapiteau n° 69.

Un conciliateur essaie en vain de ramener ces gens à la raison. Une femme, à droite, peut-être la cause du conflit, se lamente. À gauche, un personnage se protège avec son bouclier, un autre tient une épée.

301 Sur le chapiteau n° 62 des combats à mains nues sont représentés sur chacune des trois faces. Au centre de la principale un personnage tente de s'interposer. Deux abbés debout aux angles ne se distinguent que par la forme de leur crosse. L'une se termine par une volute, l'autre a la forme d'un tau. Ces deux œuvres prennent place parmi les nombreuses scènes de luttes, à signification multiple, qui jalonnent le développement de la sculpture romane espagnole [122].

Le dernier degré de la médiocrité est atteint par l'Adoration des 302 Mages du chapiteau n° 70. L'iconographie est banale. La Vierge Marie est placée de face et, sur ses genoux symétriquement disposés, elle porte l'Enfant. Celui-ci se tourne vers la gauche en direction de deux des rois qui s'inclinent. Le troisième Mage, qui est à droite, plie lui aussi les genoux. À côté de lui Joseph s'appuie sur un bâton d'une main et de l'autre montre l'étoile. La raideur des attitudes, la gaucherie des gestes,

301. Frómista, Saint-Martin, chapiteau n° 62.

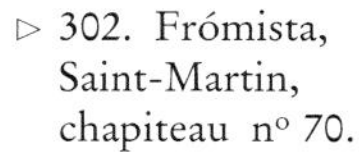

▷ 302. Frómista, Saint-Martin, chapiteau n° 70.

le faux archaïsme du drapé, réduit à des plis gravés, de grossières erreurs de proportions, tout illustre un phénomène que nous avons maintes fois observé : l'impossibilité où l'on s'est trouvé dans la plupart des cas de maintenir jusqu'à la fin des chantiers le bel élan qui avait présidé à leur ouverture. Une fois l'enthousiasme tombé, et les sacrifices financiers devenant de plus en plus insupportables, on fit appel à n'importe qui pour achever les programmes sculptés. L'auteur de cette Adoration des Mages tint néanmoins à honorer le « maître de Frómista » en reproduisant la disparité que celui-ci avait un jour introduite dans le décor des volutes, en opposant de petites virgules à un feuillage. Encore interpréta-t-il ce dernier à sa façon.

Frómista et San Salvador de Nogal

LES ARCHÉOLOGUES préconisant la date très ancienne de 1066 pour la construction de Saint-Martin de Frómista croient pouvoir appuyer cette chronologie sur celle d'un autre édifice de la province de Palencia, San Salvador de Nogal, où se trouvent des chapiteaux du style de Frómista et qui aurait fait l'objet d'une consécration trois ans plus tôt, en 1063.

Ce problème est en tout point semblable à celui auquel nous nous sommes trouvé confronté en étudiant les rapports entre la cathédrale de Jaca et l'église Sainte-Marie de Iguácel. Nous allons le régler de la même façon, par la critique historique.

Dédié au Sauveur ce monastère est situé à Nogal de las Huertas, à une vingtaine de kilomètres au nord-ouest de Frómista [123]. Il est entré dans l'histoire avec une inscription qui existe à trois exemplaires dans des termes pratiquement identiques. En voici la version la plus complète :

IN NOMINE DOMINI NOSTRI IHESV CHRISTI OB HONORE SANCTI SALVATORIS ELVIRA SANSES HOC FECIT IN ERA MILLESIMA CENTESIMA PRIMA REGNANTE REX FREDINANDO IN LEGIONE ET IN KASTELLA

Cette Elvira Sanses est une personne de qualité, à laquelle d'autres documents concèdent le titre de « comtesse de Nogar ». Peut-être appartenait-elle à la famille royale. En 1093, le monastère fut placé sous la juridiction de Sahagún avec beaucoup d'autres.

Il est curieux qu'on n'ait jamais été intrigué par le fait que l'inscription ait été reproduite à trois exemplaires, tous anciens. Étrange aussi qu'on n'ait pas insisté sur le fait qu'elle ne désigne pas l'église d'une manière explicite, mais une œuvre non précisée, comme elle dédiée au Sauveur, qui ne peut être que le monastère. Les inscriptions, destinées à commémorer la fondation de la comtesse Elvire, furent peut-être distribuées dans plusieurs des bâtiments monastiques, y compris, bien sûr, dans l'église. Au XIIe siècle, on compléta l'une des versions par un texte relatif à la construction d'un portique par un certain Xemenus :

XEMENVS FECIT ET SCVLPSIT ISTAM PORTICVM ORATE PRO EO.

L'église de San Salvador de Nogal a connu les transformations inhérentes à une longue histoire. De l'édifice contemporain de la fondation du monastère on a conservé un chevet archaïque constitué par une abside quadrangulaire et un chœur de même forme, qui fut peut-être, à l'origine, la dernière travée de la nef. Manuel Gómez-Moreno y a observé des traces de reprises correspondant à un voûtement en berceau brisé. Peut-être est-ce à l'occasion de ces travaux qu'on ajouta à l'entrée du sanctuaire deux colonnes avec leurs chapiteaux. Plus tard encore, à la fin du XIIe ou au début du XIIIe siècle, la nef primitive fut remplacée par une autre plus vaste.

303. Nogal de las Huertas, San Salvador, chapiteau.

303, 304 Les chapiteaux ont une forme particulière combinant des éléments de Moissac et de Frómista. Ils conservent à la partie supérieure, comme héritage du corinthien, les volutes et le dé médian en saillie orné d'une rosette. Mais sous l'angle pointe le piton côtelé. Le reste de la corbeille est un tronc de pyramide régulier couvert de rinceaux de palmettes. À quoi s'ajoute, sur l'une des œuvres, trois petits personnages aujourd'hui décapités.

Georges Gaillard estimait que, si l'on acceptait pour eux la date de 1063 — que lui-même ne contestait pas formellement — ces chapiteaux étaient « des témoins aujourd'hui isolés, par suite de la disparition de presque toutes les œuvres contemporaines, d'une production sans grande originalité, faite d'éléments traditionnels, d'où allait émerger la production romane » [124]. Pour nous, qui n'admettons ni catastrophes généralisées ni miracles dans ce domaine, nous préférons les faire rentrer dans le rang, c'est-à-dire les placer dans le sillage de Frómista.

304. Nogal de las Huertas, San Salvador, chapiteau.

5. Saint-Gaudens et Saint-Mont

AU GROUPE JACA-FRÓMISTA se rattachent les deux églises gasconnes de Saint-Gaudens et de Saint-Mont. Ainsi se vérifie une fois encore que les distances ne constituaient pas à la fin du XIe siècle et au début du XIIe un obstacle aux relations et à la propagation des influences artistiques. Nous nous interrogerons d'ailleurs, comme nous l'avons déjà fait, notamment à propos de Loarre, sur la nature exacte de ces influences, et plus particulièrement sur les conditions de l'exercice du métier de sculpteur.

Saint-Gaudens a grandi autour d'une collégiale dont la création constitua une des premières manifestations dans le Midi français de la volonté de réforme de l'Église selon l'esprit dit « grégorien ». Cette fondation est à mettre en relation avec le concile de Toulouse de 1056 qui innova dans ce domaine [125]. Réuni à la demande du Siège romain il traita de la discipline ecclésiastique et de la simonie qu'il condamna sous toutes ses formes. Un autre concile toulousain, qui dut se réunir à la fin du pontificat de Nicolas II, vers 1060-1061 promulgua un certain nombre de sanctions brutales à l'égard des contrevenants.

C'est précisément durant la période décisive pour l'histoire de l'Église médiévale, entre 1055 et 1063, que l'évêque de Comminges Bernard, de la famille comtale de Toulouse, remit à une communauté de chanoines une église dédiée à saint Pierre et à saint Gaudens, dont il avait commencé la construction. C'était un édifice fait de moellons. Son niveau a été retrouvé à deux mètres au-dessous de celui du sol actuel. Il subsiste encore sur une bonne hauteur au chevet où trois de ses fenêtres obstruées apparaissent sous les fenêtres actuellement en service.

Une reconstruction débuta à la fin du XIe siècle par la dernière travée des collatéraux d'une église à trois vaisseaux. À cette campagne de travaux correspondent huit chapiteaux d'une grande beauté plastique qui constituèrent longtemps une énigme pour l'archéologie française à cause de la vigueur de leur relief. Ils dérangeaient un monde scientifique habitué à juger de la première sculpture romane d'après les modèles de Saint-Sernin de Toulouse et de Moissac. On crut que leur étrangeté était le fruit de la restauration abusive dont la collégiale avait été la victime au XIXe siècle. Une meilleure connaissance des travaux alors réalisés [126] attesta leur authenticité. Par ailleurs, la multiplication des études sur la première sculpture romane espagnole permit de comprendre que ce qui pouvait être une énigme dans un milieu languedocien fermé trouvait son explication dans un ensemble artistique élargi à l'Espagne du nord.

305

C'est l'étude du chapiteau du Péché originel de Frómista qui, pour la première fois, nous a conduit sur la piste de Saint-Gaudens [127]. Son homologue inversé de Gascogne (no 25) est extrêmement proche de lui en ce qui concerne la composition d'ensemble, les attitudes et les gestes

306

▽ 305. Saint-Gaudens, église, plan. *D'après J. Hulot.*

▷ 306. Saint-Gaudens, église, chapiteau nº 25.

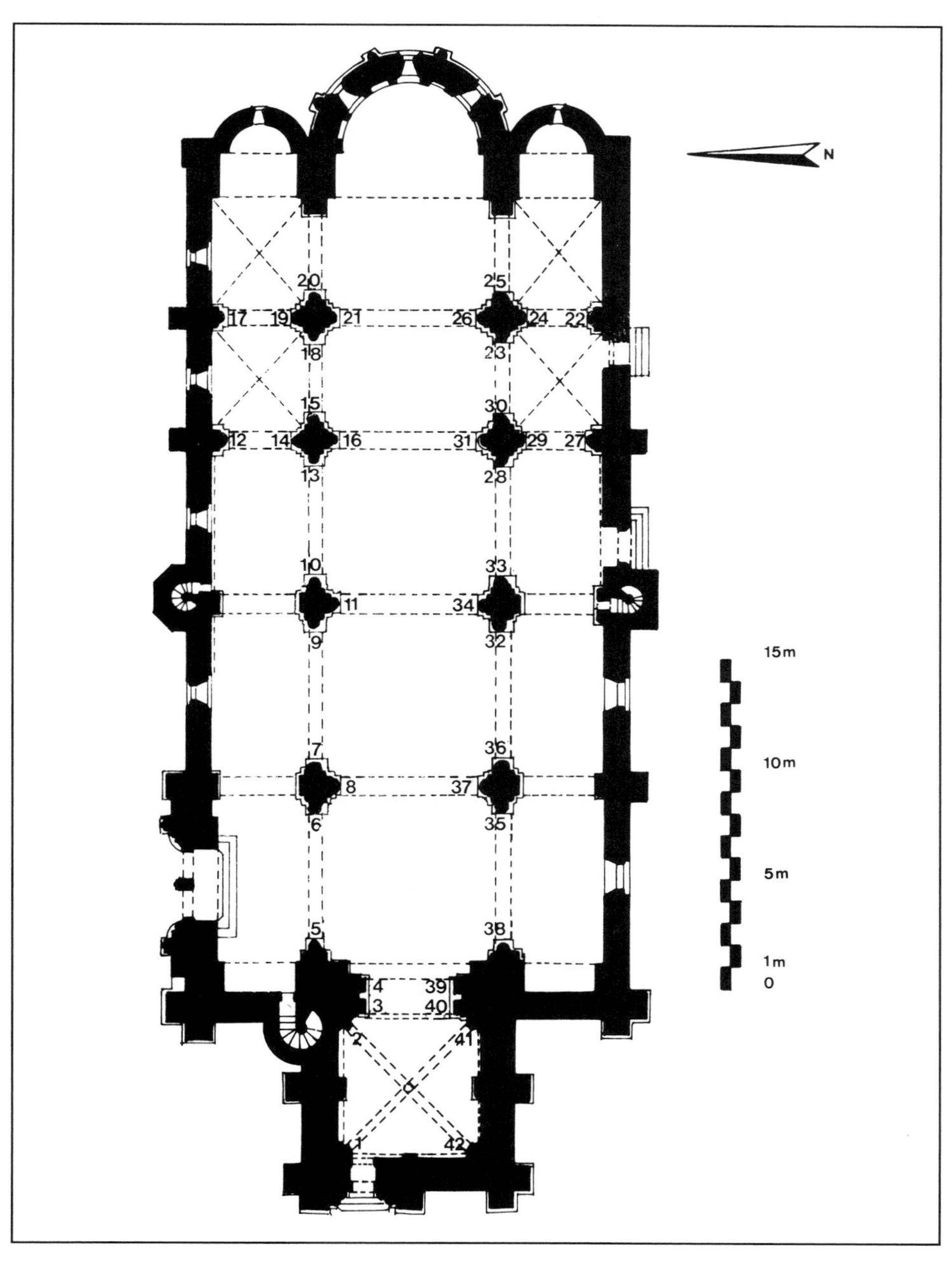

307. Saint-Gaudens,
église,
chapiteau n° 20.

des personnages, les particularités iconographiques. Là s'arrêtent cependant les similitudes, car sur le plan du style deux conceptions s'opposent. À Frómista, les formes sont pleines et rondes, profondément influencées par des modèles antiques comme le décor du sarcophage de Husillos. À Saint-Gaudens, si le relief demeure aussi marqué, les formes sèches et raides appartiennent à un autre courant, plus spécifiquement roman. On assiste à un « dépassement » de l'antique.

On attribuera sans aucune hésitation possible à la même main des montreurs de singes (n° 20), un thème fréquent sur les chapiteaux auvergnats [128]. Cependant, les animaux enchaînés ont aussi une signification morale. Le geste obscène qu'ils accomplissaient est difficile à préciser aujourd'hui, car la pudibonderie des siècles postérieurs a brisé le sexe et la patte dirigé vers lui. Il exprimait incontestablement un acte considéré comme un dérèglement sexuel par la morale chrétienne. Sur le plan stylistique, la structure lourde des visages s'accorde avec un profil acéré et une minutieuse représentation des chevelures. Ces particularités s'observent aussi sur les compositions historiées de la chapelle des Rois à León.

307

Un troisième chapiteau — sur la face occidentale du pilier méridional (n° 23) — présente une fois encore un personnage maîtrisant un animal. Cette iconographie renvoie plus directement à Jaca. Cependant, la parenté morphologique entre le personnage et ceux des chapiteaux précédents est totale. Les rapports entre les figures et le décor floral des corbeilles demeurent constants. Simplement s'est-on dispensé ici de reproduire les pitons d'angle existant dans les deux autres œuvres. À leur place on a développé sous les volutes deux grandes feuilles dérivées de l'acanthe.

308
204

Le mal entré dans le monde avec le péché originel fait probablement encore le thème d'un quatrième chapiteau — face méridionale du pilier

308. Saint-Gaudens, église, chapiteau nº 23.

309 sud (nº 24). Un homme est la proie d'un lion qui lui dévore la poitrine. Deux de ses compagnons semblent vouloir sauver son corps déchiré. Un troisième, sans doute agenouillé sur le dos de l'animal, tente de lui ouvrir la gueule pour le terrasser, mais déjà un second lion fonce sur le groupe. Nous savons qu'à l'époque romane le lion pouvait indifféremment symboliser le Christ sauveur ou s'identifier avec le démon dévorant. Par sa composition ce chapiteau s'apparente au précédent. De robustes volutes cantonnent un puissant dé central, sectionné à la verticale, cependant que les parties libres de la corbeille s'ornent de feuillages. Les personnages appartiennent au type d'humanité créé par le maître de Saint-Gaudens. Ce sont ses caractères qui distinguent ce chapiteau des compositions de Frómista ou de Jaca où l'homme est également affronté à l'animal. Ici, plus de nudités mais des corps couverts de vêtements dont les plis au dessin compliqué sont faits d'une série de plans légèrement en relief les uns sur les autres, la technique primitive

309. Saint-Gaudens, église, chapiteau nº 24.

à laquelle on a donné le nom de technique des plis repassés. Les bordures des manches et du col sont soulignées, comme à Saint-Isidore de León, par des rangées de minuscules perles.

310 Sur le chapiteau engagé du collatéral méridional (n° 22) un personnage chevauche un lion et lui désarticule la mâchoire. Ce motif n'a parfois qu'une valeur décorative, mais généralement, et ici spécialement, il représente la victoire de Samson sur le lion de Timnâh, le premier exploit du héros juif (Jg. 14, 5). C'est probablement une image de salut qu'on a voulu opposer au précédent cycle d'images défavorables. « Samson ouvrant la gueule du lion est le symbole du Christ triomphant de Satan. *Samson significat Christum. Samson leonem occidit et Christus diabolum vicit* » [129]. Cependant, la majeure partie de la corbeille est couverte par des rinceaux de palmettes traités d'une manière élégante. Ils reproduisent un décor couvrant que l'on trouve absolument semblable en Espagne à Saint-Martin de Frómista et à San Salvador de Nogal, mais aussi sur un chapiteau de Saint-Sernin de Toulouse dans la tribune occidentale 76, 77 du bras sud du transept. On ne saurait prétendre que le maître de Saint-Gaudens soit l'auteur de ce chapiteau toulousain : les personnages qui se dressent parmi les rinceaux ne relevant pas de sa manière. Néanmoins, la parenté des motifs décoratifs, qui est extraordinaire, suffit à établir des relations et à confirmer des chronologies.

310. Saint-Gaudens, église, chapiteau n° 22.

▷ 311. Saint-Gaudens, église, chapiteau n° 18.

311 Le sixième chapiteau, sur la face occidentale du pilier nord (n° 18) réduit la part des figures à deux lions qui s'opposent. L'essentiel du décor réside dans un magnifique ensemble végétal à base de palmettes ouvertes d'une étonnante plasticité et d'une grande fermeté d'exécution. On voit réapparaître sous les volutes de vigoureux pitons d'angle.

Les deux derniers chapiteaux de ce groupe ne comportent plus que des éléments végétaux stylisés. Sur l'un, engagé dans la face septentrionale 312 du pilier nord (n° 19), des palmettes circonscrites forment deux bandeaux décoratifs séparés par une collerette en saillie. Quant aux volutes et aux caulicoles ils peuvent se terminer par une demi-palmette. Les palmettes très plates ont de nombreuses références dans la cathédrale de Jaca.

L'autre chapiteau à décor purement végétal est situé en face du précédent dans le collatéral nord (n° 17). Sa signification est quelque peu ambiguë. Si certains de ses traits, comme le dessin des volutes, la forme des dés, appartiennent bien à ce premier groupe d'œuvres, les

312. Saint-Gaudens, église, chapiteau nº 19.

deux couronnes de feuilles dérivées de l'acanthe et auxquelles sont accrochées des boules peuvent se recommander aussi bien de Saint-Sernin de Toulouse que de Jaca.

À cette étape de l'histoire de la collégiale les rapports avec Saint-Sernin demeuraient marginaux : Saint-Gaudens appartient au monde ibérique et plus spécialement au groupe Jaca-Frómista. Mais, brusquement, ils vont prendre une toute autre intensité avec l'arrivée d'artistes nouveaux qui vont tout à la fois transformer le parti architectural de la collégiale et imposer un nouveau style à son décor monumental.

La transformation du parti architectural consista à surhausser considérablement les collatéraux, en sorte que leurs voûtes en quart de cercle vinrent assurer le contrebutement du vaisseau central exactement à sa naissance. Cette nouvelle structure est accompagnée d'un décor sculpté montrant que le maître de l'œuvre s'était assuré la collaboration de sculpteurs venus cette fois de Saint-Sernin de Toulouse [130]. Cette mutation stylistique se rattache à un phénomène de large portée que nous avons déjà eu l'occasion de signaler : la pénétration du style toulousain en Gascogne, non seulement à Saint-Gaudens, mais aussi dans la cathédrale de Lescar, à Saint-Sever-de-Rustan, à Mazères, à Saint-Sever-sur-l'Adour et à Nogaro [131].

Cependant, la première équipe de Saint-Gaudens avait marqué de sa présence une autre église gasconne, l'abbatiale de Saint-Mont [132]. Fondé au milieu du XIe siècle en l'honneur de saint Jean-Baptiste, ce monastère fut donné à Cluny le 5 mars 1055. La suite de son histoire est mal connue. Le fait le plus saillant paraît avoir été sa mise à sac par les troupes de Montgomery en 1569. On dut procéder à d'importantes restaurations aux XVIIe et XVIIIe siècles. À la suite de la suppression des ordres religieux par la Révolution, en 1791, les bâtiments monastiques furent vendus à des particuliers à l'exception de l'église remise à la paroisse.

D'un premier édifice datant de la fin du XIe siècle, il ne subsiste que le bras sud du transept avec son absidiole, et une partie du mur 313 méridional de la nef. Cette construction est faite de moellons de petites dimensions avec des angles en pierres de moyen appareil.

Le bras de transept ne comportait alors d'autre ornement que les chapiteaux surmontant les colonnes de l'arc d'entrée de son absidiole. Lorsqu'on voulut le voûter, un peu plus tard, on épaissit les murs et on appliqua aux angles et à l'entrée des colonnes engagées sur lesquelles retombent les arcs du berceau.

L'histoire de la nef se développa d'une manière parallèle. Ce vaisseau unique, correspondant à un type régional, était lui-même charpenté à l'origine. Pour le voûter on le divisa en quatre travées au moyen de trois piles volumineuses conservées contre le mur méridional, où elles 314 comprennent des pilastres et des colonnes engagées.

Ce sont les deux chapiteaux de la première campagne de travaux,

313. Saint-Mont, Saint-Jean-Baptiste, bras sud du transept.

portant l'arc d'entrée de l'absidiole, qui sont les plus proches de l'art 315 de Saint-Gaudens. Celui de gauche (n° 5) reprend la structure à deux registres de palmettes circonscrites séparés par un bourrelet — qui ici a été bûché. La différence avec son homologue de Saint-Gaudens résulte du fait que les palmettes ne sont plus entourées par une simple bordure, mais par des tiges qui se nouent en entrelacs et se terminent en enroulements ou en demi-palmettes à la partie supérieure de la corbeille. Ces enroulements prennent la place des volutes. L'art de Saint-Mont, moins architectural, plus purement décoratif, se rapproche alors de certains types de Frómista [133].

Sous un tailloir à palmettes, identique au précédent, la corbeille du 316 chapiteau de droite (n° 6) exploite un autre motif de Saint-Gaudens,

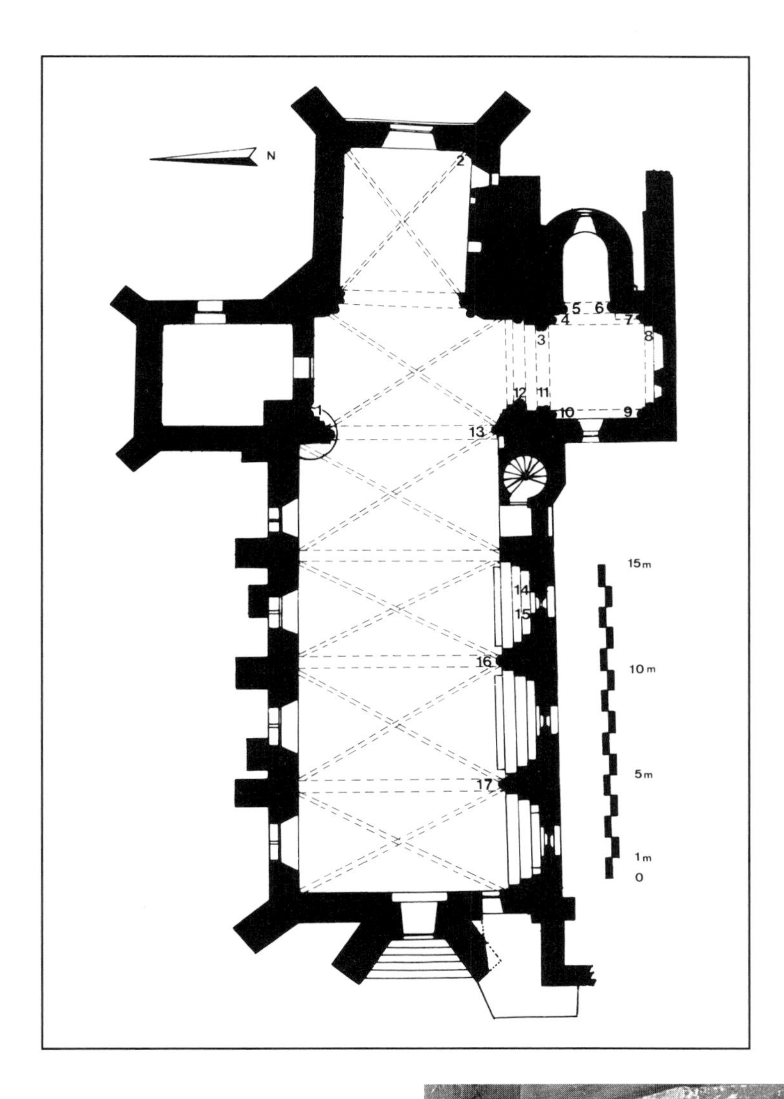

314. Saint-Mont,
Saint-Jean-Baptiste,
plan.
Dessin de D. Sarciat.

▽ 315. Saint-Mont,
Saint-Jean-Baptiste,
chapiteau nº 5.

▷ 316. Saint-Mont,
Saint-Jean-Baptiste,
chapiteau nº 6.

celui des lions pris dans des rinceaux, mais en l'enrichissant d'éléments peut-être empruntés à Jaca et à Frómista. Trois grosses têtes de fauves rugissent aux angles et sous la fleur épanouie du dé central. Sur la face latérale de gauche un oiseau est perché sur le dos d'un autre lion. Sur celle de droite on a introduit le motif de l'homme ouvrant la gueule du lion, qui n'est probablement plus ici une image de Samson. L'ensemble constitue une magnifique composition de rinceaux habités.

Les relations avec l'Espagne se poursuivirent durant la seconde campagne de travaux correspondant à l'établissement des voûtes de l'église. Elles interfèrent alors avec d'autres apports d'origine diverse. D'un ensemble en général de qualité médiocre on retiendra deux témoignages du maintien de la tradition ibérique : un chapiteau du transept et un autre de la nef.

317. Saint-Mont, Saint-Jean-Baptiste, chapiteau n° 12.

317 Le premier, en 12, est un corinthien à deux couronnes de feuilles épaisses surchargées de décors superficiels : palmettes circonscrites, feuilles pliées, tiges cordées. Ce n'est que l'exagération de l'enflure de certains modèles de la cathédrale de Jaca.

Le second, en 13, à la croisée du transept, représentant David parmi ses musiciens, s'inspire manifestement du chapiteau du porche méridional de la cathédrale aragonaise où le thème avait été magnifiquement traité par le maître de Jaca lui-même à la fin de sa carrière [134]. Divers éléments, comme l'organisation générale du chapiteau, et même l'attention particulière accordée à des personnages précis, tel celui qui se tient
318 debout à droite de David, pourraient faire croire à une simple volonté de copier. On attribuerait alors les variantes au flou de la mémoire. Ainsi pourrait s'expliquer le changement de rôle du personnage agenouillé qui suit. En fait, il semble que la réalité soit plus complexe. Ces variantes ne se limitent pas à de simples détails — concernant aussi, entre autres, les instruments de musique —, elles vont jusqu'à l'introduction dans la composition d'éléments nouveaux, qui sans en changer fondamentalement le sens, l'infléchissent dans une direction particulière. C'est ainsi qu'une jongleuse est introduite dans ce concert sacré. Il est douteux qu'il s'agisse d'une pure création du sculpteur. Plus vraisemblablement celui-ci a-t-il emprunté ce motif à une composition qui l'intégrait déjà et qui pouvait être espagnole [135]. Du moins eut-il le mérite de combiner ses diverses sources dans un ensemble cohérent. Le chapiteau de Saint-Mont, d'une

importance secondaire au niveau du style, en raison de son caractère schématique et ingénu — qu'on songe aux faces lunaires des personnages, aux plis élémentaires de leurs vêtements — prend un intérêt certain en ce qui concerne la propagation des motifs stylistiques et iconographiques.

À maintes reprises la recherche des sources nous a conduit à Jaca. Une démarche analogue s'impose encore au sujet d'un chapiteau en remploi à l'angle sud-est de l'abside (nº 2). Il représente l'ange arrêtant l'ânesse de Balaam, c'est-à-dire un thème également traité par le maître de Jaca. Le rapprochement se justifie d'autant plus qu'il existe sous les volutes, au-dessus de la tête de l'animal, une sorte de pointe où l'on reconnaît naturellement une interprétation du piton d'angle caractéristique de l'atelier de Jaca [136]. Cet élément apparaît encore sur un chapiteau de la nef.

En définitive, les relations de Saint-Gaudens et de Saint-Mont avec l'Espagne s'intègrent au grand courant des influences artistiques ibériques qui, depuis la réalisation du *Beatus* de Saint-Sever, n'a cessé d'irriguer les terres gasconnes. Ce mouvement s'amplifia encore lorsque Saint-Jacques de Compostelle entra à son tour en action [137].

318. Saint-Mont, Saint-Jean-Baptiste, chapiteau nº 13.

QUATRIÈME PARTIE

LE TEMPS DES PORTAILS

1. Saint-Jacques de Compostelle durant le premier quart du XIIe siècle

ALORS QUE PRÈS D'UN QUART DE SIÈCLE avait été nécessaire pour bâtir une partie seulement du déambulatoire de la cathédrale de l'apôtre un laps de temps sensiblement égal suffit pour conduire la construction du reste de l'édifice presque à son achèvement. La raison en est qu'à une période d'incertitude ayant pesé sur la vie du chantier au point de souvent le paralyser succéda une phase de dynamisme et de continuité dans l'action résultant de l'existence d'une direction désormais ferme et résolue disposant en outre de gros moyens.

Les ambitions de Gelmírez

L'ADMIRATION que suscitent la grandeur et la noblesse de l'œuvre réalisée s'applique donc aussi au mécène auquel en revient le principal mérite, le grand Diego Gelmírez. Nous avons indiqué plus haut qu'il avait commencé sa brillante carrière comme secrétaire du comte de Galice Raymond de Bourgogne, gendre d'Alphonse VI. À deux reprises il avait administré le diocèse de Compostelle durant la vacance du siège avant d'être appelé à l'épiscopat en 1100.

Comme l'a fort bien indiqué Marcelin Defourneaux, cette désignation constitue un événement essentiel dans l'histoire de Compostelle. « Pendant quarante années, avec une ténacité ne reculant devant aucun obstacle, Gelmírez va travailler à faire de Compostelle le premier siège épiscopal de l'Espagne ; s'il n'atteignit pas ce qui fut sans doute son ambition suprême : faire de Saint-Jacques l'église primatiale d'Espagne et rivaliser même avec Rome, du moins réussit-il à donner à son Église un prestige universel, qui éclipsait celui de Tolède même » [1].

Pendant un premier temps — coïncidant, et ce n'est pas le hasard, avec l'époque d'activité du chantier de la cathédrale — il accumule les succès grâce notamment à l'appui de Cluny dont il favorise la politique et, par contrecoup, de la papauté dont les liens avec la grande abbaye bourguignonne n'ont jamais été aussi étroits, puisque quatre papes en sont successivement sortis. Type du prélat espagnol « afrancesado », Gelmírez implante dans son diocèse la réforme clunisienne tout en renforçant sa position personnelle. En 1104, il obtient des mains de Pascal II le pallium, un des insignes de la dignité archiépiscopale et patriarcale. Le séjour qu'il fit à Rome à cette occasion avait été précédé d'un long périple en France, qui l'avait conduit à Saint-Pierre de Moissac, Saint-Martial de Limoges et enfin Cluny, où il avait été reçu avec des égards tout particuliers. À son retour en Galice, avec l'aide de Raymond de Bourgogne, il s'emploie à récupérer les revenus de son Église dont s'était emparée une noblesse turbulente. Après la mort d'Alphonse VI (1109), il prend sous sa protection le petit-fils du souverain, le futur Alphonse VII, encore tout enfant, dont le père Raymond de Bourgogne était lui-même décédé l'année précédente. Il lui donne l'onction royale, défend vigoureusement ses droits dans le conflit qui l'oppose à sa mère Urraca et exerce en fait le gouvernement de la Galice. Dans le domaine ecclésiastique Gelmírez tente d'obtenir le transfert à Compostelle de la dignité métropolitaine de Braga rétablie en 1114. En dépit des sentiments très favorables qu'il nourrit à son égard, le pape Calixte II, frère de Raymond de Bourgogne, refuse d'y consentir, mais il lui accorde en compensation le titre archiépiscopal enlevé à l'ancienne métropole de Mérida toujours entre les mains des Musulmans, ainsi qu'une délégation apostolique lui conférant en Espagne un rang supérieur à n'importe quel prélat, celui de Tolède excepté.

La mort de Calixte II en 1124 marque la fin de cette période favorable. Aucun des papes suivants, pas plus Honorius II qu'Innocent II, ne confirme à Gelmírez sa délégation apostolique. Il ne fait même plus l'unanimité sur place. Dans le chapitre cathédral un groupe de chanoines dénonce ce qu'on appelle son despotisme. Les exigences financières de son ancien protégé le roi Alphonse VII pèsent lourdement sur son Église. Sa mort, à la fin de 1139 ou au début de 1140, se produit dans un climat de désenchantement. Nul ne lui contestera néanmoins les résultats durables de sa politique : l'exaltation du culte de saint Jacques, l'essor du pèlerinage de Galice, la construction d'un des monuments majeurs de l'art roman, la cathédrale de l'apôtre.

La cathédrale de Gelmírez

SANS DOUTE CETTE DERNIÈRE TÂCHE fut-elle l'une de celles auxquelles il accorda la plus grande attention durant tout le temps où la fortune lui sourit. Peu après son élection, en 1102, il prend symboliquement possession de la partie de l'édifice déjà construite en déposant trois corps de saints qu'il avait rapportés de Braga dans les trois chapelles rayonnantes du déambulatoire : celles du Sauveur, de Saint-Pierre et de Saint-Jean l'Évangéliste. Trois ans plus tard, en 1105, il est en mesure de faire consacrer l'ensemble des chapelles du déambulatoire et même trois des quatre chapelles orientées du transept : les deux du croisillon sud, Saint-Fructueux — où furent transportées les reliques de ce saint de Braga qu'on avait provisoirement déposées en 1102 dans la chapelle axiale du déambulatoire — et Saint-Jean-Baptiste, ainsi que la première chapelle du croisillon nord, dédiée à la Sainte Croix. La consécration de la suivante sur ce même côté, qui devait l'être en l'honneur de saint Nicolas, fut un peu retardée, son emplacement étant encore occupé par l'oratoire de Santa María de la Corticela, propriété du monastère bénédictin voisin de San Martín Pinario. Il avait été exproprié, comme l'avait été auparavant le périmètre de Antealtares, mais le culte devait s'y maintenir jusqu'à la construction de la chapelle destinée à le remplacer. Cette dernière fut effectivement remise aux moines en 1115 [2]. Toujours en 1105, Gelmírez avait fait exécuter l'antependium d'argent et le ciborium qui allaient orner le maître autel de la cathédrale [3]. On avait donc commencé à voûter l'abside.

Cependant l'emplacement du chœur et de ce qui allait être la croisée du transept de l'édifice demeurait occupé par la vieille église d'Alphonse III, restaurée au début du XIe siècle après le raid d'Al Mansour [4]. On ne la démolit qu'en 1112. Cinq ans plus tard, en 1117, lors d'une révolte urbaine, le feu détruisit le couvrement provisoire de planches et de chaume de certaines parties de l'édifice non encore voûtées. Cependant les collatéraux du transept l'étaient déjà puisque les insurgés purent gagner depuis les tribunes du croisillon nord le palais épiscopal voisin. Les dégâts causés par l'incendie auraient été considérables : la *Compostelana* rapportant les faits indique que l'évêque une fois revenu dans la ville « fit reconstruire l'église de Saint-Jacques qui avait brûlé » [5].

En 1122, toujours selon la *Compostelana,* en 1124, selon le *Codex Calixtinus,* on posa la dernière pierre de l'édifice. Mais, précise le second texte [6], il n'était pas encore terminé. La cérémonie ne célébra pas son achèvement : elle marqua simplement une interruption des travaux peut-être imposée par les difficultés de tous genres qui commençaient à assaillir Gelmírez. Il manquait encore toute la partie occidentale du monument, plus précisément les deux premières travées de la nef et les trois premières des tribunes, ainsi que les tours de façade et la façade occidentale elle-même [7]. Le chantier ne fut rouvert que vers 1168 par maître Mathieu, l'auteur du Porche de la Gloire. Cette ultime campagne de construction fut couronnée par une dédicace générale en 1211.

D'une manière indirecte nous sommes renseignés sur le nom de l'architecte du début du XIIe siècle. En 1101, un certain Étienne, qui travaillait à la construction de la cathédrale de Pampelune, est en effet qualifié de « maître de l'œuvre de Saint-Jacques », *Stefano magistro operis Sancti Jacobi,* dans un acte de donation de vignes et de maisons que lui concède l'évêque Pierre de Roda, « en considération des services qu'il a rendus et qu'il rendra encore, si Dieu le veut, à Sainte-Marie de Pampelune » [8]. On ne sait rien de plus sur l'artiste, si ce n'est qu'il avait épousé une navarraise [9]. Quant à Pierre de Roda, qui était né à Toulouse, il avait été élevé à l'abbaye de Sainte-Foy de Conques avec laquelle il maintint d'étroits rapports lorsqu'il fut devenu évêque de Pampelune. Il était présent à la grande consécration des autels du chevet de Saint-Jacques de Compostelle en 1105 et il lui revint l'honneur de dédier à la petite sainte de Conques la chapelle qui lui avait été destinée dès les origines du chantier — la première chapelle du déambulatoire à gauche. Comme le souligne Georges Gaillard, l'histoire de ce prélat et de son diocèse « nous donne un des meilleurs exemples des relations continuelles qui unissaient les églises du nord de l'Espagne à celles du midi de la France [...]. Pendant son épiscopat [...] l'abbaye de Sainte-Foy fit l'acquisition de nombreuses propriétés dans le diocèse de Pampelune et elle envoya un de ses moines architectes construire des églises en

Navarre. Un peu après, vers 1120, l'abbé de Conques Boniface vint à Pampelune pour [la consécration] d'une église qui peut-être n'est autre que la cathédrale elle-même » [10]. Par ailleurs, l'exemple de maître Étienne établit que certaines grandes églises du chemin de Saint-Jacques de Compostelle, parfois fort éloignées les unes des autres, utilisaient à une même époque les services d'un même architecte. Rien de surprenant en cela, car les maîtres disposant des connaissances techniques et de l'expérience nécessaires à de telles entreprises étaient certainement rares et on devait ou se les prêter en témoignage de bons sentiments et de bonnes relations, ou se les disputer. Grâce aux déplacements que leurs responsabilités leur imposaient d'un chantier à un autre, ils favorisèrent le cheminement des idées artistiques et les migrations des formes auxquels contribuèrent également les hommes politiques, les prélats et les grands abbés directement impliqués dans la vie artistique.

La sculpture à Saint-Jacques de Compostelle dans les premières années du XIIe siècle : les chapiteaux des collatéraux du transept

LES CARACTÈRES STYLISTIQUES conduisent à traiter comme un ensemble la totalité des chapiteaux des collatéraux du transept. Cette unité que l'on perçoit aisément résulte de la rapidité de l'exécution. Commencée en 1100 cette partie de la cathédrale était terminée au plus tard en 1112, date à laquelle on put procéder à la destruction de l'ancienne église jusque-là conservée pour l'exercice du culte. À l'unité du style contribua aussi le matériau le plus communément utilisé, le granit qui imposa aux créations une robuste simplicité sans interdire néanmoins la manifestation d'une certaine sensibilité. Même sur les formes les plus communes un détail particulier, une variante inattendue montrent que l'œil et l'esprit des sculpteurs demeuraient sans cesse en éveil, que jamais ils ne s'abandonnaient à la pesanteur de l'uniformité, à la paresse de la répétition. Ils savaient aussi se procurer des matériaux plus faciles à travailler que le granit lorsqu'ils entreprenaient des œuvres délicates. Le même rapprochement de plusieurs catégories de matériaux s'observe également sur les portails des deux extrémités du transept.

319

C'est pourquoi le principe d'unité le plus efficace est d'ordre intellectuel. À examiner la production dans sa totalité, il semble qu'elle obéisse à une rigoureuse et admirable logique conduisant par étapes successives de formes apparemment très élémentaires à des formes achevées suivant le principe d'une complexité accrue. Et pourtant ce principe, sur lequel nous allons calquer notre propre développement, n'apparaît qu'à la réflexion. Il ne correspond pas à l'emplacement des chapiteaux dans le monument. Bien au contraire il semble que depuis le début des travaux dans le transept on y ait fait voisiner des œuvres appartenant à des phases différentes de l'évolution telle qu'elle est dégagée par l'esprit. Autrement dit, tout se passe dans la réalité comme si les artistes avaient répugné aux facilités d'une distribution « linéaire » et lui avaient préféré des règles plus subtiles s'apparentant en dernière analyse à celles d'une composition musicale avec thèmes et variations.

◁ 319. Saint-Jacques de Compostelle,
cathédrale,
vue intérieure du transept
(Photo Zodiaque).

△ 320. Saint-Jacques de Compostelle,
cathédrale, chapiteau n° 192.

Avant d'entreprendre cette étude, écartons au préalable un chapiteau qui lui échappe parce qu'il prolonge un passé révolu. Portant sur le plan le n° 192 il se trouve tout proche de l'entrée méridionale du déambulatoire. Il est historié. Si l'on projetait ses trois faces sur un plan on obtiendrait une frise de personnages debout, vêtus à l'antique. Cette composition était déjà celle des chapiteaux de sainte Foy et de saint Caprais à l'intérieur du déambulatoire. La parenté avec ces œuvres ne s'arrête d'ailleurs pas là puisqu'elle concerne également la forme des gros visages inexpressifs, dont les pupilles des yeux sont percées d'un trou, ainsi que le dessin des plis des vêtements. Très vraisemblablement Gelmírez avait conservé à son service un artiste apparu dès la fin du XIe siècle, riche d'une culture acquise à l'école de Conques et peut-être élargie à la connaissance de sarcophages paléochrétiens à frise continue.

320

Le sujet représenté demeure une énigme. Le personnage central de la grande face étend le bras droit et avec l'autre il saisit par l'épaule son compagnon de gauche. Les mouvements de son corps contrastent avec l'excessive raideur de tous les autres personnages qui tiennent maladroitement devant eux, mais en arrière du personnage principal, une sorte de grande draperie dont les plis ondulés occupent presque toute la moitié inférieure de la corbeille. Sur leur partie gauche ces ondulations évoquent le mouvement des vagues. En sorte que viennent à l'esprit des réminiscences de Jaca et de Loarre. Sous les volutes d'angle pointent des pitons semblables à d'énormes épis, qui peuvent être interprétés aussi bien comme un héritage du premier atelier de Compostelle que comme une autre influence de Jaca.

321. Saint-Jacques de Compostelle,
cathédrale, chapiteau nº 123.
Supplice de l'avare.

321 Un deuxième chapiteau, le nº 123, mérite également d'être traité à part, car il a fait couler beaucoup d'encre [11], en raison des étonnantes similitudes qu'il offre avec le même sujet — l'avare en enfer pendu à une potence — représenté sur le tympan occidental de Conques.

Non seulement l'attitude du supplicié est la même, mais le démon faisant office de bourreau accomplit les mêmes gestes : il s'arc-boute du pied contre un des deux montants de la potence pour haler la corde passée autour du cou du damné. Celui-ci est en outre assailli par un serpent qui lui mord l'oreille. Les démons de Compostelle et de Conques appartiennent à la même famille. Leurs figures grimacent d'une manière identique et une double ride très prononcée se dessine sur leur nez. « Leur peau parcheminée de momies laisse apparaître les os et les tendons ». Cependant ce qui n'est à Conques qu'un exemple de supplice infernal parmi d'autres devient à Compostelle une composition unique mais plus ample, les figures de l'avare et du démon étant accompagnées de quatre autres démons qui contribuent à accroître le pittoresque. Deux de ceux-ci, placés sur la face de gauche, attirent l'attention sur la bourse de l'avare qui, à Conques, est simplement attachée à son cou, selon la coutume la plus fréquente. À Compostelle elle est devenue un sac si volumineux et si lourd que ces deux démons ne sont pas de trop pour le soutenir et le transporter [12]. Deux démons supplémentaires ont encore été ajoutés sur la face de droite : l'un tient le serpent qui à Conques s'enroule autour du pilier, de la potence et des jambes de l'avare ; l'autre porte un croc monté sur un manche.

On peut donner au phénomène deux explications différentes. Ou bien on supposera que l'auteur du chapiteau de Compostelle fut un sculpteur venu de Conques avec une connaissance parfaite du tympan. Il en aurait extrait l'un des motifs et l'aurait complété à l'aide d'éléments inspirés par d'autres « diableries » voisines. Dans son travail, tout à la fois d'imitation et de création, il aurait retrouvé la veine satirique et burlesque qui fait l'exceptionnelle originalité du tympan. Cet artiste voyageur ayant œuvré après avoir vu ce dernier en place n'aurait pu, pour des raisons évidentes de chronologie, se trouver à Compostelle lors de la construction du transept. Il aurait sculpté son chapiteau à l'occasion d'une restauration ou simplement pour répondre à un désir explicite et l'aurait substitué à une œuvre antérieure, soit que celle-ci se trouvât détériorée, soit qu'elle eût cessé de plaire.

Mais on peut émettre une autre hypothèse à laquelle, tout bien considéré, je me rallierai. Le sujet du chapiteau n'aurait pas été extrait du tympan, mais aurait appartenu au trésor iconographique de l'abbaye de Conques dès le premier quart du XIIe siècle. On en aurait proposé une première version — la plus large — à Compostelle entre 1112 — date de la démolition de la cathédrale préromane — et 1124 — date de l'arrêt des travaux. Le chapiteau du Supplice de l'avare appartient en effet au niveau des voûtes de l'édifice, se trouvant placé à la retombée d'un doubleau du transept, au delà de la chapelle Sainte-Croix. Plus tard, une version réduite aurait été utilisée pour le tympan de Conques. De toute manière le chapiteau du Supplice de l'avare fut réalisé par un artiste venu de Conques. Son œuvre se rattache à la collaboration artistique accordée par l'abbaye rouergate à la cathédrale de l'apôtre depuis le début de sa construction et dont d'autres témoignages apparaissent encore sur le portail des Orfèvres, comme nous allons bientôt le constater.

Les divers chapiteaux du rez-de-chaussée du transept relèvent essentiellement du corinthien par leur épannelage à abaque échancré, leurs volutes et leur feuillage d'acanthes. Ce choix du corinthien semble délibéré. Sans doute estima-t-on que pour un édifice de prestige comme la cathédrale de l'apôtre on se devait de recourir à un décor jouissant traditionnellement d'une grande renommée culturelle. Par ailleurs, on connaissait par expérience les possibilités infinies offertes au décor par le feuillage corinthien. La plus simple consistait à faire alterner des chapiteaux à feuilles lisses et d'autres à décor de surface. On ne manqua pas de l'exploiter à travers les deux types corinthiens sélectionnés : celui des grandes feuilles couvrant toute la corbeille et celui comportant deux couronnes de feuilles.

On est au premier abord surpris que le second ait finalement très peu retenu l'attention, alors qu'il offrait certainement les modèles les plus riches : pas plus d'une dizaine de cas au total et encore s'agit-il principalement de feuilles lisses. Celles-ci dégagent une arête très aiguë en guise de nervure centrale. Elles peuvent fusionner à leur base et ne retrouver leur autonomie qu'au niveau de leurs extrémités recourbées (no 227), auxquelles sont parfois accrochées de petites boules. D'autres

322. Saint-Jacques de Compostelle, cathédrale, chapiteau nº 236.

323. Saint-Jacques de Compostelle, cathédrale, chapiteau nº 202.

324. Saint-Jacques de Compostelle, cathédrale, chapiteau nº 139.

fois toutes les feuilles y compris celles de la couronne inférieure sont indépendantes et simplement juxtaposées (nºs 194, 223, 226 et 236). Des variantes sont également proposées au niveau de l'abaque à travers des variations dans la forme et la disposition des volutes — soit collées aux feuilles d'angle, soit jointes à celles-ci par de petits tenons — ou encore à travers une alternance entre les hélices et les dés centraux.

Quelques feuilles distribuées en deux couronnes ont reçu un décor de surface construit symétriquement par rapport à leur arête centrale qui peut être encadrée par une bordure ourlée (nº 87), ou fendue pour donner naissance à deux demi-feuilles simplement soudées à leurs extrémités (nº 202). Ce procédé des feuilles fendues a sans doute été emprunté à Saint-Sernin de Toulouse où il est extrêmement répandu. Toujours à l'instar de ce qui se produit dans ce dernier centre artistique on voit jaillir, soit à la base des grandes feuilles, soit entre les demi-feuilles, des feuilles plus petites ou des palmettes (nºs 139, 196 et 217). L'indépendance acquise par ces divers éléments autorisa à buriner la corbeille pour proposer des décrochements de plans et des superpositions de motifs (nº 197). Toujours sur le modèle de Saint-Sernin, et aussi de Moissac, les palmettes partent à la conquête des tiges des volutes et même, dans un cas, de celle des tailloirs. Si ce cas est unique, c'est sans doute parce que le granit se prêtait mal à de semblables prouesses. Peut-être prit-on également conscience de l'inutilité de recommencer ce qui avait déjà été fait, et très bien fait, dans les deux foyers languedociens.

325. Saint-Jacques de Compostelle, cathédrale, chapiteau nº 197.

326. Saint-Jacques de Compostelle, cathédrale, chapiteau nº 112.

Quoi qu'il en soit, après avoir rendu un ultime hommage à Toulouse
326 en s'inspirant en 112 d'un motif rare de Saint-Sernin — la feuille
46 décomposée en éléments végétaux tracés en creux —, et sans même que ce chapiteau eût été terminé, le chantier de Compostelle renonça à l'exploitation de cette veine de nature cosmopolite pour se consacrer à une activité plus spécifique : une large spéculation sur le décor des corbeilles n'offrant qu'une seule rangée de grandes feuilles. C'est ici que l'on peut le mieux analyser la rigueur de sa démarche.

Si l'on se place donc sur le plan de l'analyse logique, on voit apparaître un schéma de base à feuilles lisses ayant ses exemplaires répartis dans tout le transept, c'est-à-dire qu'on y est sans cesse revenu, mais sans jamais réaliser des répliques parfaitement exactes. On observe, comme dans le cas de la structure à deux couronnes, mais d'une manière plus fréquente et plus variée — les œuvres étant sensiblement plus nombreuses — un jeu subtil de variations sur les volumes et les proportions des divers éléments. Les grandes feuilles sont plus ou moins longues, plus ou moins larges ou plus ou moins saillantes, le seul élément à peu près immuable étant la saillie de l'arête centrale jouant le rôle de nervure. Au niveau de l'abaque on a joué sur le tracé des volutes, la forme des dés, l'apparition fugace des hélices.

327. Saint-Jacques de Compostelle, cathédrale, chapiteau n° 243.

328. Saint-Jacques de Compostelle, cathédrale, chapiteau n° 127.

329. Saint-Jacques de Compostelle, cathédrale, chapiteau n° 101.

La réflexion sur les grandes feuilles conduit à renouveler d'une manière plus systématique et plus complète les expériences réalisées sur les chapiteaux à deux couronnes. Parfois les feuilles sont unies à leur base pour former une sorte de gaine, seules leurs extrémités étant libres (n°s 75, 216 et 253). Plus généralement elles sont autonomes et distribuées sur deux plans : la feuille centrale, la plus courte, étant placée en avant, les feuilles d'angle, plus longues, disposées en arrière (nos 69, 84, 109,
327 133, 242 et 243). Ces feuilles totalement lisses se recourbent fréquemment
328 à leurs extrémités pour accrocher une boule (nos 72, 98, 127, 132, 209, 230, 241, 245 et 252). Mais voici que l'on voit apparaître deux grandes
329 fentes verticales dont les bords sont vifs (nos 101, 206 et 221) ou ourlés

330. Saint-Jacques de Compostelle, cathédrale, chapiteau n° 212.

331. Saint-Jacques de Compostelle, cathédrale, chapiteau n° 235.

332. Saint-Jacques de Compostelle, cathédrale, chapiteau n° 246.

330 (n°s 76, 77, 79, 88, 91, 120, 121, 122, 126, 134, 138, 206, 212, 219, 238, 250 et 257), ayant pour effet de mettre en valeur l'arête centrale. Ou bien, comme pour les corbeilles à deux couronnes, la coupure peut se faire sur l'arête elle-même, et la feuille ainsi fendue est partagée en
331 deux demi-feuilles (n° 235). Parfois oubliant leur signification d'origine ces demi-feuilles s'unissent avec leurs voisines appartenant à d'autres feuilles pour former un motif en U (n°s 113 et 215). Ainsi sont mis en place, pour recevoir un décor de surface, des cadres originaux libérés du corinthien. C'est par là que Compostelle se distingue essentiellement de Toulouse et suit une voie personnelle.

Pour étudier cette conquête des feuilles lisses de Compostelle par un décor végétal de surface, nous partirons du cas le plus simple, celui où l'ornement superficiel se limite à une petite feuille dressée verticalement dans la « fenêtre » aux bords ourlés ouverte au centre de la grande
332 feuille (n° 246). Bien vite cependant des folioles viennent affirmer le caractère végétal des demi-feuilles lisses. Elles en prennent possession d'abord très partiellement (n° 233), puis de plus en plus complètement (n°s 73, 90 et 119). Elles s'enhardissent ensuite à envahir les volutes (n°s 110 et 234) ainsi que le dé central. Le thème s'enrichit grâce à la réapparition de la petite feuille centrale à l'emplacement de l'arête (n°s 68,
333 81, 82 et 83). Habituellement les lobes suivent harmonieusement le mouvement des demi-feuilles. Dans un seul cas (n° 200) leur tracé est rigide.

L'expression la plus achevée de ce thème essentiel à Compostelle
334 est sans doute fournie par le chapiteau n° 100, où le décor végétal a gagné tous les éléments du chapiteau : les demi-feuilles et la surface intermédiaire, les volutes et les hélices. Cette œuvre possède en outre une plénitude de volume qui résulte de ses nervures gonflées, du relief des folioles, des hélices en saillie appuyées sur de petits tenons.

Mais voici que les demi-feuilles ornées vont détacher leurs extrémités de la masse de la corbeille, entraînées dans un mouvement de libération
331 semblable à celui qui animait déjà les demi-feuilles lisses en 235. Le terme de « fenêtre » employé plus haut dans un sens imagé trouve ici sa parfaite adéquation. À travers ces « fenêtres » on voit naître les tiges
335 des volutes et même le départ des feuilles d'angle (n°s 195, 199 et 220).

333. Saint-Jacques de Compostelle, cathédrale, chapiteau n° 82.

334. Saint-Jacques de Compostelle, cathédrale, chapiteau n° 100.

335. Saint-Jacques de Compostelle, cathédrale, chapiteau n°199.

Les unes et les autres passent en dessous des demi-feuilles originelles, désormais détachées du fond, avant de se recourber à leurs extrémités. Ces chevauchements de surfaces aux bordures découpées donnent à la corbeille une allure « baroque » au sens où l'entendait Focillon, c'est-à-dire impliquant l'abandon du contrôle des formes par le style. Les formes subissent un affaiblissement de leur rôle structural au bénéfice d'effets purement pittoresques.

L'atelier des bas-côtés du transept n'aurait pas appartenu à son temps s'il n'avait accordé une place à l'animal parmi le décor végétal. Son importance relative par rapport au végétal varie. En 89 et 133 une tête surgit précautionneusement au-dessus de deux demi-feuilles fendues pour assurer un rôle de surveillance, à moins que ce ne soit pour brouter. En 125 et 248, c'est toute la partie antérieure du corps d'un lion — sa tête menaçante et ses pattes de devant — qui s'élance du fond de la corbeille entre les feuilles. On devine qu'il ne s'agit pas d'un motif purement décoratif et que l'animal est porteur d'un message symbolique, en l'occurrence démoniaque.

Dans deux autres cas les lions sont rendus avec tout leur volume (en 107 et surtout en 71). Ils prennent une allure fantastique et irréelle. Dressés sur leurs pattes arrière ils allongent démesurément et tordent leurs cous pour s'affronter au-dessus d'une grande feuille d'angle fendue, pointant comme un piton. La tête commune à deux bêtes voisines, toute bossuée, a une gueule carrée et de petites oreilles pointues.

336

On reconnaîtra également une puissance maléfique à des singes à demi dissimulés parmi des feuillages du style que nous avons qualifié de baroque (n° 247).

337

336. Saint-Jacques de Compostelle, cathédrale, chapiteau n° 71.

▷ 337. Saint-Jacques de Compostelle, cathédrale, chapiteau n° 247.

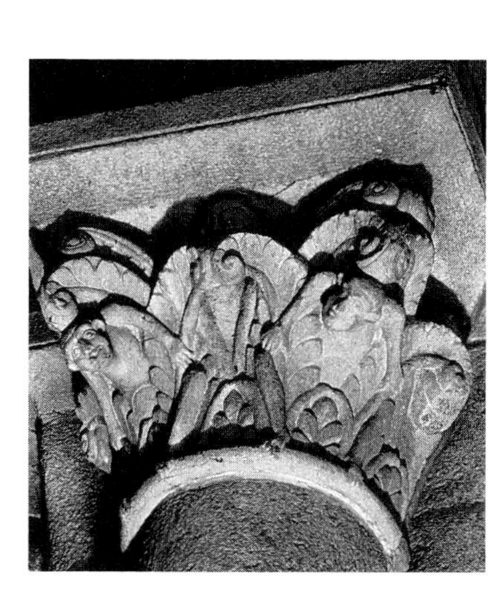

338. Saint-Jacques de Compostelle, cathédrale, chapiteau n° 108.

Les oiseaux, bien que présents sur trois chapiteaux seulement, prennent place à diverses étapes de l'évolution stylistique. Au-dessus des feuilles fortement stylisées, ils se replient sur eux-mêmes pour saisir une de leurs pattes avec leur bec (n° 201). En 205 ils demeurent très plats avec leurs grandes ailes repliées. Ils attaquent à la tête un singe qui s'agrippe à leurs pattes. En 108, affrontés de part et d'autre d'une feuille d'angle, ils acquièrent au contraire une grande valeur plastique. (338)

Ce beau chapiteau n'est pas éloigné de la façade septentrionale du transept. Sans doute n'est-ce pas le fait du hasard, pas plus que ne l'est l'emplacement, toujours à proximité de cette façade et de celle du sud, des trois seuls chapiteaux de cette série comportant des figures humaines.

Deux d'entre eux montrent le parti que l'on sut tirer de la structure corinthienne à grandes feuilles pour la mise en valeur d'un personnage. Dans un encadrement de feuilles fendues — absolument identiques au décor végétal de certains chapiteaux des collatéraux de la nef de Saint-Sernin de Toulouse — une femme est assise, les pieds nus, la chevelure dénouée. Elle a relevé sa robe d'une manière provocante pour s'asseoir à califourchon sur le cou d'un lion. Ses deux mains se saisissent de l'extrémité de la gueule de l'animal (n° 229). (339) Deux femmes très semblables chevauchent aussi des lions sur la console de droite de la Porte Miègeville de Toulouse, non plus à califourchon, mais en amazone. En outre, elles ne saisissent plus la gueule des bêtes mais leur crinière. À part cela, de nombreux détails également présents à divers autres endroits du portail toulousain — visages joufflus, cheveux aux mèches ondées, vêtement aux plis pincés et aux bordures dessinant des triangles — montrent que les parentés vont bien au-delà de l'identité du thème et qu'elles dénotent l'existence de relations très intimes, en ce moment, entre les deux centres artistiques.

(340) Le second personnage (n° 103) se dresse à mi-corps entre de grandes feuilles à la nervure centrale gonflée. Il s'agit d'un apôtre qui tient de

339. Saint-Jacques de Compostelle, cathédrale, chapiteau n° 229.

340. Saint-Jacques de Compostelle, cathédrale, chapiteau n° 103.

la main gauche un livre vers lequel il pointe aussi l'index de la main droite. Son grand nimbe empiète sur l'emplacement du dé central et des hélices. S'agit-il de saint Jacques ? Le traitement de sa barbe et de sa chevelure ébouriffées et tire-bouchonnées, ainsi que le système des plis des vêtements en virgules ou boudinés, ne nous écarte pas de la Porte Miègeville.

Ce n'est plus à Toulouse, cependant, mais à Jaca que nous fait penser le troisième chapiteau figuré (nº 99). À l'angle, deux adolescents nus au corps lisse sont étendus sur le dos de deux lions, alors qu'un autre lion entreprend de les dévorer. Curieusement, ils ne laissent percer sur leurs visages aucune marque de douleur ou d'effroi et ils demeurent immobiles dans une attitude qui évoque davantage la jouissance que la torture. Entre eux surgit un énorme piton côtelé. Les lions servant de supports ont une allure hiératique. Ils portent un collier perlé et leurs pattes fortement griffues agrippent l'astragale. Dès ses premières manifestations l'iconographie de Compostelle porte des marques de mystère et d'ambiguïté.

341

◁ 341. Saint-Jacques de Compostelle, cathédrale, chapiteau nº 99.

342. Saint-Jacques de Compostelle, cathédrale, chapiteau nº 129.

À côté du thème du corinthien si riche en variantes, une place, il est vrai beaucoup plus limitée, a été faite au motif bien connu de l'entrelacs. Cette coexistence est trop fréquente dans de nombreux monuments romans de la fin du XIe et du début du XIIe siècle pour qu'elle mérite commentaire. Compostelle ne fait que suivre une coutume établie.

342

Dans un cas unique, en 129, les entrelacs terminés par des demi-palmettes adoptent une texture de rubans que l'on retrouve sur des œuvres de Jaca, de Loarre et aussi de León. Plus communément cependant leur réseau évoque un travail de vannerie dont les nœuds souples et lâches recouvrent des animaux aux formes grasses : des lions surtout (n°s 97, 102, 104, 218 et 224), mais aussi d'autres quadrupèdes et des oiseaux (n°s 130 et 188). L'homme n'échappe pas à ce ligotage qui évoque les situations inextricables dans lesquelles plongent certains cauchemars. L'origine du thème est bien connue : il provient des « rinceaux habités » des manuscrits. La qualité de l'expression varie avec la nature du matériau et la valeur de l'artiste (n°s 210, 231). Une fois

343. Saint-Jacques de Compostelle, cathédrale, chapiteau n° 105.

encore les œuvres les plus réussies se trouvent aux extrémités du transept parce qu'elles sont dues à des sculpteurs ayant participé au décor des façades. C'est le cas pour le chapiteau n° 105 avec ses personnages aux formes gonflées, et surtout pour l'extraordinaire composition du chapiteau n° 228.

343
344

À chaque angle, le postérieur d'un homme s'étale de la manière la plus scabreuse. Des personnages dont les têtes s'alignent au-dessus de l'astragale maintiennent en effet les jambes de l'exhibitionniste à l'horizontale afin que l'on aperçoive entre ses fesses d'énormes testicules et une volumineuse verge pendante. Les entrelacs tenus par les personnages inférieurs croisent leurs extrémités pointues au-dessus de l'anus pour encadrer ce spectacle scatologique et lascif. Compostelle étonne autant par la verdeur de son langage que par la lourdeur de ses formes.

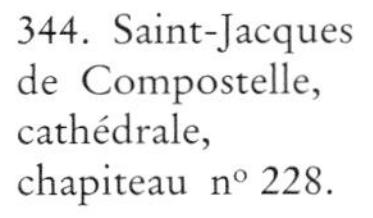

344. Saint-Jacques de Compostelle, cathédrale, chapiteau n° 228.

Les chapiteaux des tribunes et des voûtes du transept

DANS L'ENSEMBLE DU CHEVET, à partir du niveau des tribunes, les chapiteaux sont exclusivement en granit et n'admettent que des formes corinthiennes simplifiées dont les modèles se trouvent généralement dans les bas-côtés du transept.

Dans les tribunes du transept revit l'histoire des corbeilles aux grandes feuilles recourbées. On l'a reprise à son début avec les formes les plus élémentaires : feuilles complètement lisses, feuilles marquées par une forte rainure médiane, feuilles coupées par le milieu en deux demi-feuilles seulement rattachées par la pointe. On retrouve aussi les boules pendues sous la pointe, elle-même épaissie et formant un crochet saillant. Toutes ces formes peuvent servir de support à un décor de surface à base de longues folioles festonnées qui accompagnent les demi-feuilles dans leur mouvement. Dans ce monde répétitif d'austère géométrie les traces de vie humaine ou végétale sont très rares. Elles se limitent à deux petites têtes sculptées sur des dés d'abaque : celle d'un homme joufflu et celle d'un lion.

Après être repassé par des chemins déjà explorés précédemment on a poursuivi l'évolution dans le sens de l'esprit baroque apparu au rez-de-chaussée. Il conduit à l'exagération des formes, à la ruine des proportions. Ainsi voit-on les extrémités recourbées des feuilles se développer jusqu'à former des sortes de disques fortement saillants. (345) Ailleurs, les feuilles se gonflent, ploient, se renversent au point que leur face supérieure nue s'étale à l'horizontale et en vient à cacher en partie la face inférieure ornée.

Une autre orientation conduit à développer toujours davantage l'indépendance des demi-feuilles issues des feuilles fendues. Elles s'allongent démesurément pour développer des sortes d'appendices fortement saillants qui se rejoignent seulement à leur extrémité. (346)

Le phénomène de développement stylistique que nous avons analysé au rez-de-chaussée du transept, puis redécouvert dans ses tribunes, réapparaît encore au niveau des voûtes. Il débute par les mêmes formes élémentaires, passe par les mêmes étapes intermédiaires et connaît le même épanouissement final. Tout se passe comme si le chantier, à chaque niveau de la construction, avait éprouvé le besoin de se « ressourcer ». Il ne s'agit cependant pas d'un simple phénomène cyclique. La marque chronologique n'est pas totalement absente, grâce à des créations nouvelles qui illustrent notamment la phase ultime du (347) développement et qui pourrait bien être, en dernière analyse, une des meilleures expressions de l'esprit proprement compostellan. N'est-ce pas à travers des formes de cette nature que s'est plus spécialement effectuée l'expansion de l'art de Compostelle en Galice, en Castille et jusqu'en Gascogne [13].

345. Saint-Jacques de Compostelle, cathédrale, chapiteau des tribunes du transept.

346. Saint-Jacques de Compostelle, cathédrale, chapiteau des tribunes du transept.

347. Saint-Jacques de Compostelle, cathédrale, chapiteau de la voûte du bras sud du transept.

Elles sont néanmoins absentes des tribunes et des parties hautes du chœur et de l'abside où n'existent que des feuilles lisses et des feuilles fendues de type élémentaire, dépourvues de tout intérêt. À cet endroit tout fut réalisé à la hâte pour répondre aux exigences de Gelmírez désireux de mettre en place le plus rapidement possible le maître autel de la cathédrale, son baldaquin et l'ensemble du mobilier du culte [14]. Plus insignifiants encore apparaissent les chapiteaux extérieurs du chœur qui relèvent d'une production de grande série.

Dans le transept il n'y eut pas non plus de solutions de continuité dans le développement d'une construction réalisée par tranches horizontales. Si les chapiteaux des collatéraux ont été exécutés dans la première décennie du XIIe siècle, ceux des tribunes et des voûtes étaient probablement déjà en place vers 1117.

La Porte des Orfèvres

DE MÊME QU'IL ADOPTA la structure interne à collatéraux et à tribunes de celui de Saint-Sernin de Toulouse, le transept de Saint-Jacques de Compostelle en reproduisit le système d'accès : un portail géminé à chacune des extrémités. Celui du nord a disparu dans les deux cas. À Toulouse nous n'en avons qu'une copie réalisée sous la direction de Viollet-le-Duc au XIXe siècle. À Compostelle il a fait place, un siècle plus tôt, au portail baroque de la *Azabachería.* Seuls, par conséquent, les portails du midi, la Porte des Comtes, déjà étudiée, et la Porte des Orfèvres, objet du présent examen, demeurent comme témoins de l'évolution du style. À ce sujet, la Porte des Orfèvres — *de las Platerías* — donne d'ailleurs plus qu'elle ne semble promettre, car elle conserve les éléments de deux étapes successives de sa construction et on lui a en outre incorporé des sculptures étrangères provenant les unes de son homologue du nord disparue, les autres d'un portail occidental ayant précédé l'actuel Porche de la Gloire [15].

348

Les tympans

LA GRANDE NOUVEAUTÉ de la Porte des Orfèvres par rapport à la Porte des Comtes toulousaine provient de l'existence de deux tympans. Ils n'ont pas été sculptés chacun dans un seul bloc, mais sont constitués l'un et l'autre par un assemblage de plaques de forme, de dimensions et même d'épaisseur très variées, dont aucune n'est en rapport avec la forme en demi-cercle des tympans. Quelques-unes ont dû être mutilées pour s'adapter à la courbure des arcs. D'autres sont bordées par des moulures ne correspondant plus à rien. Certains morceaux sont disposés n'importe comment et même à contresens. Ces désordres, dont certains sont l'indice du remploi d'éléments plus anciens, sont surtout visibles dans le tympan de gauche.

349

350

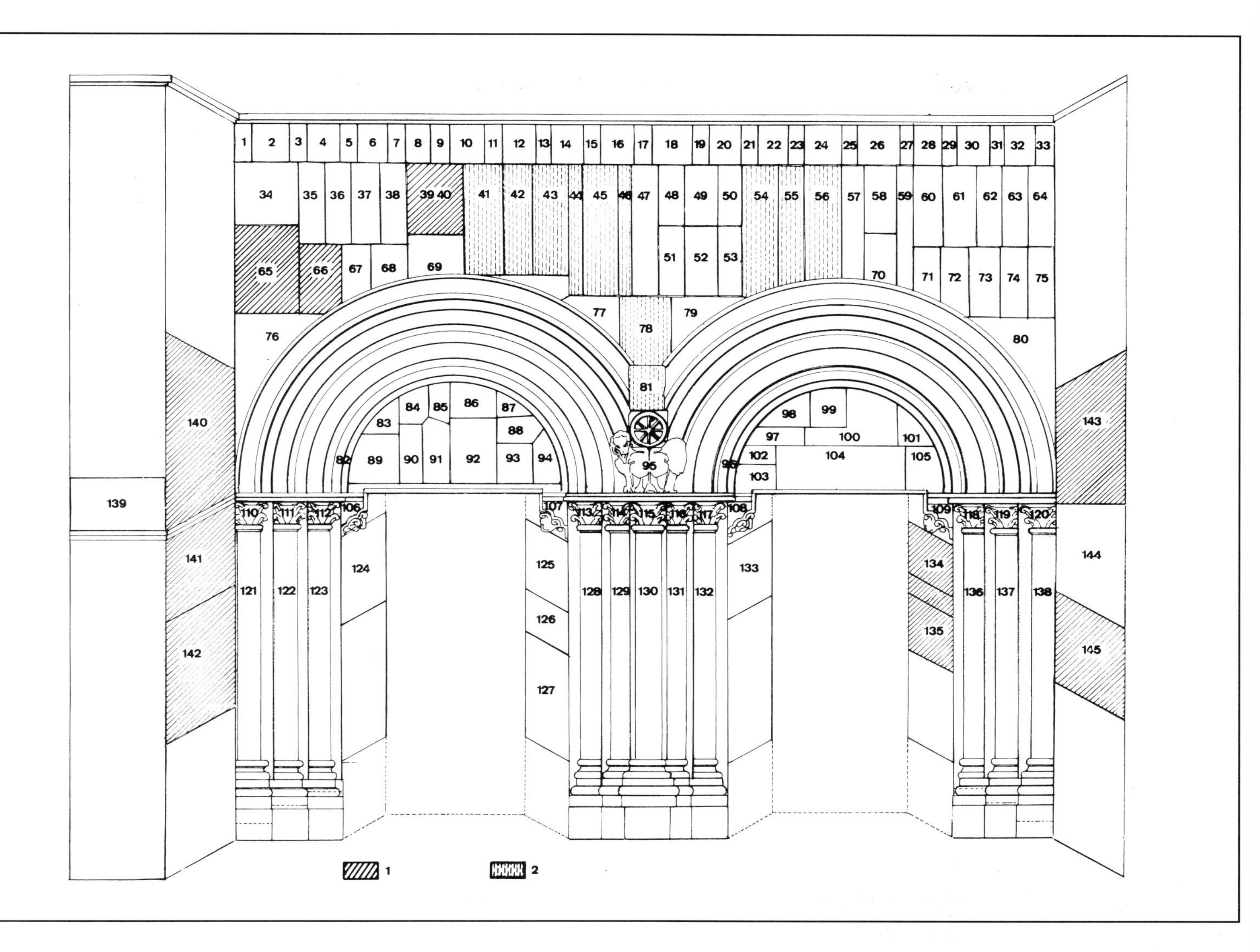

348. Saint-Jacques de Compostelle,
cathédrale, Porte des Orfèvres :
1. Éléments provenant de la Porte de France
2. Éléments provenant du portail occidental.
Dessin de J.-M. Picot.

Celui-ci est consacré à la Tentation du Christ, mais quatre plaques seulement se rapportent à ce thème d'une manière certaine [16]. Elles sont en pierre à grain fin ayant bien résisté aux intempéries.

Sur la plus grande (n° 90) le Christ debout est tourné vers la droite. Une légère inclinaison de la tête et le mouvement du bras droit indiquent qu'il est en train de converser. Sa tête est entourée d'un volumineux nimbe crucifère. À la fois sur la croix et dans les intervalles des bras de celle-ci — disposition qu'on retrouve à la Porte Miègeville et au tympan de Conques — sont gravés le mot [P]AX et les lettres A et ω. La sculpture est en bas-relief et son auteur s'est spécialement appliqué à représenter avec minutie les deux tuniques composant le costume avec un manteau drapé. Celle de dessous a des plis en godrons qui s'évasent autour des jambes ; celle de dessus étale un décor riche et compliqué. Une inscription gravée sur le socle où sont posés les pieds de Jésus

◁ 349. Saint-Jacques de Compostelle, cathédrale, Porte des Orfèvres *(Lefèvre-Pontalis, Arch. Phot. Paris, S.P.A.D.E.M.).*

△ 350. Saint-Jacques de Compostelle, cathédrale, Porte des Orfèvres, tympan de gauche.

signale le début de l'action : DVCTVS EST IHESVS IN DESERT[VM] (*Tunc Jesus ductus est in desertum [a spiritu ut tentaretur a diabolo],* Mt. 4, 1).

Représenté sur une seconde plaque (n° 91) l'interlocuteur de Jésus est l'antique serpent qui s'enroule autour du tronc d'un arbre à feuillage stylisé et taillé en creux comme on en voit souvent à Conques, il est vrai de dimensions moins considérables. Il lève la tête en direction de l'homme-Dieu dont il entend provoquer la chute. L'entretien concerne chacune des trois tentations successives qui ne sont que suggérées par des détails caractéristiques sur la plaque suivante (n° 92).

Le premier assaut contre Jésus est lancé à sa partie supérieure par une figure composite qui tient de l'homme, du singe et de l'ange. Dans ses mains fermées elle emprisonne des pierres qu'elle tend au Christ affamé en lui suggérant de les changer en pain en usant de son pouvoir de Fils de Dieu.

On a évoqué la seconde tentation par une muraille en pierres de taille dans laquelle existe une porte aux vantaux armés de pentures, fermée par un verrou. C'est la Ville Sainte H[IERV]S[AL]EM CIVITA.

En avant, on doit reconnaître la troisième tentation. Un démon, à la figure ravagée, vêtu d'un pagne comme le précédent, se trouve sur la « très haute montagne » symbolisée par quelques pierres. Il s'agenouille devant le Christ ; il se fait pressant pour l'entraîner à sa suite à la conquête du monde des apparences. Au-dessous est écrit : IN MONTEM EXCELS[VM].

Jésus sort victorieux de la tentation d'un idéal de messianisme temporel et politique, fait de gloire et de puissance humaines. Il a choisi la voie de l'humilité et de l'obéissance à son Père qui lui vaut une royauté spirituelle. Celle-ci est symbolisée par une couronne sculptée un peu au-dessus et en avant de sa tête. À l'origine elle était tenue par un ange dont il reste des traces.

Cependant d'autres anges s'approchent de lui pour le servir. L'un sort des nuées à l'horizontale au-dessus de l'arbre au serpent. Il laisse pendre un énorme encensoir en métal délicatement ouvragé. Son visage bien modelé est empreint de sérénité et de douceur. Un autre ange thuriféraire gravit la montagne pour rejoindre le Christ. Il occupe la quatrième plaque (n° 89). C'est une figure solennelle, surtout remarquable par les plis de son costume repassé au fer et dont le bord dessine des triangles.

Le Maître de la Tentation est un artiste archaïque mais séduisant ayant encore sa place dans le monde de Conques. D'une certaine façon il annonce le sculpteur de la grande Annonciation en remploi dans le bras nord du transept de l'abbatiale rouergate.

Les quatre plaques de la Tentation avaient été préparées à l'avance en utilisant des matériaux de remploi. On les a adaptées au cadre semi-circulaire du tympan d'une manière à la fois gauche et désinvolte par l'adjonction de fragments sculptés, le plus souvent en granit, parfois choisis pour des raisons d'apparente convenance iconographique, d'autres fois en qualité de simples bouche-trous.

À la première catégorie appartient le panneau presque carré placé à droite de la Tentation (n° 93). Il est composé de trois figures sataniques velues, au ventre gonflé, à la tête de chien, avec des mains humaines, des pieds situés à mi-chemin de l'humanité et de la bestialité, une longue queue et des membres d'une maigreur cadavérique laissant saillir les tendons. Toutes trois sont engagées dans une danse infernale qui fait voler une étoffe. Trop mutilées pour que l'on puisse porter à leur sujet un jugement définitif, leur style paraît différer néanmoins autant de celui des images de Satan dans la Tentation que de celui des démons du Châtiment de l'avare dans le bras nord du transept.

Les autres fragments incorporés sont de la main du maître ayant réalisé la structure d'ensemble actuelle du portail et que nous désignerons pour cette raison du nom de maître de *las Platerías*.

Tel est le cas du jeune homme chevauchant un cheval au-dessus de la plaque aux trois figures démoniaques dansantes (n° 88). Ce groupe est représenté horizontalement contre toute logique. Le très long cou de l'animal est garni d'une crinière faite de mèches soigneusement tressées. Le jeune cavalier, qui a passé le pied dans l'étrier, est vêtu d'une tunique courte dont les plis dessinent sur sa poitrine une sorte de plastron, un détail visible sur nombre de figures de Compostelle, de León et de

Toulouse. « Le visage qui regarde en l'air, avec son nez en trompette, ses joues pleines et son cou énorme, n'est pas seulement caractérisé par l'épaississement constant des volumes : il a pris une expression personnelle très marquée, très vivante et inoubliable » [17]. Dans sa main ouverte il tient un cor évoquant une chasse infernale.

Au-dessus de lui (n° 87) on a placé « un chien atrocement contorsionné, enlacé par un serpent » dont la signification démoniaque n'est guère contestable. Tout à côté, vers la gauche (n° 86), est un panneau entièrement bûché où des animaux accroupis se mêlaient à des rinceaux. Plus loin encore (n°s 84 et 85), on voit deux bustes dont les beaux visages pleins illustrent un type humain caractéristique de Compostelle.

Cependant le morceau le plus extraordinaire, un chef-d'œuvre du maître de *las Platerías,* est encastré à l'extrémité droite du tympan (n° 94). Il a fallu le retailler, c'est-à-dire le mutiler pour l'adapter à la courbure de l'arc. Une femme est assise sur une chaise pliante aux extrémités ornées de têtes de lions d'un type fréquent à l'époque romane. Un manteau accroché à son cou cache mal sa nudité aux formes pleines. Il laisse le sein droit dégagé et moule celui de gauche avec des cercles concentriques. Il glisse ensuite sur la jambe droite et la cuisse gauche. Les jambes, dont l'une est donc nue et l'autre couverte, mais visible sous l'étoffe, sont vigoureusement modelées avec le genou et le tibia saillants. Georges Gaillard a fait remarquer que ce détail anatomique rappelle les nus de Jaca. Entre les jambes, l'étoffe du manteau est creusée de plis courbes et parallèles, d'un type fréquent à Compostelle et à Toulouse, comme le pli en cloche de la partie inférieure du vêtement. Les pieds, modelés avec le plus grand soin, sont appuyés sur un plan incliné couvert d'imbrications. Le visage exagérément gonflé est encadré de longues mèches de cheveux qui évoquent celles du saint Vincent de León. La femme tient un crâne sur ses genoux. Ce détail macabre attira l'attention du *Guide du pèlerin de Saint-Jacques de Compostelle* qui en donne l'explication suivante : « Et il ne faut pas oublier de mentionner la femme qui se trouve à côté de la Tentation : elle tient entre ses mains la tête immonde de son séducteur qui fut tranchée par son propre mari et que deux fois par jour, sur l'ordre de celui-ci, elle doit embrasser. O horrible et admirable châtiment de la femme adultère, qu'il faut raconter à tous ! »

Il y aurait donc derrière la représentation de la femme au crâne un récit conçu sur le thème de l'adultère. Ole Næsgaard présume une source arabe arrangée à l'occidentale à l'aide d'un vernis moralisant [18]. De toute manière, le « montage » est attesté par le *Guide* dès les environs de 1140, puisque la sculpture est mentionnée dans le texte à côté de la Tentation et qu'il est donné de celle-ci une description exacte et précise, correspondant à l'état actuel. « Au premier registre [de la porte de gauche] au-dessus de l'entrée est sculptée la Tentation de Notre-Seigneur ; il y a en effet devant le Christ d'affreux anges ressemblant à des monstres qui l'installent sur le faîte du temple ; d'autres lui présentent des pierres, l'invitant à les changer en pain ; d'autres lui montrent les royaumes de ce monde, feignant de vouloir les lui donner si, tombant à genoux devant eux, il les adore — ce qu'à Dieu ne plaise ! Mais d'autres anges purs, les bons anges, les uns derrière lui, les autres au-dessus, viennent l'encenser et le servir ». Sans doute cet état remontait-il à une restauration de *las Platerías* que nous situons immédiatement après 1117. Autrement dit, à la différence de ce qui se passe ordinairement sur les portails romans français, il était possible à Compostelle de faire coexister sur un même tympan le sacré chrétien et l'enchantement profane des fables. Déjà en étudiant certains chapiteaux du transept, nous avons eu l'impression de pénétrer dans un monde ambigu fait d'images parlant des langages divers, évoquant de vieux souvenirs, des pensées tenaces mais devenues parfois indéchiffrables. Il faut nous résoudre à accepter des zones d'ombre et délibérément renoncer à tout traduire en langage chrétien.

Le tympan de droite a également été décrit par le *Guide.* « À la porte de droite, extérieurement, on a sculpté sur le premier registre au-dessus des vantaux la Trahison du Christ de façon remarquable. Ici, Notre-Seigneur est attaché à la colonne par la main des juifs ; ici, il est flagellé ; là, Pilate siège à son tribunal comme pour le juger. Au-dessus, sur un autre registre la bienheureuse Marie, mère du Seigneur, est représentée avec son fils à Bethléem ainsi que les trois rois qui viennent visiter l'enfant et sa mère, lui offrant leur triple présent, puis l'étoile et l'ange les avertissant de ne pas retourner auprès d'Hérode ».

Un réexamen du cycle de la Passion permet de réparer quelques omissions du vieil auteur et de rectifier une erreur.

D'abord il n'a pas parlé de la Guérison de l'aveugle située à l'extrémité gauche du premier registre du tympan (n° 103), sans doute parce qu'il ne fait pas partie du cycle. Jésus de grande taille touche un aveugle beaucoup plus petit qui lui tend le visage. Il le renverra une fois guéri et la canne qu'il tient encore à la main ne lui sera plus alors nécessaire. Georges Gaillard a souligné les parentés de ces figures qui paraissent simplement adossées au tympan avec nombre de sculptures léonaises. « Leur longue robe s'évase au niveau du genou et se rétrécit vers le bas, formant comme un fourreau rigide, ainsi que sur beaucoup de figures de León. La nature de l'étoffe, la forme des plis concentriques, l'ourlet du bas de la robe, tout cela fait penser aux statues de la Porte du Pardon [...] ; l'allure générale de la figure, la qualité du relief épais et le groupement des personnages serrés l'un contre l'autre, voilà des caractères également proches de ceux du tympan de ce même portail » [19].

351

À l'autre extrémité du tympan l'Arrestation de Jésus au Jardin des Oliviers (n° 105) marque le début du cycle de la Passion. Judas entoure la poitrine du Maître de ses bras. C'est le signe convenu permettant aux soldats de s'emparer de lui : il ne leur oppose aucune résistance. Stylistiquement, l'influence de León demeure forte. « Les draperies sont de même nature que celles du groupe [précédent], même si la ligne des figures, toute droite et raide est beaucoup moins vivante [...]. Les visages font encore penser à ceux de León [...]. » Cependant il existe aussi des liens avec Conques, notamment à travers l'idée de garnir les yeux de jais.

Au-dessus de la scène un ange qui plonge du ciel à la verticale apporte une couronne (n° 101). Elle est le symbole de la victoire que le Christ remportera sur la mort à l'issue du terrible combat qu'il va livrer pour la Rédemption des hommes. Ce petit morceau de sculpture est peut-être de l'auteur de la Guérison de l'aveugle.

Tout le monde s'accorde à reconnaître une expression très différente dans la séquence de la Passion développée entre les deux scènes extrêmes (n° 104). Elle commence à gauche par le Couronnement d'épines, qui fait pendant à l'envoi de la couronne de gloire. Après que le Christ eut affirmé sa royauté à Pilate, les soldats jetèrent sur ses épaules un manteau de pourpre et le firent asseoir de force sur un trône dérisoire. L'un d'eux lui pose sur la tête une couronne tressée avec des épines. Puis vient la Flagellation. Le Christ, vêtu d'un simple pagne noué autour des reins est attaché à la colonne par un soldat. Deux autres soldats font pleuvoir des coups de fouets sur son dos. À l'arrière-plan apparaît la croix portée par Simon de Cyrène réquisitionné à cette fin. Christoph Bernoulli a bien noté ce qui annonce déjà certains aspects de l'art postérieur de Conques [20]. La tête du Christ à la colonne est à rapprocher de celles d'Isaïe et de saint Jean-Baptiste, en remploi comme l'Annonciation dans le bras nord du transept, et plus encore de celles du roi couronné et des bienheureux du tympan. Quant aux soldats, leurs têtes rondes et leur chevelure en forme de bonnet sont très proches

351. Saint-Jacques de Compostelle, cathédrale, Porte des Orfèvres, tympan de droite. Guérison de l'aveugle (nº 103).

de celles des personnages de l'enfeu de Bégon. Ce modèle servira encore pour les moines qui suivent l'empereur sur le tympan. Georges Gaillard avait déjà fait observer que les pieds des personnages au lieu de glisser sur un plan incliné, comme ils le font dans les scènes extrêmes, sont posés à plat sur un rebord horizontal.

Il est encore question de royauté dans l'Adoration des Mages signalée par le *Guide* au registre supérieur du tympan où elle se trouve toujours, mais très détériorée (nº 100). C'est à peine si l'on devine aujourd'hui que les illustres visiteurs venus offrir leurs présents à l'Enfant étaient effectivement couronnés. Quant au caractère du style, on ne peut l'appréhender qu'à travers le grand ange venu les avertir de ne pas retourner chez Hérode (nº 99). Il vole horizontalement, serré dans sa robe collante et comme dansant. Son visage est banal, difficile à cataloguer. On peut penser que l'Adoration des Mages faisait partie des sculptures préparées dans la première décennie du XIIe siècle pour un premier projet de portail et qu'on la remploya vaille que vaille dans le parti définitif. D'autres bouche-trous apparaissent dans la courbure du tympan encore plus maltraités par l'usure du temps que l'Adoration des Mages, à l'exception de l'avant-train d'un animal qui devait être pris dans des entrelacs végétaux et dont la tête ressemble à celle d'un renard (nº 98).

Le parti architectural

LA PORTE DES ORFÈVRES a été construite en même temps que le transept. Elle n'est pas appliquée contre sa façade méridionale mais fait corps avec elle. Selon toute vraisemblance on était en train de l'élever lorsque, en 1112, Gelmírez fit démolir l'ancienne cathédrale préromane et ouvrit de ce fait le transept à la circulation des fidèles.

La structure géminée de la porte présente une grande correction d'ensemble. Tous les éléments architecturaux appartiennent à la conception générale. Onze colonnes la flanquent : à l'entrée de droite, cinq et à l'entrée de gauche, tout autant ; quant à la onzième, elle se trouve entre les deux entrées. On obtient ainsi quatre groupes de trois colonnes dont une, celle du centre, sert deux fois. Chaque groupe est composé de la façon suivante : « à l'intérieur de l'ébrasement, une colonne de granit lisse ; puis une colonne de granit torse, ornée, dans les gorges de la spirale, de grosses marguerites, de perles ou de rinceaux à palmettes asymétriques ; enfin, à l'extérieur de l'ébrasement, une colonne de marbre, dont le fût est sculpté et porte, superposées en trois ou quatre étages, des figurines d'apôtres ou de prophètes et des anges. L'emploi simultané du marbre et du granit, que nous avons déjà noté dans les chapiteaux de l'abside [...], paraît être caractéristique de la décoration compostellane [...]. Les ressources mêmes du pays sont ainsi utilisées pour le mieux : le granit, qui est la pierre la plus commune en Galice, se prêtait mal aux finesses de la sculpture ; le marbre qui est employé ici est aussi tiré des carrières locales : c'est un marbre commun, au grain assez peu fin, blanc, sans grand éclat ni transparence » [21].

Au-dessus des chapiteaux les archivoltes sont moulurées, mais dépourvues de sculptures.

Chapiteaux des ébrasements

LES CHAPITEAUX prolongent généralement sur le plan stylistique la série des corbeilles à entrelacs du transept, soit sous la forme de rinceaux souples, soit au moyen de fonds de vannerie. Aux angles surgissent des têtes de lions d'apparence massive, mais aux contours « baroques ». Nous retrouverons des œuvres tout à fait comparables dans la nef de Saint-Isidore de León, ainsi qu'au portail occidental de Saint-Sernin de Toulouse.

Seuls les chapiteaux des deux extrémités sont historiés. Celui de droite est si abîmé que l'analyse en est impossible. Celui de gauche (nº 110) représente l'Expulsion d'Adam et Ève du paradis terrestre, un thème également utilisé pour le décor de la Porte Miègeville à Saint-Sernin de Toulouse. Ayant pris conscience de leur péché les deux fautifs cachent leur sexe. Entre eux se dresse un Dieu justicier. Il prononce sa sentence que va exécuter un ange sculpté sur l'autre face du chapiteau.

352

352. Saint-Jacques de Compostelle, cathédrale, Porte des Orfèvres, chapiteau de l'Expulsion d'Adam et Ève (nº 110).

Toutes les figures sont caractéristiques du style de l'artiste que nous avons baptisé maître de *las Platerías*. On en retiendra comme éléments les visages bien pleins aux yeux exorbités, encadrés par des chevelures lourdes, les jambes sur lesquelles sont en saillie la rotule du genou et la ligne du tibia, les tuniques entourant les jambes et les manteaux traversés par des plis arrondis et appuyés. Ces personnages se détachent sur un fond d'entrelacs à trois brins dont les extrémités viennent se nouer sous les volutes d'angle. Il en résulte un étrange motif formant comme une anse dont il n'existe qu'un seul autre exemple, situé dans la nef de Saint-Isidore de León (fig. XXI, 6 de Gaillard).

Si les entrelacs l'emportent ailleurs le plus communément, deux chapiteaux néanmoins illustrent d'autres types de décor également caractéristiques du transept : le corinthien à boules et les feuilles fendues. Dans les deux cas il n'existe, comme dans les œuvres antérieures, qu'une unique couronne de grandes feuilles. Quant aux tailloirs, ils sont couverts de palmettes d'une technique très évoluée que l'on retrouvera dans la nef de Saint-Isidore de León et sur le portail occidental de Saint-Sernin de Toulouse.

Consoles et écoinçons

À MAINTES REPRISES nous avons laissé entendre que le génie de Compostelle le conduisait à la ronde-bosse. On y arrive avec les quatre robustes consoles qui supportent les tympans. D'énormes gueules de lions sortent de la monture d'un modillon à copeaux. Elles sont généralement vues de face, mais l'une regarde de côté. Une autre engloutit une proie dont ne subsistent que les pattes : un motif déjà décrit et qui réapparaîtra fréquemment.

Deux lions adossés l'un à l'autre se dressent au-dessus du trumeau, en avant d'un chrisme (n° 95). L'auteur du *Guide du pèlerin de Saint-Jacques de Compostelle* trouvait à ces gardiens de la porte un air farouche. Ils sont surtout très vivants et, par leurs proportions élancées et par leur allure, ils s'apparentent plutôt aux « lions souriants » de Saint-Sever [22], même si le traitement de la tête, de la crinière et des pattes appartient à une époque plus tardive. Leurs masses se dégagent encore plus vigoureusement du fond : ils annoncent les statues de la sphinge et de la femme chevauchant un lion qui coiffent les chapelles Saint-Jean et Sainte-Foy du déambulatoire [23].

148

Dans les écoinçons le *Guide* signale la présence de quatre anges sonnant de la trompette. Ils annoncent, estime-t-il, le Jugement dernier. Laissons-lui la responsabilité de son interprétation et bornons-nous à observer qu'ils sont l'œuvre de deux artistes différents. Les deux anges du centre ont des corps minces moulés par leurs tuniques et des visages proches des créations du maître de *las Platerías* (nos 77 et 79). Ceux des extrémités sont sculptés en ronde-bosse : ils sont saisis en plein vol (nos 76 et 80).

À la fin du XIIe siècle probablement, on a écarté les deux anges du milieu pour intercaler deux fragments sculptés provenant du décor de la façade occidentale (nos 78 et 81). Celle-ci, commencée autour de 1120, n'avait jamais été terminée et elle fut entièrement détruite vers 1180 pour faire place au porche de la Gloire de maître Mathieu. Nous étudierons donc ces remplois, un saint Jacques, un Abraham et un Moïse, à leur emplacement d'origine, c'est-à-dire avec le portail disparu, dont nous proposerons une restitution.

Les colonnes de marbre des ébrasements

DANS L'ENSEMBLE DES SCULPTURES de la Porte des Orfèvres les trois colonnes de marbre des ébrasements représentent des œuvres d'une grande délicatesse. Le thème général, celui du personnage sous arcade, avait été utilisé dès la fin du XIe siècle à Moissac et à Toulouse pour définir une expression romane de la figure humaine. L'expérience de Compostelle est un peu plus tardive et elle se situe dans un cadre différent, non plus celui de grandes surfaces planes, mais celui de fines colonnes sur lesquelles les figures, nécessairement de plus petit format, se superposent généralement en trois registres. Tout ce qui nous éloigne ainsi de Toulouse et de Moissac nous rapproche au contraire de Modène, et je pense naturellement aux prophètes sous arcades sculptés par Wiligelmo sur les montants du portail de la cathédrale. Ce rapprochement — s'il est justifié — résulte de la communauté de très anciennes sources carolingiennes ou antiques et d'une certaine orientation que prend la décoration des piédroits des portails en ce début du XIIe siècle. Il ne

353

353. Saint-Jacques de Compostelle, cathédrale, Porte des Orfèvres, colonnes de marbre du centre et de gauche (n°s 121 et 130) *(Photo Yan).*

s'étend pas au style qui est très différent, ce qui exclut donc toute possibilité de contact entre le maître italien et le milieu compostellan.

D'une manière générale, les personnages représentés, à l'inverse de ceux de Modène, demeurent dans l'anonymat, à l'exception de saint Pierre qu'on reconnaît à ses clefs à la partie supérieure de la colonne de droite. Son voisin pourrait être Moïse présentant les Tables de la Loi. Ce rapprochement ne serait pas fortuit puisque saint Pierre est considéré par l'exégèse chrétienne comme le nouveau Moïse. Existerait-il aussi des correspondances parmi les autres personnages qui, à une exception près, tiennent uniformément un livre fermé ? S'exprimeraient-elles, par exemple, à travers la manière dont ils tiennent le livre : soit à pleine main, soit après avoir dissimulé leur main sous un pan de leur manteau ? C'est peu probable car ce geste de déférence n'avait sans doute pas d'autre but que de varier les attitudes. De toute manière, nous avons affaire à des personnages de l'Ancienne et de la Nouvelle Loi jouant peut-être déjà le rôle symbolique de colonnes du temple chrétien, une fonction qu'ils rempliront plus clairement encore dans le premier gothique avec l'invention de la statue-colonne.

Par rapport aux arcades de Toulouse et de Moissac celles de Compostelle se distinguent par la richesse et l'abondance du décor. À gauche et au centre leurs colonnettes sont torses et chargées de perles. À droite plusieurs formules ont été utilisées : soit un fût cylindrique sur lequel s'enroule un ruban, soit un tronc d'arbre couvert de bourgeons, soit encore un faisceau de tiges réunies par une lanière développant un tracé hélicoïdal. Les petits chapiteaux reprennent tous des modèles apparus dans le transept. Sur quelques-uns les feuilles sont lisses ; plus souvent on a repris le motif de la feuille fendue. Un soin particulier a été apporté à la décoration des écoinçons dessinés par les arcades moulurées et parfois aussi perlées. On y trouve fréquemment des imbrications, mais aussi des motifs géométriques et végétaux.

Le style présente des parentés avec celui des marbres du déambulatoire de Saint-Sernin de Toulouse, notamment à travers l'usage des plis pincés. Cependant l'épaisseur des plis est ici plus marquée. Surtout les visages sont différents. Ils permettent même de reconnaître trois manières et peut-être trois sculpteurs ayant chacun exécuté une colonne. Le plus antiquisant, le plus solennel, le plus proche du maître de *las Platerías* par l'enflure des joues et la lourdeur des chevelures est l'auteur de la colonne centrale. Il a sculpté non seulement les personnages sous arcades, mais aussi des anges assis, tenant un livre, peut-être les anges des évangélistes, à la partie supérieure de la colonne. L'un d'eux se caractérise par l'existence d'une sorte d'écharpe qui passe sur ses avant-bras : un détail que l'on retrouve à Saint-Isidore de León [24]. Sur la colonne de droite les visages d'aspect plus commun deviennent barbus alors qu'ils étaient glabres auparavant ; les yeux demeurent saillants. Sur la colonne de gauche, on observe la même rusticité, mais les yeux sont ici percés selon la tradition de Conques. Les nimbes sont dentelés et certains des personnages portent une chasuble.

354

Les colonnes sont surmontées de chapiteaux circulaires également taillés dans le marbre. Ici des anges tendent uniformément des étoffes devant eux, un peu comme sur les tables d'autel de Saint-Sernin de Toulouse et de Saint-Alain de Lavaur, sauf sur le chapiteau de la colonne centrale où l'on a placé entre les anges des calices dans lesquels des oiseaux viennent s'abreuver.

Figures des montants des portes

ON CONSIDÉRERA comme très importante pour l'histoire du portail roman l'idée qu'on eut d'insérer des personnages sur les piédroits de celui de *las Platerías.* Le *Guide du pèlerin* lui-même attire l'attention sur ces figures placées à hauteur de l'œil. « Sur les jambages de cette même porte [celle de droite] dont ils semblent garder l'entrée, il y a deux apôtres, l'un à droite, l'autre à gauche. De même, à la porte de gauche, il y a sur les montants deux autres apôtres ».

Un seul apôtre est identifié par une inscription gravée sur son nimbe : saint André, qui se dresse sur le montant de droite de la porte de gauche (nº 125). On a souligné sa parenté avec les figures de la Porte Miègeville, encore qu'il soit bien compostellan par la raideur des étoffes, le plastron de plis semi-circulaires étalé sur la poitrine, l'expression très personnelle d'une physionomie vigoureuse à la barbe et à la chevelure en désordre. Son auteur faisait probablement partie du groupe de sculpteurs ayant confectionné les colonnes de marbre des piédroits. Au-dessous de ce saint André, une plaque d'un style différent représente un arbalétrier.

355

▽ 354. Saint-Jacques de Compostelle, cathédrale, Porte des Orfèvres, partie supérieure de la colonne centrale (nº 130).

▷ 355. Saint-Jacques de Compostelle, cathédrale, Porte des Orfèvres, saint André (nº 125) *(Photo Yan).*

Les deux autres saints conservés, dont les têtes ont malheureusement été détruites, ne sont pas nécessairement des apôtres comme le croyait l'auteur du *Guide.* Celui qui fait face à saint André (n° 124) pourrait être Moïse, si l'on en croit les deux longues tables qu'il appuie contre sa poitrine. Bien que sculpté en très haut relief, il paraît plat parce que son costume est fait d'une superposition de plis écrasés. Cette technique renvoie à l'ange gravissant la montagne de la Transfiguration.

Le personnage du montant de gauche de la porte de droite porte un vêtement sacerdotal et tient dans sa main un objet indéterminé (n° 133). On a parfois cru reconnaître une image de Melchisédech, prêtre du Dieu Très Haut. Son style l'apparente étroitement à la sculpture précédente. Le piédestal qui le porte a la forme d'un oiseau de proie enserrant un mouton dans ses serres.

Au-dessous, sur le montant, est gravée une date qui a fait l'objet de discussions animées à une certaine époque. Les uns ont lu : ERA ICXVI – V IDVS I[V]LII, c'est-à-dire une indication conforme, tant en ce qui concerne l'année que le jour, à celle fournie par l'*Historia Compostelana* pour le début de la construction de la cathédrale : 11 juillet 1078 [25]. Elle commémorerait cet événement. D'autres ont fait une autre lecture correspondant à la date de 1103, interprétée comme celle de l'édification du portail lui-même. Les passions se sont aujourd'hui apaisées et la première lecture, de loin la plus sûre, est généralement adoptée, avec son sens commémoratif. D'aucune manière le portail ne saurait avoir été mis en place à une date aussi précoce que 1103. Cependant la fiction convenait à la chronologie fantastique de l'ensemble de la première sculpture romane espagnole, qui a longtemps impressionné de nombreux esprits.

On cherche vainement le quatrième apôtre mentionné par le *Guide.* Si celui-ci n'a pas commis d'erreur, la figure sacrée a été depuis lors retirée et remplacée par les deux curieuses sculptures que l'on voit aujourd'hui superposées sur le montant de droite de la porte de droite (n°s 134 et 135). Elles ont appartenu à l'origine au portail nord du transept et c'est avec celui-ci que nous les étudierons.

Nous avons d'emblée signalé l'importance historique des grandes figures décorant les montants de la Porte des Orfèvres. C'est encore à l'Italie qu'elles font penser et plus spécialement aux quatre prophètes superposés deux par deux sur les montants du portail de la cathédrale de Crémone et probablement mis en place à peu près au même moment. Ces « figures-piliers » auront une descendance dans la sculpture romane languedocienne.

La partie haute de la façade

ELLE A TOUTE L'APPARENCE d'un chaos de blocs erratiques. Pour y voir un peu plus clair reprenons d'abord la description qu'en donne le *Guide du pèlerin.* « À la partie supérieure, au-dessus des deux ouvertures, vers les galeries hautes de la basilique une décoration admirable faite de marbre blanc resplendit magnifiquement. C'est là, en effet, que se tient Notre-Seigneur debout avec saint Pierre à sa gauche, tenant à la main les clefs, et le bienheureux Jacques à sa droite entre deux cyprès, et saint Jean son frère auprès de lui ; enfin, à droite et à gauche, les autres apôtres. En haut et en bas, à droite et à gauche, tout le mur est magnifiquement décoré de fleurs, d'hommes, de saints, d'animaux,

356. Saint-Jacques de Compostelle, cathédrale, Porte des Orfèvres, le Christ et saint Jacques (nos 45 et 47).

d'oiseaux, de poissons et d'autres sculptures que nous ne pouvons décrire en détail ».

Las ! Le Christ debout que l'on trouve aujourd'hui au centre de la composition (no 47) est une interprétation compostellane, dans la suite de maître Mathieu, d'une figure de trumeau gothique. Elle n'est que du début du XIIIe siècle. La magnifique figure de saint Jacques que l'on voit à sa droite — identifiée par l'inscription IACOBVS ZEBEDEI gravée sur son nimbe — n'est pas davantage celle dont parle le *Guide* : « le bienheureux Jacques entre deux cyprès ». Ici (nos 44 à 46), son image se dresse entre deux arbres bourgeonnants, un motif déjà signalé sur l'une des colonnes de marbre des ébrasements du portail. Une inscription qui l'accompagne indique d'ailleurs qu'elle a été détachée d'une représentation de la Transfiguration : HIC IN MONTE IHESVM MIRATVR GLORIFICATVM. Celle-ci était un des thèmes du portail occidental, auquel appartenait non seulement ce saint Jacques mais aussi l'Abraham et le Moïse figurés au-dessous. Il conviendra d'étudier ces trois fragments, qui constituent un des sommets de la sculpture romane de Compostelle, à leur emplacement d'origine.

Les apôtres Jacques, Pierre et Jean dont parle le *Guide* en décrivant la Porte des Orfèvres faisaient partie d'un collège apostolique complet, le premier à avoir été installé à cet endroit dans la sculpture romane espagnole, mais qui devint ensuite l'un de ses thèmes favoris. De cet *apostolado* demeurent, semble-t-il, deux groupes de figures : quatre à gauche (nos 35 à 38) et cinq à droite (nos 60 à 64), souvent très mutilées. Leur taille, inférieure à celle du saint Jacques actuel, est néanmoins supérieure à celle de trois autres apôtres de qualité médiocre remployés tout en haut et à gauche, venant d'on ne sait où (no 34). La mieux

357. Saint-Jacques de Compostelle, cathédrale, Porte des Orfèvres, saint Pierre (n° 35).

conservée des figures de l'*apostolado,* et aussi la plus belle, est le saint Pierre qui se trouve aujourd'hui tout à fait à gauche (n° 35) mais qui a sans doute été déplacé puisque le *Guide* indique qu'il se trouvait à gauche du Christ, c'est-à-dire à notre droite. Son style est déjà celui du saint Jacques de la Transfiguration, avec de faibles variantes. La ligne du corps est la même et « le vêtement presque identique. Plusieurs détails se retrouvent : le serre-tête, les sandales légères, la forme des manches ». Quant au modelé il est toujours traité par « grands à-plats animés d'une courbure à peine perceptible » [26]. À la suite de saint Pierre venaient les trois apôtres qui l'accompagnent encore aujourd'hui, mais dans une situation inversée. Quant aux cinq apôtres de droite (n°s 60 à 64), il convient donc de les faire permuter avec les quatre précédents. Automatiquement ils seront eux aussi inversés. Leur groupe débutera de la sorte avec un apôtre jeune, sans doute saint Jean, l'autre fils de Zébédée, qui reprendra la place qui était la sienne au XIIe siècle auprès de son frère Jacques. Après lui viendra un apôtre portant une croix, peut-être André, frère de Pierre, à moins que ce ne soit Jacques le Mineur, le frère de Jésus. Les trois autres apôtres suivront.

On classera sûrement parmi les *membra disjecta* étrangers à la Porte des Orfèvres six petits personnages tenant des phylactères à la gauche du Christ central (n°s 48 à 53) — ils ne se trouvent à cet endroit que depuis 1884 — et surtout un groupe assez important de sculptures dont Serafín Moralejo a récemment démontré qu'il avait fait partie du portail nord du transept [27], dont nous allons entreprendre l'étude.

La Porte de France

ON DÉNOMMAIT le portail nord du transept Porte de France parce que c'est par lui que les pèlerins venus de notre pays pénétraient dans la cathédrale. On l'appelait aussi Porte de la *Azabachería,* parce qu'on y vendait les bijoux de jais, comme on vendait les bijoux d'argent à *las Platerías.* Devant lui, le trésorier de Saint-Jacques, Bernard le Jeune, avait élevé une fontaine monumentale en 1122. Le rhabillage baroque dont l'ensemble de la cathédrale fit l'objet à partir du milieu du XVIIe siècle l'épargna jusqu'au milieu du siècle suivant. Son tour vint néanmoins en 1757 et les travaux prirent fin en 1769 avec quelques modifications au programme initial imposées par l'Académie [28]. Lors de la destruction de l'œuvre romane antérieure les éléments les plus remarquables de son décor furent mis de côté : la plupart furent incorporés à la Porte des Orfèvres ; le reste est finalement entré au musée de la cathédrale après avoir connu des fortunes diverses.

Il apparaît à l'examen que, bien que symétriques à chacune des extrémités du transept et à peu près contemporaines, la Porte de France et celle des Orfèvres n'étaient pas exactement semblables : la différence provenant de la pente du terrain qui plaçait le portail du nord à un niveau supérieur de 1,50 m à celui du sud. Comme leurs archivoltes n'en culminaient pas moins à la même hauteur, on avait dû donner à la Porte de France une forme plus trapue. Ses deux baies, moins hautes et plus étroites, avaient des ébrasements plus profonds. Cette particularité n'avait pas échappé à Aimeri Picaud, l'auteur du *Guide du pèlerin.* « Il y a deux entrées, dit-il en parlant de la Porte de France, qui sont l'une et l'autre ornées de belles sculptures. Chaque entrée compte à l'extérieur six colonnes, les unes en marbre, les autres en pierre, trois à droite et trois à gauche, soit six à une entrée, six à l'autre, ce qui fait en tout douze colonnes », sans compter la colonne intermédiaire au-dessus de laquelle se dressait un Dieu de majesté « donnant sa bénédiction de la main droite et tenant dans la gauche un livre ». Soit au total treize colonnes, alors qu'il n'y en a que onze au sud.

Les sept colonnes ou fragments de colonnes de marbre du musée de la cathédrale appartenaient à cet ensemble. Ce sont des colonnes torses, c'est-à-dire d'un type exceptionnel, mais très en faveur à

358

358. Saint-Jacques de Compostelle, musée de la cathédrale, colonnes de marbre de la porte nord du transept.

Compostelle, puisqu'il fut également adopté pour les registres d'arcades superposées sur deux des trois colonnes de marbre de la Porte des Orfèvres.

Trois des sept colonnes de la Porte de France sont décorées de rinceaux de vigne peuplés de *putti,* un motif fréquemment utilisé dans l'Antiquité pour l'ornementation des sarcophages, beaucoup plus rarement pour celle des colonnes. Ces enfants nus — qui peuvent aussi être des génies ailés — « sont représentés dans les positions les plus diverses, observe Georges Gaillard [29]. Quelques-uns sont accroupis, d'autres grimpent, la plupart sont à demi couchés ; l'un d'eux a renversé le haut de son corps en arrière si violemment que sa tête va toucher terre. L'un tient devant lui un oiseau et porte un panier de fruits à la main ; un autre porte des fruits dans une sorte de tablier qui pend à son cou ; un troisième cueille des raisins ; plusieurs s'accrochent aux rinceaux... ». 359, 360

Les autres fûts de colonnes sont traités avec encore plus de liberté. Parfois les rinceaux se transforment en entrelacs. Surtout les motifs se diversifient et des scènes étonnamment vivantes — peut-être de caractère épique — apparaissent. À travers les rinceaux un petit génie se dirige à tire-d'aile vers un grand ange debout. Il semble porteur d'un message. Ailleurs un personnage nu et hirsute est enlacé par un serpent dont la queue est saisie par un démon aux traits grossiers. Dans ses mains il tient un objet ressemblant à une corne d'abondance et il paraît épier un couple dont l'un des membres est armé d'un coutelas. De l'autre côté, la scène est encadrée par une femme nue tenant une lance. 361 362 363

359. Saint-Jacques de Compostelle, musée de la cathédrale, détail d'une colonne de marbre de la porte nord du transept.

360. Saint-Jacques de Compostelle, musée de la cathédrale, détail d'une colonne de marbre de la porte nord du transept.

361. Saint-Jacques de Compostelle, musée de la cathédrale, détail d'une colonne de marbre de la porte nord du transept.

Une autre scène de violence est composée sur le même schéma. Cette fois le personnage à la chevelure en désordre venant de la gauche tient le serpent dans ses mains. Il préside à une scène de combat : des animaux gisent sur le sol, inanimés ; un chevalier couvert de mailles a mis un genou à terre et, tout en se protégeant à l'aide de son bouclier, attaque à l'épée un grand oiseau. Ce dernier a lui-même enfoncé son bec crochu dans la chair d'un cheval terrassé. Dans une dernière composition, c'est l'oiseau toutes ailes éployées qui tient le serpent dans son bec. Le chevalier est vaincu : avec son cheval il est englouti par la mer.

Georges Gaillard interprète ces figures, et notamment les nus aux longs mollets bien moulés, à la ligne du tibia bien marquée, aux visages pleins et aux cous épais comme un résumé de l'art de León, de Jaca, de Frómista et de Compostelle même. C'est-à-dire qu'il les place à la fin d'une évolution caractérisée par l'assouplissement du style et l'introduction d'une certaine sensualité. Personnellement il m'apparaît que, loin de représenter la fin d'un processus stylistique, ces créations se situent à son début et qu'elles représentent la redécouverte émerveillée par le maître de *las Platerías* et ses élèves — car c'est d'eux dont il s'agit — d'un art antique plus authentique que les sources utilisées par Bernard Gilduin. La démarche serait comparable à celle du maître de Jaca ou de Wiligelmo sculptant les magnifiques rinceaux habités du portail central de la cathédrale de Modène.

◁ 362. Saint-Jacques de Compostelle, musée de la cathédrale, détail d'une colonne de marbre de la porte nord du transept.

363. Saint-Jacques de Compostelle, musée de la cathédrale, détail d'une colonne de marbre de la porte nord du transept.

L'atelier se serait constitué peu après 1110, au moment où s'achevait la construction du transept. Il aurait succédé au courant artistique issu de Conques auquel il aurait peut-être emprunté, entre autres éléments, le motif d'entrelacs. Il aurait aussi bénéficié des expériences toulousaines antérieures. Surtout il aurait eu accès à des sources nouvelles grâce à un élargissement des horizons artistiques : des sarcophages à colonnes torses et à colonnes décorées de génies vendangeurs — comme le sarcophage dit de Marie-Madeleine à Saint-Maximin — et peut-être aussi des objets précieux en relation avec les diverses activités de Gelmírez. Son goût pour les formes pleines et pour une certaine laideur expressive lui est propre. Il aurait rayonné vers León et non l'inverse.

364. Saint-Jacques de Compostelle, cathédrale, Porte des Orfèvres, contrefort occidental, Christ en majesté (n° 140).

Le Seigneur assis en majesté et donnant sa bénédiction, que le *Guide* décrit sur le mur du portail au-dessus de la colonne centrale, doit être la *Majestas Domini* en granit, de haute stature, appliquée aujourd'hui contre le contrefort occidental de la Porte des Orfèvres (n° 140). L'attitude et les draperies, les volumes pleins et denses, c'est-à-dire l'essentiel de la forme et du volume, rattachent ce haut-relief à l'atelier du maître de *las Platerías.* Il existe aussi une note personnelle apportée par des détails superficiels : petites stries de la barbe et petits plissés des vêtements.

364

Le *Guide* précise qu'autour du trône du Christ et semblant le soutenir, on voyait les quatre évangélistes. On a conservé le symbole de Matthieu, un ange assis tenant un livre, aujourd'hui encastré dans les parties hautes de la Porte des Orfèvres, immédiatement au-dessous du saint Pierre de l'*apostolado* (n° 66). L'identification proposée par Serafín Moralejo s'appuie sur le fait que les deux pièces sont taillées dans des pierres très similaires, qu'elles proviennent indiscutablement de la même main et que leurs dimensions respectives conviennent, puisque l'ange est deux fois plus petit que le Christ en majesté [30].

Toujours selon le *Guide du pèlerin* il y avait à droite de la Majesté divine une représentation du paradis avec le Seigneur reprochant à Adam et Ève leur péché, et à gauche une autre effigie du Seigneur les chassant du paradis. Ces deux scènes sont également conservées : l'Expulsion a trouvé place sur la façade de *las Platerías,* à gauche du saint Matthieu (n° 65) et la scène des reproches se trouve au musée de la cathédrale.

Au sujet de leur style, le meilleur rapprochement est à faire avec l'Arrestation du Christ sur le tympan de droite, sans qu'il y ait cependant identité parfaite. Les visages animés et expressifs sont souvent riants, avec de petits yeux percés d'un trou. Les chevelures sont épaisses. « Les jambes sont entièrement détachées du fond et moulées dans toute leur rondeur. Le mouvement de la marche est indiqué par les genoux légèrement pliés ; dans la figure d'Adam, une jambe passe devant l'autre, sans pour cela perdre de son épaisseur » [31].

365. Saint-Jacques de Compostelle, cathédrale, Porte des Orfèvres, création d'Adam (n° 141).

Bien qu'ils ne soient pas mentionnés par le *Guide,* deux reliefs aujourd'hui remployés dans les contreforts de la Porte des Orfèvres ont dû appartenir également à l'ensemble iconographique de la Porte de France. Il s'agit de la Création d'Adam à gauche (n° 141), de celle d'Ève à droite (n° 143). Dans chaque cas, pour Ève comme pour Adam, Dieu modèle le corps de ses mains. Ce caractère réaliste du sujet peut surprendre pour Ève. Il fut cependant de règle jusqu'au XIe siècle. C'est seulement à cette époque qu'apparaît l'image d'Ève sortant à mi-corps d'Adam endormi, c'est-à-dire une composition antinaturaliste et monstrueuse qui se répandit aussitôt un peu partout, tant en sculpture qu'en peinture, dans la mosaïque et dans l'enluminure. Elle évinça rapidement l'ancienne formule.

Les deux groupes sont de qualité très différente, le plus beau étant la création d'Adam, une pièce magnifique, sculptée par le maître de *las*

365

Platerías lui-même. « L'allongement des corps produit un effet d'élégance [...]. La tunique [de Dieu] relevée d'un côté à la ceinture, le pan du manteau et les festons de la robe donnent au corps une allure légère de mouvement [...] ». Quant au nu d'Adam, même s'il demeure raide et tout d'une pièce, il révèle aussi des recherches d'anatomie : « le dessin des clavicules et surtout des rotules, des tibias et des orteils est remarquable. Les têtes sont très caractérisées et d'une laideur toute compostellane, avec leurs yeux exorbités et leurs lourds cheveux » [32].

Dans la Création d'Ève — qui fut confiée à un compagnon peu adroit — les corps sont au contraire très lourds et les visages inexpressifs.

Le *Guide du pèlerin* signale également la présence d'une Annonciation sur le tympan de gauche : « Nous dirons [...] qu'au-dessus de la porte de gauche, en entrant dans la basilique, sur le tympan, l'Annonciation de la bienheureuse Vierge Marie est représentée, avec l'ange Gabriel qui lui parle ». Cette sculpture remployée au milieu de l'*apostolado* de *las Platerías* (n°s 39 et 40) est très abîmée, car à la fin du siècle dernier elle se détacha du mur et se brisa sur le sol. On reconnaît cependant le messager céleste à ses ailes, à la croix qu'il tient de sa main gauche et au geste de sa main droite pointant l'index en direction de la Vierge. Dans un mouvement de frayeur celle-ci cherche à se cacher dans un édifice, comme sur un chapiteau de Lasvaux (Lot) [33]. Les deux figures sont en marbre et d'un relief peu marqué.

Quels étaient les autres éléments du tympan de gauche ? Le *Guide* n'en dit rien. D'une manière assez vague il mentionne cependant l'existence sinon sur ce tympan, du moins à son niveau, d'un calendrier. « À gauche aussi, au-dessus des portes, sur les côtés, figurent les mois de l'année et beaucoup d'autres belles œuvres de sculpture ». Le musée de la cathédrale possède un petit relief montrant un paysan en train de se chauffer auprès du feu, c'est-à-dire une représentation traditionnelle du mois de février [34]. Son style le rattache à l'entourage du maître de *las Platerías.*

On a parfois supposé que le calendrier était accompagné d'un zodiaque auquel aurait pu appartenir un centaure aujourd'hui visible sur la Porte des Orfèvres au-dessus de l'archivolte de la porte de gauche (n° 68). En fait, ce centaure qui décoche une flèche contre une sirène lui faisant face symétriquement au-dessus de l'archivolte de l'autre porte (n° 71), constitue avec elle un motif autonome qui fut d'ailleurs reproduit comme tel sur le portail occidental de Saint-Sernin de Toulouse. Probablement doit-on y voir une allusion à la luxure : interprétation confirmée à Compostelle par le poisson que la sirène tient dans une main.

L'existence de ce poisson permet en outre de penser que le motif appartenait dès l'origine à la Porte des Orfèvres. En effet, en des termes quasi identiques le *Guide* signale la présence sur les deux portails du transept de Saint-Jacques de saints, d'hommes, d'animaux, de fleurs et d'autres sculptures impossibles, dit-il, à décrire dans le détail. Cependant dans les deux énumérations la présence ou l'absence de certains termes peut constituer un élément de différenciation. C'est le cas pour les poissons qui ne sont signalés que sur la Porte des Orfèvres.

À l'inverse, la Porte de France se distingue dans les descriptions du *Guide* par l'existence d'*imagines feminarum* [35] absentes de *las Platerías.* Ces figures de femmes auraient notamment compris deux sculptures étranges maintenant aux Orfèvres, mais seulement depuis la destruction de la Porte de France. On les voit sur le montant de droite de la porte

366. Saint-Jacques de Compostelle, cathédrale, Porte des Orfèvres, montant de droite de la porte de droite, femme au lionceau (nº 134).

de droite où elles ont remplacé un apôtre mentionné à cet endroit par le *Guide*.

L'une est une femme assise portant un lionceau dans ses bras (nº 134). Ses jambes croisées sont démesurément allongées : « les genoux sont remontés jusqu'à la hauteur de la ceinture et ne laissent aucune place pour les cuisses, tout comme à León dans les statues assises du portail de l'Agneau. Un détail mystérieux et caractéristique, qui se retrouve à Toulouse (sur le groupe fameux unissant le motif de la femme au lion à celui d'une femme au bélier), fait son apparition ici : un pied est chaussé et l'autre nu ». Le costume reprend par ailleurs des détails caractéristiques de la femme au crâne du tympan : « la robe laisse un genou découvert et ne couvre qu'une jambe, qui est moulée par l'étoffe ; la même cape est agrafée sur l'épaule droite, dessinant la forme du sein. Mais la qualité de l'étoffe est très différente, beaucoup plus légère et comme transparente [...]. Les traits sont plus accusés et plus individuels. L'expression, devenue tragique, est encore accentuée par les mèches plus échevelées, plus folles, qui sont traitées exactement comme la crinière du lionceau » [36]. Comme nous le ferons, quand viendra le moment d'étudier l'homologue toulousain, nous avouons notre impuissance à percer le secret de ce personnage surprenant. Nous sommes ici dans la sphère obscure d'une certaine sculpture du début du XIIe siècle, un monde de mystère sans rapport avec les sources du merveilleux chrétien.

Tout aussi énigmatique apparaît le personnage féminin qui chevauche un coq et qui est placé au-dessous. Il serait infiniment regrettable que

366

438

l'on s'en tînt, comme on l'a fait parfois, à ne voir là qu'un vulgaire épisode de la vie rustique. L'image, qui pose un problème iconographique non élucidé, a sans doute son origine dans l'héritage antique.

Les deux sculptures, dont on attribuera la paternité au maître de *las Platerías,* montrent combien cet artiste était proche de Toulouse et combien il influença León. Compostelle n'était pas seulement le but du voyage des pèlerins, ce fut aussi un lien entre les différents centres artistiques établis le long de la route.

En tenant compte de ses dimensions, Serafín Moralejo a émis l'hypothèse qu'une femme en buste du musée portant dans ses mains des grappes de raisin aurait pu servir d'antithèse à la femme au lionceau. Il s'agirait d'une autre de ces images de femmes dont parle le *Guide* à propos de la Porte de France.

Pour des raisons typologiques le même auteur propose de restituer également à la Porte de France le David musicien en remploi sur le contrefort de gauche de *las Platerías* (n° 142). C'est une création superbe très proche stylistiquement des Signes du lion et du bélier du musée des Augustins de Toulouse : « non seulement par la pose, les draperies et l'aspect général, mais encore par un défaut caractéristique dans l'attache du bras à l'épaule et la forme arquée de ce bras trop court. Le caractère du modelé superficiel diffère, mais cette différence est due surtout à la qualité de la pierre, lisse à Toulouse, granuleuse, mais malgré cela bien conservée, à Compostelle. En outre, les détails sont plus nombreux :

367

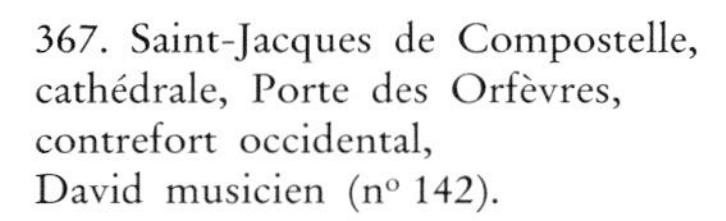

367. Saint-Jacques de Compostelle, cathédrale, Porte des Orfèvres, contrefort occidental, David musicien (n° 142).

le siège, qui manque à Toulouse, est ici très compliqué et richement orné, la couronne aussi » [37]. Le maître de *las Platerías*, car c'est encore lui qui est concerné, confirme l'intimité de ses contacts avec Toulouse.

Toujours pour des raisons typologiques on restituera à la Porte de France un Sacrifice d'Abraham en granit accroché au contrefort de droite (n° 145). Bien qu'il soit à peu près réduit à l'état de ruine, on devine qu'il devait, lui aussi, être fort beau. Le sculpteur a saisi le moment où Dieu intervient dans le drame. Abraham soulève Isaac par les cheveux et brandit le couteau, mais le bélier qui roule devant ses pieds interrompt brusquement le geste de mort. Une grande tension règne dans cette composition toute en hauteur.

En tenant compte de leurs dimensions on supposera que cette sculpture et les trois autres représentant David musicien, la création d'Adam et la création d'Ève, se trouvaient placées à un même niveau sur la façade de la Porte de France, probablement sous la corniche. Elles n'étaient sans doute pas très éloignées des deux autres scènes de la Genèse : les reproches de Dieu à Adam et Ève et l'Expulsion du paradis terrestre.

La présence du Dieu de majesté et du tétramorphe au-dessus de la colonne intermédiaire du portail septentrional explique celle des quatre apôtres — choisis parmi les plus importants du collège apostolique — sur les piédroits des deux baies. « À la porte de gauche, Pierre se trouve à droite et Paul à gauche ; et à la porte de droite, c'est l'apôtre Jean qui est à droite et saint Jacques à gauche », indique le *Guide*. Ainsi les fidèles étaient-ils accueillis par un raccourci d'une composition d'abside classique. Rien de surprenant en cela, puisque les linteaux des portes de Saint-Genis-des-Fontaines et de Saint-André-de-Sorède en Roussillon ne procédaient pas différemment dès les environs de 1020.

Au-dessus de la tête de chacun des apôtres des têtes de bœufs étaient sculptées en haut-relief. Il s'agissait de consoles très voisines de celles de la Porte des Orfèvres. Également à l'instar de ce qui se passait au sud, « deux lions à l'air féroce se [trouvaient] contre le mur à l'extérieur ».

Peut-on parler d'unité de pensée et de programme iconographique au sujet de la Porte de France ? Il est difficile de l'affirmer puisque l'œuvre a été détruite, qu'il ne subsiste qu'une partie de ses éléments et que les restitutions proposées sont pour une part le fruit de la réflexion critique. La part des suppositions est en définitive trop considérable.

Plus aventureux encore serait-il de parler d'unité de conception pour l'ensemble des deux portes. On sait par la description du *Guide* qu'il existait dès cette époque, c'est-à-dire pratiquement dès l'origine, des éléments clairement hétérogènes comme la Femme au crâne.

Cependant, Serafín Moralejo a raison de parler d'une sorte de complémentarité entre la Porte de France et celle des Orfèvres pour une présentation générale des principaux éléments du mystère chrétien. Sur la première la Chute était largement développée et le Salut n'était qu'évoqué. C'est l'inverse sur la seconde : il n'y a qu'un simple rappel de la Chute à travers le chapiteau de l'Expulsion du paradis, mais on a développé quelques épisodes marquants du Salut. Il y a d'abord l'Adoration des Mages qui est l'Annonce du Salut aux nations, puis la Guérison de l'aveugle : la guérison du corps étant le symbole de la libération de l'âme et la restitution de la vue préludant à l'illumination du cœur. Vient ensuite la Tentation du Christ traitée d'une manière tout à fait originale, puisqu'elle met face à face le Sauveur et l'antique Serpent. La Passion, qui achève le cycle évangélique, est une des phases du dénouement du drame. La phase ultime est signifiée par la couronne présentée par des anges aussi bien dans l'épisode de la Tentation que dans celui de la Passion. Elle est le gage de la victoire finale du Christ établi dans la gloire de la majesté divine, non d'ailleurs à *las Platerías,* mais à la Porte de France.

Ces divers épisodes du mystère du Salut ne constituent cependant pas les termes d'un véritable programme iconographique traité avec rigueur. Ce n'en sont que des éléments épars et un peu noyés dans les ensembles décoratifs. Ils évoquent plus qu'ils ne démontrent. On aurait pu parvenir au même résultat à partir de données différentes. Les artistes ayant réalisé la Porte de France et celle des Orfèvres ne sont pas ces dialecticiens qui conçurent plus tard les grands portails gothiques. Ils n'ont même pas la parfaite logique de leurs successeurs languedociens et bourguignons. Leur absence de rigueur nous déconcerte même parfois. Peut-être doit-on l'imputer à la réalisation précoce.

L'examen de l'architecture et de la sculpture établit qu'il n'y eut pas de solution de continuité entre la construction du transept et l'édification de ses portails. Ceux-ci paraissent avoir été commencés dès les environs de 1110, peut-être par la Porte de France. Quant à la Porte des Orfèvres, sans doute était-elle encore inachevée en 1117 lors de l'émeute urbaine. Certaines des anomalies du décor des tympans proviendraient d'une restauration hâtive exécutée aussitôt après l'événement.

Le sculpteur principal, ayant travaillé tant au portail du nord qu'à celui du sud, est l'artiste que nous avons désigné sous le nom de maître de *las Platerías.* Il affirme une vigoureuse personnalité formée à l'école de l'Antiquité. Des artistes de moindre envergure gravitaient dans son sillage. L'auteur du Christ bénissant et du symbole de saint Matthieu aime les volumes géométriques et bien lisses. Peu imaginatif, il trace sur les vêtements des plis artificiels et il modèle des visages dépourvus d'expression [38]. Un autre de ses collaborateurs a été baptisé par A. Kingsley Porter « maître de la Trahison » [39], parce que son œuvre la plus représentative est la scène de l'Arrestation du Christ.

L'atelier entretenait avec Toulouse d'étroites relations qui nous ont valu la belle figure de saint André sur un des piédroits de la Porte des Orfèvres. Ce courant toulousain demeura puissant jusqu'à la fin de l'œuvre des portails, puisqu'il est encore parfaitement discernable dans le saint Pierre de l'*apostolado* des mêmes *Platerías.* Il est à l'origine de la perfection formelle du portail occidental de la cathédrale.

La nef de la cathédrale et le portail occidental

LE PHÉNOMÈNE DE CRÉATION CONTINUE, qui avait caractérisé la décoration de l'ensemble du transept, prend fin dans la nef en raison d'une spécialisation qui s'opère dans le métier de sculpteur. Les créateurs d'images abandonnent définitivement l'intérieur de l'édifice pour se consacrer aux seuls portails. L'exécution des chapiteaux, à tous les niveaux, du rez-de-chaussée à la voûte en passant par les tribunes, est confiée à de simples lapicides qui se bornent à perpétuer des formes élémentaires empruntées à l'époque précédente. Ils le font d'ailleurs correctement, en maintenant jusqu'au bout une parfaite unité d'esprit et une bonne qualité moyenne, mais sans jamais innover. Par rapport aux œuvres antérieures, les variantes se limitent à la distribution différente des éléments de base sur des schémas généraux désormais immuables. À aucun moment ces variations de détail ne remédient à la stagnation dans laquelle a sombré l'atelier privé à cet endroit de ses éléments dynamiques. Le très important ensemble de chapiteaux réalisé dans la nef avant la fermeture du chantier en 1124 échappe ainsi à l'histoire de l'art parce que les conditions de leur réalisation les a mis d'emblée en marge de l'histoire.

Les vrais sculpteurs se consacrent donc aux portails. Peut-être est-ce à des entrées secondaires qu'appartenaient deux images du Christ en majesté, l'une accrochée au contrefort oriental (nº 144) des Orfèvres, l'autre conservée au musée de la cathédrale.

Au témoignage du *Guide* la réalisation la plus considérable des derniers temps de l'atelier fut le portail occidental, dont il fait une description enthousiaste.

« Le portail occidental, avec ses deux entrées, surpasse par sa beauté, sa grandeur et le travail de sa décoration les autres portails. Il est plus grand et plus beau que les autres et travaillé de façon encore plus admirable ; on y accède du dehors par beaucoup de marches ; il est flanqué de colonnes de marbres divers et décoré de figures et d'ornements variés : hommes, femmes, animaux, oiseaux, saints, anges, fleurs et ornements de tous genres. Sa décoration est si riche que nous ne pouvons la décrire en détail. Signalons cependant, en haut, la Transfiguration de Notre-Seigneur, telle qu'elle eut lieu sur le Thabor et qui est sculptée avec un art magnifique. Notre-Seigneur est là, dans une nuée éblouissante, le visage resplendissant comme le soleil, les vêtements brillants comme la neige et le Père au-dessus lui parlant ; et l'on voit Moïse et Élie qui apparurent en même temps que lui et s'entretiennent de sa destinée qui devait s'accomplir à Jérusalem. Là aussi est saint Jacques avec Pierre et Jean auxquels, avant tous autres, Notre-Seigneur manifesta sa Transfiguration ».

Nous avons déjà eu l'occasion de signaler que ce portail avait été détruit mais que trois de ses sculptures au moins avaient été remployées au portail des Orfèvres. D'abord saint Jacques (nº 45), identifié par une inscription gravée sur son énorme nimbe : IACOBVS ZEBEDEI. Sur la plaque où est sculpté ce haut-relief a été gravée cette autre inscription : HIC IN MONTE IHESVM MIRATUR GLORIFICATVM confirmant qu'il s'agit bien d'un élément de la Transfiguration décrite par le *Guide* au portail occidental. Le fils de Zébédée est encadré par deux arbres émondés dont une poussée de sève fait éclore de nombreux bourgeons. Sans doute a-t-on voulu évoquer de cette façon la vie rayonnant, au même titre que la lumière, du Christ transfiguré. Des arbres bourgeonnants existent sur une colonne de marbre de la Porte des Orfèvres et encadrent également le saint Jacques de la Porte Miègeville à Toulouse. Sur le livre que l'apôtre presse contre sa poitrine sont écrits les mots : PAX VOBIS, que Jésus lui-même avait coutume de prononcer lorsqu'il apparaissait à ses apôtres après sa résurrection. Enfin, une dernière

356, 368

PAX
VOBI

◁ 368. Saint-Jacques de Compostelle, cathédrale, Porte des Orfèvres, détail de saint Jacques (n° 45) *(Photo Arxiu Mas).*

△ 369. Saint-Jacques de Compostelle, cathédrale, Porte des Orfèvres, détail d'Abraham (n° 78) *(Photo Arxiu Mas).*

inscription ANFVS REX signifie que cette œuvre magistrale est un don royal. On a longtemps songé au roi de León-Castille Alphonse VI, mais sa disparition survenue en 1109, une date trop précoce pour l'œuvre, oblige à écarter l'hypothèse. À sa mort le pouvoir était revenu à sa fille Urraca et au second mari de celle-ci le roi d'Aragon Alphonse le Batailleur, sauf en Galice où le fils né d'un premier mariage avec Raymond de Bourgogne, et prénommé également Alphonse, fut proclamé roi et couronné dans la cathédrale de Compostelle en 1111. Il fit encore une entrée triomphale dans la ville en 1116 [40]. Six ans plus tard, en 1122, il dut néanmoins s'effacer devant sa sœur et dut attendre la mort de cette dernière, en 1126, pour se faire couronner empereur à León sous le nom d'Alphonse VII. Il résulte de ces circonstances historiques et de l'emplacement de la statue dans la partie la plus occidentale de la cathédrale, que la période la plus convenable pour son exécution est celle qui va de 1116 à 1122.

Au-dessous de saint Jacques, entre les arcs des portes, deux autres remarquables sculptures de marbre se superposent l'une à l'autre. Vient d'abord un personnage en train de se relever, les mains étendues dans un geste d'extase ou d'émerveillement (nº 78). Le sens de la scène est donné par deux inscriptions. En premier lieu un *titulus* : TRANSFIGV[RATI]O IHESV gravé juste au-dessous du personnage confirme qu'il appartient lui aussi à la Transfiguration. Surtout, un autre texte, à droite, l'identifie avec Abraham sortant du tombeau : SVRGIT HABRAHAM DE TVMVLO. On s'est étonné de sa participation à la Transfiguration puisque sa présence n'est pas mentionnée par les évangélistes. Elle se justifie, comme l'ont prouvé à la fois Antonio López Ferreiro et Émile Bertaux, par un texte de saint Jean (8, 56) : « Abraham, votre père, exulta à la pensée de voir mon Jour ; il l'a vu et il s'est réjoui ». Ce « Jour du Seigneur », ce fut la théophanie de Mambré interprétée par certains commentateurs comme l'annonce de la Transfiguration [41].

369

Le personnage plus petit placé au-dessous d'Abraham ne pose pas de problème d'identification : il s'agit de Moïse mentionné par les évangiles parmi les témoins de la Transfiguration. Il porte des cornes soigneusement modelées, symboles de la lumière qui rayonnait de son front lorsqu'il descendit du Sinaï. Il sort d'une nuée sur laquelle il appuie ses mains (nº 81). Une nuée entourait également le Seigneur, au témoignage du *Guide*.

370

En raison de leurs dimensions importantes, de leur matériau — le marbre — et aussi de leur style, on peut considérer comme ayant fait partie du décor du portail occidental plusieurs personnages — souvent très mutilés — qui ont été insérés par la suite dans la façade des Orfèvres au niveau du saint Jacques de la Transfiguration, au milieu de l'*apostolado*. Il y a notamment un ange debout sur un lion, aujourd'hui presque entièrement ruiné (nº 41) et deux apôtres. Celui qui se trouve placé à gauche de saint Jacques, et qui est jeune et vêtu comme lui, même s'il n'en a pas l'élégance, doit être saint Jean (nº 43). Lui aussi avait assisté à la Transfiguration. Au-dessus du portail de droite se trouve saint André (nº 55). Il a été sculpté à droite d'un panneau de rinceaux décoratifs. Son nom S. ANDREAS est gravé sur son nimbe. Il porte une tunique serrée à la taille et il est coiffé d'un bonnet pointu à côtes.

356

À l'exception de la Transfiguration, le *Guide* ne procure aucun renseignement précis sur l'iconographie du portail occidental. Au lieu de décrire, il se livre à des commentaires hyperboliques. Les choses sont si obscures que certains archéologues ont avancé l'idée que ce développement était sorti tout droit de l'imagination d'Aimeri Picaud. Il n'aurait pas décrit une réalité mais parlé d'un projet jamais réalisé. Nous ne partageons pas cette position extrême, tout en admettant volontiers que la fermeture du chantier avait pu laisser l'œuvre inachevée, c'est-à-dire imposer une situation comparable à celle que nous analyserons à Saint-Sernin de Toulouse à peu près à la même époque.

Le parallélisme entre les deux chantiers ne s'arrête pas là, puisqu'il concerne aussi le domaine du style. Les figures du portail occidental sont, de toutes celles de Compostelle, les plus proches de Toulouse par la technique artistique : traitement par larges à-plats, par courbures insensibles sur lesquelles la lumière glisse doucement, recours aux plis pincés, souvent doubles. Dans les deux cas on apprécie les arabesques savantes des manches évasées et l'élégance des bordures des vêtements. Cette manière s'oppose à celle du maître de *las Platerías* qui se satisfait d'un modelé arrondi dans lequel les plis s'enfoncent profondément pour appuyer les contrastes des ombres et de la lumière. L'opposition se poursuit dans le façonnement des visages, solidement charpentés dans un cas, tout en rondeurs dans l'autre. Cinquante ans de labeur auraient pu se clore par un chef-d'œuvre parfait si un nouveau contexte politique, religieux et économique n'en avait brusquement arrêté la réalisation.

370. Saint-Jacques de Compostelle, cathédrale, Porte des Orfèvres, Moïse (n° 81).

2. L'église Saint-Isidore de León

NOUS AVONS VU PRÉCÉDEMMENT qu'à León l'église élevée vers 1063 en l'honneur de saint Isidore par le roi de Castille Ferdinand Ier et son épouse Sancha avait été agrandie dans le dernier quart du XIe siècle par l'adjonction du Panthéon des Rois. Par la suite, elle fut elle-même reconstruite dans des conditions qui ont été résumées par Georges Gaillard [42].

On avait conçu une nef charpentée à trois vaisseaux dont les supports offraient une alternance de piles simples et de piles composées, un parti assez commun à partir de la seconde moitié du XIe siècle. La construction commença par le chevet, qui comportait trois absides alignées sur les vaisseaux. Dans un premier temps, on se serait arrêté à l'église de Ferdinand et de Sancha provisoirement conservée pour l'exercice du culte.

Dans un second temps, on aurait remanié la partie déjà construite pour la doter d'un transept saillant. Il existe plusieurs indices de ce changement de parti : ainsi a-t-on trouvé en fouillant le transept au début de ce siècle — au cours de la grande campagne de restauration menée par les architectes Lazaro et Torbado entre 1905 et 1920 — les fondations d'une pile à l'alignement de celles de la nef.

L'incorporation d'un transept conduisit à d'autres remaniements des structures antérieures. On refit les absidioles latérales en les agrandissant (plus tard encore, à partir de 1513, l'abside centrale fit place à la grande chapelle actuelle) et on entreprit de voûter l'ensemble de la nef, vaisseau central et collatéraux. Pour ce faire, on renforça la pile faible qui se trouve entre les deux piliers orientaux en lui ajoutant une colonne engagée destinée à supporter le doubleau du collatéral. Du côté du mur ce doubleau retombe sur une colonne également rajoutée, qui coupe par le milieu, de la manière la plus illogique, la fenêtre qui existait à cet endroit. Quant au doubleau de la nef, il n'est supporté que par une console située au niveau de l'imposte.

371

372

Dans un troisième temps on démolit l'ancienne église de Ferdinand et de Sancha et on entreprit de construire à son emplacement les travées occidentales du nouvel édifice. Comme elles devaient être voûtées, leurs piles reçurent des colonnes engagées sur toutes leurs faces. Les deux travées les plus occidentales, les dernières construites, sont en outre renforcées extérieurement par de gros contreforts et percées de fenêtres plus étroites [43].

Le monument fit l'objet d'une consécration très solennelle le 6 mars 1149 de la part de l'archevêque de Tolède et des évêques de León et d'Oviedo, assistés par l'archevêque de Compostelle, par quatre autres évêques et huit abbés bénédictins, en présence de la famille royale. L'architecte Petrus Deustamben, qui aurait terminé l'église *(qui*

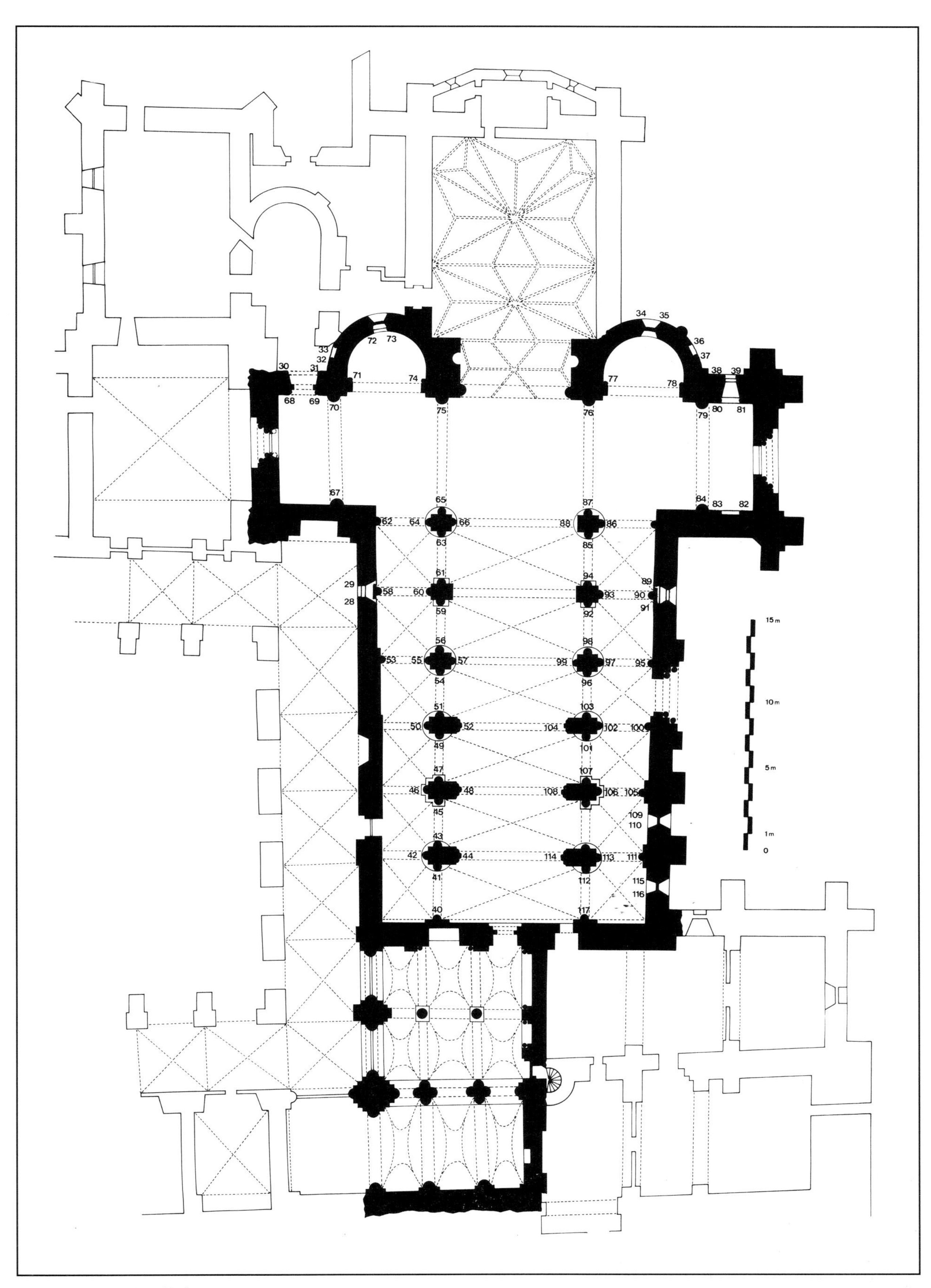

371. León,
Saint-Isidore,
plan.
D'après Zodiaque.

372. León,
Saint-Isidore,
collatéral nord de la nef.

superædificavit ecclesiam hanc) reçut en témoignage de gratitude de l'empereur Alphonse VII et de sa sœur l'infante Sancha, grande bienfaitrice de Saint-Isidore, l'insigne honneur d'y être enterré.

On aurait normalement pu penser que les diverses étapes de l'histoire architecturale ainsi distinguées par Georges Gaillard allaient lui servir de cadre pour l'étude de la décoration sculptée. Il n'en a rien été et l'auteur en a donné ses raisons. Bien que la construction de la nouvelle église de Saint-Isidore ait duré très longtemps — commencée dès le XIe siècle elle n'aurait été achevée que vers le milieu du siècle suivant — il existe, dit-il, une grande unité dans sa décoration. Mieux encore, certaines de ces permanences lui viennent du Panthéon des Rois lui-même. Ainsi l'œuvre des sculpteurs de León pendant trois quarts de siècle aurait évolué sur place. Sans doute elle s'est enrichie d'apports extérieurs, mais elle les a assimilés au point qu'il est impossible de distinguer dans les formes celles qui sont indigènes de celles qui ne le sont pas. Dès lors on se trouve dans l'incapacité de préciser avec exactitude la date des sculptures de l'église. Plutôt que de s'efforcer de suivre un ordre chronologique qui lui semble problématique et douteux, Georges Gaillard distingue l'œuvre de trois ateliers qui lui « semblent avoir travaillé à peu près en même temps, l'un à la décoration de l'abside [il entend en fait le chevet, puisque l'abside centrale a été remplacée au début du XVIe siècle, comme nous l'avons dit, par la construction gothique actuelle], l'autre à la décoration de la nef, le troisième à la décoration des portails ». Cependant cette séparation n'a rien de tranché, ces ateliers, du fait même qu'ils ont travaillé en même temps ayant « sans cesse échangé entre eux les motifs ornementaux de leur répertoire et les procédés de leurs techniques, ainsi que la forme même, subtile et insaisissable de leur style ».

Nous conserverons grosso modo la division en trois éléments : chevet, nef et portails méridionaux, mais dans des perspectives différentes. Nous n'avons perçu entre le Panthéon des Rois et l'actuelle église de Saint-Isidore aucun phénomène de continuité, mais bien au contraire une nette rupture, marquée dès le chevet par l'introduction d'apports étrangers. Ce sont eux qui contribuèrent à la naissance d'un style proprement léonais, le rôle du Panthéon des Rois étant demeuré tout à fait marginal.

Par ailleurs, nous nous efforcerons, dans toute la mesure du possible, d'apporter quelques précisions au sujet de la chronologie, tant relative qu'absolue, en fonction de l'évolution du style.

Le chevet

IL A ÉTÉ CRUELLEMENT MUTILÉ : l'abside centrale romane a disparu à l'exception de sa partie droite creusée de deux niches et les deux absidioles latérales ne sont conservées qu'en partie. C'est dans celle du sud, la seule qui soit dégagée — celle du nord ayant été englobée dans les bâtiments de la sacristie —, que se trouvent sans doute les incunables de la sculpture de l'église. Il s'agit de trois chapiteaux d'allure archaïque dans ce milieu.

373

373. León,
Saint-Isidore,
absidiole méridionale.

À la fenêtre axiale, et à l'extérieur, le chapiteau de droite est couvert d'un rinceau de palmettes qui sort de la bouche d'une tête d'angle (n° 34). Ce schéma avait été apprécié par l'atelier du Panthéon des Rois qui l'avait utilisé à quatre reprises, mais dans un style bien différent, avec une vigueur confinant parfois à la dureté, alors qu'ici tout est délicatesse. Le rinceau est finement sculpté en réserve, comme le sont par exemple les entrelacs d'un chapiteau du portail de l'église de Loarre. Les accents ne sont apportés que par la tête d'angle très stylisée (toujours comme à Loarre) et par les volutes qui s'enroulent à la manière d'une coquille d'escargot. Ce détail reviendra fréquemment à León et il réapparaît déjà sur le chapiteau voisin où deux quadrupèdes, dont un cerf aux bois minutieusement dessinés (n° 35), s'inclinent l'un vers l'autre avec une grâce et une souplesse évoquant irrésistiblement les animaux des métopes de l'absidiole méridionale de la cathédrale de Jaca. Comme eux, ils sont exécutés en très faible relief.

374

375

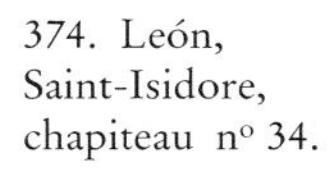

374. León,
Saint-Isidore,
chapiteau n° 34.

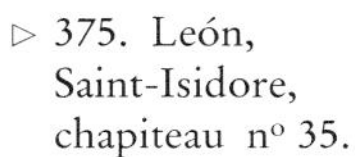

▷ 375. León,
Saint-Isidore,
chapiteau n° 35.

Le troisième chapiteau, celui de droite de la fenêtre méridionale bouchée, confirme que ce groupe a développé ses expériences tout à fait indépendamment de celles effectuées dans le Panthéon des Rois. Ce dont Georges Gaillard a dû lui-même convenir. « Deux petits bonshommes [nus], à peu près symétriques, qui n'ont qu'un corps ridiculement atrophié, s'embrouillent dans des rinceaux » (n° 36). Leur visage et leur coiffure ramènent encore, sinon à Jaca, du moins à un édifice tout proche, qui en dépend stylistiquement : Santa María de Iguácel.

376

Le chapiteau de gauche de cette fenêtre méridionale est très médiocre, bien que son relief soit plus marqué. Des animaux étranges et grimaçants (Gaillard, pl. XVI, 3) sont présentés de face et sans ordre sur un fond de feuillage. Ici encore on songe aux magots d'Iguácel.

Quant au grand chapiteau qui couronne le contrefort-colonne (Gaillard, pl. XIX, 22), il n'a été inséré dans la maçonnerie de l'abside qu'un peu plus tard, au moment où l'on exécuta la corniche. Sous le grand dé central et sous les volutes d'angle trois femmes sont assises les jambes écartées. Des serpents s'enlacent autour de leurs jambes et remontent sur leur poitrine. Elles tentent vainement de s'en libérer.

376. León,
Saint-Isidore,
chapiteau n° 36.

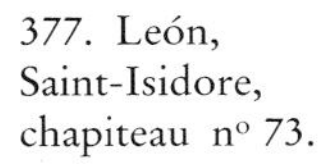
377. León, Saint-Isidore, chapiteau n° 73.

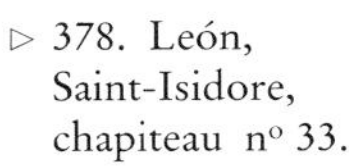
▷ 378. León, Saint-Isidore, chapiteau n° 33.

Allaient-ils plus haut que leurs seins, vers leur bouche, vers leurs oreilles ? Impossible de le dire, la partie supérieure des corps ayant été brisée. D'ordinaire en Occident la femme en proie aux serpents est isolée. Ici, il y en a trois. On peut imaginer que, comme dans des représentations orientales — à Yilanli Kilise (l'église aux serpents) en Cappadoce, par exemple — chacune d'elles correspond à un péché défini, en rapport avec un organe des sens. Un chapiteau tout à fait proche par le thème — des serpents s'enroulent autour de deux corps humains (Gaillard, pl. XVI, 5) — que par le style, ferme et épais, participe au décor de la fenêtre du bas-côté sud voisine du transept.

Dans l'absidiole nord les personnages entrant dans les compositions des chapiteaux des fenêtres ont été exécutés avec plus d'habileté qu'au sud. Encore convient-il d'établir une distinction entre les figures de l'intérieur, douces et paisibles, et celles de l'extérieur, plus brutales. Dans le registre de la douceur prend place un personnage tenant une vièle à l'intérieur de la fenêtre centrale (n° 72) où il voisine avec des têtes de moutons bien lisses (n° 73). [377] À l'extérieur, les deux chapiteaux d'une arcade aveugle développent une idée eschatologique. À droite, saint Michel préside au Pèsement des âmes entre un personnage agenouillé et un horrible démon à la tête gigantesque et grotesque à la fois (n° 33). [378] Ces êtres contorsionnés ont un modelé lourd et cassant aux arêtes vives. Une étrange figure est accroupie sur le chapiteau de gauche. Au premier abord on croirait voir un homme nu au visage fermé dont le sexe devait être très proéminent, mais qui a été brisé. Une meilleure observation montre qu'il possède des ailes et que ses mains ont été remplacées par des serres d'oiseaux qui agrippent l'astragale de la même manière que les oiseaux au long cou qui l'accompagnent. Il s'agit donc d'un être infernal observant le Pèsement des âmes (n° 32). [379] Des figures semblables réapparaîtront plusieurs fois par la suite (Gaillard, pl. XVIII, 13, 14, 15, 16) et notamment sur le portail de l'Agneau. [404, 405] Les motifs purement décoratifs des chapiteaux et des tailloirs sont aussi orientés dans le sens du développement du volume. Les entrelacs du chapiteau n° 30 sont épais et saillants. Ils représentent une étape dans l'évolution du motif qui, dans ses derniers exemplaires léonais, se détachera entièrement du fond, à telle enseigne qu'au portail du Pardon les entrelacs ont pu être

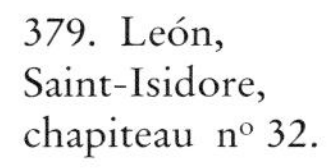
379. León, Saint-Isidore, chapiteau n° 32.

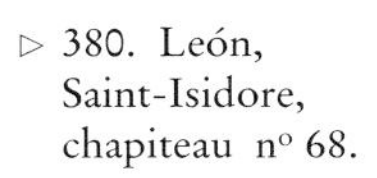
▷ 380. León, Saint-Isidore, chapiteau n° 68.

complètement brisés sans que la corbeille aux feuilles lisses au-dessus de laquelle ils avaient été lancés en ait pâti. On observe le même progrès du volume sur les tailloirs où des fleurs bien détachées accompagnent des entrelacs (n° 35).

L'étude de la sculpture confirme que le transept appartient à la même campagne de construction que les absidioles actuelles du chevet. Certes, il a perdu la quasi totalité de ses chapiteaux lors du terrible incendie qui l'a ravagé en 1811 avec d'autres parties de l'église. On les a remplacés par des œuvres modernes toutes semblables et dépourvues du moindre intérêt. Mais une fenêtre du croisillon nord a conservé plusieurs vestiges anciens dont deux têtes de bovidés doux et paisibles comme les moutons de la fenêtre axiale de l'absidiole voisine (n° 68). 380

Le chef-d'œuvre du transept à cette époque (sa voûte, comme nous le verrons, étant un peu plus tardive) est sans conteste son portail septentrional dont le décor est exceptionnellement bien conservé, car il avait été muré dès le XVe siècle et on ne l'a dégagé qu'au début de ce siècle. Son tympan étant demeuré nu, les sculpteurs accordèrent tous leurs soins aux quatre chapiteaux sur lesquels retombent les voussures moulurées de l'archivolte, encadrées par deux cordons de billettes.

Une corbeille d'entrelacs à gauche de la porte est presque identique à celle dont nous avons signalé l'existence dans le bras nord du transept (n° 30). Sur le chapiteau voisin deux moutons bien que prisonniers d'entrelacs paraissent en train de brouter. À droite, ce sont deux oiseaux que les entrelacs emprisonnent. À côté se trouve le seul chapiteau historié du portail. Il est admirable. 381, 382

Sur sa face gauche deux serpents surgissent d'une gueule monstrueuse, profonde comme un gouffre et entièrement bordée de dents. L'un d'eux est saisi à pleines mains par un jeune homme résolu, au beau visage marqué de la gravité antique, seulement vêtu d'un manteau jeté sur ses épaules. Le serpent qu'il détourne de lui mord à la cuisse un animal rugissant à crinière de lion, derrière lequel se dissimule craintif un éphèbe entièrement nu. Ce dernier partage la face droite du chapiteau avec un troisième personnage à peine vêtu et qui, lui aussi, brandit un serpent. Le fait que les trois personnages soient prosternés signifie peut-être qu'ils se protègent du mal en invoquant Dieu. Ainsi s'expliquerait

381-382. León,
Saint-Isidore,
chapiteau de la porte nord du transept.

que les puissances infernales retournent contre elles-mêmes leur fureur : un des serpents mord en effet l'un des lions.

En dépit de l'entassement des figures la composition de ce chapiteau demeure extrêmement claire ; en outre, le modelé est d'une qualité exceptionnelle. C'est le soin apporté à rendre ce dernier, autant que la présence d'un volumineux piton d'angle, qui autorise à reconnaître l'intervention d'un sculpteur venu de Jaca. Il eut certainement à sa disposition une source antique qu'il interpréta avec une habileté égale à celle que déploya le maître de Jaca lui-même — ou encore celui de Frómista — dans des circonstances analogues.

L'étude du décor du chevet permet de tirer un certain nombre de conclusions importantes.

On observe d'abord, à la différence de ce que pensait Georges Gaillard, une rupture complète avec la tradition du Panthéon des Rois. Le renouvellement semble être venu de Jaca et on peut suivre au cours des travaux un progrès dans le sens du relief et du modelé tout à fait parallèle à ce qui se produit vers la même époque, c'est-à-dire dans la première décennie du XIIe siècle, sur le chantier de la cathédrale aragonaise. Ce progrès est passé par l'étude du nu à partir de modèles antiques ou antiquisants.

Dès cette époque sont mis en place certains éléments stylistiques et iconographiques — je pense notamment aux figures sataniques griffues — qui s'épanouiront sur le portail de l'Agneau.

Les premières sculptures de la nef

COMME LA PETITE ÉGLISE de style asturien de Ferdinand et de Sancha demeura longtemps en service, la nef de la grande église charpentée destinée à la remplacer ne comporta que deux travées construites en avant d'elle vers l'orient. De cet édifice intermédiaire, de la fin du XIe siècle, la vie fut extrêmement brève. Sans doute même ne fut-il jamais achevé. Il en reste quelques éléments de piles, les murs extérieurs des collatéraux situés au droit des deux travées orientales de la nef actuelle et quelques chapiteaux remployés dans le monument actuel. Ils furent apparemment les seuls à prolonger stylistiquement le Panthéon des Rois.

383, 384 La filiation est parfaite pour les n°s 60 et 65, sortes de répliques des corbeilles couronnant les supports cylindriques du monument funéraire royal. Deux couronnes d'acanthes ont leurs lobes symétriques plaqués contre la corbeille, cependant que des boules sont accrochées à leurs 384 extrémités. Sur l'un de ces chapiteaux on voit déjà, cependant, apparaître à la base une rangée de palmettes souples, d'un modèle largement représenté à Saint-Sernin de Toulouse. Ainsi s'ébauche un phénomène 385 de décomposition de l'acanthe en palmettes, qui s'accélère en 61.

383. León, Saint-Isidore, chapiteau n° 60.

384. León, Saint-Isidore, chapiteau n° 65.

385. León, Saint-Isidore, chapiteau n° 61.

Le chapiteau de la colonne dressée au milieu de la fenêtre du 386 collatéral nord (n° 58) reprend en l'enrichissant le décor du chapiteau à 157 entrelacs de la chapelle des Rois. De volumineuses gueules de monstres sculptées aux angles semblent vomir trois petits bonshommes qui apparaissent à mi-corps, la tête en bas, les bras étendus, s'accrochant aux bras de leurs voisins ou aux branches de l'entrelacs. Techniquement l'œuvre est traitée en creux comme le rinceau de demi-palmettes de son 152 tailloir qui possède aussi un homologue dans le Panthéon des Rois.

386. León, Saint-Isidore, chapiteau n° 58.

L'abandon de la nef charpentée au bénéfice d'une nef voûtée s'est exprimé par une véritable révolution stylistique : León s'ouvre alors aux influences de Compostelle. La collégiale léonaise adopte le motif de la feuille fendue pour en faire l'objet de spéculations en tous points comparables au processus que nous avons analysé dans les parties basses du transept de la cathédrale de l'apôtre. Le parallélisme est si poussé qu'il faut admettre qu'un faible laps de temps sépare les deux séries. De même qu'à Compostelle, l'évolution est logique et non chronologique. Ici aussi des formes apparemment plus évoluées que d'autres peuvent leur être, en fait, légèrement antérieures.

387. León, Saint-Isidore, chapiteau n° 96.

388. León, Saint-Isidore, chapiteau n° 55.

389. León, Saint-Isidore, chapiteau n° 98.

Chaque grande feuille est fendue verticalement suivant la nervure centrale. Une rainure bien marquée apparaît (nos 96 et 97). Elle va s'élargissant, les deux moitiés de la feuille continuant à s'écarter. Entre les lèvres de la déchirure surgit une nouvelle feuille, aux bords découpés d'autant de lobes que la feuille principale. D'abord très étroite, cette nouvelle feuille grandit (nos 54, 55, 67 et 100). Le processus se poursuivant, les deux moitiés de la grande feuille se séparent de plus en plus et chacune d'entre elles finit par se garnir à l'intérieur de lobes symétriques à ceux de son bord extérieur (nos 88 et 98). Chaque demi-feuille devient une feuille complète toujours rattachée par la pointe à sa voisine. On arrive ainsi à une variété originale de chapiteaux à crochets souvent enrichie de boules aux pointes. Néanmoins on négligea les effets illusionnistes auxquels la même évolution a abouti à Compostelle.

387

388

389

Il convient d'observer qu'un des chapiteaux de la série, le n° 67, se trouve au niveau des voûtes du transept, ce qui permet de penser — et le fait sera confirmé par la suite — que celles-ci furent lancées en même temps que celles des travées orientales de la nouvelle nef.

On distingue ensuite un troisième groupe de chapiteaux défini autant par l'iconographie que par le style. Il comporte des corbeilles figurées et même historiées proposant un récit ou délivrant un message.

L'une des plus anciennes, à l'extérieur de la fenêtre du collatéral nord, représente le sacrifice d'Abraham. Ce n'est pas la moins curieuse. Au lieu d'être attaché au buisson par ses cornes, le bélier destiné à prendre la place d'Isaac dans le sacrifice d'holocauste est apporté par l'ange du Seigneur. Il s'agit d'une ancienne tradition iconographique commune à plusieurs régions [44]. Elle laisse généralement place au début du XIIe siècle à une représentation conforme aux indications du texte biblique, mais elle fut utilisée une seconde fois à León sur le tympan du portail de l'Agneau. La convergence entre ces deux représentations ne se limite d'ailleurs pas à cette particularité iconographique. Elle concerne aussi des détails stylistiques allant de la forme des plis des vêtements (le mouvement du manteau sur le bras d'Abraham, la retombée des tuniques) au parfait arrondi de la tête de l'ange. On ne saurait accorder trop d'importance à ce chapiteau, car il a valeur de document. Il localise dans l'édifice une des toutes premières manifestations d'un style figuratif vraiment léonais.

390. León, Saint-Isidore, chapiteau n° 64.

Le style suggère un rapprochement avec un chapiteau d'ailleurs très proche aussi topographiquement, le n° 64, figurant des acrobates. « Deux jongleurs nus, à genoux dos à dos, renversent leur corps en arrière, si bien que leur tête touche presque leurs talons, leurs mains saisissant leurs jambes à la cheville ». Un troisième jongleur également nu prépare une cabriole en appuyant ses mains et ses pieds sur les poitrines des précédents. Sur les faces latérales, « deux joueurs de vièle accompagnent le travail des acrobates : l'un joue, l'autre accorde son instrument » [45].

390

Le goût prononcé pour le nu et pour la plénitude des formes signifie que le ferment stylistique issu de Jaca, qui se montra si actif au chevet, continue à jouer. Si l'on avait le moindre doute à ce sujet, il serait levé par un détail significatif : le piton conique strié, très proéminent, qui pointe aux angles au milieu d'une grande palmette accrochée aux volutes.

Les influences de Jaca demeurent donc opérantes dans la nef de Saint-Isidore. Elles participent à la naissance du style proprement léonais concurremment avec un autre courant antiquisant, celui qui rayonne à la même époque du chantier de Saint-Jacques de Compostelle.

Parmi les autres chapiteaux de la série figurée et historiée Georges Gaillard a cru reconnaître la victoire de Samson sur le lion au dernier pilier du côté nord, à l'entrée du transept, à la retombée de l'arcade qui sépare la nef du collatéral (n° 63). Il a célébré ce chapiteau comme l'un des plus extraordinaires de toute la sculpture romane espagnole en raison de « ses formes farouches et de leur agencement libéré de toute loi ».

391

391. León,
Saint-Isidore,
chapiteau n° 63.

Le thème de la lutte de Samson contre le lion est très répandu à l'époque romane dans tous les pays et il a été traité en utilisant toutes les techniques. Cependant sur ce chapiteau de Saint-Isidore le Samson présumé est représenté trois fois et dans trois attitudes différentes. Au centre, il est en train de briser la gueule de l'animal en en saisissant de la main droite les naseaux et de la gauche la mâchoire inférieure. À droite, il écarte seulement les lèvres du lion en découvrant ses dents énormes. Enfin, à gauche, il n'a passé que sa main droite dans la gueule de l'animal. Il se sert de la gauche pour jouer du cor. La multiplication du motif oblige, me semble-t-il, à lui donner un autre sens, moins précis. Il ne s'agirait pas d'une illustration du récit biblique mais d'une représentation de portée plus générale : un combat, peut-être symbolique, contre la bête féroce. Cette interprétation s'accorderait avec la figuration d'acrobates que l'on trouve précisément sur un chapiteau voisin.

On est frappé par l'aspect terrifiant des lions et aussi par l'allure non moins effrayante des prétendus Samsons. L'absence de front donne à leur visage un aspect bestial ; « leurs cheveux naissent à la racine du nez et tombent de chaque côté en longues mèches simplement striées, ou bien traitées comme les crinières des lions en longues torsades [...]. Les yeux à fleur de tête, ronds, énormes, sont bordés d'un pli pincé.

Les traits du visage sont à peine marqués par un modelé presque lisse sur un gros relief arrondi ; les joues sont pleines, le cou énorme [...]. Le Samson du centre est vêtu d'une robe et d'un manteau que le vent chasse violemment en arrière, en même temps que sa longue chevelure qui borde exactement la branche de la volute. L'étoffe est une lourde étoffe de laine, dont les plis repassés se superposent les uns aux autres, légèrement bombés quand ils sont courbes et parfois bordés d'un filet. Le sonneur de cor est vêtu plus simplement. Mais le troisième personnage est nu : son thorax est indiqué en relief et chaque côte est marquée par un trait ; son bras et sa jambe sont traités en ronde-bosse avec un modelé lisse et entièrement détachés du fond ». Georges Gaillard, à qui nous empruntons cette description [46], estime à juste titre que le caractère violent de l'expression, l'étrangeté terrifiante des formes « paraissent l'exagération des qualités extrêmement originales d'un grand artiste ». Sa personnalité profonde s'exprime moins dans l'étrangeté du décor de surface que dans la manière de maîtriser à la fois le relief, le modelé et le mouvement. Tels sont les caractères distinctifs des meilleures sculptures de la nef et des deux portails méridionaux.

Sans avoir la force ou la grâce des œuvres antérieures, trois autres chapiteaux constituent avec elles un cycle cohérent d'images dont la signification religieuse se fait plus précise.

Au niveau des grandes arcades, sur l'avant-dernier pilier méridional (en 92, Gaillard, pl. XXVIII, 32), un Christ en majesté apparaît entre deux anges porteurs de banderoles sur lesquelles on peut lire le texte de cette invocation : BENEDICAT NOS DOMINE DE SEDE MAIESTATIS. Les visages arrondis ont une impassibilité correspondant à l'esprit hiératique du sujet. Le modelé des figures est plus dur que précédemment en raison de la multiplication des plis de détail sur les vêtements et aussi de l'existence de nombreuses plumes sur les ailes des anges.

La prière doit être adressée au Christ en gloire par une petite âme nue dodue et potelée, qui joint les mains et dont la tête est environnée d'une couronne de très longues mèches comme il arrive à certaines figures de Compostelle (n° 66, Gaillard, pl. XXVIII, 33). La bénédiction implorée serait une protection contre les puissances du mal et de la mort représentées par deux lions aux gueules monstrueuses. Ceux-ci, qui encadrent l'âme sauvée, l'épargnent en effet : ils détournent la tête et soulèvent même une de leurs pattes en signe de soumission.

Le lion est encore la vedette du chapiteau n° 90. Deux personnages serrent par le cou deux de ces animaux et saisissent l'une de leurs pattes, 392

392. León, Saint-Isidore, chapiteau n° 90.

sans doute pour les amadouer, mais pendant ce temps la gueule d'un troisième lion — occupant l'emplacement du dé central de la face principale — dévore à belles dents l'extrémité de leurs jambes. Aux angles de la corbeille deux femmes éplorées assistent en spectatrices impuissantes à cette tragédie. Sur le plan de la technique artistique on ne saurait assez célébrer la hardiesse dont le sculpteur a fait preuve dans cette composition en profondeur, dont les différents plans se superposent.

393 Il se trouve que des répliques fidèles des deux lions encadrant l'âme nue ont été réalisées pour le chapiteau n° 75 du transept. Ceci confirme que les voûtes du transept et de la partie orientale de la nef ont bien été lancées exactement à la même époque. L'auteur des chapiteaux s'est borné à varier l'accompagnement des lions dans sa seconde version. Un autre animal a été substitué à la petite âme. Les deux tailloirs ne se distinguent également l'un de l'autre que par de simples détails.

393. León, Saint-Isidore, chapiteau n° 75.

▷ 394. León, Saint-Isidore, chapiteau n° 56.

Un dernier motif est à signaler dans la partie orientale de la nef : un décor d'entrelacs à trois brins et fortement saillants, qui emprisonnent des oiseaux en 93 (Gaillard, pl. XXIII, 19), en 102 (Gaillard, pl. XXIII, 394 20), en 106 (Gaillard, pl. XXIV, 21) et en 56 où ils enchaînent dans leurs enlacements deux figures nues dont un enfant. Les tiges dessinent des arabesques un peu raides mais qui enserrent étroitement les corps. La figure de l'enfant, estime Georges Gaillard, « semble venir de la cathédrale de Jaca où on la voit, non pas dansante comme ici, mais immobile, monumentale ». Le rapprochement, qui est justifié, doit même être élargi à l'ensemble du groupe de chapiteaux à entrelacs. À l'évidence, il dérive du portail nord du transept dont la dépendance à l'égard de Jaca a déjà été signalée. Mais on n'oubliera pas que le thème du ligotage de personnages et d'animaux se développe dans des conditions tout à fait parallèles à Saint-Jacques de Compostelle et à Saint-Sernin de Toulouse vers la même époque.

Les travées occidentales de la nef

DEUX DES CHAPITEAUX à entrelacs signalés, les n°s 102 et 106, se trouvent déjà dans les travées occidentales de la nef. C'est dire que le passage stylistique s'effectua progressivement entre les deux sections de l'édifice successivement construites. Simplement observe-t-on un certain relâchement dans le dessin, aussi bien en ce qui concerne les animaux que les rinceaux.

À cette nouvelle étape de son développement le chantier se borne en effet généralement à exploiter les motifs antérieurs — feuilles lisses à boules, feuilles fendues, entrelacs — en les traitant d'une manière sèche et raide dénonçant une copie effectuée par des mains moins expertes. Le groupe des oiseaux affrontés du n° 53 (Gaillard, pl. XXIV, 25), avec la dureté d'un modelé aux arêtes vives, presque métallique, ponctue ce déclin qui se révèlera plus prononcé encore en 111 (Gaillard, pl. XXIV, 26) lorsque le motif sera repris pour la dernière fois. Il arrive aussi que l'on pèche par le défaut contraire, c'est-à-dire que l'on multiplie les boursouflures. Un exemple est donné en 48 (Gaillard, pl. XXVIII, 35), avec la reprise du motif des lions dévorant des proies humaines. Deux de ces monstres, pourvus d'ailes, engloutissent dans leurs gueules énormes les jambes de personnages dont le reste du corps pend lamentablement vers le bas. Un masque horrible grimace à l'emplacement du dé central. Le modelé est à la fois sec et surchargé de détails compliqués, fortement accentués.

Il existe néanmoins encore quelques belles pièces. Au niveau des grandes arcades sur les piles du nord, les chapiteaux à feuilles fendues n°s 45, 46 et 50 sont certainement de la même main que le n° 55 voisin, dont ils conservent le tracé précis et les proportions élégantes. 388

L'examen des chapiteaux historiés confirme le caractère composite du chantier d'où ne sont pas partis les maîtres créateurs, même s'ils s'en remettent fréquemment à des imitateurs médiocres.

395 Le thème de l'âme sauvée est repris en 52. La figurine nue apparaît ici dans une mandorle bordée de perles. Elle bat sa poitrine de sa main gauche. Son bras droit démesurément allongé est saisi par la main du Seigneur : une main colossale sortie des nuées. Deux anges en fort relief, mais dont le corps est maladroitement articulé, empoignent le bord de la mandorle. Les défauts de proportions, la maladresse des attitudes ne sont que partiellement compensés par la richesse du décor. Les vêtements

395. León, Saint-Isidore, chapiteau n° 52.

des anges aux grandes manches évasées et aux plis nombreux sont bordés de lourds galons.

396 Au contraire, la composition n° 101 où interviennent à nouveau des femmes aux serpents est une parfaite réussite. Placées aux angles de la face principale du chapiteau elles saisissent à pleines mains les reptiles qui leur enlacent les jambes. Des démons debout sur chacune des faces latérales ricanent. Pour parvenir à cette composition d'une extrême rigueur et d'une grande fermeté le sculpteur est passé par un épannelage corinthien dont il subsiste une feuille lisse au niveau inférieur. Au-dessus d'elle, entre les volutes, l'artiste a installé un petit arbalétrier. Ce motif existe à Saint-Sernin de Toulouse et à Saint-Jacques de Compostelle à la même époque, mais en dehors de tout contexte. Ici, il affiche sa signification satanique comme dans le cloître de Moissac. Le projectile qu'il décoche est un trait du Malin.

397 Sur le même pilier, à l'opposé du chapiteau précédent (n° 103), se trouve une scène de lutte qu'on peut attribuer au même artiste, encore que la réussite en soit moins heureuse, l'impression donnée par les mains qui saisissent les bras, et par les jambes qui s'entrelacent, étant davantage celle de la danse que de la lutte. Le sens du combat devrait être livré par les faces latérales. À gauche, un roi assis s'entretient avec un personnage qui tenait une massue dans sa main gauche. À droite sont deux autres personnages dont l'un appuie une épée sur son épaule, tout

396. León, Saint-Isidore, chapiteau n° 101.

397. León,
Saint-Isidore,
chapiteau n° 103.

prêt à s'en servir. Le combat à mains nues devait-il s'accompagner d'un combat de piétons armés ?

Les deux derniers chapiteaux étudiés relèvent du style léonais le plus pur. Les personnages sont traités comme de véritables statuettes aux volumes saillants mais adoucis. Les visages ont pour traits caractéristiques des joues pleines et un petit nez pointu. Ils sont encadrés par une chevelure abondante accrochée très bas sur le front. Il s'agit d'un stade avancé du style auquel appartient dans son ensemble le portail de l'Agneau tout proche.

Avant de passer à l'étude de ce dernier, il convient d'insister sur la médiocrité des chapiteaux de la travée de nef la plus occidentale, la dernière construite et ornée. On peut parler ici d'un véritable naufrage artistique, d'un phénomène de décadence provenant de l'incompétence des exécutants. Partout éclate leur maladresse, aussi bien lorsqu'ils continuent à reproduire des formes épuisées par une longue répétition que lorsqu'ils ambitionnent d'innover. La vanité d'une telle ambition apparaît avec une scène énigmatique sculptée dans le cadre de deux couronnes de feuilles lisses alourdies par des boules accrochées à leurs extrémités (n° 114). Des personnages debout, peut-être des clercs, lèvent ou abaissent leurs bras. Très curieusement figure parmi ces ultimes productions de la nef, si mal venues, la réplique exacte d'une de ses premières créations : un chapiteau corinthien imité de ceux du Panthéon des Rois, où les acanthes ont été transformées en palmettes. Il termine en 117, contre le mur occidental (Gaillard, pl. XXI, 5) la rangée des piliers méridionaux. La manière la plus simple d'expliquer sa présence est de supposer le remploi d'une sculpture de l'église charpentée.

Le portail de l'Agneau

398 IL OUVRE sur la quatrième travée du collatéral sud de la nef et possède un tympan constitué, comme ceux de la Porte des Orfèvres, par un
399 assemblage de plaques sculptées. Leur découpe est aussi fantaisiste qu'à Compostelle mais l'assemblage en est beaucoup plus précis parce que rien n'est venu le perturber ultérieurement par l'introduction d'éléments étrangers. En somme, le tympan du portail de l'Agneau de León se présente sous l'aspect qui devait être celui des tympans du transept de la cathédrale de Compostelle vers 1110. Il existe entre les plaques du tympan et l'arc qui encadre celui-ci un intervalle accréditant l'idée que les sculpteurs avaient exécuté leur tympan à l'avance et que la mise en place ne s'effectua que plus tard.

398. León,
Saint-Isidore,
portail de l'Agneau
(Photo Yan).

Les bas-reliefs du tympan

LE PORTAIL DE L'AGNEAU doit son nom à l'image de l'Agneau divin qui domine l'ensemble des scènes du tympan et leur donne leur sens. Elle figure sur un *clipeus* perlé porté par deux anges. Si cette composition fait naturellement penser à l'utilisation qu'on en fit à Toulouse et à Moissac, l'identité n'est pas parfaite, car elle dégage ici un parfum d'antique qui n'existe pas à un pareil degré dans les centres languedociens. Ceci donne à penser qu'on utilisa à León des modèles d'époque différente : paléochrétienne ou byzantine.

Le motif est complété par deux autres anges disposés en oblique, mais sculptés sur des plaques limitées sur un de leurs côtés par une ligne courbe. Ils tiennent dans leur main la hampe d'une croix et leur coiffure a la forme d'un bonnet côtelé ou strié. Comme les précédents, ils paraissent avoir été copiés sur des ivoires et d'une manière passablement servile, car ni leur attitude ni leurs gestes ne s'accordent avec le rôle qui devrait être le leur à l'emplacement qu'ils occupent. Normalement ils devraient contempler et désigner l'Agneau. Au lieu de cela ils dirigent

399. León,
Saint-Isidore,
tympan du portail de l'Agneau.

leurs regards et pointent leur index directement au-dessus d'eux, dans une direction où il n'y a rien. Cette inadaptation de la figure à son rôle doit être interprétée comme une trace d'archaïsme.

Au-dessous de l'Agneau glorieux a été représenté le sacrifice d'Isaac, une autre figure du Christ. Il est au centre d'une série de scènes pittoresques débutant à droite par le départ de l'enfant de la maison de ses parents. Sa mère Sara, la tête couverte d'un voile, est debout sur le seuil de la porte de sa maison. Elle étend la main droite dans un geste d'acceptation qui annonce le *fiat* de la Vierge Marie lors de l'Annonciation. Son identification a été réalisée par J. Williams [47] par référence à un relief des vantaux de bronze du portail de Saint-Zénon de Vérone. Le professeur américain propose de mettre la présence de l'épouse légitime en relation avec la visite des trois anges venus annoncer à Abraham la naissance miraculeuse d'Isaac. Le souvenir qu'elle en a conservé, et qui est évoqué par sa simple présence, contribue d'entrée de jeu à donner au drame sa dimension spirituelle. Des sarcophages paléochrétiens du sud-ouest de la Gaule, comme ceux de Lucq-de-Béarn et de Saint-Orens d'Auch, ont pu fournir des exemples lointains et indirects à l'association de ces deux épisodes distincts de l'histoire d'Abraham [48]. Isaac enfourche ensuite une monture : un détail qu'ignore le texte biblique, mais qui fut introduit par la pensée symbolique. Celle-ci assimilait Isaac faisant ainsi l'ascension de la montagne de Moria, au Christ entrant à Jérusalem sur un ânon pour y subir sa Passion [49]. Arrivé au lieu désigné par Dieu, Isaac se déchausse au pied d'un arbre pour se préparer au sacrifice. On ne dispose pas davantage de textes pour justifier ce geste, les commentaires connus disant plutôt le contraire [50]. Seule la logique du drame a créé cet élément de l'action puis l'image correspondante. Non seulement Isaac se déchausse, mais il a déjà commencé à se dévêtir. S'il a encore sa tunique, il a retiré son manteau qu'il a posé sur une construction qui pourrait être un autel.

Vient ensuite la scène du sacrifice. Dans l'axe du tympan Abraham, qui a saisi son fils par les cheveux, brandit le couteau avec lequel il va l'égorger. C'est à ce moment précis que se produit l'intervention divine. Elle prend l'aspect d'une main géante sortant d'une nuée. Abraham interpellé se retourne et aperçoit l'ange de Yahwé présentant le bélier qui doit être substitué à l'enfant. Nous avons vu plus haut que l'auteur du tympan suit une ancienne tradition iconographique qui apparaît déjà sur un chapiteau d'une fenêtre du collatéral nord de la nef (ci-dessus p. 369) [51]. Cependant, le bélier demeure encore prisonnier du buisson où, selon la Genèse, il s'était pris les cornes. Ce détail avait son importance pour la pensée symbolique qui pouvait reconnaître, dans le bélier prisonnier puis immolé, une image du Christ en croix, au même titre que l'agneau.

À l'extrémité de gauche du tympan, Agar, la servante concubine, fait pendant à Sara l'épouse légitime. Elle est là avec son fils Ismaël, un chasseur à cheval tirant une flèche en direction de l'Agneau. J. Williams a montré que cet étrange « portrait de famille » trouve sa base littéraire dans l'*Épître aux Galates,* 4, 22-31 : « Ces choses ont un sens allégorique, car ces femmes sont deux alliances. L'une, du mont Sinaï, enfantant pour la servitude : c'est Agar — le Sinaï est une montagne en Arabie —, elle correspond à la Jérusalem actuelle, laquelle est esclave, elle et ses enfants. Mais la Jérusalem d'en haut est libre : c'est elle qui est notre Mère [...]. Pour vous, frères, vous êtes, à la manière d'Isaac, enfants de la promesse. Mais de même qu'alors celui qui était né selon la chair persécutait celui qui était né selon l'Esprit, ainsi en est-il encore maintenant ». Le regroupement d'Abraham, de son épouse, de son esclave et de ses fils illustre l'élection du peuple chrétien comme peuple de Dieu et le rejet du peuple juif. Les chrétiens « nés selon l'Esprit » ont accédé à la liberté de Dieu, alors que les juifs « nés selon la chair » demeurent prisonniers de la Loi.

Serafín Moralejo observe que le passage de saint Paul, qui jouit d'une fortune exceptionnelle dans l'exégèse biblique, fut cependant très rarement illustré et toujours dans le sens de la Rédemption, sauf à León où la présence de l'Agneau dans l'axe du sacrifice d'Abraham l'oriente davantage vers un contenu eucharistique.

Qu'il soit mis en relation avec la Passion ou avec l'eucharistie, ou même avec les deux idées combinées, le rapprochement d'Agar et d'Ismaël a une connotation anti-juive. Agar est l'image de la Synagogue « condamnée à l'errance », « sans sacerdoce et sans sacrifice », Ismaël, qui décoche une flèche en direction de l'Agneau rappelle que « l'Agneau de Dieu a été mis à mort par l'ensemble du peuple juif ».

Néanmoins J. Williams a montré qu'une autre lecture du tympan — n'excluant d'ailleurs aucunement la première — était possible, en rapport avec la conjoncture historique. Au moment où le programme du tympan a été réalisé, c'est-à-dire à l'époque de la Reconquête, les musulmans sont fréquemment désignés dans les textes sous le nom d'« ysmælitæ » ou d'« agareni ». Ainsi réactivait-on, dans un sens polémique, une très ancienne tradition qui faisait des Arabes les descendants d'Agar et d'Ismaël. « Les traits iconographiques de l'Ismaël de León, vêtu à la manière des guerriers musulmans contemporains, rendent l'intention suffisamment explicite » [52].

Poussant plus avant son analyse, J. Williams estime que le choix d'un programme anti-musulman pourrait avoir des incidences sur la chronologie. Il ne se concevrait pas, estime-t-il, sous le règne d'Alphonse VI (1067-1109) dont l'unique enfant mâle était né d'une concubine « agarienne », Zaïda. Pas davantage sous celui de sa fille Urraca (1109-1126), en raison des troubles politiques et des luttes de factions qui l'agitèrent en permanence. Il aurait fallu attendre le gouvernement réparateur d'Alphonse VII (1126-1157) et le retour à la grande politique ibérique pour trouver une période favorable.

Des raisons stylistiques impérieuses écartent, à mon avis, une chronologie aussi basse. Toutes les sculptures en marbre du tympan s'inspirent encore de modèles en ivoire. La situation n'est pas sans analogie avec celle que nous avons signalée à Compostelle vers 1110. Tout au plus doit-on se demander si l'on a réalisé en même temps l'histoire d'Abraham, développée sur une sorte de linteau en bâtière, et la gloire de l'Agneau qui complète la forme demi-circulaire du tympan. Leur iconographie est complémentaire, mais la première aurait aussi bien pu se suffire à elle-même. Surtout son style diffère légèrement de la seconde. Ses figures nombreuses se serrent les unes contre les autres sur un fond encombré de feuillages. Un travail de surface laborieux et compliqué superpose maladroitement les plans les uns sur les autres, ainsi en ce qui concerne le bélier campé sur le buisson, ses pattes enchevêtrées dans une branche. Compliqué également le costume d'Abraham qui ne comporte pas moins de deux tuniques et d'un manteau jeté par-dessus ses épaules. Les visages des personnages aux joues pleines, à la chevelure abondante, traitée soit en mèches courtes, soit en longues tresses sont déjà des éléments du style léonais. Les anges des trois autres plaques se distinguent par le traitement en casque des chevelures ; par un modelé plus souple et plus gras, amoureux des surfaces lisses ; par une composition plus aérée. Néanmoins les différences enregistrées peuvent se justifier par une diversité de sources et l'on connaît d'autres exemples de tympans semi-circulaires incorporant d'emblée dans leur composition des linteaux en bâtière (Arles-sur-Tech). De toute manière les différences stylistiques ne sont pas suffisamment significatives pour permettre de penser qu'un laps de temps important se soit écoulé entre la réalisation des deux thèmes iconographiques.

Un élément de chronologie relative permet de situer le tympan dans l'histoire de la nef de Saint-Isidore. Il résulte de l'indéniable parenté iconographique et stylistique unissant l'histoire d'Abraham du tympan à un de ses épisodes sculpté sur un des chapiteaux de la fenêtre du collatéral nord. Les débuts de la nef voûtée, auxquels correspond le chapiteau en question, se situant vers 1110, c'est la date que nous retiendrons pour le tympan.

Les reliefs de la façade

TOUTE LA PARTIE SUPÉRIEURE de l'avant-corps du portail est couverte de sculptures, les unes encastrées dans les écoinçons de l'arc, les autres placées au-dessus. Leur disposition parfois sans ordre pouvant être aussi bien le résultat d'une restauration maladroite que d'un remploi, il convient de les étudier d'abord isolément pour être assuré qu'elles ne viennent pas d'ailleurs.

Certaines peuvent être aisément incorporées au programme général de l'Apothéose de l'Agneau. C'est le cas du groupe de musiciens — dont un couronné — occupant l'écoinçon de gauche. Ils jouent de divers instruments. Bien évidemment il s'agit de David associé au culte de l'Agneau, le messie divin issu de sa race. Cette série est complétée par deux autres joueurs de vièle représentés à mi-corps de chaque côté de l'archivolte sur un médaillon fait de plusieurs arcs concentriques.

400

401

L'appartenance au même programme d'ensemble est moins évidente en ce qui concerne les plaques sculptées constituant un zodiaque complet et ordonné. Elle a néanmoins été défendue à l'aide de bons arguments par Serafín Moralejo [53] qui s'appuie notamment sur les fortes consonances antiques de ses éléments, tant en ce qui concerne la signification que le style.

Chez les Romains païens l'astrologie était synonyme de déterminisme astral, le sort des humains étant inscrit dans les astres. Les chrétiens ne pouvaient que condamner cette négation de la Providence divine et de la responsabilité humaine. On ne s'étonnera donc pas que les Pères de l'Église aient engagé une vigoureuse polémique anti-astrologique. Cependant, leur condamnation ne fut sans appel que pour ce qui, dans l'astrologie, apparaissait comme démoniaque. Par le truchement du symbolisme ils entreprirent de « moraliser » le zodiaque comme tant d'autres éléments de l'héritage culturel antique. L'évêque Zénon de Vérone (entre 362 et 371-372) montre dans une de ses homélies que le baptême fait entrer le chrétien dans un ordre nouveau où la grâce se substitue au destin. D'où la possibilité d'établir pour les nouveaux-nés dans le Christ un horoscope « moralisé » comparable — bien que très différent par son contenu et ses perspectives eschatologiques — à celui que les païens établissaient pour leurs nouveaux-nés. C'est une lecture symbolique de cette sorte que Serafín Moralejo propose pour le zodiaque de Saint-Isidore de León et cette lecture lui permet d'établir des liens avec l'iconographie du tympan à travers une pensée baptismale.

Le zodiaque léonais est différent des zodiaques médiévaux dont l'imagerie s'explique d'une manière « naturelle » par ses relations avec les travaux des mois. Il renvoie par la pensée à une tradition paléochrétienne et il le fait aussi à travers le style. La très belle figure du verseau, par exemple, au delà des interprétations plastiques carolingiennes et byzantines, rejoint directement la vaste famille des

◁ 400. León, Saint-Isidore, avant-corps du portail de l'Agneau, partie gauche.

401. León, Saint-Isidore, portail de l'Agneau, écoinçon de droite *(Photo Zodiaque)*.

400 éphèbes aux jambes étendues et écartées. Ainsi s'expliquent les qualités de souplesse et de mouvement déjà en germe sur le tympan et qui s'épanouissent ici en d'admirables morceaux. Serafín Moralejo considère l'auteur de l'ensemble zodiacal comme un disciple du maître de Jaca, dans la mesure où il ne ferait qu'un avec celui de Frómista. La relation avec ces deux centres est indéniable.

Le même style d'origine antique a fécondé les autres bas-reliefs. 400, 401 Ainsi les joueurs de vièle représentés à mi-corps dans les cercles sont « remarquables par le passage d'un fin bas-relief au haut-relief et même à la ronde-bosse. L'instrument de musique, l'archet, le bras qui le tient, l'étoffe à petits plis jetés sur l'autre bras, les longs cheveux soyeux sont d'une délicatesse de touche inégalable. Mais ce qui est encore plus extraordinaire, c'est l'accord de ce fin modelé avec les têtes traitées en ronde-bosse, qui se détachent en avant des étranges vibrations produites par les stries concentriques du cadre »[54].

On reconnaîtra donc sans peine dans les reliefs du zodiaque les « métopes » de l'ancienne corniche romane démontée lorsqu'on lui substitua, sous le règne de Charles Quint, la corniche Renaissance actuelle. On eut la bonne idée de les conserver, peut-être parce qu'on y reconnaissait les marques d'une autre « renaissance », c'est-à-dire une parenté de goût.

Les statues flanquant le tympan

TOUTES LES AVANCÉES en direction du plein relief et de la représentation dans l'espace culminent dans l'exécution des deux statues encadrant le tympan. Ce parti décoratif était apparu d'abord modestement sur la Porte des Comtes de Toulouse et sur le portail méridional de la cathédrale de Jaca. Il s'épanouit ensuite à la Porte Miègeville. Saint-Isidore de León l'utilisa pour ses deux portails méridionaux, celui de la nef et celui du transept.

Sur le portail de l'Agneau, le portail principal, on décida de glorifier les corps de saints glorieux abrités par l'édifice, à l'instar de ce que Toulouse avait réalisé sur la Porte des Comtes. Celui de saint Isidore, le patron, était venu de Séville en 1063 et celui de saint Vincent avait été transféré en 1065 par le roi Ferdinand Ier d'Ávila à León.

402 Saint Isidore, représenté à gauche, a son nom gravé sur une pierre d'appareil à côté de sa tête : YSIDORVS. Il est nimbé et porte un bonnet côtelé, type de coiffure épiscopale que nous étudierons avec le Saint Pierre de la Porte Miègeville. Il est vêtu d'une longue tunique sur laquelle est jeté un manteau agrafé au cou. Il tient la crosse épiscopale et il bénit. À sa gauche est plaquée une petite figure de guerrier en tunique, armé d'un glaive et d'un bouclier, qui n'a aucune raison de se trouver là — on a d'ailleurs été contraint pour l'y placer de mutiler l'une de ses jambes —, saint Isidore n'étant pas mort martyr. Faut-il imaginer une inversion des statues ?

403 Le personnage de droite, saint Vincent d'Ávila trouverait dans ce voisinage l'évocation de son propre martyre. Il porte à peu près le même costume que son compagnon, mais il ne bénit pas. Il présente la paume de sa main droite ouverte sur sa poitrine et dans sa main gauche, recouverte par un pan de son manteau, il tient un livre. Sa chevelure, qu'aucune coiffure ne retient, pend sur ses épaules en tresses épaisses et lourdes. Ce détail l'apparente à une petite figure de la façade,

placée après le second médaillon et qui doit se rattacher au groupe des musiciens du roi David. Elle est assise les genoux écartés et tient un instrument rectangulaire. Non seulement la coiffure, mais également le style, qui est celui de tous les autres bas-reliefs, autorisent le rapprochement avec saint Vincent. 401

Les deux saints représentés assis accèdent à la ronde-bosse : ce sont de véritables statues. Dans le calcul de leurs proportions le sculpteur a tenu compte du fait qu'elles devaient être vues d'en bas : de là résulte leur allongement en hauteur. Il a pris en compte la nécessité de les faire tenir au mur : d'où une certaine raideur qui est celle des statues-colonnes. Par ailleurs, il a su établir un parfait accord entre le relief et le modelé en sacrifiant des détails superficiels.

Georges Gaillard a signalé que, sur ce dernier point, une légère différence existait entre les deux statues. Les plis des vêtements de saint Vincent restent plats, alors que ceux de saint Isidore sont épais et forment de gros bourrelets. Ceux de son manteau surtout, qui se recourbent sur les poignets en formant d'invraisemblables boudins en accord avec l'exagération constante du relief dans toutes les parties de cette figure. Le tuyautage des plis qui apparaît déjà, observe l'auteur, sur le couvercle du sarcophage d'Alfonso Ansúrez au musée archéologique de Madrid provenant de Sahagún (ci-dessus p. 203) appartiendrait à une tradition ibérique. Celle-ci aurait été renouvelée par un sentiment nouveau du relief et du volume.

Participe à ce même sentiment le traitement des animaux des consoles sur lesquelles s'appuient les statues. Ce sont des bovidés dans la droite ligne de ceux du transept. Leur corps se réduit, en dehors de la tête sculptée, aux pattes antérieures exagérément réduites, appliquées contre le fond. Deux têtes de béliers, très véridiques d'aspect, servent de consoles au tympan. 380

402. León, Saint-Isidore, portail de l'Agneau, saint Isidore.

▷ 403. León, Saint-Isidore, portail de l'Agneau, saint Vincent.

Les chapiteaux

LES CHAPITEAUX des colonnes des ébrasements adoptent des motifs et prolongent un style apparu dès l'absidiole nord du chevet. Il s'agit d'abord de figures accroupies de type satanique. Dans l'ébrasement de gauche un ange déchu à la chevelure défaite porte un costume surchargé de petits plis. La figure principale du chapiteau voisin est nue et ses formes sont traitées d'une manière souple et nuancée. Ses mains et ses pieds sont remplacés par des serres d'oiseaux agrippant l'astragale. Le visage sculpté en ronde-bosse exprime le désespoir. Sur ces deux chapiteaux le personnage central à visage humain est encadré par deux animaux démoniaques sculptés dans les angles rentrants.

404

404. León, Saint-Isidore, portail de l'Agneau, chapiteaux de gauche.

Une autre image diabolique ailée, dont les membres se terminent également par des serres, préside à la composition du premier chapiteau de droite. Elle est accompagnée par deux animaux cornus dont un bouc.

405

405. León, Saint-Isidore, portail de l'Agneau, un chapiteau de droite.

Le chapiteau voisin, qui termine la série, reprend un autre motif de l'absidiole nord : des entrelacs volumineux couvrant la totalité de la corbeille tout en tendant à se détacher d'elle. Ils se combinent ici avec des palmettes. On observe avec intérêt que le motif du tailloir a émigré avec le chapiteau. Il s'agit de la frise de palmettes profondément creusées, qui joue un rôle principal dans l'ornement de l'ensemble des tailloirs et des arcs du portail. Elle s'enrichit d'une boule à l'angle.

Dès lors, le portail de l'Agneau apparaît comme étroitement uni à l'histoire de l'église. Il fut commencé par le tympan vers 1110, immédiatement après l'achèvement du chevet, alors qu'on commençait la construction de la nef voûtée. On l'acheva quelques années plus tard en approfondissant le style antiquisant du chevet, originaire de Jaca. Très vite ce style suivit dans son nouveau foyer un développement propre qui le conduisit jusqu'à la statue en ronde-bosse.

Le portail du Pardon

406

IL CORRESPOND à une reconstruction de la façade méridionale du transept effectuée peu de temps après l'achèvement du portail de l'Agneau. Sa conception assez pauvre résulte sans doute d'un relâchement de l'effort

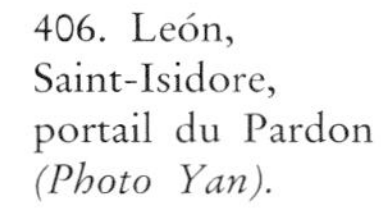

406. León, Saint-Isidore, portail du Pardon *(Photo Yan).*

financier. Le portail, particulièrement étroit, est une imitation modeste du précédent. Les deux statues qui le cantonnent reviennent aux figures d'applique sur une vaste surface murale bordée extérieurement par un grand arc. Le décor des bandeaux, des tailloirs et des archivoltes imite les modèles offerts par le portail de l'Agneau, mais dans un style caractérisé par de profonds taraudages.

Le tympan unit trois épisodes glorieux de la vie du Christ, traités sur des plaques de marbres séparées. Chacune d'elles a été taillée en fonction de son emplacement, et toutes les trois sont parfaitement jointes, sans ces difficultés d'assemblage, désespérantes à Compostelle, et dont on n'avait pas encore totalement triomphé au portail de l'Agneau.

La partie centrale est occupée par une Descente de croix d'un type traditionnel. Nicodème, armé d'énormes tenailles, arrache le clou qui retient encore la main gauche du Christ sur la croix. Celle de droite, déjà détachée, a été respectueusement reçue par la Vierge Marie dans ses mains voilées. Joseph d'Arimathie prend le corps crucifié dans ses bras. Faute de place, saint Jean n'a pas été représenté. Par contre, deux anges sortant des nuées encensent l'homme-Dieu afin de témoigner de l'infinie dignité de son corps livré à la mort pour le salut des hommes, mais appelé à ressusciter.

408

Comme à l'accoutumée la Résurrection est symbolisée par la Visite des Saintes Femmes au tombeau. Elles sont trois selon la tradition de l'Occident et leurs têtes s'ordonnent suivant des hauteurs décroissantes.

407. León, Saint-Isidore, portail du Pardon, détail du tympan, l'Ascension *(Photo Zodiaque).*

Dans leurs mains voilées elles portent les aromates et la première fait un geste d'étonnement en apercevant le tombeau vide avec l'ange derrière. Les immenses ailes de l'envoyé du ciel occupent tout l'espace compris entre l'arc du tympan et les visiteuses. L'ange leur désigne le couvercle du sarcophage qui a été miraculeusement déplacé. Le sépulcre est une arcade en plein cintre reposant sur deux colonnes torses dont les cannelures sont ornées de perles, par l'intermédiaire de chapiteaux à grandes feuilles. En raison du manque d'espace et de l'encombrement, le sculpteur a dû se contenter d'évoquer le linceul par un pli d'étoffe en cloche sur un des côtés du sarcophage.

407

À gauche, l'Ascension se réduit à trois personnages : le Christ et deux anges debout. L'intérêt de la composition réside dans la manière dont ceux-ci aident le ressuscité à s'élever vers son Père. Ils le tiennent dans leurs mains comme un corps dense éprouvant des difficultés à se libérer de la pesanteur atmosphérique : ils le poussent par les jambes, les cuisses, les bras. L'idée et même certaines attitudes ont été empruntées à l'Ascension de la Porte Miègeville, mais non le style. On en a « rajouté » dans l'expression des efforts fournis par les anges. Une inscription gravée sur la voussure voisine explique et commente la scène : ASCENDO AD PATREM MEVM ET PATREM VESTRVM. Jésus est remonté à son Père, comme il l'avait promis et ce Père est aussi celui de tous les hommes.

408. León,
Saint-Isidore,
portail du Pardon,
détail du tympan,
les Saintes Femmes au tombeau
(Photo Zodiaque).

Le manque de place est fréquemment responsable de la bizarrerie des attitudes et de la maladresse des gestes des personnages. Mais elle n'explique pas tout. Il faut aussi incriminer le peu de spiritualité de l'auteur. Entre ses mains le surnaturel est ravalé au rang du terre à terre ou de la bonhomie.

Sur le plan de la technique de la sculpture cet homme prend la suite des maîtres du portail de l'Agneau. « Les formes sont pleines, les volumes intérieurs sont exprimés par un relief arrondi [...], aucune figure n'est vue de face ; une sorte de perspective très savante du relief, remarquable surtout dans le groupe des trois Maries, donne l'illusion de la profondeur [...]. Le modelé participe à la rondeur du relief et s'y accorde, au lieu de se surajouter à lui [...] » [55].

Comme celui de l'Agneau le tympan du Pardon est soutenu par des consoles ornées de têtes en relief : ici d'allure monstrueuse. Elles se dégagent de la rigidité et de la symétrie des précédentes ; elles se tournent en direction du visiteur et paraissent pleines de vie. Leur mouvement est favorisé par le tracé des consoles dont les moulures auparavant dessinées à angle droit se sont recourbées.

Un besoin de simplification a conduit à choisir un seul type de chapiteau pour les colonnes des ébrasements. C'est le motif de l'entrelacs aux brins épais qui a été retenu. Apparu dès le début du chantier au chevet de l'église, il a maintenu sa présence à tous les stades de la construction en suivant une évolution désormais parvenue à son terme. À force d'accroître sa saillie sur la corbeille il s'en est complètement détaché, en sorte que, sur les deux chapiteaux de gauche, les entrelacs brisés laissent apparaître en dessous l'épannelage des feuilles lisses auquel ils étaient superposés.

Deux figures d'apôtres encadrent l'arc de la porte. Saint Pierre est à droite. Vêtu d'une chasuble et tonsuré il tient ses clés et une crosse épiscopale en partie brisée. Son compagnon barbu et chauve ne tient qu'un livre. C'est l'iconographie habituelle de saint Paul dont le nom est d'ailleurs gravé sur le socle : S[ANCTVS] PAVLVS.

Comme nous l'avons dit, ce ne sont plus des statues en ronde-bosse comme au portail de l'Agneau, mais des hauts-reliefs. Il s'agit d'un véritable retour en arrière qui conduisit même les sculpteurs à redécouvrir les marguerites d'angle utilisées aux origines du style sur les plaques du déambulatoire de Saint-Sernin de Toulouse. Les figures sont debout et non plus assises et cette position à elle seule suffit à diminuer l'épaisseur de leur corps. Les plis demeurent caractéristiques de l'art léonais : d'étroits fourreaux rétrécis vers le bas moulent les jambes ; de grandes courbes parallèles larges et profondes accompagnent la chasuble de saint Pierre dans sa chute ; d'autres courbes sont inversées sur la poitrine de saint Paul, selon une convention de l'atelier. Les visages commencent à acquérir une expression individuelle.

Une étape intermédiaire entre les deux groupes de grandes figures des portails méridionaux est représentée par une sculpture en marbre blanc du musée archéologique provincial de León provenant peut-être d'un portail disparu de Saint-Isidore. C'est l'effigie d'un jeune saint tenant un livre, dont il ne subsiste que la moitié supérieure du corps. Sa tête est vue de trois quarts, un peu comme le saint Pierre et le saint Paul, mais les joues sont pleines comme celles de saint Isidore. Des

409

plis largement creusés ont pris la place des bourrelets et le décor superficiel s'enrichit sur le col de la tunique et sur la reliure du livre de motifs évoquant des cabochons. Les yeux sont creusés. Cette belle image — où Georges Gaillard a cru reconnaître saint Pélage — confirme la variété d'expression d'un style qui fut aussi à l'origine des beaux nus des chapiteaux de l'intérieur de l'église.

Est-il possible, comme on l'a parfois proposé, de mettre certaines de ces productions en relation avec la consécration de 1149 ? Même pour les plus récentes d'entre elles, cette date paraît bien trop tardive. Stylistiquement, aucune des sculptures de Saint-Isidore ne paraît postérieure à 1125. La dédicace solennelle célébrée en présence de la famille royale n'avait sans doute été qu'une cérémonie de circonstance consécutive à un changement de statut de l'église [56]. Cette remise en question doit s'étendre à l'« architecte » Petrus Deustamben. Son épitaphe pourrait concerner un « décideur » aussi bien qu'un technicien, et de toute manière il s'agissait d'un homme d'Église :

HIC QVIESCIT SERVVS DEI PETRVS DEVSTAMBEN QUI SVPERÆDIFICAVIT ECCLESIAM HANC. ISTE FVNDAVIT PONTEM QVI DICITVR DEVSTAMBEN ET QVIA ERAT VIR MIRÆ ABSTINENTIÆ ET MVLTIS FLOREBAT MIRACVLIS OMNES EVM LAVDIBVS PRÆDICABANT SEPVLTVS EST HIC AB IMPERATORE ADEFONSO ET SANCIA REGINA.
« Ci-gît Pierre Deustamben qui termina [?] *(superædificavit)* cette église. C'est également lui qui construisit le pont que l'on appelle Deustamben. Ce fut un homme de très grande pénitence et qui brilla par de nombreux miracles : l'objet de louanges unanimes. Il fut enterré en ce lieu sur l'ordre de l'empereur Alphonse et de la reine Sancha ».

Si le pont de Deustamben est bien identifié comme un pont sur l'Esla en aval de Benavente par des textes de 1166, 1205 et 1215 le désignant sous le nom de *« ponti de Deus tambene »*, *« ponte de Diostamben »* et *« pontem de Dios »* [57], les travaux de Pierre à Saint-Isidore ne sont connus que par ce qu'en dit son épitaphe. On en ignore la nature exacte, en raison de l'imprécision du terme *superædificavit,* et même la date précise.

Pierre, désigné comme « serviteur de Dieu » paraît avoir été aussi célèbre par ses qualités humaines et ses dons spirituels que par ses œuvres. C'est en raison de sa renommée que l'empereur Alphonse VII et sa sœur l'infante Sancha décidèrent de le faire enterrer à Saint-Isidore, ou d'y faire transférer sa dépouille.

409. León,
musée archéologique provincial,
figure de saint
(Cliché J. Lacoste).

3. La nef de Saint-Sernin de Toulouse et ses portails

LE PARALLÉLISME DE DESTIN entre Saint-Sernin de Toulouse et Saint-Jacques de Compostelle durant le premier quart du XIIe siècle est réellement surprenant. Dans l'un et l'autre cas, c'est la même création continue, résultant de l'action d'une personnalité résolue. Elle s'exerce à peu près dans la même partie des édifices. On voit apparaître sur les deux chantiers des motifs iconographiques rares. Parachevant le tout, le développement stylistique authentifie une communauté de goût. Tout cela suppose l'existence de relations étroites entre les deux milieux artistiques.

L'action de Raymond Gayrard

À SAINT-JACQUES DE COMPOSTELLE, qui est une cathédrale, l'expansion artistique est à mettre à l'actif d'un grand prélat ouvert à l'Occident et mêlé de très près à l'histoire ecclésiastique et religieuse de l'Espagne de son temps. Il intégra la construction de sa cathédrale dans sa politique générale. Saint-Sernin, collégiale réformée, participait à la vie religieuse et liturgique de la Chrétienté dont un des éléments était la construction et l'embellissement des églises. C'est dans ces perspectives que se place l'intervention du chanoine Raymond Gayrard, responsable de la seconde campagne de construction de Saint-Sernin.

Sa vie parut suffisamment exemplaire pour mériter d'être racontée et de passer à la postérité. Nous ne possédons pas moins de deux *Vitæ* de Raymond Gayrard, l'une et l'autre rédigées sous la forme du panégyrique. La plus ancienne [58] ne date que du XVe siècle, mais son auteur s'inspira d'un texte plus ancien, d'où il tira des renseignements précis et sans doute authentiques. La seconde [59], encore plus récente, est généralement peu sûre, mais on ne saurait néanmoins la rejeter systématiquement.

Les parents de Raymond Gayrard l'avaient offert comme oblat à Saint-Sernin pour qu'il devînt chanoine. Il obtint l'office de chantre, mais sans devenir prêtre, et un jour il se maria. Sa femme étant morte, il embrassa la chasteté et il se consacra désormais aux œuvres de charité.

Il fit édifier deux ponts sur l'Hers, non loin de Toulouse, afin de faciliter le passage de cette rivière. Sa spiritualité s'apparente ici à celle des frères pontifes, mais il ne faut pas oublier non plus que l'époque — le dernier quart du XIe siècle — est celle des « saints cantonniers » qui aménagent et entretiennent le chemin de Saint-Jacques de Compostelle. Raymond Gayrard se dévoua à un hôpital qu'il fonda près de Saint-Sernin vers 1075-1078 et dont il garda la direction jusqu'à sa mort. Il n'était pas réservé aux pèlerins, mais plus généralement destiné à ceux qu'on appelait les « pauvres ». Le comte Guillaume IV, l'évêque de Toulouse et la communauté canoniale de Saint-Sernin procurèrent les ressources nécessaires à son fonctionnement.

Avec la participation de Raymond Gayrard à l'œuvre de l'église romane, nous touchons à la grande entreprise de sa vie. Après avoir mentionné la fondation de l'hôpital, l'auteur de la seconde *Vita* indique qu'il aurait rétabli la majeure partie de l'édifice quelques années après sa destruction par un incendie. Plus précise, la première *Vita* relate que Raymond Gayrard présida à l'œuvre de Saint-Sernin pendant de nombreuses années. Lorsqu'il entra en charge, le chevet de l'église — *capitis membrum*, un terme qui inclut le transept — était déjà terminé. Lui-même entreprit alors d'édifier la nef *(corpus)* à partir des fondations. À sa mort, survenue le 3 juillet 1118 [60] le mur du pourtour s'élevait jusqu'à la hauteur des fenêtres hautes [61]. La fin des travaux paraît avoir été marquée par la consécration d'un autel secondaire par le pape Calixte II le 19 juillet 1119.

Le champ d'action de Raymond Gayrard à Toulouse fut moins considérable que celui de Diego Gelmírez à Compostelle, puisqu'il exclut le transept, déjà construit, et que les travaux dans la nef — également demeurée inachevée — eurent une moindre extension.

La construction de la nef

SAINT-SERNIN DE TOULOUSE présente le parti ambitieux de la nef à doubles collatéraux qui ne fut retenu dans sa famille architecturale qu'à Saint-Martin de Tours. Quant à l'élévation, elle prolonge avec ses tribunes celle du chœur et du transept, à l'instar de l'ensemble des églises du groupe. En ce qui concerne le voûtement, le berceau du vaisseau central, partagé en travées par des doubleaux, est contrebuté par les demi-berceaux des tribunes. Les deux collatéraux, voûtés d'arêtes, sont de hauteur inégale. Le second, celui de l'extérieur, est légèrement plus bas que son voisin.

410 Si l'on revient au vaisseau central, on observe que les trois dernières travées — y compris celle qui correspond au collatéral occidental du transept — se distinguent par une certaine lourdeur. Sous la voûte en plein cintre les doubleaux sont à double rouleau et ils retombent sur une colonne engagée dans un dosseret — colonne et dosseret ayant cependant été abattus jusqu'à une certaine hauteur à la partie inférieure pour adosser le chœur des chanoines. Les piles reçoivent en outre les grandes arcades elles-mêmes à double rouleau.

Les autres travées sont différentes. Désormais les doubleaux de la voûte sont simples et retombent sur une colonne directement engagée

410. Toulouse,
Saint-Sernin,
la nef en direction du chœur
(Photo Yan).

dans la pile cruciforme sans l'intermédiaire du dosseret. Cette colonne, en pierre au départ, est ensuite montée en brique, qui devient le matériau des grandes arcades et de tout le reste de la maçonnerie. Les chapiteaux des baies géminées des tribunes, le plus souvent médiocres, sont tardifs, à l'exception de quelques pièces romanes récupérées dans la neuvième travée. Certains ne datent que de l'époque gothique ou même du XVIe siècle. Par ailleurs, la quasi totalité des chapiteaux de la grande voûte n'a été sculptée qu'à la fin du XIIIe ou au début du XIVe siècle. Autrement dit, à un certain moment de l'époque romane, les travaux furent brusquement interrompus sur le chantier de Saint-Sernin et ils ne reprirent qu'à l'époque gothique avec un allègement du volume des matériaux employés et aussi un appauvrissement de la qualité esthétique. Cette phase correspond au triomphe sans partage de la brique.

Cette observation se vérifie à l'extérieur de l'édifice. Les procédés de construction de la partie orientale de la nef prolongent d'abord, avec une continuité parfaite, ceux de la face occidentale du transept, en en répétant les particularités. De même qu'au rez-de-chaussée de ce transept, les murs des collatéraux sont épaulés par de gros contreforts où voisinent les pierres et les briques. Ils sont également percés de fenêtres à double rouleau. À l'étage des tribunes, les deux derniers contreforts et les trois dernières fenêtres vers l'est, au nord comme au sud, sont en tous points semblables aux éléments correspondants du transept voisin. On observe ensuite du côté du sud une dégradation progressive du modèle roman. Les quatre fenêtres suivantes conservent la structure des précédentes, mais déjà les piédroits intérieurs sont entièrement en brique, ainsi que la voussure correspondante de l'archivolte, le reste étant fait d'une alternance de pierre et de brique. Plus loin, vers la tour occidentale, les trois premières fenêtres sont entièrement en brique et désormais il n'y a plus ni colonnettes ni archivoltes moulurées. Au nord, la transformation s'est opérée plus rapidement encore, puisqu'ici ce dernier type de fenêtre a été adopté pour la totalité des travées, à l'exception des trois dernières, où se prolongent, comme nous l'avons dit, les procédés de construction du transept.

D'après l'analyse archéologique, le chantier roman de Saint-Sernin aurait donc été fermé bien avant l'achèvement de la nef. Seuls étaient alors bâtis les collatéraux extérieurs dans leur totalité et les trois dernières travées du vaisseau central. Ailleurs, les piles n'existaient que dans leurs parties basses : il n'y avait pas encore de tribunes. L'abandon de la construction aurait suivi immédiatement la mort de Raymond Gayrard, en 1118, puisque la première *Vita* de ce personnage indique précisément qu'on était parvenu aux fenêtres hautes de la nef au moment de son décès. Cette paralysie du chantier se prolongea pratiquement durant un siècle.

Les chapiteaux de la nef

LES CHAPITEAUX ROMANS DE LA NEF, du début du XIIe siècle, se distribuent en deux groupes principaux d'après leur emplacement dans l'édifice : ceux qui sont engagés dans le mur extérieur des collatéraux et ceux qui ornent les baies géminées des trois dernières travées des tribunes du côté de l'est. À quoi s'ajoute le petit groupe des chapiteaux de la partie romane de la voûte.

Les chapiteaux des collatéraux

UNE DIFFÉRENCE PROFONDE existe entre les chapiteaux du collatéral sud et ceux du collatéral nord. Les premiers offrent davantage de variété dans la forme et les motifs. Tout en étant largement majoritaires les feuillages laissent une place aux figures et ils appartiennent eux-mêmes à plusieurs types. Ainsi se prolonge une situation complexe qui avait été de règle au chevet.

Un des motifs végétaux a néanmoins déjà tendance à s'imposer : celui de la feuille fendue qui occupe six chapiteaux sur onze (n°s 147, 148, 149, 150, 151 et 152). Apparu dès le déambulatoire, mais d'une manière très intermittente, ce motif n'avait encore joué qu'un rôle discret dans le transept, tant au rez-de-chaussée qu'au niveau des tribunes, en raison du nombre relativement limité de ses exemplaires et d'une grande stabilité formelle. Les créations actuelles maintiennent cette pérennité 411 sous un aspect banal, sauf dans un cas, en 150, où le motif est brusquement livré à la liberté créatrice. Ses divers éléments sont alors introduits dans une composition libre et brillante, qui incorpore 412 aussi des palmettes. Cette soudaine mise en valeur de la feuille fendue correspond à un phénomène qui a gagné au même moment León et Compostelle. Ce dernier foyer artistique, plus que tout autre, a contribué à attirer l'attention sur le motif en lui forgeant notamment une véritable généalogie.

411. Toulouse, Saint-Sernin, chapiteau n° 152.

412. Toulouse, Saint-Sernin, chapiteau n° 150.

413. Toulouse, Saint-Sernin, chapiteau n° 145.

Mais à côté de la rénovation d'une forme ancienne, il existe de purs archaïsmes. L'arbre à palmettes, lorsqu'il réapparaît en 145 et en 153, n'a que peu évolué par rapport à sa première apparition dans le 413 déambulatoire. En 145, une combinaison d'entrelacs et de palmettes illustre certaines préoccupations que Saint-Sernin avait pu partager avec Conques dans le passé. C'est sur un schéma de symétrie absolue, c'est-à-dire sur un type de composition depuis longtemps maîtrisé à 414 Saint-Sernin, que s'opère l'affrontement de deux boucs en 144. Les deux loups auxquels leur querelle va les livrer sans défense s'adaptent automatiquement à cette composition rigoureuse, qui s'imprime sur un fond de décor végétal remplissant tous les espaces disponibles sur la corbeille et couvrant également le tailloir. Il s'agit d'une manière

414. Toulouse, Saint-Sernin, chapiteau n° 144.

d'inventaire des principaux motifs décoratifs de Saint-Sernin : feuilles d'acanthe, fleurons, palmettes, pommes de pin.

Le second chapiteau figuratif, qui clôt à l'ouest la série des chapiteaux de ce collatéral, renforce les liens avec Compostelle et, ce faisant, annonce l'apparition du portail occidental (n° 154). Il reprend un thème rare de Compostelle, celui de l'arbalétrier, en l'enrichissant considérablement. Les armes avec leurs servants sont désormais au nombre de deux, une à chaque angle, et les flèches ne sont plus seulement gravées, mais portées par un troisième personnage entièrement nu, comme ses compagnons d'ailleurs. Son visage joufflu ne doit pas faire illusion sur sa nature : comme eux, c'est un être satanique. Les personnages d'angle aux faces simiesques ont tendance à se libérer de la masse du chapiteau comme nombre de figures de la cathédrale galicienne ou de Saint-Isidore de León, et cette autonomie du sujet par rapport au fond s'accentuera encore au portail occidental.

415

415. Toulouse, Saint-Sernin, chapiteau n° 154, arbalétriers.

416. Toulouse, Saint-Sernin, chapiteau n° 32.

Dans le collatéral nord, un chapiteau d'acanthe à deux couronnes enrichi de palmettes à la base des feuilles (n° 31), comme il en existe un grand nombre au chevet, manifeste une volonté de continuité qui se reconnaît aussi chez son voisin (n° 32). Celui-ci reprend une combinaison d'entrelacs et de palmettes très semblable à celle qui a été mentionnée au sud au n° 145. 416

Partout ailleurs s'imposent les feuilles fendues, disposées en une ou deux couronnes, mais toujours exécutées avec une souplesse favorable aux chevauchements des divers éléments. En outre, les feuilles de l'épannelage servant de supports aux motifs de surface se recourbent vigoureusement en becs à leurs extrémités (n° 29). Lorsque l'épannelage ne comporte qu'une seule rangée de grandes feuilles, on a généralement renforcé l'impression de jaillissement en hauteur. C'est le rôle de la feuille étroite qui s'allonge entre les deux moitiés écartées de la feuille fendue. Cependant, on lui a parfois substitué une grande et belle palmette encadrée par des tiges nouées (n° 23). En 25, on a repris l'ancienne idée d'accrocher une boule à l'extrémité des feuilles. En raison de l'évolution, elle devient un fruit grenu, qui existe aussi à Compostelle où il dérive de la grappe de raisin, mais qui aura surtout un bel avenir dans le milieu artistique toulousain postérieur. 417 418 419

417. Toulouse, Saint-Sernin, chapiteau n° 29.

418. Toulouse, Saint-Sernin, chapiteau n° 23.

419. Toulouse, Saint-Sernin, chapiteau n° 25.

Les chapiteaux des tribunes et de la voûte

DANS LES TRIBUNES et, plus haut encore, au niveau de la voûte, c'est-à-dire dans les endroits où l'activité prit fin prématurément, l'atelier de Saint-Sernin s'est exclusivement nourri de sa propre tradition, sans aucun apport extérieur.

La tribune du nord fait d'abord appel au corinthien en 166 et 167 puis, après une tentative avortée de rénovation de cette structure (en 165), le choix se porte sur la feuille fendue qui a pu se diffuser aussi bien à partir des tribunes du transept que des collatéraux de la nef.

C'est dans le cadre de la feuille fendue que prennent place les deux uniques motifs figurés de cette tribune. Sur le chapiteau n° 161, qui possède deux couronnes de feuilles sèches d'allure, aux découpes quasi mécaniques, les deux moitiés des feuilles d'angle sectionnées s'écartent pour laisser apparaître l'avant-train d'un lion aux pattes décharnées et à la gueule menaçante. Non loin de là, en 159, d'autres gueules de lions ont englouti une proie dont on n'aperçoit plus que deux pattes griffues. C'est là un motif fréquent, probablement en relation avec le déchaînement des puissances du mal. Un personnage assis au centre de la corbeille, dont l'identification est difficile, se saisit à pleines mains des deux pattes des victimes. Il appartient au point de vue morphologique à la famille de Saint-Sernin avec son visage plein, sa chevelure semblable à un casque et les plis minces et pincés de son vêtement. Les deux compositions figurées sont suivies en 162 de deux chapiteaux à feuilles lisses, conformément à une habitude bien ancrée dans l'édifice de faire succéder à des morceaux de bravoure des pièces d'un extrême dépouillement.

420

420. Toulouse, Saint-Sernin, chapiteau n° 159.

Dans la tribune méridionale on trouve presque exclusivement des feuilles nues, soit du type ordinaire, soit fendues par la nervure. Elles sont à une ou deux couronnes. Le dépouillement est cependant moins systématique que dans les tribunes de Saint-Jacques de Compostelle. Sur un chapiteau (n° 260) les feuilles fendues ont retrouvé leur décor de surface. Sur un autre, où elles demeurent nues, le motif est agrémenté d'une corde qui semble unir ses différents éléments (n° 256). La corbeille voisine est couverte de rinceaux de fleurons issus de la gueule d'un lion. Comme au nord, des chapiteaux d'acanthe réaffirment la continuité avec le passé (n° 264).

En arrivant au niveau des voûtes, nous entrons dans le domaine des simples répliques. Tout se passe comme si le maître de l'œuvre avait choisi un échantillon des motifs décoratifs les plus caractéristiques de l'atelier pour les faire reproduire. Une dernière fois on retrouve des feuilles fendues (en 160 et en 164). Mais il existe aussi des arbres à palmettes (en 168 et 254), des chapiteaux corinthiens à décor de surface (n°s 157, 258 et 262) et enfin des corinthiens à feuilles lisses (n° 266).

La Porte Miègeville

CE PORTAIL [62], qui ouvre sur la nef comme celui de l'Agneau à Saint-Isidore de León, doit son nom à son emplacement face à la rue conduisant au milieu de la ville *(mija vila)*. On le nommait aussi portail des Innocents, parce que le massacre de ces petites victimes du roi Hérode figure sur l'un de ses chapiteaux.

421 Au premier abord il offre une unité parfaite dans une structure harmonieuse issue de la Porte des Comtes et qui fut reprise pour les deux portails méridionaux de Saint-Isidore de León. Il se développe dans un corps en saillie ayant pour effet d'augmenter la profondeur de la baie. Un seul arc en plein cintre encadre un tympan — qui n'existait pas encore à la Porte des Comtes. Une corniche richement ornée couronne l'avant-corps, cependant que des figures debout occupent les écoinçons de l'arc.

421. Toulouse, Saint-Sernin, Porte Miègeville.

Les chapiteaux

UN PROBLÈME D'APPARTENANCE à ce bel ensemble est néanmoins posé par les chapiteaux qui, bien que sculptés dans le même marbre, appartiennent à deux groupes distincts : l'un comprenant trois chapiteaux historiés, l'autre réduit à une seule pièce : le chapiteau extérieur de droite, décoré de deux lions pris dans des lianes.

Apparemment les motifs iconographiques correspondent à un programme cohérent. Le chapiteau intérieur de droite, sculpté sur ses quatre faces, évoque l'Expulsion du paradis terrestre. Le sujet, également présent sur un chapiteau de la Porte des Orfèvres à Compostelle, est traité ici avec davantage d'ampleur. Sur un fond d'arbres à palmettes et

422

▷ 422. Toulouse, Saint-Sernin, Porte Miègeville, Expulsion du paradis terrestre.

423. Toulouse, Saint-Sernin, musée de la basilique, Dieu expulse Ève. Moulage en plâtre.

à fruits grenus, Adam et Ève, aux attitudes parfaitement identiques, dissimulent leur nudité à l'aide d'une feuille. Un ange, vêtu d'une tunique et d'un manteau drapé dont il tient l'extrémité dans sa main gauche, entraîne Adam. On aperçoit sur la droite un génie nu où nous proposons de reconnaître un dernier avatar du dieu Cælus. Il tend une étoffe qui serait la voûte du ciel [63]. On aurait ainsi un autre de ces motifs d'origine antique dont Saint-Sernin était friand. Vient ensuite la porte du paradis sous la forme d'une arcade gardée par un chérubin. Agenouillé en son centre il en saisit les colonnes pour en interdire l'accès. Cette figure, actuellement appuyée contre le piédroit, est invisible. Sa présence a été révélée à travers un moulage pris par Thomas W. Lyman [64]. La situation est identique pour les personnages suivants : un ange qui brandissait une épée, et dont il ne reste qu'une de ses ailes et son glaive, et un Dieu courroucé, qui s'active à mettre Ève à la porte sans le moindre égard. Au milieu du XIXe siècle cette représentation du courroux de Dieu était visible, comme l'attestent des gravures et une photographie. Elle fut dérobée à la vue à la suite d'une rotation de 90° que l'on fit subir au chapiteau, vraisemblablement lors de la restauration de Saint-Sernin par Viollet-le-Duc [65]. Heureusement, un moulage pris avant l'opération permet d'étudier cette face comme les autres.

423

424. Toulouse, Saint-Sernin, Porte Miègeville, Annonciation.

Le chapiteau symétrique du précédent au fond de l'ébrasement de gauche, et comme lui orné sur ses quatre faces, en constitue l'antithèse. Après la chute et la punition, c'est le début de l'histoire du Salut avec une Annonciation traitée de manière symbolique et théologique sans rien sacrifier à l'anecdote. La Vierge debout écoute le messager qui vient de la gauche, les jambes croisées. C'est une des premières apparitions dans la sculpture romane languedocienne de cette convention pour représenter la marche. Empruntée à la peinture des livres, elle se taillera un succès durable dans le domaine de la sculpture. L'ange Gabriel, la main droite levée, tient de la gauche la hampe d'une croix, à l'instar du chérubin et du séraphin du déambulatoire, qui ont introduit ce trait d'iconographie d'origine byzantine. Symétriquement apparaît, non pas la petite servante, qui tient parfois compagnie à la Vierge, mais un autre ange qui encense Marie et l'Enfant qui vient d'être conçu. Digne et grave, la Mère de Dieu exprime son acceptation par le geste : sa main droite, la paume en avant, est ramenée sur la poitrine, cependant que la gauche est étendue.

424

Vient ensuite la Visitation sur l'autre face visible. Marie et Élisabeth s'étreignent en présence d'un autre ange debout à leur droite. Il a les jambes croisées et il tient une croix dans sa main droite, un livre dans la gauche.

Sur les faces cachées du chapiteau de l'Incarnation, deux anges pris, semble-t-il, dans leur vol [66], tendent de leurs mains des voiles symboliques, comme le font sur la face principale de la table d'autel de Bernard Gilduin les anges qui cantonnent le buste du Christ imberbe. Leur rôle est semblable : ils ont accompagné le Fils lorsqu'il a quitté le ciel pour venir reposer dans le sein de la Vierge Marie.

Dans cette rencontre du ciel et de la terre que représente l'Incarnation, Marie occupe la place centrale. Elle est le pivot de l'ensemble avec l'Enfant qu'elle porte, de la même façon que sur le chapiteau d'en face tout tournait autour d'Ève lorsque le chapiteau était correctement placé. Nous retrouvons ainsi l'antithèse Ève-Marie familière aux théologiens [67].

Ce petit cycle de l'Enfance se termine par le Massacre des Innocents sur le second chapiteau de gauche. Saint Matthieu (2, 18) présente l'événement comme l'accomplissement d'une prophétie de Jérémie : « Oh ! ce cri dans Rama [...]. Oh ! sanglots ! Hurlements ! Rachel mène grand deuil pour ses fils ! Nul n'essuiera ses pleurs ! Ils furent et ne sont plus ». À la différence des deux précédents, ce chapiteau n'est pas appliqué dans les ébrasements, mais engagé dans la maçonnerie : il ne comporte donc que deux faces ornées. Sur celle qui regarde vers l'est,

425

425. Toulouse,
Saint-Sernin,
Porte Miègeville,
Massacre des Saints Innocents.

une femme tente de protéger son enfant du bourreau qui se précipite sur eux armé d'une hache. Sur l'autre face, la tuerie se poursuit. Un des sbires d'Hérode lève l'épée pour trancher le cou d'une innocente victime qu'il a prise brutalement par les cheveux et projetée sur le sol. Le même sort attend l'enfant agenouillé de l'autre côté. Le drame se déroule sous les yeux d'une mère qui serre dans ses bras un autre petit être promis au même sort. Il est nu comme tous les autres. Ces scènes se déroulent sur le même fond végétal que l'Expulsion du paradis terrestre. Les motifs en sont très proches de ceux de la table d'autel de Bernard Gilduin.

Les rapports de ces trois chapiteaux avec l'atelier de ce sculpteur ne se limitent pas là. En plus de tous les rapprochements déjà proposés, il convient de signaler une manière originale de traiter la plupart des chevelures : des écailles imbriquées composant une sorte de bonnet qui passe sur les oreilles. Les cheveux d'Adam, exceptionnellement, sont faits de mèches, mais à elles aussi il est aisé de trouver des antécédents dans le déambulatoire : soit la chevelure du chérubin, soit celle de l'un des grands anges. La parenté se poursuit dans le traitement des étoffes, en raison de l'emploi des plis pincés précisément mis à la mode par Bernard Gilduin.

D'une manière générale les relations les plus étroites s'établissent avec les grandes figures du déambulatoire, au point qu'on a pu songer à une communauté de main. Le fait n'est pas prouvé, il s'en faut. Le maître des anges et des apôtres est plus monumental, il regarde vers la statuaire. Les chapiteaux de la Porte Miègeville témoignent au contraire d'un goût marqué pour le décor et pour le mouvement. Leur exécution est à la fois plus délicate et plus alerte. Si leur auteur partage avec le maître des grandes figures du déambulatoire une dette de reconnaissance à l'égard d'une certaine sculpture paléochrétienne, il offre un style plus évolué. Si l'on place autour de 1100, comme tout y invite, la réalisation des grandes figures, on situera celle des chapiteaux historiés de la Porte Miègeville un peu plus tard, dans la première décennie du XIIe siècle.

À ce problème de chronologie est liée une énigme architecturale. Certaines observations faites par Thomas Lyman [68] donneraient à penser que les chapiteaux historiés de la Porte Miègeville sont en remploi. Sculptés sur leurs quatre faces ceux de l'Expulsion du Paradis terrestre et de l'Annonciation devaient être placés de telle sorte qu'on pût tourner autour. À l'origine ils auraient donc fait partie d'un ensemble différent, peut-être une composition décorative ou liturgique située dans le chœur de l'église. À quoi l'on objectera que ces deux chapiteaux peuvent aussi bien correspondre à un repentir — on connaît d'autres exemples, ne serait-ce qu'à Jaca, de chapiteaux sculptés sur leurs quatre faces par simple mégarde — qu'à un remploi. Surtout, le troisième chapiteau du groupe, celui du Massacre des Innocents, paraît bien être en place, car il est assisé avec les pierres correspondantes de l'ébrasement du portail. C'est la raison pour laquelle nous écartons la thèse du remploi, à laquelle nous préférons l'hypothèse suivante.

La Porte Miègeville aurait été commencée dans la première décennie du XIIe siècle par le maître des chapiteaux historiés dans la tradition stylistique propre à Saint-Sernin de Toulouse. Pour des raisons inconnues, la suite du travail fut poursuivie par un autre atelier dans un esprit plus « moderne » et surtout ouvert à l'extérieur, en l'occurrence à des influences venues de Saint-Jacques de Compostelle. C'est déjà à lui que revient le quatrième chapiteau des ébrasements, avec ses lions vigoureux pris dans des lianes ou des entrelacs végétaux sur un fond de feuilles fendues : un motif de nette ascendance compostellane. 426

426. Touloue, Saint-Sernin, Porte Miègeville, chapiteau aux lions.

▷ 427. Toulouse, Saint-Sernin, Porte Miègeville, tympan.

Le tympan

C'EST L'ÉLÉMENT ESSENTIEL du portail, qui contraste avec ceux de *las Platerías,* cependant à peu près contemporains, par la fermeté de la pensée théologique, la rigueur de la composition et le soin apporté à la réalisation.

427 Un thème unique, celui de l'Ascension, se développe sur le tympan et sur le linteau dont il unifie ainsi l'espace. Jusque-là, lorsqu'on l'utilisait dans le décor architectural, on le cantonnait dans les absides. Cependant, comme tous les thèmes glorieux de la vie du Christ, il était en quelque sorte prédestiné à venir accueillir les fidèles à la porte des églises dans le cadre semi-circulaire du tympan évoquant les culs-de-four [69].

Le Christ est debout sur les nuées qui l'ont caché à la vue de ses disciples, le corps de face, les bras levés, la tête tournée vers la droite. Cette attitude trouve son origine dans certains ivoires carolingiens et postcarolingiens. Il manque à Toulouse la main de Dieu qui représente sur ces modèles le pôle d'attraction pour le Seigneur montant aux cieux. La tête du Christ est entourée d'un volumineux nimbe crucifère. Sur les bras de la croix on lit REX [70] comme sur le nimbe du Christ en majesté du déambulatoire — abrégé en R. C'est le rappel de la royauté

que le Christ lui-même a revendiquée devant Pilate : « Tu le dis ! Je suis roi » (Jn. 18, 37). Elle est de nature spirituelle, d'origine et de nature célestes, même si elle s'étend aussi au monde et s'exerce dans le monde. C'est la raison pour laquelle on a associé à la croix du nimbe l'alpha et l'oméga à signification apocalyptique. Le Christ qui s'élève est ce même Christ qui reviendra à la fin des temps comme il est parti, pour juger les vivants et les morts. Le sculpteur a en outre gravé à l'intérieur du nimbe les mots DEVS PATER peut-être pour suppléer l'absence de la main de Dieu : Jésus retourne à son Père. Peut-être entendait-on aussi affirmer la nature divine du Christ contestée par certains hérétiques.

Il est remarquable d'observer que si quatre anges, disposés symétriquement deux à deux, acclament le Fils de Dieu qui s'élève pour aller occuper son trône de gloire, deux autres l'aident à s'élever. Bien que ce détail soit rarissime dans l'iconographie romane de l'Ascension, il n'a rien de surprenant en soi, puisqu'il semble prendre au pied de la lettre les mots *elevatus est* et *assumptus est* employés par les Actes des Apôtres (1, 9 et 11) pour décrire le départ du Christ [71]. Surtout, Toulouse renoue ainsi avec une tradition paléochrétienne de la représentation de la scène, antérieure à celle où le Christ s'élève par ses propres moyens. On l'observe notamment sur un des panneaux de la célèbre porte de Sainte-Sabine à Rome, qui est du Ve siècle.

Sur le linteau les douze apôtres ne quittent pas des yeux la nuée dans laquelle leur maître vient de disparaître. Cependant, aux extrémités, les « deux hommes vêtus de blanc » des Actes des Apôtres (1, 11) les admonestent : « Hommes de Galilée, pourquoi restez-vous ainsi à regarder le ciel ? Celui qui vous a été enlevé, ce même Jésus viendra comme cela, de la même manière dont vous l'avez vu partir vers le ciel ». Ce sont des anges coiffés d'un bonnet à la pointe recourbée. L'un déploie un phylactère, l'autre désigne du doigt le livre qu'il tient, deux gestes qui attestent le caractère scripturaire de la scène représentée, et donc son authenticité. Déjà avec leurs jambes croisées, ce qui est comme nous l'avons dit la convention retenue pour représenter la marche, certains apôtres se mettent en route pour aller annoncer la Bonne Nouvelle de l'Évangile aux peuples de la terre.

Le linteau repose sur deux consoles représentant, à gauche le roi David en musicien assis entre deux lions ; à droite deux figures au visage bouffi chevauchant d'autres lions. La présence de David, qui compte parmi les ancêtres du Christ selon la chair, se justifie pleinement dans le contexte général : il atteste la lignée royale du Sauveur. Quant à la seconde console, elle prend place parmi les nombreuses créations de Saint-Sernin de Toulouse et de Saint-Jacques de Compostelle consacrées à des personnages chevauchant des animaux comme ici ou tenant des bêtes dans leurs bras. La source plastique est probablement une sculpture romaine et l'interprétation est presque toujours à mettre en relation avec le mal et le péché, l'aspect bestial de l'homme.

428

428. Toulouse, Saint-Sernin, Porte Miègeville, David musicien.

429. Toulouse, Saint-Sernin, Porte Miègeville, personnages chevauchant des lions.

On remarquera que les figures chevauchant les lions sont coiffées d'une sorte de bonnet phrygien comme les « hommes vêtus de blanc » du linteau. Il peut s'agir d'une simple convention d'école, mais ce détail peut aussi avoir une signification précise. De même, le fait d'avoir représenté l'un de leurs pieds nu et l'autre chaussé peut aussi bien répondre à une simple recherche décorative que résulter d'une intention symbolique.

429

De toute manière, le lion qui est une des principales figures du Christ devient aussi à l'occasion le symbole du mal par excellence, à cause de son ambivalence. « Dans son rôle infernal, le lion est souvent l'emblème de l'une des trois concupiscences auxquelles l'ascétisme chrétien attribue la perte des âmes : ' concupiscence de la chair ', d'où Luxure, Gourmandise et Paresse ; ' concupiscence des yeux ', d'où Luxure encore, Avarice et Envie ; ' concupiscence de l'Orgueil de la Vie ', d'où Orgueil et Colère [...] » [72].

Mais le lion est aussi parfois le « démon de l'Hérésie ». « En souvenir de la lutte ardente que Goscelin de Parthenay, archevêque de Bordeaux au XIe siècle, soutint victorieusement contre l'hérésiarque Bérenger, adversaire de la présence réelle de Jésus-Christ dans l'Eucharistie, ses neveux, les sires de Parthenay en Poitou, prirent le nom de Parthenay-l'Archevêque et représentèrent sur leurs sceaux leur oncle chevauchant un lion, emblème de l'hérésie vaincue, dont il ferme la bouche ; tel le voit-on sur le sceau de Hugues-l'Archevêque, seigneur de Parthenay de 1182 à 1218 » [73]. À Toulouse, les figures chevauchant les lions ne leur ferment pas la bouche, mais se complaisent à leurs rugissements. Le rapprochement de David et des lions sataniques est aussi rempli de signification. David a combattu le lion et il l'a vaincu. Le Christ, nouveau David, a lui aussi terrassé Satan, le lion maudit, et son Ascension est la conséquence de cette victoire.

Le décor de la façade

DE CHAQUE CÔTÉ DU TYMPAN de grandes figures d'apôtres se dressent sur des animaux qu'elles foulent aux pieds. À droite, saint Pierre — SANCTVS PETRVS APOSTOLVS est inscrit sur son grand nimbe — est coiffé d'un bonnet côtelé et il est chaussé de sandales. Ce genre de coiffure est celle que des évêques portent sur des sceaux dès le milieu du XIe siècle. Il s'inscrit dans l'histoire de la mitre épiscopale [74]. Quant

430

430. Toulouse, Saint-Sernin, Porte Miègeville, saint Pierre.

aux sandales, il s'agit de chaussures liturgiques convenant à un prêtre et même au pape. Saint Pierre, qui bénit, porte à la ceinture les clefs du royaume des cieux que le Christ lui a remises (Mt. 16, 19). Un rameau de vigne, symbole de l'eucharistie, est placé à côté de lui. Des éléments floraux semblables appartiennent au décor de la façade de la Porte des Orfèvres à Saint-Jacques de Compostelle. D'autres sont signalés par le *Guide du pèlerin* sur celle de la Porte de France dans la même église.

Deux anges qui surmontent saint Pierre portent ensemble une couronne et chacun d'eux tient encore un disque marqué d'une croix, probablement une hostie. Ces figures ne sont à leur emplacement actuel que depuis la restauration de Viollet-le-Duc. Auparavant, elles devaient se trouver à un autre endroit de l'église. Cependant, la plaque sur laquelle elles sont sculptées ayant exactement la même largeur que celle de saint Pierre, il y a gros à parier qu'elles n'ont fait que retrouver leur emplacement d'origine. La couronne et l'hostie apportées à saint Pierre par les anges sont les symboles de son pouvoir au même titre que les clefs. Dans la religion chrétienne, Jésus-Christ est le prêtre par excellence. Son sacerdoce est éternel et il ne se transmet pas puisque celui qui le possède est toujours vivant. Mais Jésus a confié aux apôtres, et notamment à Pierre, le pouvoir de gouverner l'Église (Mt. 16, 19 ; 18, 28) et de célébrer l'eucharistie (Lc. 22, 19).

La plaque sculptée au-dessous de saint Pierre n'a jamais été déplacée. 431 Simon le Magicien y est représenté. Selon les Actes des Apôtres (8, 9-24) ce personnage présente deux traits différents qui ne s'excluent pas l'un l'autre. C'est une sorte de chef de secte qui cherche à séduire la multitude. Il se dit « grand » et le peuple de Samarie l'appelle « la grande puissance de Dieu ». Mais c'est aussi un « magicien ». S'il se convertit à la parole de l'apôtre Philippe, c'est sur un malentendu ; il croit avoir trouvé plus habile que lui en magie et entend percer les secrets dont disposent, selon lui, les apôtres. Il veut à son tour communiquer le Saint-Esprit et il n'hésite pas à recourir à l'argent pour arriver à ses fins. Après que Pierre l'eut chassé de la communauté chrétienne, on le trouva à la tête d'un groupe gnostique.

À ce récit, des textes apocryphes ont joint la légende d'un autre Simon de Samarie, au sujet duquel ils établissent un parallèle avec le Messie. Il promet, si on lui élève une tour, d'appeler ses anges et de

431. Toulouse, Saint-Sernin, Porte Miègeville, Simon le Magicien.

monter au ciel vers son père. On lui bâtit cette tour à Rome d'où il s'envole en présence de Néron, de saint Pierre et de saint Paul. Mais, sur l'ordre de Pierre, les mauvais anges qui portaient le magicien l'abandonnent et celui-ci tombe et se désarticule en touchant le sol.

On voit ici le magicien assis. Deux démons effrayants s'efforcent vainement de le soulever. Leurs énormes langues pendantes, tout autant que leurs gestes, témoignent de l'importance de l'effort fourni et aussi de son inutilité. Le magicien est incapable de s'élever dans les airs comme il s'était vanté de le faire. Mieux, l'index de sa main droite pointé vers sa jambe évoque sans doute la chute honteuse et ses conséquences tragiques. Le Moyen Âge aimait à penser et à composer par antithèse. Le procédé est développé ici jusque dans les moindres détails. Le prince des maléfices qui est tombé, c'est la fausse puissance appuyée sur des anges déchus. Il est opposé au vrai Puissant, le Christ de l'Ascension, qui s'élève vers le Père, aidé par les vrais anges, dont l'action est pleinement efficace. Dans le milieu des chanoines réformés de Saint-Sernin, Simon symbolise l'une des plaies dont l'Église avait souffert avant sa guérison par la Réforme grégorienne : la simonie, le trafic des choses sacrées. Une inscription gravée sous la scène mentionne la qualité de magicien de Simon : ARTE FVRENS MAGICA SIMON IN SVA OCCIDIT ARMA, « Égaré par son art magique, Simon succombe à ses propres armes », cependant que le mot MAGVS inscrit à hauteur de sa tête évoque l'autre aspect du personnage, le simoniaque [75].

On attendait Paul, l'autre pilier de l'Église, comme pendant de Pierre, mais c'est l'apôtre Jacques qui apparaît. Émile Mâle explique ce choix par l'influence du pèlerinage. À cette étape de la route de Compostelle, « le saint Jacques de Toulouse annonçait au pèlerin le lointain saint Jacques de Galice » [76]. Il appuie son hypothèse sur une curieuse parenté iconographique : les statues du saint dans les deux centres sont encadrées par ce qu'il appelle des troncs d'arbres ébranchés, et qui ne sont en fait qu'émondés. Les ressemblances s'étendent au

432

432. Toulouse, Saint-Senin, Porte Miègeville, saint Jacques.

détail : à Toulouse comme à Compostelle, le nom du saint est gravé sur son nimbe.

Pour des raisons de symétrie avec la composition de droite, on a placé au-dessus et au-dessous de saint Jacques deux plaques de marbre dont l'iconographie demeure discutée, car elles sont dépourvues d'inscriptions explicatives. Celle du haut représente deux personnages prisonniers de rinceaux de feuillages : une idée qui vient aussi certainement de Compostelle. L'un est d'un certain âge, l'autre jeune. Peut-être renvoient-ils à un récit de la légende de l'apôtre, la conversion du magicien Hermogène, visiblement calquée, comme l'a bien vu Louis Réau, sur l'histoire de Simon le magicien confondu par saint Pierre [77]. À l'instar de Simon pris au piège de ses sortilèges, Hermogène et son disciple Philète apparaissent enchaînés par les puissances diaboliques auxquelles ils s'étaient livrés et dont saint Jacques seul put triompher.

433. Toulouse, Saint-Sernin, Porte Miègeville, femmes chevauchant des lions.

La composition sculptée installée au-dessous de l'apôtre représente, à l'instar de l'une des consoles du linteau, deux femmes chevauchant 433 des lions. Un personnage masculin situé à l'arrière-plan rapproche leurs têtes. D'autres lions rugissent aux angles du panneau. L'existence de réseaux de correspondances à l'intérieur de la grande page sculptée que constitue la Porte Miègeville invite à chercher l'explication du sujet du côté de la plaque directement symétrique, où est dénoncée la simonie. N'aurait-on pas voulu fustiger ici l'autre désordre majeur du monde ecclésiastique avant la Réforme grégorienne : le nicolaïsme, le laxisme charnel, le lion symbolisant la « concupiscence de la chair ».

On n'achèvera pas cette description sans attirer l'attention sur la corniche couverte de palmettes et surtout sur ses modillons, où triomphe la ronde-bosse. Parmi eux se distinguent notamment deux bustes magnifiques : l'un masculin, aux cheveux ébouriffés d'allure très 434 antiquisante, l'autre féminin, aux seins nus. Ce dernier tient dans sa 435 main un minuscule objet circulaire non identifiable.

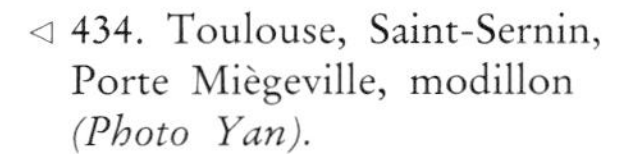

◁ 434. Toulouse, Saint-Sernin, Porte Miègeville, modillon *(Photo Yan).*

435. Toulouse, Saint-Sernin, Porte Miègeville, autre modillon *(Photo Yan).*

Toulouse et Compostelle

ON A PRÉTENDU que la Porte Miègeville était l'œuvre de plusieurs artistes, non compris le maître des chapiteaux historiés : ce qui est très possible et même probable. Poussant plus loin les analyses, on est allé jusqu'à vouloir identifier les diverses mains [78]. Sans doute a-t-on fait preuve de témérité, compte tenu du caractère très subjectif de la méthode employée, fondée sur de simples comparaisons stylistiques.

Il est plus sage de s'en tenir à un fait d'évidence : l'étroitesse des relations avec Saint-Jacques de Compostelle. Celles-ci furent à l'origine de nouveautés stylistiques perceptibles dès le quatrième chapiteau, celui des lions pris dans des lianes. Impliquèrent-elles l'incorporation de Saint-Sernin à la nébuleuse compostellane ? Certainement pas, car elles n'eurent pas raison de la tradition locale des relations avec l'enluminure.

On n'a jamais signalé, semble-t-il, les parentés étroites sur le plan du dessin entre les grandes figures de la Porte Miègeville — le Christ et les anges du tympan, les apôtres Pierre et Jacques des écoinçons — et quelques grandes lettrines d'un remarquable manuscrit méridional de commentaires sur les épîtres de saint Paul exécuté à l'abbaye de Lagrasse sous l'abbé Robert (1085-1108), qui l'avait personnellement noté [79]. Robert Saint-Jean indique que « les saints personnages debout, dessinés au trait, décorant les hastes, ont un caractère nettement antiquisant dans leurs proportions trapues et le traitement des draperies : monumentalité et élégance des attitudes, graphisme souvent raffiné des plis, tendance à imiter la draperie mouillée des modèles romains ». Mayer Schapiro [80] qui avait déjà noté les particularités stylistiques de ces figures avait proposé de les mettre en relation avec les statues de Brunus de la façade de Saint-Gilles. En fait, les comparaisons les plus convaincantes sont celles que l'on effectue entre ces dessins et les hauts-reliefs de la Porte Miègeville.

Le portail occidental

SI LA PORTE MIÈGEVILLE fut terminée entre 1110 et 1115, comme tout porte à le croire, ce fut immédiatement après que l'on entreprit d'édifier le portail occidental qui, si on avait pu l'achever, aurait surpassé tous les autres en ampleur et en richesse.

Actuellement il ne comprend que deux baies géminées légèrement outrepassées, dépourvues de tympans comme celles de la Porte des Comtes, et ornées de huit chapiteaux dans les ébrasements. Ces œuvres correspondent à la phase « baroque » du style roman. Sur chacune d'elles on observe une même exubérance de motifs végétaux et figurés qui non seulement s'enchevêtrent mais parfois s'interpénètrent. Les feuilles fendues, dont nous avons suivi l'histoire depuis leur apparition dans le déambulatoire, sont à l'origine des motifs végétaux dont le sculpteur a usé très librement. Des lianes végétales emprisonnent des corps de lions et de personnages à la bouche arrondie comme l'orifice d'une fontaine, lorsqu'elles ne donnent pas naissance, à l'endroit où elles se nouent, à des têtes d'oiseaux au bec crochu d'où s'échappe une langue effilée. Les doigts des figures humaines et les griffes des animaux s'agrippent aux astragales en déployant une vive énergie. La passion du mouvement,

436, 437

apparue dans les collatéraux de la nef, arrive à son paroxysme. Même les fleurons des tailloirs sont pris d'un mouvement fiévreux. Le même « expressionnisme » s'observe à Saint-Jacques de Compostelle aux environs de 1115. Tout confirme donc que le portail occidental de Saint-Sernin était en construction en 1118 lorsque mourut Raymond Gayrard et que cette mort en interdit l'achèvement.

Jusqu'à la Révolution plusieurs bas-reliefs en marbre y étaient accrochés [81]. Ils avaient été décrits à plusieurs reprises depuis le XVIe siècle et l'on sait par les inscriptions qui les accompagnaient qu'ils associaient saint Martial, le fondateur de l'Église de Limoges, à saint Saturnin dans une suite de scènes légendaires, dépourvues de tout fondement historique.

Ces légendes étaient nées au cours des Xe et XIe siècles dans le monde aquitain dont Toulouse faisait alors partie. Elles attribuaient l'évangélisation de toute la région à saint Martial tenu pour l'un des 72 disciples envoyés par Jésus pour évangéliser (Lc. 10, 1). « Ami et disciple de saint Pierre, proche parent de saint Étienne, suivi de fidèles parmi lesquels le futur martyr saint Saturnin, Martial aurait prêché l'Évangile à Toulouse au temps même où il aurait été prêché à Rome. Accueilli avec charité par la population, il aurait accompli de nombreux miracles, chassé les démons des statues idolâtres et même brisé celles-ci d'un simple signe de croix. Les conversions auraient été nombreuses et la plus illustre, encore que secrète, aurait été celle de la ' reine ' Austris, fille du ' roi ' Marcellus, gouverneur de la province, que les eaux du baptême auraient guérie de la lèpre » [82].

Sur les reliefs toulousains la légende paraissait quelque peu modifiée. Saint Saturnin y était donné non comme un disciple mais comme un compagnon *(socius)* de saint Martial. On le faisait venir directement de

436. Toulouse, Saint-Sernin, portail occidental, chapiteau.

437. Toulouse, Saint-Sernin, portail occidental, autre chapiteau.

Rome pour affirmer l'apostolicité de l'Église toulousaine. Par ailleurs, on avait changé l'identité du « roi » Marcellus appelé ici Antoine.

Ces sculptures comprenaient saint Martial en évêque avec sa crosse et saint Saturnin tenant un livre où était écrit *Pax vobis,* comme sur les livres du Christ en majesté du déambulatoire et du saint Jacques de la Porte des Orfèvres à Compostelle. Il y avait aussi la comparution de saint Saturnin devant Antoine, le baptême de la fille du « roi » et sans doute aussi une représentation du martyre de saint Saturnin.

On reconnaîtra donc des éléments d'un ensemble sculpté qui, s'il avait été intégralement réalisé, aurait soutenu la comparaison avec celui de *las Platerías* et qui par l'emplacement et les intentions iconographiques se serait étroitement apparenté au portail occidental de Saint-Jacques. Ni l'un ni l'autre de ces grands ensembles destinés à célébrer les saints martyrs à l'entrée principale de leur église-*martyrium,* ne furent terminés. Nous savons ce qu'il advint de celui de Compostelle. À Toulouse également, seuls quelques-uns des bas-reliefs furent réalisés avant la fermeture du chantier en 1118 et parmi eux deux uniquement sont parvenus jusqu'à nous, et encore très mutilés. On les trouve au musée des Augustins [83].

Un personnage assis était le « roi » Antoine devant qui comparaissait saint Saturnin, aujourd'hui disparu. L'autre bas-relief représente un de ces êtres étranges comme il y en a tant à la Porte des Orfèvres. Il ressemble à un coq, mais il avait une face d'homme. Dans ses griffes il tient un animal désigné comme un crocodile — COCODRILLVS. Pour le Moyen Âge, cet animal à la fois aquatique et terrestre demeurait incertain. Il est donc regrettable que la détérioration de la sculpture ne permette pas de savoir comment les sculpteurs romans toulousains se le représentaient. L'oiseau fantastique était accompagné d'un autre être fabuleux — qui n'a pas été conservé — , intermédiaire entre l'homme et l'animal : « Réunis ensemble les deux corps n'en font plus qu'un. La première partie appartient à l'homme, la seconde au cheval » disait la légende gravée [84]. Sans doute s'agissait-il d'un centaure. Selon toute vraisemblance, ces deux figures participant à deux natures différentes devaient être considérées comme sataniques. Le style des fragments sauvés du naufrage correspond à l'épanouissement de celui de la Porte Miègeville.

Le Signe du Lion et le Signe du Bélier

PEUT-ÊTRE AVAIT-ON DESTINÉ au décor du portail occidental de Saint-Sernin une sculpture qui, en raison de son caractère étrange, n'a jamais cessé de faire travailler les imaginations.

438

Avant la Révolution elle était accrochée à une colonne de la Porte des Comtes, mais bien évidemment elle n'avait pas été faite pour occuper cet emplacement. Elle était en errance à Saint-Sernin où elle demeura jusqu'à son transfert au musée des Augustins en l'an 1800 [85].

Deux figures de femmes ayant les jambes croisées et dont un pied est chaussé et l'autre nu — un détail déjà signalé à Toulouse, ainsi qu'à Compostelle — , portent l'une un lion et l'autre un bélier dans leurs bras. Sur le champ du bas-relief on a gravé, en utilisant au mieux toute

438. Toulouse, musée des Augustins,
Signum leonis et *Signum arietis (Photo Yan).*

la place disponible, bien que le procédé ne facilitât pas la lecture, les inscriptions suivantes :
SIGNVM LEONIS
SIGNVM ARIETIS
HOC FVIT FACTVM T TEMPORE IVLII CESARIS
Signe du lion
Signe du bélier
Ceci fut fait au temps de Jules César.

Remarquons d'abord que cette traduction néglige le T qui suit FACTVM et précède TEMPORE. La répétition de cette lettre peut être en effet le résultat d'une distraction du lapicide, mais certains auteurs ont compris ce T comme l'initiale de *Tolosæ,* bien qu'aucun signe d'abréviation ne justifiât cette restitution.

Quel serait alors l'événement évoqué ? Nicolas Bertrand, avocat au parlement de Toulouse, rapporte une légende qui courait dans la ville à son époque, c'est-à-dire au XVIe siècle, et qui, sans aucun fondement d'ailleurs, était mise au compte de saint Jérôme. Au temps de Jules César, deux vierges auraient mis au monde l'une un lion, l'autre un agneau, double préfiguration du Christ qui, au jour du Jugement, se montrera agneau pour les justes et lion pour les méchants. Cette légende « si séduisante qu'elle soit, ne peut emporter la conviction, car on n'est pas assuré qu'elle ait été connue aux XIe-XIIe siècles. Il se pourrait qu'elle soit née de la sculpture, plutôt que celle-ci de la légende » [86].

Mon collègue Jean Soubiran de l'Université de Toulouse-Le-Mirail a émis, dans une correspondance, une autre hypothèse. Il reprend à son compte l'idée d'une erreur du lapicide, mais celle-ci aurait consisté, non pas à graver deux fois le T initial de TEMPORE, mais à transformer en T un I surmonté d'un tilde horizontal, c'est-à-dire l'abréviation tout à fait banale de *in.* L'explication est pleinement satisfaisante, car si cette syntaxe du complément de temps est moins classique que l'ablatif *tempore* seul, elle pouvait se prévaloir de l'exemple des évangiles, où la formule *in illo tempore* est fréquente.

Aussi peut-on rendre aux deux mystérieuses figures le sens zodiacal affirmé par les inscriptions qui les accompagnent. Jean Soubiran voit en elles des symboles de puissance : le Bélier étant le premier signe du zodiaque et le Lion correspondant au mois des fortes chaleurs. Selon toute vraisemblance, cette puissance était symboliquement appliquée au Christ. On connaît d'autres cas — ainsi à Saint-Isidore de León — où *Aries* est identifié avec l'*Agnus Dei.* Quant au lion zodiacal, on sait qu'il était parfois le symbole du Christ ressuscitant [87]. À l'appui de cette thèse on joindra une découverte fortuite effectuée en avril 1954 à Nogaro (Gers). À l'occasion de travaux de terrassement effectués pour établir un réseau téléphonique, on découvrit à peu près au centre de la localité, à environ 90 cm au-dessous du niveau actuel du sol, une figure féminine assise, les jambes croisées. Elle tenait dans ses mains quelque chose qui n'est pas identifiable, mais qui a pu être un lion. Sa tête est entourée d'un nimbe sur lequel est gravé : SIGNVM LEONIS : preuve que le signe zodiacal était christianisé et même sanctifié. On observe que la trouvaille s'est produite non loin de l'ancienne collégiale romane Saint-Nicolas, dont certains chapiteaux sont d'un style compostellan très pur. Le bas-relief du *Signum leonis* — transporté depuis au Musée municipal d'Auch — a pu appartenir au décor du portail occidental de l'église, détruit pendant les guerres de Religion [88].

Une source romaine pour l'iconographie est peu contestable. « Le pied nu et le pied chaussé de chacune des deux femmes constituent une figuration qu'offrent plusieurs bas-reliefs antiques. Cette représentation, symbole reconnu de la parthénogénèse, traduit également une démarche religieuse. Ainsi dans l'*Énéide,* Didon s'approche des autels un pied dépouillé de ses bandelettes, la robe dénouée, pour prendre à témoin avant de mourir les dieux et les constellations qui sont au courant de son destin » [89]. Ainsi est-on orienté vers un « horoscope » du Christ. Malheureusement, la fin de l'inscription n'y est pas favorable, puisqu'elle situe l'événement évoqué non pas sous le règne d'Auguste, époque de la naissance de Jésus, mais au temps de Jules César.

On s'est toujours plu à célébrer l'exceptionnelle qualité du bas-relief toulousain, qui représente l'art de Saint-Sernin au sommet de son développement. Sur ce plan il soutient la comparaison avec le saint Jacques de la Transfiguration de Compostelle, son contemporain. La différence entre eux ne s'établit qu'au point de vue du style, car l'apôtre dans son style « gras » est un modèle de force et d'équilibre, alors que les deux « signes » toulousains dans leur style « sec » visent au raffinement.

Le style de Saint-Sernin à la cathédrale Saint-Étienne

DANS LA PREMIÈRE MOITIÉ DU XIIIe SIÈCLE, on procéda à Toulouse à la reconstruction de la nef de la cathédrale Saint-Étienne [90]. Il s'agit d'une salle rectangulaire de plus de 19 mètres de large, couverte d'une voûte d'ogives dont les nervures retombent en pointe dans les angles. Chacune des trois travées est séparée de ses voisines par un puissant doubleau rectangulaire non mouluré prenant appui sur des piliers engagés par l'intermédiaire de chapiteaux qui sont généralement des remplois provenant de la cathédrale romane antérieure. Au nombre de vingt-quatre, ces corbeilles, parfois mutilées, ont été regroupées assez maladroitement à plusieurs sous un tailloir commun. Cependant, comme les chapiteaux dont on disposait se trouvèrent en nombre insuffisant, on les compléta par des copies très fidèles au nombre de cinq, toujours placées en arrière des œuvres originales, sans doute par honnêteté intellectuelle, pour ne pas donner le change.

Neuf corbeilles romanes dérivent de l'épannelage corinthien, avec une double couronne de feuilles fendues dont les deux moitiés encadrent une étroite feuille centrale. L'extrémité des grandes feuilles, alourdie par une boule, une pomme de pin ou un fruit grenu, se retourne vivement en passant sous les volutes d'angle. 439

439. Toulouse, cathédrale Saint-Étienne, chapiteaux romans remployés dans la nef.

440. Toulouse, cathédrale Saint-Étienne, autres chapiteaux romans remployés dans la nef.

Un autre motif très apprécié fut celui des grandes feuilles d'angle, lisses ou striées parfois, encadrées par des tiges nouées et séparées par des demi-feuilles. Il ne concerne pas moins de cinq corbeilles. (440)

D'une manière générale, ces motifs prolongent le décor des collatéraux de la nef de Saint-Sernin dans le sens de la préciosité. Cette orientation n'était pas exclusive de la tentation de l'archaïsme à laquelle l'atelier de Saint-Sernin lui-même avait déjà été sensible dans ses dernières productions. (441) Ainsi a-t-on réservé le registre inférieur d'un chapiteau à grandes feuilles au beau motif couvrant de palmettes si souvent présent au chevet de Saint-Sernin et dans le cloître de Moissac dans le dernier quart du XIe siècle.

Dans la série des chapiteaux romans de Saint-Étienne, les thèmes animaliers se réduisent à la figuration d'oiseaux affrontés. Ils sont d'assez petite taille pour permettre à une rosace de s'épanouir à la naissance des volutes sous le dé central. Ici aussi on se plaçait dans la tradition de Saint-Sernin.

Il en va de même pour les tailloirs sous lesquels sont regroupés les chapiteaux. Ils sont le plus souvent décorés d'éléments végétaux venus eux aussi des collatéraux de la nef de Saint-Sernin, lorsqu'il ne s'agit pas de motifs romans non spécifiques, comme les billettes.

Les chapiteaux romans des piliers furent complétés, avons-nous dit, par des pastiches. D'autres pastiches du même ordre, le plus souvent à feuillages, parfois à personnages, furent exécutés pour l'arcature qui encadre une série d'ouvertures éclairant une galerie dans le mur occidental de la nef. Une galerie semblable, également de la première moitié du XIIIe siècle, existait à Saint-Sernin au même endroit, au-dessus des deux baies du portail occidental.

D'après leur style, les chapiteaux remployés dans la nef de Saint-Étienne n'avaient été sculptés qu'après la fermeture du chantier de Saint-Sernin. Cette chronologie contredit celle qui a été longtemps retenue et qui faisait de la cathédrale romane de Toulouse une œuvre de l'évêque Isarn (vers 1072-1105) [91].

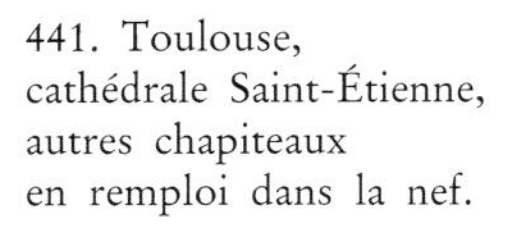

441. Toulouse, cathédrale Saint-Étienne, autres chapiteaux en remploi dans la nef.

4. Le Maître de l'abbé Bégon à Conques

DEPUIS L'OUVERTURE DU CHANTIER et jusqu'à la dernière décennie du XIe siècle, la production sculptée de l'abbatiale de Conques était demeurée sous le signe d'une grande diversité. Celle-ci ne peut guère s'expliquer que par l'appel renouvelé à des artistes d'origine et de formation différentes. On se trouvait alors dans la situation qui fut souvent celle de nombreux chantiers romans importants. Un changement s'opéra à la fin du siècle grâce à la présence d'une équipe désormais assidue et à la production aisément reconnaissable. On a pris l'habitude de la désigner par référence à l'abbé magnifique qui s'assura ses services, Bégon (1087-1107). Ainsi parle-t-on du « groupe-Bégon » ou de « l'atelier de Bégon » [92]. Pour nous, nous préférons mettre l'accent sur la personnalité qui se dessine en arrière du groupe, et qui le domine, et nous parlerons du « maître de l'abbé Bégon », tout en sachant bien qu'il ne fut l'auteur que d'une partie seulement de la production que nous regroupons sous son nom.

La plaque funéraire de l'abbé Bégon

NOUS ABORDERONS CETTE ÉTUDE avec le monument funéraire de l'abbé, que l'artiste exécuta sans doute immédiatement après la mort du mécène. Il se trouve aujourd'hui dans le mur d'un enfeu ménagé entre les contreforts limitant la troisième travée de la nef de l'abbatiale, du côté du midi.

442

L'épitaphe est gravée sur deux plaques de serpentine encadrant un bas-relief lui-même sculpté dans un fin calcaire blanc. En voici le texte et sa traduction, tels qu'on les trouve dans le *Corpus des inscriptions de la France médiévale* [93].

HIC EST ABBA SITVS
DIVINA LEGE PERITVS :
VIR DOMINO GRATVS
DE NOMINE BEGO VOCATVS :

442. Conques,
Sainte-Foy,
plaque funéraire de l'abbé Bégon.

HOC PERAGENS CLAVSTR
VM : QVOD VERSVS
TENDIT AD AVSTRVM

SOLLERTI CVRA BONA GESS
IT ET ALTERA PLVRA : HI
C EST LAVDANDVS PER SE
CVLA VIR VENERANDVS :
VIVAT IN ETERNVM RE
GEM LAVDANDO SVPERNVM :

Ici se trouve un abbé expert en la loi divine,
homme agréable au Seigneur, répondant au nom de Bégon.
Il acheva ce cloître qu'il étendit vers le Midi.
Mû par un zèle diligent, il accomplit également

plusieurs autres bonnes œuvres. Cet homme vénérable
doit être loué à travers les siècles.
Qu'il vive dans l'éternité en louant le Roi suprême.

Ce texte célèbre les hauts faits de l'abbé Bégon et notamment l'achèvement du cloître qu'il avait construit en direction du Midi [94]. Ainsi voulut-on donner au monument funéraire, en plus de son caractère spécifique, la signification d'un monument commémoratif. Il conservait pour les moines de Conques, dans leur cloître, le souvenir et la figure de leur bienfaiteur. De la même manière ceux de Moissac avaient fait sculpter l'image de l'abbé Durand de Bredons, le rénovateur de leur monastère, sur un des piliers du cloître, en face de l'entrée de la salle capitulaire [95].

Désormais, l'abbé Bégon « vit dans l'éternité en louant le Roi suprême ». C'est ce que la plaque funéraire a tenté de représenter à travers une composition qui, par la disposition d'ensemble — le Christ trônant entre un personnage masculin à sa droite et un personnage féminin à sa gauche, tous les deux debout — s'inspire d'une scène de couronnement impérial, du type de celui de l'empereur germanique Henri II et de son épouse l'impératrice Cunégonde, peint entre 1007 et 1012 dans l'Évangéliaire de cet empereur, aujourd'hui à la Bayerische Staatsbibliothek de Munich [96]. Un tel modèle était connu dans la région puisqu'une variante avec un saint et une sainte agenouillés, couronnés par le Christ en majesté, existe à Saint-Caprais d'Agen. Elle concerne les deux martyrs de cette ville, c'est-à-dire précisément sainte Foy elle-même et saint Caprais, et elle est à peu près contemporaine du monument funéraire de l'abbé Bégon [97]. À Conques, la scène du couronnement impérial n'a fourni qu'un schéma directeur sur lequel on a librement brodé.

À droite du Christ on reconnaît l'abbé Bégon à son costume : une aube bouffant à la taille et sur laquelle a été posée une étole ; à sa tonsure monastique et à la crosse qu'il tenait de la main droite et dont la puissante volute est en partie brisée. Au-dessus de lui, un ange en buste le prend sous sa protection. Il est accueilli par le Christ céleste assis sur un trône, les pieds posés sur un escabeau, et qui bénit de la main droite et tient le livre des Évangiles de la gauche. Sa tunique dessine à sa base de larges plis triangulaires, semblables à ceux que forme l'aube de l'abbé en tombant. Sainte Foy, représentée à gauche du Christ, la main droite levée, joue son rôle d'intercession en faveur de celui qui l'a si bien servie durant sa vie terrestre. Un ange, pendant du précédent, pose sur sa tête la couronne des élus. L'image signifie donc tout à la fois son couronnement par les anges et l'entrée de l'abbé Bégon dans la béatitude éternelle. La sainte est vêtue d'une tunique dont les manches sont serrées aux poignets, d'une robe aux manches larges et fendues sur l'avant-bras et retombant en larges plis aplatis, et d'un manteau en forme de chasuble, relevé sur les bords. Sa tête est couverte d'un voile.

Marcel Aubert a justement mis l'accent sur la rigidité de la composition trop strictement symétrique, la raideur des attitudes — les pieds de l'abbé Bégon esquissent un mouvement que le corps est incapable de suivre —, la maladresse des gestes, le caractère inexpressif des visages encore accru par les graves mutilations qu'ils ont subies. « Les oreilles petites et charnues sont ramenées en avant et placées très haut sur les tempes, tout près des yeux »[98]. Ce curieux détail anatomique réapparaîtra dans d'autres œuvres marquées de la personnalité du maître, et d'abord sur certains des éléments décoratifs de l'enfeu : les quatre chapiteaux qui reçoivent l'arc, et les tailloirs intermédiaires.

443 Sur une corbeille de gauche quatre anges appartiennent à la cour céleste. Ils ont tous la même attitude, rythmée par leur bras gauche abaissé et leur bras droit levé, et par l'inclinaison de leur tête vers le centre de la corbeille. Les visages ont l'air mélancolique. La chevelure, plantée immédiatement au-dessus des arcades sourcilières, mange presque entièrement le front. Le pli du manteau est passé sans façon dans la

443. Conques, Sainte-Foy, chapiteau de l'enfeu de l'abbé Bégon.

ceinture. Sur le chapiteau voisin quatre lions pataluds dressent verticalement leur tête pour saisir de leur gueule des tiges végétales entrelacées.

À droite, une corbeille bien conservée offre deux couronnes de feuilles fendues refouillées de palmettes au tracé net et élégant, mais d'une exécution un peu sèche (Bousquet, fig. 272). Les tiges des volutes s'enroulent à leurs extrémités sous les dés d'angle et sur le dé central. Le chapiteau voisin, qui était également décoré de motifs végétaux, est aujourd'hui en grande partie détruit.

L'évocation du ciel se poursuit sur les tailloirs avec la représentation de têtes d'angelots « cravatés d'ailes », ce gracieux motif déjà signalé à l'intérieur de l'abbatiale. En raison du changement de matériau — un calcaire jaune grossier ayant remplacé le fin calcaire blanc des chapiteaux — les têtes des anges, tout en conservant les mêmes caractères anatomiques, ont une forme plus arrondie, et elles présentent une exécution plus molle.

Le cloître de l'abbé Bégon

LORS DE SON PASSAGE à Conques, en 1837, Prosper Mérimée signale « au sud de l'église, attenant au transept, un arceau porté sur des colonnes géminées fort basses. Voilà, dit-il, tout ce qui reste du cloître bâti vers la fin du XIe siècle par l'abbé Bégon, et que l'on vient d'abattre tout récemment »[99]. De fait, le cloître venait de vivre la dernière partie d'une tragédie qui, commencée à la Révolution, s'était terminée par sa destruction totale. En 1792, le « patus » du cloître et les bâtiments claustraux furent divisés en parcelles et transformés en fonction de nouvelles appropriations. Des éléments sculptés furent entreposés dans l'ancienne abbatiale.

« Des masures ne tardèrent pas à s'élever sur l'emplacement occupé autrefois par le cloître. Quant aux matériaux de démolition, ils servirent de carrière aux habitants du village. Pierres de taille et fragments de colonnes façonnés dans le ' rousset ', ce beau calcaire jaune qui caractérise ici les constructions romanes, se retrouvent dans la plupart des maisons bâties au XIXe siècle. Certains éléments sculptés, corbeaux, tailloirs surtout, furent parfois placés en évidence au-dessus d'une porte ou sur une façade. Et il est possible aujourd'hui de dénombrer plusieurs dizaines de ces réemplois. Les chapiteaux, eux, furent souvent la proie des antiquaires et dispersés [...] » [100].

En 1873, on construisit un presbytère dont l'ancienne aire du cloître devait devenir le jardin. C'est en dégageant ce « patus », en 1890, que l'on retrouva la belle façade de l'ancien réfectoire des moines. En 1960, décision est prise de démolir le presbytère afin de rendre possible la restauration du cloître, une opération qui est confiée à l'architecte des Monuments historiques Bernard Fonquernie. Une fouille complète allait restituer très exactement le tracé des quatre galeries.

Comme le signale l'épitaphe de l'abbé Bégon, le cloître s'étendait vers le sud, mais il ne s'appuyait pas, selon la coutume la plus fréquente, contre la nef de l'abbatiale, mais contre la tourelle d'escalier en saillie sur le transept, puis contre un mur de construction très archaïque parallèle à la façade méridionale de ce transept, peut-être un vestige de l'abbaye préromane. Ainsi existait-il entre le cloître et le transept un petit bâtiment à usage de sacristie. Dans ces conditions, il apparaît que la plaque funéraire de l'abbé Bégon et l'inscription qui l'accompagne, insérées aujourd'hui dans le mur extérieur du collatéral sud de la nef, se trouvent à une grande distance du cloître dont l'aire a été dégagée. Autrement dit, elles ne se trouvent plus à leur emplacement d'origine. Sans doute ont-elles été déplacées par l'architecte départemental Étienne Joseph Boissonnade, chargé en 1834 d'établir un projet de restauration de l'abbatiale de Conques. Il le fit approuver par la Commission des Bâtiments civils et le soumit à Prosper Mérimée, Inspecteur général des Monuments historiques, lors du séjour que celui-ci fit à Conques du 30 juin au 2 juillet 1837.

La forte dénivellation existant au sud de l'église avait imposé aux constructeurs du cloître d'importants travaux de terrassement et l'établissement d'un mur de soutènement qui domine encore les gorges de l'Ouche, la rivière coulant au pied de Conques. Le cloître dont on a remonté le mur-bahut était d'assez petite taille et de plan sensiblement carré. Les galeries, larges de 3,60 m, avaient 28 mètres de longueur au nord et au sud et 26 mètres à l'est et à l'ouest. On a conservé une trentaine de chapiteaux, plus ou moins mutilés, soit déposés dans l'ancien réfectoire monastique devenu musée lapidaire, soit réutilisés à l'intérieur de l'église abbatiale et dans des enfeux. Leur hauteur est uniformément de 24 cm, mais leur section supérieure, qui a tantôt 32 x 28 cm et tantôt 28 x 24 cm, permet de les répartir en deux catégories. Jean-Claude Fau a supposé que, selon le module, ils correspondaient à des colonnes alternativement simples et géminées, autrement dit, on aurait repris à

Conques le parti du cloître de Moissac. Cette hypothèse est confirmée par l'existence de deux catégories de colonnes de section différente : 18 et 14 cm de diamètre.

On avait choisi pour les chapiteaux et leurs tailloirs un calcaire blanc, réservant le calcaire jaune aux colonnes et aux claveaux des arcs. Le dallage en grès rose a été reconstitué. Les arcatures intérieures supportaient un toit en appentis dont la trace demeure visible sur le mur de la sacristie, au-dessous de corbeaux placés ultérieurement à l'occasion d'une restauration.

Nombre de chapiteaux n'offraient sans doute que des feuilles nues, d'autres accueillaient des animaux réels ou fantastiques qui peuvent également envahir les tailloirs. Les thèmes religieux, comme d'habitude, devaient être peu nombreux.

La vogue des chapiteaux à feuilles lisses n'avait donc pas fléchi. Ces feuilles distribuées sur un ou deux étages et auxquelles peuvent être accrochées des boules se suffisent parfois à elles-mêmes. Cependant le désir de diversifier les formes a conduit à recreuser sur certains exemplaires leur axe vertical d'une gorge biseautée : ainsi réapparaît un type de 444 feuille fendue. Selon un procédé déjà observé dans la tribune sud-ouest du transept, on a parfois introduit discrètement des motifs décoratifs isolés : des palmettes aux extrémités enroulées en crossettes (sur un fragment de corbeille), un oiseau sculpté sur un dé ou encore la fleur de lis qui prend valeur de signature et une petite tête animale surgissant au sommet d'une feuille. L'identité des motifs et du style a conduit plusieurs archéologues à attribuer le décor de la tribune et celui du cloître au même groupe d'artistes, celui du maître de l'abbé Bégon : un point de vue que nous partageons pleinement.

Les animaux semblent désormais n'avoir d'autre but que de décorer. C'est le cas des couples d'aigles, aux formes pleines et galbées, qui apparaissent sur chacune des quatre faces de deux corbeilles. Chaque oiseau détourne la tête de celle de son voisin pour venir boire dans un haut calice. Ailleurs, une étrange métamorphose a donné naissance à un être hybride, à corps de centaure et à tête de femme, sur le buste duquel viennent se greffer d'un côté une aile et de l'autre une main qui 445 saisit la queue animale. Sur le chapiteau qui lui est dédié il est reproduit à deux exemplaires.

Une même fantaisie se donne libre cours sur les tailloirs. « Ce sont deux serpents ailés, au corps bizarrement renversé, qui se soudent par une tête unique, ou bien un griffon affrontant une lionne en un combat singulier. Ailleurs, deux quadrupèdes crachent des rinceaux qui, au centre, vont dessiner un nœud compliqué d'entrelacs à trois brins, comme en souvenir de la première sculpture conquoise. Avec l'admirable frise de petits oiseaux dont le cou se métamorphose en une tige végétale 444 ondulée, il est légitime de prononcer le mot de surréalisme [...]. Mais

444. Conques, musée du cloître, chapiteau à grandes feuilles.

▷ 445. Conques, musée du cloître, êtres fantastiques.

446. Conques,
Sainte-Foy,
musiciens du roi David.

le sculpteur savait aussi observer la nature et le style réaliste l'emporte souvent, par exemple à propos de ce poisson qui trace un cercle complet en se mordant la queue, sur un tailloir en réemploi au chevet de l'abbatiale. On découvre même une scène de chasse, un chien lancé aux trousses d'un cerf, sous l'autel de la grande chapelle du croisillon nord » [101]. Sur un autre tailloir, c'est un montreur de singes, motif choisi pour un chapiteau de Saint-Gaudens, et qui sera fréquemment repris en Auvergne. Ailleurs se montrent les sirènes ; l'une est bifide, selon le schéma le plus classique ; l'autre possède une queue unique et souffle dans une trompe. « III manières de seraine sont, disent les bestiaires, dont les deux sont moitié feme moitié poisson ; et l'autre moitié feme moitié oiseaux. Et chantent totes III, les unes en buisines (buccines, trompes), et les autres en herpes (harpes), et les autres en droite vois (rien que la voix, simple chant) » [102]. Sur un dernier tailloir des acrobates « sont en train d'exécuter leur numéro. Ils sautent, virevoltent, font pirouettes et cabrioles sur les quatre faces du tailloir, conçu ici comme une frise où les scènes s'enchaînent et se déroulent en continu. Il se dégage de cette représentation une extraordinaire impression de vie et de mouvement tourbillonnant » [103]. On devine dans toute cette fantaisie une véritable émulation par rapport aux sculpteurs de Moissac qui, à peu près au même moment, proposaient sur les tailloirs de leur cloître et sur ceux de la Daurade de semblables drôleries.

En abordant les motifs religieux nous rencontrons d'abord deux de ces anges omniprésents dans l'abbaye. Sur une corbeille ils présentent des livres ouverts (Bousquet, fig. 510), exactement comme sur deux chapiteaux de la croisée du transept (ci-dessous, p. 440).

446 Sur le beau chapiteau de David avec ses musiciens qui sert de socle à une statue de la Vierge dans la grande chapelle du croisillon nord — où il a été transféré après un séjour au musée lapidaire — quatre personnages sont uniformément installés aux angles de la corbeille.

Aucune priorité ni par la taille ni par l'emplacement n'a été accordée au roi. Il joue de la harpe, alors que ses compagnons ont respectivement pour instrument : une vièle, un rebec et une sorte de flûte dont le pavillon se termine en tête d'animal. Très curieusement on a établi en outre, au centre de deux des faces, un acrobate et un contorsionniste sortant la tête d'entre leurs jambes. Comme quoi on ne se gênait pas à Conques pour conférer une signification religieuse à une scène d'aspect on ne peut plus profane.

Voulait-on, en assimilant les musiciens du roi David à de simples jongleurs hantant les saltimbanques, réhabiliter les gens du spectacle, trop souvent l'objet de la réprobation et des condamnations de l'Église ? Cette attitude de meilleure compréhension s'inscrirait alors dans un courant de sympathie entretenue par certains clercs [104]. Pour autant que telle fut bien l'intention des moines de Conques, ils auraient pu s'appuyer sur des exemples fournis par des livres liturgiques eux-mêmes, comme le tropaire-prosaire de Saint-Martial de Limoges, du second quart ou du milieu du XIe siècle (Bibl. Nat., Lat. 1118), qui n'a pas fini de nous surprendre et de nous enchanter avec ses images animées de musiciens, de danseurs et de danseuses [105].

Il serait cependant excessif et anachronique d'aller jusqu'à parler, comme certains l'ont fait, d'une « laïcisation » rampante, et d'imaginer que les moines de Conques auraient pu avoir l'idée d'établir un parallèle entre un roi biblique, ancêtre du Christ, et un souverain contemporain comme Guillaume le troubadour, comte de Poitiers et duc d'Aquitaine (1071-1126). Certes, il y a une sorte de désacralisation dans le fait d'arracher le roi David à son mystérieux passé religieux pour le transporter dans un environnement contemporain, mais on peut aussi bien considérer que c'était là une manière de signaler la richesse religieuse du présent. Les acrobates en équilibre instable sur les consoles des toits des églises ne sont pas nécessairement des images des plaisirs coupables : certains d'entre eux peuvent être des « jongleurs de Dieu ». Saint Bernard, tout en condamnant les « drôleries » dans les cloîtres, ne comparait-il pas les cisterciens aux jongleurs réalisant des « tours de force » [106]. Un geste, une attitude d'un homme de spectacle pouvaient prendre des significations diamétralement opposées selon l'intention qu'on y voyait ou qu'on y mettait.

Sur le plan formel, l'introduction des acrobates sur le chapiteau de Conques a été rendue possible par la libération des faces de la corbeille. À Moissac, dans la représentation du même thème, elles sont encombrées par les noms des musiciens qui y sont gravés. Ici, ces inscriptions : EMAN † ASAPH — DAVID † IDITHVN ont été rejetées sur le tailloir, qui par chance a été conservé. Elles surmontent une frise de petits oiseaux prisonniers de cercles noués. Les libertés prises vis-à-vis du modèle moissagais se prolongent encore dans l'installation sur une face du chapiteau de Conques d'un arbre servant de perchoir à des oiseaux.

Tout ceci nous aide à pénétrer dans l'univers mental des moines de Conques, riche d'attention aux choses concrètes et aux événements du présent, et où les spéculations symboliques, dont se délectaient d'autres milieux monastiques, n'avaient guère cours.

Viennent enfin — dans le musée du cloître — trois scènes hagiographiques très mutilées, dont l'identification n'était pas évidente avant les analyses de Jacques Bousquet. Un premier chapiteau ferait allusion à la mise à mort de sainte Foy et de saint Caprais. Le rapprochement des deux scènes correspond à la coutume qui s'établissait de réunir leurs deux « Passions » dans un seul texte. Quatre personnages sont disposés sur les angles comme dans l'œuvre précédente. À droite, il faut reconnaître sainte Foy, debout et les mains liées. Un bourreau vêtu d'un bliaud la saisit par sa longue chevelure et s'apprête à la décapiter. Derrière elle, un second bourreau poursuit une autre victime. Jacques Bousquet a rapproché le bourreau tranchant la tête de la sainte de celui qui met à mort saint Jean-Baptiste sur un chapiteau de Moissac [107].

Les deux autres scènes hagiographiques, regroupées également sur un seul chapiteau, ont reçu de Jacques Bousquet une explication fort ingénieuse et à mon sens tout à fait plausible. Sur l'un des côtés, deux moines gardent le tombeau de sainte Foy, qui a l'aspect d'une construction en pierre de taille reposant sur un socle orné de petits festons. Un trou creusé après coup attire l'attention. N'y aurait-il pas eu là un dépôt de reliques, comme dans le chapiteau du martyre de saint Pierre et de saint Paul à Moissac, que des vandales auraient profané à la Révolution ? Derrière le moine de droite, sur la face voisine, un homme fait un geste d'accueil. À sa suite, sur l'angle, se dresse une sorte de momie : plus exactement un sarcophage, dont le couvercle couvert d'imbrications a été partiellement brisé par le sculpteur lui-même pour permettre à une figure féminine — dont on aperçoit déjà le visage et le bras droit — de sortir de son tombeau. Sur la troisième face, qui fut également mutilée comme la première, un guerrier, l'épée levée et portant le bouclier au bras gauche, poursuit un personnage qui apparaît sur la quatrième et dernière face. Il tient un long bâton terminé par un bouquet de feuillages. « On ne peut manquer de penser à la fuite du moine Ariviscus après qu'il eut réussi à soustraire les reliques de sainte Foy à ses confrères d'Agen. Il fut poursuivi, mais non pas vraiment menacé, grâce à la protection de la sainte, que l'on verrait ici à la fois dans son sarcophage primitif à un bout de l'histoire et dans son beau tombeau définitif à l'autre. C'était la ' pictographie ' la plus simple, mais aussi la plus claire pour résumer cet épisode fondamental de la ' translation ' » [108]. C'est aussi une nouvelle fois l'occasion de célébrer la hardiesse de conception des sculpteurs de Conques, l'acuité de leur don d'observation, ainsi qu'une volonté de dépouillement, une simplicité et une liberté d'expression qui ne sauraient laisser personne indifférent.

À la même catégorie de représentations imagées appartiennent sur des tailloirs deux anges volant à l'horizontale et une scène de combat malheureusement très mutilée.

Toutes les sculptures du cloître sont clairement datées de l'abbatiat de Bégon. Peut-être est-il même possible d'apporter une précision chronologique supplémentaire en tenant compte des événements qui l'ont marqué. Bégon fut en effet déposé en 1095 et rétabli dans ses fonctions deux ans plus tard [109]. Ce serait donc vraisemblablement entre 1097 et 1107 que le cloître de Conques aurait vu le jour. Ainsi s'expliquent ses parentés avec celui de Moissac. Ce dernier s'achevait lorsque lui-même fut mis en chantier. Les contacts s'établirent d'eux-mêmes, mais les sculpteurs de Conques n'empruntèrent à leur prestigieux modèle que ce qui convenait à leur esprit et à leurs intentions propres.

À la même époque ils réalisèrent pour la fontaine du cloître un beau bassin en serpentine, qui a récemment été remonté à son emplacement d'origine. Le matériau provenait du Puech de Volt à Firmy, à une vingtaine de kilomètres au sud-ouest de Conques, à l'entrée du bassin de Decazeville. Cependant l'ancienne carrière ne put être localisée avec exactitude lorsqu'on entreprit de restaurer ce bassin par la restitution des parties manquantes. On ne sut extraire que des pierres fissurées et cassantes et il fallut se résoudre à faire venir d'Italie des blocs de serpentine d'une coloration approchante.

La margelle est reliée au socle mouluré par dix-huit colonnettes avec chapiteaux à feuillages n'ayant pas plus d'une dizaine de centimètres de côté. Ils n'en sont pas moins sculptés avec une précision remarquable et offrent une sorte de miniaturisation de la sculpture monumentale de l'abbatiale à caractère végétal. Ces chapiteaux alternent avec des masques, des atlantes, des bustes de personnages et d'animaux d'aussi petite dimension et cependant remarquablement expressifs. « Plusieurs de ces bustes, identifiables à leurs attributs, appartiennent au monde religieux : un moine en prière à la tonsure fort visible au sommet du crâne, un abbé tenant la crosse, un ermite, la tête couverte d'un capuchon, appuyé sur un bâton en forme de T. Il faut sans doute voir un évêque dans le personnage barbu qui est coiffé d'une sorte de mitre dont les deux cornes latérales se rabattent pour former un fleuron. Aux côtés des ecclésiastiques, le diable est présent, comme dans les sculptures de l'abbatiale. À mi-chemin entre l'homme et l'animal avec sa barbe de bouc, son nez épaté et ses babines retroussées découvrant les canines, il paraît hideux à souhait. Tout un bestiaire anime aussi cette margelle : un singe-atlante, un chat aux petites oreilles pointues, un chien ; un autre, remarquable par sa mimique malicieuse, fait songer à quelque scène de fabliau du Moyen Âge : dressé comme s'il voulait ' faire le beau ', les pattes antérieures recourbées, il tire la langue au milieu d'une face épanouie » [110]. Il s'agit du transfert d'un décor de corniche sous la bordure saillante du bassin. Dans cet exercice, les sculpteurs de Conques n'ont rien perdu de leurs dons d'observation et de création. On doit aussi attribuer ce plaisant ensemble au groupe du maître de l'abbé Bégon.

C'est encore lui qui a sculpté un fragment d'une véritable corniche, également en serpentine, dont la tranche moulurée s'orne d'un petit chapiteau à feuilles lisses et de deux masques humains, l'un barbu, l'autre imberbe. Il a fait supposer l'existence dans l'enceinte du cloître d'une construction architecturale en serpentine : hypothèse confirmée par la découvert d'une demi-colonne de 0,75 m de haut. Jean-Claude Fau l'identifie avec l'enfeu d'origine de l'abbé Bégon, qui aurait été entraîné dans la ruine du cloître vers 1830. Boissonnade l'aurait reconstruit à son emplacement actuel à l'aide de fragments sculptés en calcaire : chapiteaux et tailloirs, empruntés au cloître lui-même. Il le fit suivre, en direction de l'est, de deux autres enfeux composés eux aussi d'éléments hétéroclites. « Le premier n'a que des chapiteaux à feuilles sur fond tronconique, probablement du XIVe siècle. Pour le second, on paraît avoir remployé aussi des chapiteaux du cloître. Le premier à gauche a des feuilles longues finissant en volutes [...] ; celui de derrière s'ornait de lions encadrant une autre bête montant à la verticale vers une tête d'homme placée sous le dé. À droite, ce sont deux chapiteaux, l'un à grandes feuilles à bec, l'autre très dégradé s'ornant de folioles tournant en volute pour obtenir une forme générale assez semblable. L'un est en grès très jaune, l'autre en calcaire blanc fin, mais on retrouve le même style sec, joint à l'élégance du dessin que pour les précédents. Par contre, les tailloirs sont très frustes et probablement retaillés » [111].

Prosper Mérimée signalait l'existence en 1838 d'un arceau sur colonnes géminées fort basses. Pour lui, il s'agissait d'un reste du cloître. Les fouilles récentes ont établi qu'il n'en est rien. Les deux arcades — car elles sont deux — appuyées à la tour du bras sud du transept, encadraient, avec deux autres semblables à droite, la porte de la salle capitulaire. Cette dernière ayant été la proie des flammes au XIVe siècle dut être reconstruite. Les chapiteaux des arcades sont donc en remploi, ce qui explique leur caractère disparate. L'un est de forme cubique avec les angles abattus. Le second, en serpentine, présente en assez faible relief

447

447. Conques,
aire du cloître
et claire-voie du réfectoire.

une couronne de feuilles à sa partie inférieure et des palmettes nouées au-dessus. Ce chapiteau possède un homologue exact au musée Fenaille de Rodez. Deux autres chapiteaux en serpentine sont déposés au musée lapidaire de Conques [112]. Tous les chapiteaux sculptés dans ce matériau paraissent « de la même main que les corbeilles du bassin dont ils reprennent les motifs. Eux aussi portent la trace d'un scellement au plomb, et on les verrait fort bien intégrés au bassin, comme support de la vasque centrale par exemple » [113]. Sur le troisième chapiteau des arcades de la salle capitulaire, en calcaire jaune, des rinceaux s'entrelacent au centre puis donnent naissance à deux palmettes soudées par leur sommet ; pour le quatrième et dernier chapiteau, on avait retenu le motif si fréquent à Conques des oiseaux buvant dans un calice, mais cette œuvre est fort détériorée.

En face, le long de la galerie occidentale du cloître, s'étendait le réfectoire dont il subsiste la majeure partie de la façade, fortuitement retrouvée en 1890 lors de la démolition d'une terrasse adossée au presbytère. Elle est renforcée par sept arcs de décharge ornés de chapiteaux. Celui du centre, plus vaste que les autres, correspond à la porte ouverte dans l'axe de la fontaine. Tous, à l'exception de celui du nord très étroit, sont percés de deux arcades. L'effet produit par cette seconde claire-voie ouverte en arrière de celle du cloître devait être exceptionnel.

447

Nous considérerons successivement les sept chapiteaux engagés qui supportent les arcs de décharge, en avant de l'arcature proprement dite, puis les chapiteaux jumelés sous un tailloir commun qui, au nombre de douze, reçoivent la retombée centrale de chaque arcade double.

Les premiers s'apparentent à ceux des tribunes méridionales du transept et du collatéral nord de la nef que nous avons rattachés à une certaine sculpture du Massif Central. Ils comportent un décor de palmettes et de feuilles d'acanthe dont les détails sont le plus souvent réalisés en creux. Leur intérêt est généralement assez mince, en raison d'une exécution lourde dont le matériau, le calcaire jaune, est en partie responsable. Dans ce groupe n'existent que deux chapiteaux figurés. L'un reprend le sempiternel motif des griffons affrontés, en parfaite symétrie, qui se disposent à boire dans le vase qui les sépare. Sur l'autre, un masque occupe la quasi totalité de la corbeille, encadré par deux arbres à palmettes. Deux de ces dernières sont orientées vers la bouche demeurée ouverte, préfigurant en quelque sorte les masques gothiques feuillus. On a encore davantage l'impression d'un travail bâclé en considérant les chapiteaux placés au sommet des colonnes qui raidissent ce mur de façade de l'ancien réfectoire du côté de l'intérieur. Le laisser-aller du style accompagne le caractère répétitif du décor.

Les chapiteaux de la claire-voie, qui sont taillés avec netteté dans le fin calcaire blanc, renvoient directement à l'art du cloître et au-delà à celui de la tribune occidentale du bras sud du transept. C'est le cas d'une corbeille à deux étages de feuilles fendues. Aux volutes sont accrochées des palmettes épaisses et les dés sont timbrés de la fleur de lis. Autre détail caractéristique emprunté à la tribune : sur un autre chapiteau réapparaît une petite tête animale dans le creux d'une feuille, sous le dé central.

Huit des douze chapiteaux de la claire-voie relèvent de la catégorie des feuilles lisses, dont on sait qu'elle est partout très bien représentée à Conques. On trouve également deux corbeilles figurées. L'une a été

448. Conques,
claire-voie du réfectoire,
chapiteau de la construction du cloître.

fréquemment reproduite en raison de l'originalité de son thème et de la vie qui l'anime. Avec raison on a reconnu une image du cloître de Conques dans le mur en pierre de taille qui se développe sur les trois quarts de la hauteur de la corbeille. Huit maçons appuient leurs bras sur le bord de cette clôture — qui est donc terminée — et ils devaient tenir dans leurs mains les outils de leur profession. Généralement ceux-ci sont trop abîmés pour qu'il soit possible de les identifier à coup sûr, sauf dans un cas où le même homme dispose à la fois d'un marteau et d'une équerre. Un des personnages sonne du cor. On a supposé qu'à l'époque l'ordre de reprendre et d'interrompre le travail était donné de cette façon. Dans le cas présent on aurait célébré l'achèvement complet de l'œuvre, ce qui correspondrait à la joie qui se lit sur les visages.

448

Cette hypothèse est d'autant plus plausible que le chapiteau appartenait au cloître à l'origine. Sur une photographie ancienne, il apparaît dans le musée lapidaire mêlé à d'autres sculptures de cette provenance. On l'aurait placé à l'endroit qu'il occupe aujourd'hui après le dégagement de la claire-voie de l'ancien réfectoire monastique, sans doute à l'occasion de la restauration de celle-ci [114].

L'évocation par l'image de la construction d'un cloître, dans ce cloître même, bien que rare, n'est pas un *unicum* à l'époque romane. Il suffit pour l'établir de faire référence à des scènes sculptées sur un grand chapiteau de pilier au cloître de la cathédrale de Gérone. On y voit l'évêque du lieu rendant visite à des maçons en pleine activité. Il manifeste une attention toute particulière au travail d'un maître et de son jeune apprenti fort appliqués à leur tâche. Chacun d'eux attaque un bloc de pierre déjà équarri à l'aide d'un pic à deux pointes, une équerre placée bien en évidence à proximité immédiate [115].

Il y a cependant entre l'œuvre de Gérone et celle de Conques une différence fondamentale. Dans le premier cas, c'est l'évêque, l'homme d'Église bâtisseur, qui est exalté. À Conques, l'hommage est rendu aux travailleurs eux-mêmes, ce sont eux qui ont été choisis pour célébrer dans la joie l'œuvre achevée. Il existe une communauté d'intention avec la représentation du roi David ramené au rang des jongleurs célébrant à travers la musique la gloire de Dieu. On n'avait même pas hésité à le mêler aux acrobates, ces dispensateurs des plaisirs populaires.

L'intérêt pour des réalisations concrètes, comme saisies sur le vif, et pour leurs exécutants, est d'autant mieux perçu comme une originalité de Conques que, dans les deux cas, l'inspiration formelle provenait d'œuvres moissagaises caractérisées au contraire par leur idéalisme et leur symbolisme. Il existe dans la galerie méridionale du cloître de Moissac un chapiteau ceinturé d'une enceinte, mais celle-ci comporte une courtine crénelée et des tours. Ce n'est pas la clôture paisible d'un cloître, c'est un ouvrage militaire. Les personnages qui l'habitent comportent des guerriers armés de lances. L'image appartient à l'« autre monde » : c'est « Jérusalem la sainte », la Jérusalem du ciel qui un jour « descendra du ciel de chez Dieu, avec en elle la gloire de Dieu » (Ap., 21, 10-11). L'œuvre moissagaise n'a proposé aux sculpteurs de Conques qu'un élément de composition pour le chapiteau aux maçons. L'esprit est différent.

Cependant des hommes en armes n'en ont pas moins été retenus pour un autre chapiteau de la claire-voie du réfectoire, dans la cinquième baie. Quatre guerriers, rigoureusement semblables occupent les quatre angles de la corbeille et paraissent surveiller l'horizon. La prunelle de

449

449. Conques, claire-voie du réfectoire, hommes d'armes.

l'œil percée au trépan — selon une coutume générale dans le cloître — donne à leur regard une intensité exceptionnelle. Ils sont vêtus d'un bliaud long, fendu sur le devant et noué à la taille par une ceinture dont les extrémités retombent sur le ventre. Leur équipement est celui d'un guerrier de l'époque, mais allégé. « Le bouclier, pointu à sa base et arrondi au sommet comporte [...] à l'extérieur les quatre rivets qui servent à fixer les énarmes de cuir, mais il est muni en plus d'un umbo central. On distingue également la guige, bandoulière qui permet de porter le bouclier suspendu au cou ; quant au casque, il est cylindrique et comporte un nasal. L'armement offensif se compose d'une épée courte, en partie dissimulée derrière le bouclier, et d'une lance à longue hampe, garnie d'un gonfanon à quatre flammes accroché par deux anneaux » [116]. Sur ce chapiteau se manifeste pour la première fois à Conques un intérêt pour les thèmes guerriers. Il se confirmera dans les tribunes de la nef.

Les tribunes de la nef

C'EST DANS L'ESPACE LUMINEUX des tribunes de la nef que le maître de l'abbé Bégon et ses compagnons poursuivirent leur activité dans l'abbatiale, probablement immédiatement après l'achèvement de leur œuvre dans la tribune sud-ouest du transept. Cette nouvelle réalisation, parfaitement caractéristique de leur manière, se recommande par une exécution soignée, mais elle témoigne aussi d'une inspiration un peu courte, résignée à la répétition des motifs et n'excluant même pas la réplique ou la copie. À l'inverse de la décoration du cloître, tout est ici en parfait état de conservation. Ces artistes ne devaient pas aller jusqu'au bout de l'entreprise. Ils étaient absents à la fin du chantier lorsqu'on éleva, dans la partie occidentale de la nef, la première travée des tribunes et la fin de la voûte. Ils avaient été remplacés par des artisans lourds, confus et maladroits, à qui faisait défaut une bonne formation autant que le talent.

Les chapiteaux à feuilles lisses tiennent encore une place importante, mais ils se localisent dans la tribune nord. La plupart (n°s 137, 143, 144, 145) possèdent deux étages de feuilles ; il n'y en a plus qu'un seul aux n°s 131 et 141, avec des feuilles offrant la particularité d'être fendues pour dégager l'arête. Sur le chapiteau n° 141, les grandes feuilles se recourbent sous les volutes en dessinant un bec très pointu, alors que sur le n° 131 les volutes sont dessinées sur les extrémités des feuilles

450

450. Conques, Sainte-Foy, chapiteau n° 131.

elles-mêmes, une liberté prise également sur les chapiteaux n°s 137 et 144 qui, comme nous l'avons dit, appartiennent à la série à deux couronnes.

La continuité d'inspiration avec la tribune occidentale du bras sud du transept se manifeste dans la reconquête progressive des chapiteaux à feuilles lisses par un décor de surface. Sur les chapiteaux n°s 230 et 451 231, les feuilles de la couronne inférieure sont encore nues, simplement

451. Conques, Sainte-Foy, chapiteau n° 231.

▷ 452. Conques, Sainte-Foy, chapiteau n° 239.

fendues sur l'arête, et elles se terminent par un bec, une boule ou une palmette. Au-dessus, au contraire, tout est couvert par des palmettes, disposées avec la plus grande élégance et la plus grande variété : elles se nouent ; elles offrent des chutes gracieuses encadrées par des tiges ; elles prennent la place des volutes d'angle qui, disposant dès lors de leur liberté, se transportent au centre du chapiteau lorsque cet emplacement n'est pas occupé par un visage moustachu. Sur les chapiteaux n°s 232 et 242, le décor opère sa conquête à partir de la fente de la feuille : entre les deux lèvres écartées de la fente se dresse une haute palme très raide.

Bientôt le décor végétal couvre l'ensemble de la corbeille. Le décor du chapiteau n° 139 n'est qu'un développement de la partie supérieure du n° 230 sur la totalité de la corbeille avec seulement quelques aménagements et compléments (Bousquet, fig. 371). On parlera de 452 transposition. Sur toute la hauteur du n° 239, de grandes feuilles d'acanthe installées aux angles ont été retravaillées pour un décor de surface dans l'esprit du maître de l'abbé Bégon, si conquérant et si libre à l'égard du support qu'un esprit non averti en oublierait la présence. Les éléments favoris demeurent des palmettes aux tiges torsadées. On a ajouté une pomme de pin et un beau visage sérieux à l'emplacement du dé. En 247 (Bousquet, fig. 373) existe une copie exacte mais faible du n° 222. Les mêmes motifs de palmettes ont encore été utilisés pour une composition assez laborieuse au n° 132.

Le chapiteau n° 236 présente le motif désigné par Jacques Bousquet 453 sous le nom de « palmettes en ciseau », « schématisées par la suppression des folioles et sculptées à plat en prenant la forme de véritables forces à tondre la laine, avec pourtant un petit bec pointu soigneusement dessiné. Des volutes classiques sont sur les angles et trois têtes sur les dés » [117]. Le tailloir, en raison de sa riche décoration, est un excellent exemple de l'émulation établie à cet endroit, à l'instar des corbeilles, entre Conques et Moissac. Deux sirènes bifides, comme motif d'angle, illustrent une image qui fut la première figure traitée dans l'abbatiale.

Elle fit étape dans le bras sud du transept avec un chapiteau du sculpteur Bernard et pénétra aussi dans le cloître. Ici les sirènes sont accompagnées d'un poisson, dont la valeur est probablement négative en raison de ce voisinage, ainsi que de deux motifs de vannerie. La signification du poisson demeure cependant ambiguë. Sur le tailloir du n° 131, où il est représenté à quatre reprises (deux fois sur la face principale et une fois sur chacune des faces latérales), sa valeur symbolique est, au contraire, on ne peut plus positive. Une croix creusée sur un dé du chapiteau indique en effet qu'on avait bien conscience qu'il s'agissait d'un symbole du Christ. Cette idée remonte aux premiers temps chrétiens où l'on s'était aperçu qu'en prenant chacune des lettres du mot grec *ichtus* (poisson), on pouvait obtenir en grec l'acrostiche : Jésus Christ, Fils de Dieu, Sauveur.

450

Quand les animaux gagnent la corbeille, c'est au milieu des motifs floraux précédents, parfaitement fixés. Eux aussi appartiennent à un répertoire très stable. Sur les chapiteaux géminés du n° 136 (Bousquet, fig. 381), le groupe deux fois répété des oiseaux s'apprêtant à boire dans un long calice a été si souvent utilisé précédemment qu'il ne s'agit plus que d'un fatigant rabâchage. Pour combler les vides des corbeilles, on a utilisé le motif interchangeable du bouquet de palmettes nouées, que l'on a encadré par des tiges de volutes. On a disposé en outre sur le tailloir une tête moustachue et barbue, aux cheveux hérissés, et deux petits lions qui se dirigent d'un pas pesant dans des directions opposées. Toute amertume bue, on acceptera une ultime représentation du thème des oiseaux au calice sur le n° 243 (Bousquet, fig. 382). Cette représentation ne se distingue de la précédente que par des modifications de détail.

Le motif des aigles, tel qu'il apparaît en 234, sous l'aspect d'oiseaux robustes, fortement campés aux angles de la corbeille, entre des bouquets faits d'une fleur de lis ou de feuilles lancéolées et de tiges à volutes, se défend mieux. La composition doit d'ailleurs beaucoup à la présence sur le tailloir de trois petits oiseaux aux ailes repliées, le bec en bas. C'est une idée du maître de l'abbé Bégon, qu'il avait expérimentée dans la tribune occidentale du bras sud du transept, sur les tailloirs n°s 217 et 227 et qu'il transporta dans la tribune sud de la nef en 234. Elle n'a jamais quitté Conques.

454

453. Conques, Sainte-Foy, chapiteau n° 236.

454. Conques, Sainte-Foy, chapiteau n° 234.

455. Conques,
Sainte-Foy,
chapiteau nº 240.

▷ 456. Conques,
Sainte-Foy,
chapiteau nº 135.

455 En 240, deux griffons, animaux qui ne nous sont pas moins familiers, sont assis, avec leurs têtes aux angles du chapiteau. Pour l'extrémité de leurs queues, on a repris le motif des palmettes nouées. De grands arbres à palmettes, très plats, occupent les faces latérales de la corbeille. Sur le tailloir, deux angelots servent de figures d'angle. Entre eux, un petit lion balourd se déplace en tournant la tête en direction du spectateur.

L'homme s'introduit dans le décor des corbeilles sous l'aspect de 456 deux sonneurs de cor (nº 135), en symétrie par rapport à une grande palmette et encadrés en outre par des arbres à palmettes. Jacques Bousquet a bien vu qu'ils possèdent nombre de traits distinctifs des personnages de l'enfeu de l'abbé Bégon : « les visages carrés au menton prognathe, les cheveux partagés en deux, les petites oreilles et les grandes mains, le col légèrement ouvert » [118] et les chaussures au bout pointu. Quant au thème, Paul Deschamps en a signalé la rareté [119]. On le voit à Notre-Dame-des-Miracles à Mauriac et Jou-sous-Monjou (Cantal), ainsi qu'au déambulatoire de Compostelle. Doit-il être mis en relation avec les scènes guerrières qui suivent ?

En 248, dans la tribune méridionale, deux cavaliers s'affrontent à 457 la lance sous la protection de leurs boucliers. Sur les faces latérales de la même corbeille se répète deux fois une scène manifestement complémentaire comprenant dans chaque cas un personnage brandissant une masse d'armes, mais arrêté dans son élan par un autre personnage qui lui saisit le bras et l'immobilise.

Tout à côté, à la retombée d'un arc, on a sculpté un être aux traits effrayants. « Ce haut relief est saisissant : saisissant quand on le regarde du milieu du chœur d'où il est parfaitement visible, plus saisissant encore lorsqu'on le voit de la tribune. Il représente un atlante dont on ne distingue que la tête et le buste [...]. Son masque n'est pas le résultat d'une sculpture maladroite, il suggère volontairement la force brutale ». Selon Rita Lejeune et Jacques Stiennon [120], on doit reconnaître les traits d'un Sarrasin plutôt que d'un démon. « Sa face grimaçante aux plis profonds, ses yeux exorbités sous un front bas couvert de cheveux très bouclés ou crépus, la pesanteur de sa mâchoire dont on aperçoit les

△ 457. Conques, Sainte-Foy, chapiteau n° 248 et figure d'atlante.

458. Conques, Sainte-Foy, chapiteau n° 238.

dents grinçantes, tout est destiné à faire peur... ». La juxtaposition du haut-relief et du chapiteau aux cavaliers signifierait pour les deux auteurs que les moines de Conques avaient voulu inculquer une leçon aux fidèles : « pendant que les chevaliers chrétiens sont occupés à se combattre, derrière eux ricane ' le peuple maudit et impie ' qui menace leurs terres et leur personne. Les chrétiens devraient donc abandonner tout esprit de violence entre eux afin de mieux combattre leurs ennemis communs. Cette leçon, c'est l'essence même de l'exhortation du pape Urbain II au concile de Clermont (1095) ». En conséquence la scène représentée sur le chapiteau ne serait pas un combat de cavaliers mais plutôt un « arrêt de combat ». De là viendrait le fait que les adversaires ne sont pas en tenue de campagne, qu'ils s'affrontent sans cotte de mailles et sans casque et que leurs regards sont délibérément tournés vers l'extérieur.

Cette thèse, toute brillante qu'elle soit, est néanmoins fragile. L'identification de l'atlante grimaçant et menaçant à un Sarrasin paraît peu convaincante. Cette figure s'inspire en réalité d'une morphologie traditionnelle d'atlante très répandue dans la région [121]. Quant au caractère figé des cavaliers il s'agit d'une donnée stylistique propre à la personnalité artistique du « maître de l'abbé Bégon » qu'on ne saurait confondre avec l'effet d'une injonction divine.

Le caractère raide et hiératique est aussi celui d'un autre chapiteau à scène de lutte situé pas très loin de là, toujours dans la tribune méridionale de la nef (en 238). Elle met en scène non plus des cavaliers mais des combattants luttant à pied. Leur équipement militaire demeure

458

toujours aussi réduit sur le plan du costume, même s'ils sont désormais casqués. Celui de gauche perce de sa lance le bouclier de son adversaire. Celui-ci, par une riposte prompte, a fendu le bouclier d'en face d'un coup de son épée courte.

Sans doute faut-il se borner à voir dans ces deux scènes de lutte la condamnation de la violence. Le fait que les adversaires du second combat aient tous les deux leur bouclier touché exclut toute les autres hypothèses avancées à ce sujet, telles la représentation de la guerre sainte [122] ou encore un combat des Vices et des Vertus.

459. Conques, Sainte-Foy, chapiteau n° 140.

On ne peut qu'être séduit par la subtilité iconographique dont témoigne un chapiteau de colonnes géminées dans la tribune nord de la nef (en 140). Sur ses deux petits côtés sont deux couples d'anges nimbés qui reprennent fidèlement l'attitude des anges décorant un des chapiteaux de l'enfeu de l'abbé Bégon. Le style aussi est le même, seulement en plus « évolué ». Ainsi retrouvons-nous le maître de l'abbé Bégon à un stade plus avancé de sa carrière. Ces envolées d'ailes nous incitent à penser que Dieu n'est pas loin. Deux des personnes de la Sainte Trinité sont en effet présentes sur le tailloir, sous l'aspect de la *Dextra Dei* et de deux figures de l'*Agnus Dei* portant la croix. Celles-ci encadrent un motif décoratif assez burlesque dans cet environnement divin, mais appartenant bien au répertoire de l'artiste : une gueule vomissant des feuillages (tête animale à laquelle le maître substitue ailleurs une tête humaine sans autre changement). Les deux personnages occupant respectivement le centre de chacune des grandes faces du chapiteau doivent être Daniel, assis les mains sur les genoux — comme dans l'église de Marcilhac [123] — en tant que figure du Christ, et un prophète ayant annoncé la venue de celui-ci — peut-être Isaïe — représenté les mains levées. L'artiste avec son sens inné du rythme joue entre la station debout et la station assise, ainsi que sur les mouvements des mains.

Exactement en face de ces images du « Dieu caché », en 235, dans la tribune sud, une Annonciation en est le complément naturel, avec la « révélation » de l'Incarnation. C'est à mon sens le chef-d'œuvre du maître, en raison de l'accord profond existant entre son « primitivisme » et le mystère chrétien. Marie et l'ange, tous les deux nimbés, ne communiquent que par des gestes de leurs grandes mains. Gabriel étend horizontalement la main droite : c'est sa manière d'exprimer son message. Marie lève également la main droite pour signifier son acceptation, et abaisse la gauche. Le texte de l'inscription du phylactère tenu par la main gauche de Gabriel : *Spiritus Sanctus* (mal transcrit en SPS SPS) est du plus grand intérêt. Il est conforme à la théologie — Marie ayant conçu par l'opération de l'Esprit Saint — et il insiste sur la présence de la troisième personne de la Sainte Trinité qui était précisément absente sur le chapiteau d'en face. Ainsi l'unité des deux œuvres est affirmée et la signification que nous avons proposée pour la première reçoit sa confirmation.

460

460. Conques, Sainte-Foy, chapiteau n° 235.

Jacques Bousquet signale que toutes les caractéristiques du style de l'enfeu de l'abbé Bégon se trouvent rassemblées dans l'Annonciation, tant en ce qui concerne les traits et la facture — raideur et raccourcissement des figures, petites oreilles décollées, mains énormes — que l'« art de géométrie » qui fixe l'emplacement des personnages, l'équilibre des formes et des lignes [124]. Deux grandes palmes terminées en volutes renforcent la stabilité de la composition en la calant latéralement. L'analyse est cependant incapable de rendre le charme de cette image, faite pour la dévotion et le rêve, et surtout tellement sincère !

Si le maître de l'abbé Bégon et son groupe ont exécuté la plupart des chapiteaux des tribunes de la nef, ils ont laissé une toute petite place à l'atelier « auvergnat » qui avait déjà partagé avec eux la décoration des tribunes du transept. On peut attribuer à ce dernier le chapiteau n° 246 (Bousquet, fig. 375) : une couronne de lourdes feuilles d'acanthe à l'extrémité desquelles sont accrochées des palmettes. Partiellement dans son obédience, encore qu'il ait beaucoup emprunté au maître de l'abbé Bégon, apparaît l'auteur du chapiteau voisin (n° 244). Cette corbeille est couverte de longues palmettes prises dans un réseau de cordages entrecroisés. Aux angles, réapparaît le motif du masque vomissant des feuillages, dont nous venons de parler : ici avec la forme d'une tête humaine. Le tailloir est une copie littérale, mais médiocre, de celui du n° 240, avec un lion passant au centre, et des bustes d'anges aux angles.

On retrouvera pour la dernière fois la manière si particulière du maître de l'abbé Bégon sur certains des chapiteaux recevant les trois derniers doubleaux de la voûte de la nef. Les deux scènes de la condamnation de sainte Foy et de la sainte emmenée à son supplice (en 237) témoignent des conquêtes réalisées dans la représentation du mouvement et la composition des scènes. Ce modèle fut copié quelque temps plus tard dans un tout autre style, celui du maître du tympan, lorsqu'on voulut doter la nef d'une réplique de ces scènes. Le nouvel artiste, qui maîtrisait encore mieux le relief, se révéla par contre incapable de maintenir l'heureux équilibre, auquel son aîné était parvenu, entre la représentation du monde des apparences et l'évocation de celui des vérités surnaturelles. Il négligea dans la copie quelques éléments de l'original, sans doute considérés par lui, mais bien à tort, comme secondaires. Plus précisément, il fit abstraction du tailloir qui complète les scènes précédentes en introduisant l'idée du couronnement de sainte Foy, conséquence et suite naturelle de sa Passion. Dans un chœur d'anges en buste, un de ces envoyés célestes, reproduisant un geste apparu pour la première fois sur la plaque funéraire de l'abbé Bégon, pose une couronne sur la tête de la patronne du monastère. Cette glorification est installée à côté d'une image de la croix du type recerclé, c'est-à-dire dont les bras égaux s'enroulent en volutes à leurs extrémités.

461

461. Conques, Sainte-Foy, chapiteau n° 237.

On admettra que sont également de la main du maître les deux griffons représentés en 134, si proches par le style de ceux de la tribune sud de la nef (Bousquet, fig. 456). Il ne s'agit pas d'une réplique, car le motif a été recomposé. Les animaux célestes s'opposent désormais symétriquement de part et d'autre d'une grande feuille d'acanthe. Sur le tailloir s'épanouissent d'élégantes palmettes. Le numéro 138, avec ses deux registres de feuilles fendues et un fleuron tenant la place du dé médian est peut-être l'œuvre d'un compagnon (Bousquet, fig. 452), comme le numéro 241 où deux lions dégingandés, l'un hilare et l'autre menaçant, encadrent une palmette (Bousquet, fig. 457), ou encore le numéro 233, à deux registres de feuilles lisses à bec et le numéro 142, un chapiteau qui abrite deux aigles aux ailes atrophiées et qui est surmonté d'un tailloir décoré d'une croix et de petits oiseaux aux ailes repliées (Bousquet, fig. 451) et enfin le numéro 130 sur lequel deux monstres ailés à tête de femme sont séparés par un bouquet fait de volutes et de feuilles lancéolées (Bousquet, fig. 459).

En attendant le maître du tympan

LA DISPARITION du maître de l'abbé Bégon fut suivie d'un véritable naufrage artistique que l'on observe à l'ouest de la nef, dans la première travée des tribunes et au niveau de la voûte du vaisseau central.

La première travée de la nef correspond aux tours de la façade occidentale — en grande partie reconstruites au XIXe siècle — qui s'élèvent au-dessus de ses collatéraux et de ses tribunes. Elle se caractérise par sa longueur plus considérable et, au niveau des tribunes, par le doublement de tous les chapiteaux dans un but de renforcement.

Nettement postérieures aux précédentes, les sculptures des tribunes à cet endroit sont « d'une qualité détestable dans leur allure faussement primitive ». Il est inutile de s'appesantir sur ces formes molles et incertaines, dont les auteurs révèlent leur incapacité à créer et même à copier correctement. Il y a des chérubins gauchement alignés (en 125 ; Bousquet, fig. 429), des lions et des griffons traités en méplat (en 124), des atlantes accroupis, jambes écartées (en 123 ; Bousquet, fig. 430), des têtes inexpressives apparaissant entre des feuilles à boules (en 250 ; Bousquet, fig. 424). C'est à ces œuvres dégénérées qu'appartient un saint Michel à l'iconographie toute traditionnelle : le prince des milices célestes foulant aux pieds le dragon et plongeant victorieusement sa lance dans la gueule du monstre. Il forme l'un des petits côtés du chapiteau n° 124 (Bousquet, fig. 427) dont l'autre propose une image du calice à haut pied dans lequel des oiseaux viennent se désaltérer (Bousquet, fig. 428) : dernier avatar de l'interminable histoire du motif, à Conques tout au moins.

Mais le pire n'est pas encore atteint. On y parviendra au niveau de la voûte de la nef, dans les trois travées occidentales, les dernières construites. Les atlantes de 245 (Bousquet, fig. 460) semblent dotés de pattes de grenouilles ; les lions de 249 sont purement grotesques avec leurs queues tire-bouchonnant et leurs pattes inarticulées (Bousquet, fig. 461). « Enfin, estime Jacques Bousquet, les mêmes couples de lions deviennent encore plus ridicules [en 126], avec leurs têtes superposées, leurs queues dressées comme un pinceau, leur regard en ' œil-de-perdrix ' » [125] (Bousquet, fig. 462).

Une évolution parallèle s'observe à l'est de la nef, à la croisée du transept. On a élevé à cet endroit quatre arcades pour servir de supports à une coupole sur trompes. La coupole actuelle, montée sur huit nervures retombant sur des corbeaux sculptés ou armoriés, ne date que du XIVe siècle, mais les grandes arcades, les trompes et même le tambour appartiennent à l'époque romane. Marcel Aubert proposait de placer cet ensemble à la fin du premier quart du XIIe siècle, et nous partageons cette manière de voir.

Les grands arcs à double rouleau prennent appui sur des piliers cruciformes à demi-colonnes engagées. Les chapiteaux sont décorés de feuillages en direction de l'est et de figures vers l'ouest. En 175 et en 200, les corbeilles sont à deux étages de feuilles lisses à bec, alors que, en 176 et 199, on trouve un décor de palmettes pointues retaillées à la surface de feuilles ovales. Dans aucun cas il ne s'agit d'innovations, ni pour les feuilles lisses qui existent partout à Conques, ni pour ce type de palmettes dont un modèle se trouve dans la tribune orientale du bras nord du transept, en 174, engagé dans le même pilier que le numéro 176.

Symétriquement par rapport aux quatre chapiteaux à feuillages de l'est, les chapiteaux des piliers nord-ouest et sud-ouest offrent quatre couples d'anges porteurs de livres ou de banderoles. Ceux-ci servent de supports à des noms désignant les archanges Gabriel et Raphaël, un chérubin, un séraphin et les quatre évangélistes [126].

Stylistiquement, on doit distinguer deux groupes parmi ces figures.

462 Le chérubin et son voisin le séraphin, en 229, ainsi que les deux archanges (Bousquet, fig. 442) qui déroulent leurs phylactères en 228, s'inscrivent dans la suite de la production du maître de l'abbé Bégon que nous venons d'analyser. L'anatomie des visages au menton carré et aux petites oreilles est identique ; les cheveux ondés sont toujours partagés en deux sous un nimbe épais, les petits plis triangulaires s'aplatissent d'une manière identique au bas des vêtements ; de courtes palmettes se dressent entre les personnages, et les petits oiseaux aux ailes repliées sont venus se percher sur un des deux tailloirs parmi des palmettes d'ascendance toulousaine. Néanmoins, les anges acquièrent une carrure qui marque une évolution vers le haut-relief.

En ce qui concerne les évangélistes (en 146 et 147), il convient de s'interroger d'abord sur une iconographie qui les assimile à des anges, leur identification n'étant rendue possible, en l'absence de leurs symboles habituels, que par l'inscription figurant sur le livre ou le phylactère qu'ils tiennent à la main. L'image renvoie-t-elle à l'évangéliste lui-même présentant son ouvrage ou à l'« ange de l'évangéliste » ? La réponse n'est pas aisée. Observons aussi que cette particularité iconographique est partagée par l'Auvergne avec des chapiteaux de Mozac, Volvic, Clermont-Ferrand et Brioude [127]. On n'oubliera pas non plus la représentation de l'évangéliste par son ange à Sahagún en Espagne sur la dalle funéraire d'Alfonso Ansúrez (ci-dessus, p. 200). Stylistiquement, la baisse sensible de la qualité dénonce une imitation maladroite des œuvres du groupe précédent (Bousquet, fig. 444 et 445).

462. Conques, Sainte-Foy, chapiteau n° 229.

Des figures ont été placées dans les trompes sur les arcs à double rouleau qui les encadrent : au nord-est, une grande figure d'ange tenant un phylactère avec l'inscription : SANCTE GABRIEL ARCANGELVS ; au sud-est, un autre grand archange dont l'inscription est aujourd'hui effacée, et qui est peut-être saint Michel ; au nord-ouest une simple tête représentant saint Pierre : SANCTVS PETRVS et au sud-ouest une autre tête identifiée avec saint Paul par l'inscription : SANCTVS PAVLVS [128].

Une irrésistible attraction exercée par le haut-relief a donné naissance à la grande image de l'archange Gabriel, la plus réussie de ces créations, même si l'on peut lui reprocher la froideur de l'expression, un excès de symétrie et beaucoup de gaucherie dans l'exécution des plis du vêtement. Cependant, même sollicité par l'arrondi de la trompe, il a encore bien du mal à se détacher du mur. L'archange devenu anonyme (Bousquet, fig. 439) est une œuvre plus médiocre, peut-être réalisée par l'auteur des anges-évangélistes. Quant aux têtes de saint Pierre et de saint Paul, le défaut de style y atteint le caricatural [129].

463

463. Conques, Sainte-Foy, l'archange Gabriel.

Davantage que le style, l'emplacement choisi pour ces quatre sculptures mérite commentaire. En dépit de leurs caractères disparates, celles-ci se trouvent sans doute dans les trompes depuis l'origine. Mieux encore, elles furent probablement placées à cet endroit pour apporter un complément à l'iconographie des chapiteaux du carré du transept. Tous ces personnages, archanges, chérubin, séraphin, évangélistes, apôtres, furent délibérément groupés autour de la coupole parce qu'ils appartenaient à la suite du Roi de gloire, au Christ ressuscité, dont la présence est sous-entendue par l'hémisphère de la coupole, image du ciel. Peut-être même cette présence était-elle effective à l'époque romane sous l'aspect d'une image peinte à cet endroit. Il existe des antécédents proches ou lointains, en fresque ou en mosaïque, pour ce thème iconographique, le plus complet se trouvant apparemment dans le *katholikon* de la Nea Moni (Nouveau Monastère) de l'île de Chio, un monument dont le décor de mosaïque fut réalisé entre 1042 et 1056. Le Christ Pantocrator — perdu — trônait sur la coupole entouré d'anges. À la base de la coupole, dans des médaillons, les apôtres en buste sont représentés ; dans les huits petits pendentifs sont assis les quatre évangélistes (deux d'entre eux détruits) auxquels s'adjoignent quatre figures de chérubins et de séraphins [130]. À Conques, la composition est moins cohérente, parce qu'elle suit une autre logique, celle du sculpteur roman qui détache les éléments d'un ensemble pour les installer à des endroits sensibles de l'architecture, en l'occurrence les trompes et les chapiteaux. Conques n'en propose pas moins l'interprétation la plus complète en sculpture d'un ambitieux programme théophanique de coupole peinte. Ailleurs, il ne demeure de cette intention vite oubliée qu'un vague souvenir sous l'aspect, par exemple, des symboles des évangélistes nichés au fond de trompes d'églises à coupoles dans « l'école romane de Provence » [131] et en Espagne.

Pour conclure sur le rôle du maître de l'abbé Bégon

DISPOSANT DE QUELQUES POINTS D'ANCRAGE et d'un certain nombre de données chronologiques, nous avons pu nous hasarder à reconstituer la carrière artistique du maître de l'abbé Bégon. Sa première réalisation paraît avoir été le cloître, commandé par l'abbé, et vraisemblablement réalisé entre 1097 et 1107. Les chapiteaux qui en restent, et surtout celui qui célèbre l'achèvement de l'entreprise à travers une composition pleine d'esprit et de fraîcheur, ont bien l'air d'une œuvre de jeunesse. Dans la foulée, pourrait-on dire, le maître et son équipe assurèrent aussi la décoration des salles ouvrant sur les galeries du cloître, surtout de la salle capitulaire et du réfectoire. La belle vasque en serpentine de la fontaine serait aussi à mettre à leur actif.

Pendant ce temps, d'autres équipes de tailleurs de pierre, de maçons et de sculpteurs remontaient l'abside et les tribunes du chœur, puis élevaient l'étage des tribunes au bras nord du transept. À cet endroit travaillait un artiste rompu lui aussi à la composition d'un chapiteau historié, c'est l'auteur du châtiment de l'avare, un thème qui jouit d'une large diffusion en Auvergne, mais dont le style semble appartenir ici à une tradition particulière à Conques, encore que différente de celle du maître de l'abbé Bégon. Un autre style, lui proprement « auvergnat », apparaît, toujours dans les tribunes du bras nord du transept, sur des chapiteaux à feuillages.

Dans les tribunes du bras sud, de peu postérieures, ce style « auvergnat » se maintient, mais son importance est secondaire. Le rôle éminent revient désormais au maître de l'abbé Bégon qui, après avoir terminé le cloître, et sans doute le monument funéraire du mécène décédé, pénètre dans l'église pour manifester dans la tribune occidentale un talent parvenu à sa plénitude.

Le transept achevé, le maître poursuivit sa tâche sans désemparer dans les tribunes de la nef où l'atelier « auvergnat » ne fait plus que de fugaces apparitions, alors que sa propre présence se vérifie jusqu'au niveau de la voûte dans les travées les plus orientales. Puis il disparaît. La décoration sculptée du carré du transept et de la coupole, vers 1120-1125, est confiée à d'autres hommes dont certains ont subi son influence, mais dont aucun n'a hérité de sa personnalité. À l'ouest de la nef, et plus spécialement dans la travée du narthex, on assiste à un véritable effondrement artistique. On dut s'en remettre ici à des sculpteurs sans talent et sans formation véritable. Le silence se fit ensuite à Conques jusqu'à l'arrivée du maître du tympan, à qui l'on confia, vers 1140, le soin de doter l'abbatiale d'un portail digne de son renom. Ce dernier ne fut malheureusement pas en mesure de mener l'ultime entreprise à son terme.

Il est hors de question de placer le maître de l'abbé Bégon parmi les artistes de premier plan. Ce fut davantage un laborieux qu'un génie, mais sa manière de se rire des proportions, de schématiser les relations et de proposer des rapprochements souvent inattendus et plaisants, parfois saugrenus selon notre manière de voir, n'est pas dépourvue de piquant. Disons qu'il plaît et même que, à l'occasion, il déplace un certain mystère. Sa raideur n'est pas nécessairement maladresse et la réutilisation à plusieurs reprises de certains éléments de base de son répertoire décoratif ne conduit pas obligatoirement à la répétition. Le plus contestable de sa production est sans doute à attribuer à la collaboration d'apprentis ou de compagnons peu doués et mal dégrossis.

D'origine probablement locale, il poursuivit la tradition inaugurée par ses prédécesseurs de faire profiter le chantier de Conques des innovations apparues dans les grands centres voisins, dans la mesure de ses propres capacités et dans la limite des moyens dont il disposait. Il en fut ainsi du cloître historié à la manière de Moissac. Avant même que ce modèle n'eût été achevé, il en proposa une version réduite et simplifiée. Y faisaient défaut les grands reliefs des piliers qui jouèrent un rôle si considérable au tournant du siècle dans l'accession à la grande sculpture monumentale. L'iconographie de ses chapiteaux offre aussi moins d'ouverture dans le choix des sujets. Mais le maître, tant sur les corbeilles que sur les tailloirs, entretient l'intérêt par la représentation de détails précis empruntés à un réel qu'il savait observer, ainsi que par le mélange spontané de la fiction, du jeu et de l'enseignement religieux. Il offre parfois à la curiosité le choix entre plusieurs lectures différentes pour le même sujet. Il en est ainsi pour le chapiteau aux guerriers de la claire-voie du réfectoire et, d'une manière plus générale, pour toutes les scènes de lutte de l'abbatiale et du cloître. Pour la plaque funéraire de l'abbé Bégon, il sut combiner ingénieusement le thème du couronnement d'un saint et l'intercession en faveur d'un défunt. Il est possible que, dès l'origine, cette composition ait été comme aujourd'hui encastrée dans le mur de fond d'un enfeu. Ce type de sépulture aurait représenté l'implantation à Conques d'un modèle proposé par les tombeaux des comtes de Toulouse à Saint-Sernin.

Le maître de l'abbé Bégon apparaît comme la meilleure illustration d'un type de sculpteur roman attaché sa vie durant à un grand chantier architectural. On ne s'étonnera pas de ne trouver aucune trace de sa présence en dehors de Conques. Lorsque ce foyer artistique exerça un certain rayonnement, à Compostelle notamment, ce ne fut jamais par la diffusion de son style.

CINQUIÈME PARTIE

L'ESPRIT D'UN ART

BIEN QUE SON DÉVELOPPEMENT chevauche les XIe et XIIe siècles, la sculpture romane de la route de Saint-Jacques appartient au phénomène communément désigné sous le nom de « renaissance du XIIe siècle ». Il s'agit de l'une des nombreuses « renaissances » de l'art antique qui ponctuent le cours du Moyen Âge, comme la *renovatio* carolingienne et les renouveaux ottonien et anglo-saxon des environs de l'an mille. Erwin Panofsky [1] en a défini les caractères par opposition à la Renaissance proprement dite, le vaste mouvement culturel des XVe et XVIe siècles. Alors que la Renaissance s'affirma comme une rupture délibérée avec l'ensemble des valeurs médiévales et se voulut un retour à l'authenticité du monde antique, ces « renaissances » se situent dans la continuité d'une tradition vivante. « Faute d'une ' distance de perspective ' il ne leur était pas possible de voir dans la civilisation classique un système culturel cohérent à l'intérieur duquel tout était lié » [2]. Tout au contraire, chaque phénomène du passé classique, au lieu d'être vu dans le contexte d'autres phénomènes de ce passé, leur apparaissait comme un point de contact — ou un point de divergence — avec leur présent médiéval [3].

Ces diverses « renaissances » médiévales eurent d'ailleurs leurs caractères distinctifs qui marquent l'originalité de chacune d'elles par rapport aux autres. Si on la compare à la *renovatio* carolingienne, celle du XIIe siècle frappe par sa spontanéité. Elle n'a pas dépendu de la volonté politique d'un souverain. Elle ne semble pas davantage avoir répondu à un dessein délibéré de l'Église. Elle a rompu le cordon ombilical qui, à l'époque carolingienne, rattachait les divers centres artistiques soit à la cour, soit à de puissantes abbayes, elles-mêmes dépendantes du pouvoir politique. L'art roman est un des facteurs de la construction de l'Europe du temps. Son développement s'opère à l'intérieur des nouveaux cadres de relations correspondant généralement aux provinces : c'est ainsi que l'on parle d'un art bourguignon, normand, auvergnat ou de l'ouest de la France, au lieu d'une école palatine ou d'une école de Tours. Dans un seul cas le développement artistique n'accompagna pas l'organisation d'une unité territoriale, mais celle d'un lieu de relations de nature différente, une route, celle de Compostelle. Néanmoins ce changement dans la nature du cadre n'affecta pas les résultats. La sculpture monumentale née de la route est aussi spécifique que celle d'une province.

Par suite de leur caractère aulique les renaissances antérieures à l'époque romane avaient concerné principalement la peinture — peinture murale et décor des livres — et les métiers précieux, comme l'orfèvrerie et le travail sur ivoire. En outre, la *renovatio* carolingienne avait inspiré tout à la fois le contenu et la forme des créations qui tous les deux se présentaient sous des traits classiques d'une grande stabilité. « Nulle part dans l'art carolingien [...] il ne nous semble rencontrer un effort pour insuffler à une image classique donnée un sens autre que celui dont elle avait été investie à l'origine : un Atlas ou un dieu-fleuve dans le

Psautier d'Utrecht peut surpasser incommensurablement son modèle en animation et force expressive, il reste néanmoins un Atlas ou un dieu-fleuve ; nous nous trouvons devant des citations ou des paraphrases, souvent habiles et pleines de verve, plutôt que devant des réinterprétations. Réciproquement — et ceci est encore plus important — nulle part dans l'art carolingien nous ne semblons trouver un effort pour créer une formule qui pourrait traduire un texte classique donné (ou même un texte séculier) en une image nouvelle : lorsque des illustrations de ces textes étaient accessibles, elles ont été copiées et recopiées à l'infini ; là où aucune n'était accessible, aucune ne fut inventée » [4].

La renaissance du XIIe siècle s'attacha au contraire à l'architecture et à la sculpture monumentale, et à des formes d'expression non plus destinées à la délectation des élites cultivées, mais susceptibles d'agir puissamment sur les masses. Elle créa à la fois une iconographie et un style répondant aux aspirations de l'époque. L'art roman joua un rôle comparable à celui des autres manifestations contemporaines de la culture, tels les récits épiques et les poèmes lyriques. Il ouvrit la voie à des expériences psychiques nouvelles et procura des illuminations inédites, grâce à la multiplication des images et à la montée en puissance du symbolisme.

Première manifestation de la renaissance romane sur la route de Saint-Jacques, le chapiteau corinthien ne se présente pas comme un retour à sa forme classique. Les sculpteurs ignorent totalement les règles qui la gouvernaient. Les eussent-ils connues qu'ils ne se seraient pas cru tenus à les respecter. Pas davantage ils ne privilégient une forme quelconque apparue au cours de l'évolution allant du Haut-Empire jusqu'à l'an mille. Ils agissent comme des héritiers qui souhaitent user librement de l'ensemble de leur héritage, cet héritage étant ici la tradition dans sa totalité, sans exception ni exclusion. Par ailleurs, ils entendent que leurs emprunts ne soient jamais des copies serviles — ils seraient incapables d'en produire — mais de libres interprétations des sources. Ils transforment les modèles en leur faisant subir, selon l'inspiration du moment, aussi bien des modifications structurelles que des bouleversements dans le décor de surface. C'est ainsi que, à l'instar de nombre d'autres sculpteurs du XIe siècle, ils proposent à l'acanthe l'alternative d'un autre motif végétal également d'origine antique, mais d'un esprit très différent : la palmette. Éliane Vergnolle [5] a souligné qu'« acanthes et palmettes appartiennent [...] à deux mondes formels opposés, les premières se référant à l'idée d'une croissance organique, les secondes étant issues d'une vision stylistique du végétal dans laquelle les principes de composition obéissent à des impératifs ornementaux ». Les deux types s'opposent davantage encore par leur traitement : « les acanthes s'imposent par leur plasticité, les palmettes par leur graphisme ». Dans le monde antique l'acanthe et les palmettes auraient été inconciliables. Dans le monde roman du XIe siècle, au contraire, « leur dialogue constitue l'un des aspects essentiels des recherches menées par les sculpteurs », en sorte que, dès la fin du siècle, « l'écart entre les deux types végétaux tend à se résorber, voire à disparaître ».

Sur la route de Saint-Jacques le succès de la palmette fut d'autant plus éclatant que les sculpteurs en firent le motif préféré du décor de leurs tailloirs et l'entraînèrent dans une série de transformations offrant une diversité extrême en obéissant aux règles de la stylistique ornementale telles qu'elles ont été énoncées par Jurgis Baltrušaitis. Montée sur un ou plusieurs éléments, avec des tiges libres ou unies par un bandeau de serrage, libre elle-même ou strictement encadrée, isolée ou combinée à d'autres palmettes ou à des demi-palmettes qui la joignent ou se superposent à elle, traitée à plat ou fortement modelée, la palmette devient le signe distinctif d'une famille artistique, comme le montre éloquemment la série de dessins de tailloirs publiée par Gómez-Moreno [6]. Les exemples retenus appartiennent aussi bien à Saint-Isidore de León qu'à Saint-Jacques de Compostelle, à Loarre qu'à Jaca, à Conques qu'à Moissac, à Toulouse qu'à Frómista et Iguácel. Et encore le tableau ne se prétend-il pas exhaustif. On pourrait sans peine le compléter à l'aide de motifs venant des autres foyers artistiques de la route de Compostelle : Saint-Sever, Saint-Gaudens et Saint-Mont.

Autres éléments d'unité les figures animales qui, dans chacun des foyers artistiques, se partagent la majeure partie des chapiteaux avec les acanthes et les palmettes. Elle appartiennent à un nombre limité d'espèces et ne relèvent jamais d'une expérience individuelle. Ce sont des représentations mentales abstraites : des concepts. Les unes correspondent à des êtres que l'on peut voir réellement, comme les oiseaux ; d'autres, à des animaux, comme les lions, qui existent mais qu'on n'a pas l'habitude de voir ; d'autres enfin sont de pures créations de l'imagination que nul n'a jamais vues. Elles ont en commun la possibilité d'adresser des messages symboliques.

Leur enseignement est celui des bestiaires qui constituent au Moyen Âge la base des connaissances sur les animaux. La sculpture montre ce que les bestiaires décrivent : la « nature » de l'animal, c'est-à-dire ses caractères physiques et les aspects de son comportement ayant une signification religieuse et morale.

L'interprétation symbolique n'explique pas tout. « Parfois, observe Focillon, on croit saisir des symboles, mais ils se dérobent aussitôt dans l'inanité monstrueuse des combinaisons [formelles] » [7]. Les animaux sculptés trouvent en eux-mêmes leur vie et leur sens. Ils paraissent saisis par une puissance cachée qui « leur confère une vie multiple, plus mouvante, plus ardente que la vraie vie. Les créatures se dédoublent, s'unissent [...], se dévorent, pour renaître une fois de plus dans une mêlée, dans un tumulte indéchiffrables » [8].

La création des monstres et leur animation relèvent d'un double phénomène. Il existe d'abord ce que Focillon appelle le conformisme monumental, c'est-à-dire le mariage de la sculpture et de l'architecture, l'association de la sculpture aux fonctions architecturales. C'est le conformisme monumental qui oblige les figures des chapiteaux à se plier aux exigences de l'espace dans lequel elles se développent et il est la première source des déformations. Ces figures obéissent en outre à la logique interne de la stylistique ornementale. Comme toute autre forme ornementale romane, la figure animale est entraînée dans un processus de développement multiple dont les parties découlent les unes des autres. Focillon comparait l'ensemble du processus au discours dialectique : il croyait reconnaître un accord profond de pensée entre la technique du décor roman et la technique intellectuelle du temps. « Sculpteurs de chapiteaux et raisonneurs abstraits [...] appliquent à leur compte un même mouvement » [9].

À la même époque, à la fin du XIe siècle, certains milieux, comme Toulouse et Moissac, sont déjà tout à fait engagés dans cette stylisation romane, alors que d'autres, comme Jaca, ne le sont encore que très partiellement. La différence provient de la nature des modèles utilisés. Les deux centres languedociens ont emprunté les leurs à des techniques artistiques — l'illustration des livres notamment — où la mutation stylistique romane avait pris une avance considérable, alors que la cathédrale aragonaise, en choisissant comme modèles des œuvres antiques, prenait le risque d'un retard à rattraper.

Par rapport aux chapiteaux antiques, corinthiens et même corinthisants — c'est-à-dire très libres vis-à-vis des normes classiques — et aussi par rapport à toutes les œuvres postérieures produites jusqu'au XIe siècle, les chapiteaux romans de la route de Compostelle se distinguent encore par l'apparition et le développement de scènes historiées sur les corbeilles et les tailloirs. Elles sont présentes à peu près dès le départ, puisqu'on les trouve déjà dans les parties orientales du rez-de-chaussée du transept de Conques et dans les déambulatoires de Saint-Sernin de Toulouse et de Saint-Jacques de Compostelle. Il ne s'agit jamais de créations *ex nihilo*, pas plus dans ce domaine qu'ailleurs : le sculpteur a toujours eu à sa disposition des sources d'inspiration mais, faute d'antécédents spécifiques, il les a cherchées dans d'autres techniques, ou au moins dans d'autres types de sculptures, quitte à effectuer les transpositions nécessaires. Le rôle de l'enluminure fut considérable, notamment à Moissac. Sans doute fit-on aussi largement appel aux ivoires [10] et aux œuvres d'orfèvrerie nombreuses dans les grandes églises comme Saint-Jacques de Compostelle [11] et sans doute aussi Saint-Sernin de Toulouse et Moissac. On s'inspira enfin de sarcophages antiques. Friedrich Gerke a attiré l'attention sur ce que l'atelier de Bernard Gilduin a pu tirer des sarcophages dits d'Aquitaine présents à Toulouse dans le cimetière de Saint-Sernin [12]. Serafín Moralejo a démontré d'une manière irréfutable que le maître de Frómista a copié les diverses séquences de l'Orestie du sarcophage de Husillos, remontant à l'époque d'Hadrien, pour les reproduire sur les faces d'un de ses chapiteaux [13]. Toutes ces transpositions se sont révélées déterminantes pour l'élaboration des styles propres aux différents centres artistiques.

Il est remarquable qu'à aucun endroit, même pas dans le cloître de Moissac ou dans la cathédrale de Jaca, où la proportion des chapiteaux historiés est considérable par rapport à l'ensemble, il n'existe de suites narratives. Le sculpteur roman n'est pas un conteur, il ne fait pas le compte rendu d'une action qui se serait produite à une époque donnée et dans un lieu particulier. C'est pourquoi des données relatives à une localisation dans le temps et dans l'espace font toujours défaut.

Les images des chapiteaux sont le plus souvent des compositions religieuses symboliques dont les éléments sont déterminés par les exigences de la pensée. Ils sont sans rapport avec la vision du réel et parlent « aux yeux de l'esprit » [14]. Leur lecture est relativement aisée lorsque le sculpteur a choisi comme source l'illustration d'un texte sacré : on demeure dans le même mode de pensée. Elle se complique lorsque la source est une œuvre de l'antiquité non chrétienne. Quelle signification le maître de Frómista a-t-il donnée à sa « copie » de l'Orestie de Husillos ? Pour le savoir il faudrait disposer d'un commentaire comparable à celui que le maître de Jaca a gravé sur son tympan. En l'absence de « légendes » de cette sorte, nombre de chapiteaux imités de l'antique, spécialement dans la cathédrale de Jaca, mais aussi à Frómista, à Saint-Jacques de Compostelle et à Saint-Isidore de León demeurent énigmatiques. Cette obscurité a donné lieu à des explications plus ou moins fantaisistes, comme une lecture des chapiteaux de Jaca à la lumière de l'eschatologie musulmane [15].

Il existe aussi un certain nombre de thèmes profanes, et ils peuvent apparaître jusque dans les cloîtres. Les mieux caractérisés ne se trouvent pas sur les corbeilles mais sur les tailloirs. On les a placés en quelque sorte en marge afin d'établir une claire distinction endre deux mondes, celui du spirituel et celui de la société séculière.

La meilleure façon de considérer le groupe le plus important de ces motifs, celui de la Daurade toulousaine, est de le mettre en relation avec le monde aristocratique, sa vie au quotidien, ses distractions, afin d'y reconnaître une autre manifestation de la renaissance du XIIe siècle aux multiples facettes. Cette période fut sans doute celle de la foi, mais la chrétienté médiévale ne saurait être confondue avec la Cité de Dieu. Elle demeurait une cité terrestre et ces sculpteurs entendaient peut-être le rappeler en soulignant les liens étroits existant entre l'ordre aristocratique et l'ordre des clercs, principalement dans un cloître comme celui de la Daurade dont les rapports avec la famille comtale toulousaine venaient de se renforcer.

Cette explication donne une signification particulière à l'image qui semble avoir été la plus populaire à l'époque, la représentation de David et de ses musiciens dont nous n'avons conservé pas moins de cinq exemplaires, à Conques, à Moissac, à la Daurade toulousaine, à Saint-Mont et à Jaca. Si l'on excepte le dernier, ils appartiennent tous à la partie languedocienne de la route, où commençait à fleurir la musique des troubadours. On ne doit pas oublier, en effet, que ces poètes étaient aussi des musiciens. Leur poésie était « ' lyrique ' au sens plénier du mot : faite pour être chantée, avec accompagnements d'instruments — et non pas seulement pour être écrite, publiée, lue, tout au plus récitée comme l'usage s'en est établi » plus tard [16]. L'image ambiguë des musiciens du roi David illustrerait l'époque des tout premiers créateurs [17] d'une musique qui n'est plus celle du service de Dieu mais de l'amour profane. Ces musiciens évoqueraient les gens du spectacle qui, d'où qu'ils vinssent, « confluaient tous dans un même milieu social et professionnel : le milieu des cours seigneuriales [...] dont le style de vie était un idéal d'élégance et de mondanité ; dans ce milieu aux intérêts complexes, ils représentaient l'appel de l'art. C'étaient des professionnels : ils ont été les premiers à avoir réalisé le type, en somme déjà tout moderne, de l'artiste, du poète, de l'intellectuel, profane » [18].

Meyer Schapiro a défendu des conceptions très semblables au sujet du sculpteur roman dans le commentaire qu'il a donné des figures de musiciens-jongleurs représentées en marge de certaines compositions religieuses [19]. Il voyait en lui un artiste indépendant, jouissant d'une large autonomie par rapport aux institutions du temps. Sa démonstration s'appuyait principalement sur quatre petites figures du cloître de Silos sculptées dans les écoinçons de l'arc d'encadrement du célèbre Doute de Thomas et interprétées par lui comme étant les participants d'une scène de jonglerie. Cependant, Serafín Moralejo a émis des doutes sur cette manière de voir [20]. De toute façon, il n'est pas de bonne méthode de projeter dans le passé les lumières du présent. Il est hautement improbable, pour ne pas dire inconcevable, que le sculpteur roman ait eu les comportements d'un artiste moderne.

L'originalité de la renaissance des XIe et XIIe siècles, tant par rapport à l'Antiquité qu'à l'égard de la *renovatio* carolingienne, se manifeste ainsi clairement dans la structure et le décor des chapiteaux qui constituent l'essentiel de la production sculptée de la route de Compostelle. Elle apparaît aussi dans les caractères distinctifs d'une série d'œuvres aussi curieuses qu'attachantes : les colonnes ayant fait partie du décor de la porte septentrionale du transept de la cathédrale de Saint-Jacques. Elles représentent une fugitive apparition d'une forme très rare, la colonne torse décorée [21]. Comme nous l'avons vu, le point de départ pourrait avoir été un sarcophage paléochrétien du type de celui de Marie-Madeleine à Saint-Maximin qui aurait fourni les deux éléments combinés par le sculpteur roman : la colonne torse en tant que forme et un modèle de décor, celui des *putti* vendangeurs. La combinaison des deux aurait déclenché un processus créateur qui aurait conduit à réinventer le thème de scènes historiées déroulées en spirale à l'image du décor des colonnes triomphales des empereurs romains et byzantins. Une comparaison s'impose avec la renaissance ottonienne qui avait usé de modèles antiques pour réaliser à Hildesheim une autre colonne triomphale, celle-ci en bronze et avec motifs christologiques. À Compostelle, certaines des scènes déroulées en spirale dans le cadre de colonnes torses sont à nouveau profanes et on a pu se demander s'il ne s'agissait pas de motifs de caractère mythique, aussi peu naturels que le surnaturel des compositions religieuses. En explorant les mondes imaginaires de la littérature romane, l'attention s'est portée tantôt vers la Chanson de Roland [22], tantôt sur la tradition romanesque de la « matière de Bretagne » [23].

Ces œuvres hors du commun sont un exemple particulièrement frappant de la liberté de création romane qu'il convient d'opposer à la liberté contestée de l'artiste en tant qu'individu. À partir de suggestions diverses ingénieusement combinées, le créateur fait surgir de l'inédit. La part revenant aux modèles dans le schéma général et dans les détails de la réalisation peut être plus ou moins importante, mais c'est l'esprit du temps et du milieu, agissant à travers l'acte créateur, qui imprime la marque spécifique du style.

On expliquera de la même manière l'apparition d'un second groupe de colonnes à Saint-Jacques de Compostelle, celui de la Porte des Orfèvres, où le décor est constitué par des superpositions de personnages sous arcades. L'idée de représenter des personnages sur une colonne a pu être empruntée à des tables de concordance des évangiles, mais une explication de caractère plus global, et de ce fait plus satisfaisante, pourrait être l'adaptation au volume cylindrique de la colonne d'un décor de personnages sous arcades normalement développé sur la face plane d'un devant d'autel ou d'un reliquaire. Il s'agirait d'une nouvelle manifestation du phénomène de transposition employé par le maître de Frómista lorsqu'il eut l'idée d'appliquer sur les différents côtés d'un chapiteau la continuité du décor de la face d'un sarcophage.

À l'extrême fin du XIe siècle, exactement au même moment, à Saint-Sernin de Toulouse et dans le cloître de Moissac, apparaît le personnage roman de grande taille. Il convient d'observer que jamais on n'eut l'idée de s'autoriser à son sujet de l'exemple de statues antiques en ronde-bosse, comme on le fera plus tard à Saint-Gilles-du-Gard. C'est à travers des représentations de petite taille, elles-mêmes point d'aboutissement du phénomène inverse de miniaturisation manifesté durant l'Antiquité tardive, que l'art roman en effectua la redécouverte. La source immédiate fut probablement des ivoires carolingiens ayant imité des œuvres paléochrétiennes.

En raison des conditions particulières ayant présidé à sa naissance, la grande figure romane offre un certain nombre de caractères qui lui demeurèrent inhérents tout au cours de son développement.

En premier lieu, elle n'est jamais isolée comme aurait pu l'être une véritable statue. Elle appartient à un groupe ou à une composition iconographique de plus ou moins grande importance. Dans le cloître de Moissac on a affaire à un collège apostolique dans lequel les moines introduisirent un de leurs abbés parce que sa sainteté proclamée lui avait acquis une place parmi les élus. À Saint-Sernin de Toulouse, les grandes figures d'anges et d'apôtres du déambulatoire appartenaient probablement au décor du chœur. C'est leur emplacement dans cet ensemble et les rapports qu'elles entretenaient avec d'autres composantes qui justifient chez certaines d'entre elles l'abandon de l'attitude frontale avec l'esquisse d'un mouvement. Celui-ci résulte donc plutôt de l'établissement de relations entre des personnages que de recherches concernant la représentation du mouvement en soi.

Peu après, un groupe de deux figures d'apôtres ou de saints entre dans la composition du portail historié. Après avoir pris naissance à la Porte des Comtes de Toulouse, l'idée se développe sur la porte méridionale de la cathédrale de Jaca et acquiert sa parfaite expression sur la Porte Miègeville et sur les deux principaux portails de Saint-Isidore de León.

Au cours de ce développement on assiste à un progrès du relief qui ne saurait être interprété comme une marche inéluctable vers la ronde-bosse. Certains foyers artistiques, comme Toulouse, paraissent y avoir renoncé d'emblée en raison de leurs options stylistiques. Saint-Isidore de León n'y parvint, au portail de l'Agneau, que pour exécuter aussitôt un mouvement de repli, visible sur celui du Pardon. De toute manière, la conquête du relief ne déboucha pas sur la statue isolée, en sorte que celle-ci ne figure ni au début de l'évolution en qualité de modèle à imiter ni à la fin comme idéal à atteindre.

Parmi les grandes figures sculptées, celle de saint Jacques, dont le culte alimentait le pèlerinage, méritait une attention particulière. De fait, on assiste à une première tentative en vue de lui procurer une iconographie qui le distinguât des autres apôtres. Si l'on admet la chronologie que nous avons proposée, c'est à Toulouse, à la Porte Miègeville, qu'on eut pour la première fois l'idée d'encadrer sa figure de deux branches symboliques. Ici, elles sortent d'une espèce de cache-pot et sont englouties à l'autre extrémité par des gueules de monstres. Compostelle dut prendre connaissance de cette nouveauté sur-le-champ, puisqu'il l'adopta pour le saint Jacques de la Transfiguration, de très peu postérieur, en ne lui faisant subir que de simples modifications de détail. Celles-ci accentuent le caractère végétal des motifs d'encadrement. Les branches gonflées de sève sont enveloppées à leur base par des feuillages, cependant que d'autres feuillages s'épanouissent au sommet, à l'emplacement occupé à Toulouse par les gueules monstrueuses.

En dehors de Toulouse et de Compostelle cette création iconographique demeura ignorée. D'ailleurs Compostelle, sans pour autant l'avoir oubliée, puisque mention en est faite dans le *Guide du pèlerin*, ne paraît pas l'avoir davantage exploitée. À la différence de Toulouse qui l'utilisa, à la génération suivante, pour le décor du portail de la salle capitulaire de la cathédrale Saint-Étienne. L'un des membres du collège apostolique dressé dans les ébrasements est encadré par des branches « engoulées » par des têtes animales, suivant l'exemple proposé par Saint-Sernin. On n'en a pas moins hésité sur l'identification du personnage parce que le sculpteur lui a glissé dans la main une croix à double traverse considérée comme archiépiscopale ou patriarcale. Confirme-t-elle que l'on a voulu représenter saint Jacques le Majeur en fondateur de l'Église d'Espagne ? Ou doit-on reconnaître, comme on l'a parfois pensé, une image de saint Jacques le Mineur, le premier patriarche de Jérusalem [24] ? Après avoir longtemps balancé, j'opte finalement pour la première interprétation.

Il faut compter parmi les principales créations des sculpteurs de la route de Saint-Jacques les tympans historiés offerts à l'admiration des fidèles pénétrant dans les édifices. On les interprète généralement comme la projection sur un plan semi-circulaire des thèmes glorieux peints sur les culs-de-four des absides. Cette explication semble exacte, mais il ne faut pas oublier qu'on ne parvint à cette plénitude qu'après avoir surmonté un certain nombre d'obstacles.

Les premiers sont d'ordre technique et tenaient à la difficulté de se procurer un matériau de dimensions et de résistance suffisantes pour réaliser une entreprise aussi ambitieuse. Jamais on n'osa se hasarder à préparer une pierre de la taille d'un grand tympan, tant les risques de la briser en cours d'exécution étaient considérables. On démarra donc avec de petites plaques, que l'on assembla.

C'est alors que se présenta une autre difficulté suivie d'une tentation. Une unité de programme ne constituait-elle pas une ambition impossible à réaliser avec des éléments de faibles dimensions ? L'église de Marcilhac en avait fait la douloureuse expérience en n'offrant au centre de son tympan qu'une grande plage vide, tous les éléments de l'iconographie, aussi bien le Christ en gloire que les anges et les apôtres, ayant été repoussés sur le pourtour. La composition de type triangulaire qu'ils réalisent s'oppose à la disposition centrée des décors d'abside.

Grande fut alors la tentation, pour occuper tout l'espace, de composer non sur un thème unique, mais suivant une succession de scènes disposées en registres superposés. Ce fut la solution adoptée à Compostelle, qui se solda par un double échec : un manque de cohésion dans l'organisation des éléments et un défaut de cohérence iconographique.

Le portail de l'Agneau à Saint-Isidore de León représente un indéniable progrès technique, puisque la composition principale se développe sur un bloc unique ayant la largeur du tympan. Malheureusement, il n'en a pas la hauteur. On fut donc obligé de compléter à l'aide de plaques qui s'ajustent plus ou moins bien avec lui. En outre, la pierre principale a la forme d'un linteau en bâtière, davantage propre à accueillir une succession d'images qu'un thème ramassé autour d'un motif central.

La solution définitive ne fut trouvée qu'à la Porte Miègeville de Toulouse, avec des plaques assez importantes pour occuper toute la hauteur du tympan et en nombre suffisamment réduit pour qu'il fût possible d'atteindre à l'impression de grandeur simple et hiérarchisée à laquelle on aspirait. Cet équilibre demeurait fragile, puisque le portail du Pardon à León, bien que postérieur, n'a retenu qu'une partie de la leçon. L'ordre dans la composition s'y opère sans réaliser l'unité de thème.

La dynamique propre à la sculpture de la route de Saint-Jacques a fixé le rythme et aussi les limites de son expansion. En Espagne, celle-ci n'a guère débordé le tracé même du *Camino francés*. Au-delà commence la « nouvelle frontière » où les problèmes artistiques demeurent au second plan des préoccupations. Le temps est encore celui de la lutte armée contre l'Islam et des problèmes pratiques posés par l'organisation des territoires conquis. En France, par contre, la situation est beaucoup plus nuancée et varie selon les régions.

À l'est de Toulouse, les pays méditerranéens vivent selon leur rythme propre. Ils ont connu dans la première moitié du XIe siècle une renaissance artistique très précoce dont les foyers principaux se trouvaient en Catalogne. Celle-ci s'était attachée de préférence à la solution de problèmes architecturaux et elle n'accorda qu'un intérêt secondaire à la sculpture monumentale. Les choses n'évoluèrent guère jusque dans le deuxième quart du XIIe siècle, en sorte que la route toulousaine du pèlerinage à Saint-Jacques, qui traversait ces régions dans leur partie septentrionale, en passant par Saint-Gilles-du-Gard et Saint-Guilhem-le-Désert, ne leur apporta aucun élément de renouvellement. Ici, on semble tout ignorer des problèmes qui travaillent la grande sculpture et des solutions qui leur sont apportées : renaissance du corinthien, découverte du chapiteau historié, recherches sur la représentation de personnages de grande taille et enfin mise en place du portail à programme iconographique. Il est difficile d'imaginer imperméabilité plus grande pour une frontière artistique.

Plus au nord, en ce qui concerne la route du Puy, celle qui traverse le Massif Central, le problème des limites porte un nom :

Conques. Il est grave et difficile, mais nous n'avons aucunement l'intention de l'éluder. En clair, il s'agit de préciser le rôle exact joué par Sainte-Foy sur la route conduisant à Saint-Jacques et, corrélativement, la nature de ses relations avec l'Auvergne.

Jusqu'à présent, ce sont surtout ces dernières qui ont retenu l'attention, pour des raisons qui tiennent d'abord à des parentés architecturales. On sait que les grandes églises auvergnates constituent autour de Clermont un groupe monumental dont l'étonnante unité a naguère fourni des arguments aux théoriciens des « écoles » romanes pour étayer leur système. Au chevet une admirable combinaison de masses conduit par un étagement progressif jusqu'à la tour qui surmonte la coupole sur trompes érigée au carré du transept. On s'est cru autorisé à reconnaître dans cette composition le prolongement de celle que Conques offre au même endroit. La conception des volumes intérieurs n'est pas moins conforme pour l'essentiel à celle de Conques : c'est la même structure voûtée dont l'équilibre est assuré par les tribunes élevées au-dessus des collatéraux de la nef. Il n'est pas jusqu'à l'éclairage indirect qui, en éloignant la source de la lumière — en dehors du chœur — n'exprime une manière commune de penser l'architecture. Selon Louis Grodecki, elle exprimerait en outre une certaine mentalité [25].

La réalité est cependant plus complexe. À y regarder de plus près, on s'aperçoit que les églises d'Auvergne ne constituent pas une simple réduction du modèle offert par Conques. Elles ont des particularités qui leur sont absolument propres, comme le grand massif barlong qui englobe le carré du transept et la première travée de chacun des croisillons. C'est lui qui sert de socle au clocher octogonal. Il donne à l'ensemble du chevet un caractère massif que ne possède pas la famille architecturale de Conques. Une bonne appréciation des relations entre Conques et les églises auvergnates devrait sans doute tenir compte du rôle joué par des édifices disparus, comme la cathédrale romane de Clermont-Ferrand. Plus généralement, elles paraissent indissociables d'un phénomène plus général, qui est celui de l'apparition et du développement de la coupole sur trompes en Occident au XIe siècle en Auvergne, certes, mais aussi en Catalogne, en Languedoc et en Bourgogne. Ce sont ces recherches, menées parallèlement, qui ont conduit au savant étagement des masses du chevet dont Conques et l'Auvergne offrent des versions quelque peu différentes. Quant au problème de l'église à tribunes, il ne saurait pas davantage se résoudre à un dialogue entre Conques et l'Auvergne.

Il apparaît dès lors que l'étude de la sculpture doit être dissociée de l'expansion d'un certain type architectural. Nous ne faisons que vérifier un phénomène déjà signalé le long de la route de Compostelle où la diffusion d'un même style de décor monumental s'est effectuée dans des édifices ayant des structures différentes.

En s'en tenant donc aux problèmes spécifiques de la sculpture, il convient de rappeler d'abord la présence à Conques, aux diverses étapes de l'histoire du monument, d'une sculpture que nous avons qualifiée d'« auvergnate », et qui se caractérise aussi bien par ses motifs décoratifs que par sa technique d'exécution. Il s'agit de palmettes au dessin varié mais toujours réalisées à partir d'un relief plat : champlevé, taille en biseau, creux « en gouttière ». Elles peuvent constituer la totalité du décor d'un chapiteau, mais aussi se combiner à des couronnes de feuilles qu'elles « contaminent » stylistiquement. Il faut reconnaître l'héritage d'une certaine sculpture du XIe siècle surtout bien représentée dans le Massif Central et ses marges [26]. C'est la raison pour laquelle nous avons usé du qualificatif d'« auvergnat », étant bien entendu qu'il s'appliquait à un phénomène de plus large extension géographique que l'Auvergne proprement dite.

En restreignant le champ de ces influences « auvergnates » à Conques au seul domaine de ce décor, nous avons rendu à l'activité spécifique de l'abbatiale un certain nombre de chapiteaux historiés qui, par une sorte de ricochet, et postérieurement, joueront, avec d'autres influences, un rôle dans la création de la grande sculpture romane auvergnate. Il s'agit notamment du Supplice de l'avare des tribunes du croisillon nord du transept, des évangélistes assimilés à des anges à la croisée de ce même transept et de la Condamnation de sainte Foy dans le collatéral nord de la nef. Cependant ces œuvres nous sont apparues trop éloignées les unes des autres, à la fois dans l'espace et le temps, pour être regroupées dans un même atelier, comme l'ont proposé Christoph Bernoulli [27] et Zygmunt Świechowski [28]. L'entreprise eût été plus risquée encore si, à l'instar de ces deux auteurs, nous avions situé l'activité de cet atelier à une date aussi haute que la période 1070-1085.

Les conséquences de cette entreprise hasardeuse sont connues. On a vu Jacques Bousquet admettre la présence à Conques, dès la fin du XIe siècle, d'un atelier « auvergnat » déjà très proche stylistiquement du maître du tympan et dont l'activité se serait développée parallèlement à celle du maître de l'abbé Bégon [29]. Plus résolument encore, d'autres auteurs placent le tympan de Conques très haut dans le temps. Zygmunt Świechowski est dans la logique de sa démarche lorsqu'il affirme qu'il a été sculpté dès le début du XIIe siècle [30]. Il peut entraîner à sa suite, vers ce sommet chronologique, des chefs-d'œuvre de la sculpture romane auvergnate, les admirables chapiteaux du déambulatoire de Mozac, soi-disant sculptés tout de suite après l'affiliation de l'abbatiale à Cluny en 1095. Leur style ayant des équivalents à Brioude, et encore à Chanteuges, ceux-ci sont de même installés à la charnière des XIe et XIIe siècles. Alain Erlande-Brandenburg s'est justement refusé à entrer dans la discussion de cette thèse « qui relève plus d'une archéologie romantique que vraiment sérieuse » [31].

À l'époque où l'on décore le transept et la nef de Conques, le destin de l'abbatiale n'est pas en Auvergne, mais le long de la route de Saint-Jacques. C'est là qu'elle trouve ses partenaires artistiques. On sait ce qu'elle reçut de Toulouse et de Moissac. Par ailleurs, des sculpteurs de Conques se trouvent à Compostelle dès les premiers jours de l'ouverture du chantier de la cathédrale ; les mêmes ou d'autres s'y trouvent encore lorsque les travaux reprennent après l'arrêt ayant suivi la déposition de Diego Peláez.

Cette collaboration à la création d'un style commun au groupe des églises de la route de Compostelle n'a pas nui à l'affirmation de la personnalité de l'abbatiale rouergate. Son originalité, elle la devait au milieu où elle est apparue et aussi à la précocité de son développement. Celui-ci ayant débuté avant l'éclosion du phénomène de renaissance antiquisante, l'atelier de Conques demeura un certain temps empêtré dans des traditions préromanes contraignantes comme le jeu de l'entrelacs dont il eut même de la peine à se libérer complètement. Il existe aussi un esprit propre à Conques, comprenant un goût pour le détail concret, jusqu'à une certaine tendance pour le « naturalisme » qui transperce aussi à travers des textes littéraires alors produits par l'abbaye, comme le *Livre des miracles,* et qui parviendra à son point culminant lors de la réalisation du tympan.

Après avoir fixé les limites du développement de la sculpture de la route de Compostelle du côté du sud, puis en direction de l'est et du nord-est, nous terminerons notre enquête à Saint-Caprais d'Agen, point extrême de l'expansion vers le nord-ouest. Encore celle-ci se limite-t-elle ici à un petit nombre de chapiteaux, les autres, c'est-à-dire la grande majorité, relevant d'autres influences.

Saint Caprais, le martyr d'Agen, est souvent présenté comme ayant été le compagnon de sainte Foy dans la mort. C'est l'évêque Dulcitius qui, en 475, retrouva son corps et construisit au-dessus une basilique [32]. On ignore à quelle date l'installation d'un collège de chanoines conféra à cette église le titre de collégiale qu'elle devait garder jusqu'à la Révolution. Les données chronologiques font également défaut pour la période qui nous intéresse. Les premières dont nous disposions sont plus tardives et concernent un consécration du maître autel le 16 août 1279 et celle de quatre autres autels le 30 novembre 1312. Rien de tout cela n'est en relation avec la partie romane de l'édifice, correspondant au chevet [33].

Celui-ci illustre un intéressant parti architectural répandu dans le centre-ouest de la France, Agenais, Quercy, Angoumois, Périgord, Limousin et Velay [34]. Il se caractérise par l'existence d'une abside volumineuse sur laquelle s'ouvrent directement, sans l'intermédiaire d'un déambulatoire, trois chapelles rayonnantes. Préoccupés par les problèmes purement architectoniques que posait le voûtement d'un semblable volume, les architectes de ces monuments ont souvent fait passer le problème du décor au second plan. Ce n'est cependant pas le cas à Saint-Caprais, sans doute parce qu'ici on n'avait pas prévu de voûter l'abside au départ. Voici l'indice d'une précocité que confirme l'analyse des sculptures [35]. Le transept qui suit a été exécuté en plusieurs étapes, mais ses deux absidioles orientées sont contemporaines de l'abside.

D'une manière très systématique on a accordé aux chapiteaux qui relèvent du style de la route de Saint-Jacques — avec des particularités qui sont les siennes à Toulouse et à Moissac — des emplacements privilégiés. Sans doute avait-on déjà reconnu une qualité qui dépasse en effet celle du décor environnant.

464. Agen, Saint-Caprais, chapiteau de gauche de l'arc d'entrée de l'absidiole d'axe.

▷ 465. Agen, Saint-Caprais, chapiteau de droite de l'arc d'entrée de l'absidiole d'axe.

464, 465 Les plus anciens reçoivent l'arc d'entrée de l'absidiole d'axe. Comprenant chacun deux couronnes d'acanthe, ils ne seraient pas déplacés à Saint-Sernin. Ils correspondent à des formes exécutées dans le transept de la collégiale toulousaine autour de 1090, une date qui convient parfaitement pour les débuts de la construction de Saint-Caprais. L'abbé Jean Cabanot observe en effet « dans les chapiteaux qui ornent les fenêtres des chapelles rayonnantes et celles de l'abside, ainsi que dans ceux qui soutiennent la corniche des chapelles rayonnantes des parentés fort nettes avec le décor de plusieurs églises des pays de l'Ouest et, en particulier, avec Saint-Eutrope de Saintes, Sainte-Radegonde de Poitiers et Saint-Savin-sur-Gartempe, qui peuvent toutes être datées du dernier tiers du XIe siècle » [36].

Deux autres chapiteaux d'acanthe du style de Saint-Sernin participent au décor des arcs d'entrée des absidioles orientées du transept. Celui qui se trouve au sud est plus net et élégant dans

466. Agen, Saint-Caprais, chapiteau de droite de l'arc d'entrée de l'absidiole sud du transept.

467. Agen, Saint-Caprais, chapiteau de droite de l'arc d'entrée de l'absidiole nord du transept.

466 son dessin, plus précis et plus raffiné dans son exécution que
467 celui du nord, d'un travail plus gauche et plus relâché, y compris dans le traitement des pommes de pin accrochées à l'extrémité des feuilles, et dont c'est ici l'unique apparition. Selon toute probabilité, les auteurs de ces deux œuvres sont venus à Saint-Caprais quelque temps après le passage des sculpteurs ayant travaillé dans la chapelle d'axe, c'est-à-dire au début du XIIe siècle.

De part et d'autre de l'abside existent deux puissants massifs rectangulaires sur lesquels s'appuie son arc d'entrée et qui
468 renferment aussi des escaliers. Pour atténuer la rudesse de leur

468. Agen, Saint-Caprais, vue de l'abside et de l'absidiole nord.

469. Agen, Saint-Caprais,
chapiteau de l'arcature décorative
de la pile sud de l'entrée du chœur.

▷ 470. Agen, Saint-Caprais,
chapiteau de l'arcature décorative
de la pile nord de l'entrée du chœur.

aspect on les a recouverts d'arcatures aveugles ornées de chapiteaux. Pour deux de ceux-ci on s'est contenté de motifs floraux. Au sud, on trouve un décor très toulousain d'aspect associant des
469
éléments du chapiteau corinthien à des rinceaux de palmettes. Au nord, c'est au contraire un climat propre à Moissac qui est recréé tant sur la corbeille du chapiteau que sur son tailloir. Les deux collerettes d'un épannelage corinthien sont entièrement couvertes d'enroulements de demi-palmettes d'une texture très dense qui atténuent les formes, cependant que sur le tailloir deux anges nimbés tiennent à bout de bras le médaillon perlé en forme
470
de couronne sur lequel se détache l'Agneau de Dieu.

Il convient de signaler qu'un médaillon également cerné d'une couronne a été trouvé dans l'autel primitif de la collégiale. On le découvrit lorsqu'on démolit cet autel pour le remplacer par celui que consacra Simon, archevêque de Bordeaux, en 1279. Il est aujourd'hui encastré dans le mur nord du sanctuaire. Au centre de la pierre un chrisme formé du X et du P est entouré par l'A et l'ω. Une inscription développée autour conserve le souvenir d'une dédicace de l'église ayant eu lieu le 2 des nones de décembre (4 décembre).

† II NONAS DECEMBRIS DEDICACIO ECLESIE EIVSDEM

L'ensemble des caractères de ce monument commémoratif concourt à le dater du début du XIIe siècle [37], ce qui correspond exactement aux conclusions de l'étude archéologique et stylistique.

Toujours sur le massif rectangulaire septentrional se trouvent deux beaux chapiteaux historiés. L'un est consacré au martyre

471. Agen, Saint-Caprais, martyre de saint Caprais.

▷ 472. Agen, Saint-Caprais, couronnement de saint Caprais et de sainte Foy.

471 de saint Caprais. Selon sa *passio,* le saint, fuyant la persécution de Dioclétien, s'était réfugié dans une caverne. « Apprenant l'arrestation de sainte Foy, il alla se présenter au juge Dacien qui l'envoya au bourreau ». Quatre scènes sont représentées, « chacune étant résumée par un verbe inscrit sur l'astragale et son sujet gravé sur la corbeille » : DACIANVS PRECIPIT — MILES OCCIDIT — SANCTVS CAPRASIVS MORITVR — CELESTIA SCANDIT (Dacien ordonne — le soldat tue — saint Caprais meurt — il gagne le ciel) [38]. En fait, trois des scènes sont réunies dans une seule composition : le *miles,* qui brandit l'énorme épée ayant servi à la décollation, présente à Dacien assis sur un siège richement orné la tête de saint Caprais qu'il vient de trancher. La quatrième scène vient immédiatement après : un ange prend par la main un petit personnage nu, l'âme du saint, pour la transporter au paradis. L'œuvre se situe toujours dans l'orbite de Moissac — y compris en ce qui concerne le recours aux légendes gravées — avec néanmoins un progrès notable du relief. Par contre, les petits oiseaux qui décorent les trois côtés du tailloir sont très proches de ceux de la table d'autel de Saint-Sernin [39].

Saint Caprais et sainte Foy sont réunis pour un même triomphe céleste sur le chapiteau voisin. Ils sont tous deux présentés au 472 Christ qui les couronne. Nous avons eu l'occasion (ci-dessus p. 419) de rechercher les sources de cette composition iconographique.

Très curieusement on a gravé à la partie supérieure des dés des faces latérales du chapiteau les noms de RAGVEL et TOBIAM. Les auteurs du *Corpus des inscriptions de la France Médiévale* croient ces inscriptions authentiques, tout en observant que « le nom de *Raguel* présente une liaison assez surprenante du G et du V — que l'on pourrait tout aussi bien lire comme un C et un Y — et que l'on peut se demander si l'inscription n'a pas été refaite vers 1840 » [40]. Pour nous, il n'est pas douteux qu'il faille reconnaître là une fausse identification du thème du chapiteau par un érudit du XIXᵉ siècle. Celui-ci aurait perpétué son erreur en fabriquant les deux inscriptions qu'il grava à l'occasion de la restauration de l'église à un moment où ce genre de pratique était monnaie courante.

Le style du chapiteau de sainte Foy et de saint Caprais, déjà très proche de celui du martyre de ce saint, caractérise encore un troisième chapiteau historié, une Assomption de la Vierge Marie, qui figure, en face du chapiteau de la fig. 466, à la retombée de gauche de l'arc d'entrée de l'absidiole méridionale 473 du transept. À un certain moment, nous estimions que le fait que la Mère de Dieu soit vêtue devait être interprété comme l'indice d'une Assomption corporelle. Cette manière de voir était erronée, puisque saint Caprais et sainte Foy, établis dans la gloire du Christ, sont également vêtus, alors que, de toute évidence, c'est leur âme qui est représentée. La couronne qu'elle porte est celle de la Reine Mère à laquelle elle a droit depuis l'Annonciation.

Pour compléter le décor des grandes piles encadrant l'entrée du chœur, on fit appel à un artiste d'une habileté égale, mais venant probablement de Saint-Sever. Il réalisa, sur un chapiteau

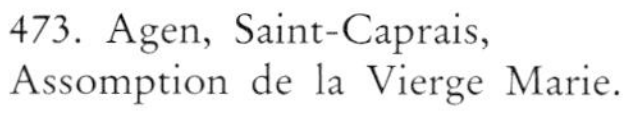
473. Agen, Saint-Caprais,
Assomption de la Vierge Marie.

474. Agen, Saint-Caprais,
chapiteau aux lions de l'arcature décorative
de la pile sud de l'entrée du chœur.

de la pile sud, un groupe de lions aux proportions élancées, à la tête fine et à la crinière bouclée, dépassant en élégance tout ce qui avait été réalisé auparavant dans l'abbatiale de l'Adour [41].

474

La situation de Saint-Caprais illustre un phénomène de régionalisation sur le plan artistique qui paraît avoir débuté à la fin du XIe siècle lorsque, à Saint-Sernin de Toulouse, le style plus « avancé » de Bernard Gilduin évinça celui du maître de la Porte des Comtes [42]. Plus généralement il résulta souvent du rayonnement d'un grand édifice sur des chantiers voisins trop modestes, ou insuffisamment dotés en revenus stables, pour constituer leur propre atelier.

Quelle qu'ait été son origine, l'essaimage caractéristique du début du XIIe siècle relâcha les anciennes solidarités et établit de nouvelles proximités. Les figures d'artistes déjà difficiles à cerner dans le cadre des anciens ateliers bien structurés et assurés de la continuité s'effacent dès lors dans un total anonymat. Les nouveaux regroupements, souvent fruit du simple hasard, deviennent difficiles à analyser lorsqu'ils ne sont pas complètement opaques. On hésite sur l'origine des motifs et sur les principes d'organisation. Fréquemment on se trouve dans l'incapacité de dénouer l'écheveau des tendances diverses et la complexité des rapports dans des milieux où une direction suivie fit défaut.

***

Qu'est-il arrivé sur la route de Saint-Jacques lorsque les principaux chantiers interrompirent leur activité, soit d'une manière définitive, après achèvement complet de l'édifice, comme à Jaca, à León et à Loarre, soit d'une manière temporaire, mais qui se révéla durable, dans le cas de Saint-Jacques-de-Compostelle et de Saint-Sernin de Toulouse ? Il convient de distinguer ici encore entre la section française de la route et sa section espagnole qui connurent des destins très différents.

En Espagne, on observe une période d'activité réduite qui correspond à une incertitude dans le domaine politique. Le roi Alphonse VII (1126-1157) tenta d'abord d'établir l'hégémonie de la Castille sur l'ensemble de la Péninsule en se prévalant à la fois du légalisme léonais et de succès passagers comme la conquête de Saragosse en 1134, qui lui permit de réduire le souverain aragonais à l'état de vassal pour cette cité. Ainsi se crut-il autorisé à se proclamer empereur en 1135, mais ce projet ambitieux demeura sans lendemain. L'état castillan fut bientôt victime de tendances séparatistes qui aboutirent à l'émancipation du León et du Portugal. La réalité politique du moment s'exprime mieux par le traité de Tudellén en 1151 par lequel Alphonse VII s'entendit avec le comte Raimond Bérenger IV de Barcelone, prince d'Aragon, sur les limites de leurs futures zones de reconquête. Ainsi l'idéal de la croisade prend-il définitivement le pas sur l'ancienne idéologie néo-gothique successivement entretenue dans les royaumes des Asturies et de León. C'est le point de départ d'une politique désormais tournée vers le midi pour la Castille, vers la Méditerranée pour l'Aragon et la Catalogne [43]. Ces nouvelles orientations se substituent à l'ancien axe vital de l'Espagne chrétienne orienté d'est en ouest, correspondant à la route de Saint-Jacques. Pour celle-ci c'est la fin de la primauté artistique.

Avant que ne s'achevât le XIIe siècle, il se produisit néanmoins un nouvel essor de la sculpture dans le nord de la Péninsule, mais s'il concerna encore certaines étapes de la route de Saint-Jacques, il ne se limita plus à son tracé. Ce n'est plus un phénomène propre à la route. Ayant débuté à Sangüesa vers 1160, il gagna Santo Domingo de la Calzada, Ávila, Aguilar de Campóo et Carrión de los Condes. Il s'épanouit à Saint-Jacques de Compostelle avec maître Mathieu, à Oviedo et à Silos. Son unité stylistique est certaine, ainsi que son caractère espagnol. Cependant, il se nourrit sans cesse d'apports français [44] correspondant parfois à la venue d'artistes tels Leodegarius (Léger), qui signa son œuvre à Sangüesa et travailla aussi à Saint-Martin de Uncastillo. Ces relations avec la France ne conduisirent néanmoins pas, comme au début du siècle, à l'établissement d'un courant continu transpyrénéen. Elles concernaient des régions trop éloignées de l'Espagne (Bourgogne, Île-de-France, Provence) pour qu'un phénomène de continuité territoriale pût se reconstituer.

À la différence de l'Espagne, la France avait poursuivi avec la même intensité son activité artistique après la fermeture des grands chantiers de la route de Compostelle, mais sur des données nouvelles. Les anciennes solidarités étant rompues, les différents centres conquirent leur complète indépendance. Ce fut le cas de Toulouse où le développement de la sculpture prit un caractère résolument urbain avec la création des cloîtres de Saint-Sernin, de Saint-Étienne et l'achèvement de celui de la Daurade. On distingue partout un renforcement des tendances aristocratiques apparues dès la première campagne de sculpture dans le prieuré moissagais. Ailleurs, à Moissac et à Conques, on mena jusqu'à son accomplissement la définition du grand portail. Cependant, à ce moment, le phénomène était devenu très largement français alors qu'il ne gagna vraiment l'Espagne qu'avec la création du Porche de la Gloire de maître Mathieu. Enfin, la dernière phase du développement de la sculpture romane vit apparaître une nouvelle « renaissance » à Arles, Saint-Gilles-du-Gard et Saint-Guilhem-le-Désert, c'est-à-dire sur la section orientale de la route toulousaine du *Guide du pèlerin* qui n'avait pas été touchée par la « renaissance » de la fin du XIe et du début du XIIe siècle. Ce fut l'occasion d'établir à nouveau des solidarités de caractère « international », mais celles-ci ne concernèrent qu'exceptionnellement l'Espagne, les principales affinités existant ici avec l'Italie.

Ci-contre : Toulouse, musée des Augustins, chapiteau de la Daurade. Jugement dernier.

ABRÉVIATIONS

Archivo español de arte y arqueología	*A. E. A. A.*
Art Bulletin (The)	*A. B.*
BOUSQUET (Jacques), *La sculpture à Conques aux XIe et XIIe siècles,* Lille, 1973, 2 vol. de texte, 1 vol. de planches	BOUSQUET, 1973
Bulletin archéologique du Comité des travaux historiques et scientifiques	*B. A. C. T. H. S.*
Bulletin Monumental	*B. M.*
Bulletin de la Société nationale des antiquaires de France	*B. S. N. A. F.*
CABANOT (Jean), *Les débuts de la sculpture romane dans le Sud-Ouest de la France,* Paris, 1987	CABANOT, 1987
Cahiers archéologiques	*C. A.*
Cahiers de civilisation médiévale	*C. C. M.*
Cahiers de Saint-Michel de Cuxa	*C. S. M. C.*
CANELLAS LÓPEZ (Angel) et SAN VICENTE (Angel), *Aragon roman,* Saint-Léger-Vauban, 1971	CANELLAS LÓPEZ et SAN VICENTE, 1971
Comptes rendus des séances de l'Académie des Inscriptions et Belles-Lettres	*C.R. Académie des Inscriptions et Belles-Lettres*
Congrès archéologique de France	*C. A. F.*
Corpus des inscriptions de la France médiévale, textes établis et présentés par Robert FAVREAU, Bernadette LEPLANT et Jean MICHAUD, sous la direction de Edmond-René LABANDE	*C. I. F. M.*
DEFOURNEAUX (Maurice), *Les Français en Espagne aux XIe et XIIe siècles,* Paris, 1949	DEFOURNEAUX, 1949
DURLIAT (Marcel), *Les origines de la sculpture romane à Jaca,* dans *C. R. Académie des Inscriptions et Belles-Lettres,* 1978, Paris, 1978	DURLIAT, 1978
FAU (Jean-Claude), *Les chapiteaux de l'église et du cloître de Conques,* dans *M. S. A. M. F.*, XXIV, 1956, p. 33-132	FAU, 1956
GABORIT-CHOPIN (Danielle), *La décoration des manuscrits à Saint-Martial de Limoges et en Limousin du IXe au XIIe siècle,* Paris-Genève, 1969	GABORIT-CHOPIN, 1969
GAILLARD (Georges), *Les débuts de la sculpture romane espagnole : Léon, Jaca, Compostelle,* Paris, 1938	GAILLARD, 1938
Gazette des Beaux-Arts	*G. B. A.*
GÓMEZ-MORENO (Manuel), *El arte románico español,* Madrid, 1934	GÓMEZ-MORENO, 1934
GÓMEZ-MORENO (Manuel), *Catálogo monumental de España. Provincia de León,* Madrid, 1925	GÓMEZ-MORENO, 1925
Le Guide du pèlerin de Saint-Jacques de Compostelle, éd. et tr. par Jeanne VIELLIARD, 2e éd., Mâcon, 1950	*Guide du pèlerin,* 1950
Mémoires de la Société archéologique du Midi de la France	*M. S. A. M. F.*
MORALEJO (Serafín), *Sobre la formación del estilo escultórico de Frómista y Jaca,* dans *Actas del XXIII Congreso internacional de Historia del arte, Granada, 1973,* I, Grenade, 1976	MORALEJO, 1976

MORALEJO (Serafín), *Aportaciones a la interpretación del programa iconográfico de la catedral de Jaca*, dans *Homenaje a don José María Lacarra de Miguel, Estudios medievales*, I, Saragosse, 1977	MORALEJO, 1977 [1]
MORALEJO (Serafín), *Saint-Jacques de Compostelle. Les portails retrouvés de la cathédrale romane*, dans *Les dossiers de l'archéologie*, 1977	MORALEJO, 1977 [2]
MORALEJO (Serafín), *La sculpture romane de la cathédrale de Jaca. État des questions*, *C. S. M. C.*, 10, 1979, p. 79-106	MORALEJO, 1979
MORALEJO (Serafín), « *Ars sacra* » *et sculpture romane monumentale : le trésor et le chantier de Compostelle*, *C. S. M. C.*, 11, 1980, p. 189-238	MORALEJO, 1980
MORALEJO (Serafín), *Modelo, copia y originalidad en el marco de las relaciones artísticas hispano-francesas*, dans Ve *Congrés espanyol d'historia de l'art, Barcelona, 1984*, I, Barcelone, 1988, p. 89-112	MORALEJO, 1988
Revue archéologique	*R. A.*
Revue de Comminges	*R. C.*
Santiago de Compostela : 1000 ans de pèlerinage européen, Gand, 1985 (Europalia 85 España)	*Santiago de Compostela*, 1985

NOTES

Notes de l'introduction

1. Émile BERTAUX, *La sculpture chrétienne en Espagne des origines au XIVe siècle,* dans *Histoire de l'Art* publiée sous la direction d'André Michel, tome II, première partie, Paris, 1906, p. 214 et sv.
2. Manuel GÓMEZ-MORENO, *Provincia de León. Catálogo monumental de España,* Madrid, 1925 (écrit en 1906-1908).
3. ID., *El arte románico español. Esquema de un libro,* Madrid, 1934. Compte rendu de Georges Gaillard, *Commencements de l'art roman en Espagne,* dans *Bulletin Hispanique,* 1935, p. 273-308, repris dans ID., *Études d'art roman,* Paris, 1972, p. 38-63.
4. Arthur KINGSLEY PORTER, *The romanesque sculpture of the Pilgrimage Roads,* Boston, 1923.
5. GAILLARD, 1938, p. 30.
6. Paul DESCHAMPS, *Notes sur la sculpture romane en Languedoc et dans le nord de l'Espagne,* dans *B. M.,* 1923, p. 305-351.
7. GAILLARD, 1938, p. 30.
8. *Ibid.,* p. 31.
9. *Ibid.,* p. 33.
10. *Ibid.,* p. 225.
11. Georges GAILLARD, *De la diversité des styles dans la sculpture romane des pèlerinages,* dans *La Revue des arts,* I, 1951, p. 77-87.
12. A. KINGSLEY PORTER, *Spain or Toulouse ? and other questions,* dans *A. B.,* VII, 1924, p. 3-24.
13. Thomas W. LYMAN, *The Pilgrimage Roads revisited,* dans *Gesta,* VIII/2, 1969, p. 30-44 et mon compte rendu, sous la forme interrogative : *The Pilgrimage Roads revisited ?,* dans *B. M.,* 1971, p. 113-120.
14. Paul DESCHAMPS, *Étude sur les sculptures de Sainte-Foy de Conques et de Saint-Sernin de Toulouse et leurs relations avec celles de Saint-Isidore de Léon et de Saint-Jacques de Compostelle,* dans *B. M.,* 1941, p. 239-264.
15. C'est moi qui souligne.
16. GAILLARD, 1938, p. XIV.
17. John WILLIAMS, *San Isidoro in León : Evidence for a New History,* dans *A. B.,* LV, 1973, p. 171-184.
18. Se reporter ci-dessous à la bibliographie relative à la cathédrale de Jaca.
19. Marcel DURLIAT, Christophe DEROO et Maurice SCELLES, *Monuments sculptés en France, IVe-Xe siècles, Haute-Garonne,* Paris, 1987, n°s 211-215, p. 146-147, pl. CXIV-CXVIII.
20. Friedrich GERKE, *Der Tischaltar des Bernard Gilduin in Saint Sernin in Toulouse,* Akademie der Wissenschaften und der Literatur in Mainz, Abhandlungen der Geistes und Sozialwissenschaftlichen Klasse, 1958, n° 8, p. 453-513.
21. Pour la bibliographie, nous renvoyons au chapitre consacré au maître de Jaca et à son groupe.

Notes de la première partie

1. Raymond OURSEL, *Les pèlerins du Moyen Âge,* Paris, 1963 ; Edmond-René LABANDE, *Recherches sur les pèlerins dans l'Europe des XIe et XIIe siècles, C. C. M.,* I, 1958, p. 159-169, 339-347 ; *Les pèlerinages de l'antiquité biblique et classique à l'Occident médiéval,* Paris, 1973 (Études d'histoire des religions I) ; Pierre-André SIGAL, *Les marcheurs de Dieu. Pèlerinages et pèlerins au Moyen Âge,* Paris, 1974 ; André VAUCHEZ, *La spiritualité du Moyen Âge occidental,* Paris, 1975 ; Alphonse DUPRONT, *Du Sacré. Croisades et pèle-*

rinages. *Images et langages,* Paris, 1987 (Bibliothèque des histoires) ; plus spécialement, en ce qui concerne le pèlerinage de Compostelle : Yves BOTTINEAU, *Les chemins de Saint-Jacques,* Paris, 1964.

2. Pierre-André SIGAL, *op. cit.,* p. 95.
3. Robert PLÖTZ, *Traditiones Hispanicæ Beati Jacobi. Les origines du culte de saint Jacques à Compostelle,* dans *Santiago de Compostela,* 1985, p. 27-39 ; Manuel C. DIÁZ Y DIÁZ, *La littérature jacobite jusqu'au XIIe siècle, ibid.,* p. 165-171.
4. Manuel C. DIÁZ Y DIÁZ, *op. cit.,* p. 168.
5. DEFOURNEAUX, 1949.
6. Georges GAILLARD, *La pénétration clunisienne en Espagne pendant la première moitié du XIe siècle* et *Cluny et l'Espagne dans l'art roman du XIe siècle,* dans ID., *Études d'art roman,* Paris, 1972, p. 84-92 et 93-98, spécialement p. 96-97.
7. *Ibid.,* p. 97-98.
8. J. VICENS VIVES, *Aproximación a la Historia de España,* Barcelone, 1952, p. 59-74.
9. Les points de vue les plus récents sur les relations entre Cluny et la Castille sont exposés dans les articles de C. J. BISHKO, *Studies in Medieval Spanish Frontier History,* Londres, 1980, et *Spanish and Portuguese Monastic History 600-1300,* Londres, 1984, ainsi que dans John WILLIAMS, *Cluny and Spain,* dans *Gesta,* XXVII, 1988, p. 93-101. Plus spécialement sur le rôle d'Alphonse VI : J. F. O'CALLAGHAN, *The Integration of Christian Spain into Europe : the Role of Alfonso VI of León-Castile,* dans *Santiago, Saint-Denis and Saint Peter, the Reception of the Roman Liturgy in León-Castile in 1080,* édité par B. Reilly, New York, 1985, p. 101-120.
10. J. VICENS VIVES, *op. cit.,* p. 69-70.
11. Élie LAMBERT, *Les routes des Pyrénées atlantiques et les variations de leur emploi au cours des âges,* dans *Pirineos,* 1951, p. 335-382 ; article repris dans ID., *Études médiévales,* I, Toulouse, 1956, p. 189-226.
12. *Ibid.,* p. 204.
13. La « Chaussée » (route pavée) construite par saint Dominique s'étendait de Nájera à Redecilla del Camino.
14. *Acta Sanctorum,* mai, III, p. 166-179. Traduction d'Élie LAMBERT, *Études médiévales,* I, *op. cit.,* p. 133.
15. *Acta Sanctorum,* janvier, III, p. 671-675. Élie LAMBERT, *op. cit.,* p. 133.
16. *Acta Sanctorum,* juin, I, p. 254-257. Élie LAMBERT, *op. cit.,* p. 133-134.
17. Élie LAMBERT, *Ordres et confréries dans l'histoire du pèlerinage de Compostelle,* dans *Annales du Midi,* 1943, p. 369-403, texte repris dans *Études médiévales, op. cit.,* p. 127-144.
18. DEFOURNEAUX, 1949, p. 110, note 4.
19. *Ibid.*
20. José María LACARRA, *Le pèlerinage de Saint-Jacques, son influence sur le développement économique et urbain du Moyen Âge,* dans *Bulletin de l'Institut français en Espagne,* 46, p. 218-221 ; ID., *La burguesía, fenómeno social en el camino,* dans *Cuadernos historia 16,* n° 88, 1985, p. 12-18.
21. Jean PASSINI, *Villes médiévales du chemin de Saint-Jacques de Compostelle de Pampelune à Burgos,* Paris, 1984, et d'une manière plus globale : Luis VÁSQUEZ DE PARGA, José-María LACARRA et Juan URÍA RÍU, *Las peregrinaciones a Santiago de Compostela,* 3 vol., Madrid, 1948-1949.
22. Jean RICHARD, *Les récits de voyages et de pèlerinages,* Turnhout, 1981 (Typologie des sources du Moyen Âge occidental, 38).
23. *Guide du Pèlerin,* 1950.
24. DEFOURNEAUX, 1949, p. 71-101.
25. *Ibid.,* p. 82.
26. *Ibid.,* p. 84.
27. *Ibid.,* p. 89.
28. *Ibid.,* p. 91.
29. Manuel C. DIÁZ Y DIÁZ, *La littérature jacobite, op. cit.,* p. 170.
30. Élie LAMBERT, *Roncevaux et ses monuments,* dans *Romania,* 1955, p. 17-54, texte repris dans ID., *Études médiévales,* I, *op. cit.,* p. 159-187, spécialement p. 161.
31. Edgar de BRUYNE, *Études d'esthétique médiévale,* II, *Époque romane,* Bruges, 1946, p. 89-91.
32. MORALEJO, 1980, p. 189-238.
33. Au sujet de cette iconographie rare Serafín Moralejo propose une comparaison tout à fait justifiée avec la composition absidale de Saint-Just de Ségovie.
34. MORALEJO, *ibid..,* p. 214.
35. MORALEJO, *ibid.,* fig. 5, donne une interprétation graphique de cette description.
36. Élie LAMBERT, *La cathédrale de Saint-Jacques de Compostelle et l'école des grandes églises romanes des routes de pèlerinage,* dans *Études médiévales,* I, *op. cit.,* p. 245-259. On s'est récemment intéressé aux relations entre ce groupe

d'églises et Cluny : Thomas W. LYMAN, *The Politics of Selective Eclecticism : Monastic Architecture, Pilgrimage Churches, and « Resistance to Cluny »*, dans *Gesta*, XXVII, 1988, p. 83-92 et O. K. WERCKMEISTER, *Cluny III and the Pilgrimage to Santiago de Compostela, ibid.*, p. 103-112.

37. Marcel DURLIAT, *Les chemins de Saint-Jacques et l'art : l'architecture et la sculpture*, dans *Santiago de Compostela*, 1985, p. 155-164.
38. *L'art roman à Saint-Martial de Limoges*, Limoges, 1950 (Catalogue d'exposition), pl. VI et VII.
39. Charles LELONG, *La basilique Saint-Martin de Tours*, s.l., 1986.
40. GAILLARD, 1938, p. 222-223 et pl. CXXV.

Notes de la deuxième partie

1. Prosper MÉRIMÉE, *Notes de voyages*, présentées par Pierre-Marie Auzas, Paris, 1971, p. 534. Mérimée séjourna à Conques jusqu'au 2 juillet.
2. Marcel AUBERT, *Conques-en-Rouergue, C. A. F., 100ᵉ session, Figeac, Cahors et Rodez, 1937*, Paris, 1938, p. 458-523 ; Paul DESCHAMPS, *Étude sur les sculptures de Sainte-Foy de Conques et de Saint-Sernin de Toulouse et leurs relations avec celles de Saint-Isidore de Léon et de Saint-Jacques de Compostelle, B. M.*, 1941, p. 239-264 ; FAU, 1956 ; Christoph BERNOULLI, *Die Skulpturen der Abtei Conques-en-Rouergue*, Bâle, 1956 (Basler Studien für Kunstgeschichte, t. 13) ; Georges GAILLARD, *Rouergue roman*, Saint-Léger-Vauban, 1963 (Zodiaque, La nuit des Temps, nº 17), spécialement p. 25-185 ; ID., *Une abbaye de pèlerinage : Sainte-Foy de Conques et ses rapports avec Saint-Jacques*, dans *Compostellanum*, t. 10, 1965, tirage à part non paginé ; BOUSQUET, 1973 ; Jean-Claude FAU, *Conques*, Saint-Léger-Vauban, 1973 (Zodiaque, Les Travaux des mois, 9).
3. A. BOUILLET, L. SERVIÈRES, *Sainte Foy, vierge et martyre*, Rodez, 1900, p. 27-45.
4. Léon LEVILLAIN, *Notes sur l'abbaye de Conques, I. La date de la translation des reliques de sainte Foy à Conques*, dans *Revue Mabillon*, t. 3, 1907, p. 99-115.
5. FAU, 1956, p. 7-8.
6. *Acta Sanctorum*, Octobre, t. 3, p. 289-292 (pour la translation en vers), p. 294-299 (pour celle en prose). Voir également A. BOUILLET, L. SERVIÈRES, *Sainte Foy, op. cit.*, p. 417-419.
7. P.J. GEARY, *Furta Sacra. Thiefs of Relics in the Central Middle Ages*, Princeton, 1978.
8. A. BOUILLET, *Liber miraculorum sancte Fidis*, Paris, 1897 (Collection de textes pour servir à l'étude et à l'enseignement de l'histoire).
9. Gustave DESJARDINS, *Cartulaire de l'abbaye de Conques-en-Rouergue*, Paris, 1879 (Documents historiques publiés par l'École des Chartes).
10. BOUSQUET, 1973, p. 420-422.
11. Georges GAILLARD, *Une abbaye de pèlerinage, op. cit.*
12. *Ibid.*
13. A. BOUILLET, L. SERVIÈRES, *Sainte Foy, op. cit.*, p. 493.
14. Jean HUBERT, *Le plan de l'église de Conques au Xᵉ siècle, B. S. N. A. F.*, 1948-1949, p. 240-244.
15. Texte dans les copies de la collection Doat à la Bibliothèque Nationale, vol. 143, fol. 1 à 12. Autre référence : *Chronicon monasterii Conchensis sive nomina abbatum* (ex archivis Conchensis monasterii), de E. MARTÈNE et U. DURAND, *Thesaurus novus anecdotorum*, t. 3, 1717, col. 1390.
16. BOUSQUET, 1973, p. 423-425.
17. Marie-Madeleine GAUTHIER, *Émaux du Moyen Âge*, Fribourg, 1972, p. 72-77.
18. Louis SALTET, *Le diplôme d'indulgences pour la construction de l'église de Conques*, dans *Bulletin de littérature ecclésiastique publié par l'Institut Catholique de Toulouse*, 1902, p. 120-126.
19. BOUSQUET, 1973, p. 408-419.
20. Élie LAMBERT, *La cathédrale de Saint-Jacques de Compostelle et l'école des grandes églises romanes des routes de pèlerinage*, dans *Études médiévales*, I, Toulouse, 1956, p. 245-259 ; Georges GAILLARD, *Une abbaye de pèlerinage, op. cit.*
21. Marcel DURLIAT, *Les chemins de Saint-Jacques et l'art : l'architecture et la*

sculpture, dans *Santiago de Compostela,* 1985, p. 155-164.

22. Jean VALLERY-RADOT, *L'ancienne prieurale Notre-Dame à la Charité-sur-Loire. L'architecture, C. A. F., 125e session, Nivernais, 1967,* p. 43-83, spécialement p. 70 et plan dépliant. Sur le plan de Conques, voir également Marcel DEYRES, *Le premier projet de Conques II, B. M.,* 1969, p. 297-306 et *L'interversion du thème bénédictin à Sainte-Foy de Conques, ibid.,* 1971, p. 183-191.
23. Marcel AUBERT, *Conques-en-Rouergue, op. cit.,* p. 473-474. Les carrières de Combret se trouvent dans la vallée du Dourdou, à quelques kilomètres en amont de Conques.
24. A. BOUILLET, L. SERVIÈRES, *Sainte-Foy, op. cit.,* p. 586-587.
25. Notre travail s'appuie essentiellement sur FAU, 1956, p. 38-47 et BOUSQUET, 1973, p. 6-76. Plus spécialement en l'occurrence : J.-C. FAU, *Un décor original : l'entrelacs épanoui en palmette sur les chapiteaux romans de l'ancienne Septimanie, C. S. M. C.,* IX, 1978, p. 129-140.
26. M. DURLIAT, *Existeix un art romànic català ? Reflexions sobre l'arquitectura catalana del segle XI,* Barcelone, 1988, p. 33, traduction catalane de *La Catalogne et le « premier art roman« , B. M.,* 1989, p. 209-238.
27. Louis GRODECKI, *Les débuts de la sculpture romane en Normandie : Bernay, B. M.,* 1950, p. 7-67, spécialement p. 30-47, repris dans *Le Moyen-Âge retrouvé,* Paris, 1986, p. 69-113. Cet épannelage dérive-t-il du chapiteau « cubique » aux angles abattus fréquent en Italie et en Espagne et dont l'origine est byzantine ? Retenons surtout qu'il apparaît à Saint-Pierre de Roda entre 1030 et 1040.
28. J. BOUSQUET, *Les origines de la sculpture romane sont-elles lointaines ou proches ? Un exemple : le motif de l'entrelacs en éventail, C. S. M. C.,* 9, 1978, p. 51-72. L'auteur donne de cette forme d'entrelacs la définition suivante : « un motif dessiné par une corde de trois brins parallèles qui se recourbent en demi-cercle (d'où le nom en éventail) pour se retourner en se croisant à l'intérieur du demi-cercle ».
29. BOUSQUET, 1973, p. 17-18.
30. Robert de LASTEYRIE, *L'architecture religieuse en France à l'époque romane,* 2e éd. revue et augmentée par Marcel Aubert, Paris, 1929, p. 313-314 ; Richard HAMANN MCLEAN, *Les origines des portails et façades sculptés gothiques, C. C. M.,* II, 1959, p. 157-175.
31. Émile MÂLE, *Art et artistes du Moyen-Âge,* Paris, 1927, p. 55-56. Sur l'histoire du modillon à copeaux : Leopoldo TORRES BALBÁS, *Los modillones de lóbulos : ensayo de análisis de una forma arquitectónica a través de dieciseis siglos, A. E. A. A.,* XI, 1936, p. 1-113.
32. BOUSQUET, 1973, p. 22 ; ID., *La sculpture à Conques dans ses rapports avec l'art méridional, C. S. M. C.,* 2, 1971, p. 43-56.
33. M. DURLIAT, *Saint-Géraud d'Aurillac aux époques pré-romane et romane,* dans *Revue de Haute-Auvergne,* 1973, p. 329-341 ; ID. et Pierre LEBOUTEUX, *L'église Saint-Géraud d'Aurillac, B. A. C. T. H. S.,* Nouvelle série, fasc. 8 A, 1975, p. 23-49.
34. La même composition se retrouve à Saint-Pierre de Bessuéjouls, près d'Espalion, ainsi que dans la collégiale de Saint-Gaudens, à des dates nettement plus tardives : J. BOUSQUET, *Copie et extension des motifs dans la sculpture romane : la sirène aux centaures, R. C.,* t. 93, 1980, p. 563-579.
35. FAU, 1956, p. 48.
36. *C. I. F. M.,* 9, *Aveyron, Lot, Tarn,* Paris, 1984, p. 26-27.
37. Marie-Thérèse CAMUS, *Deux témoins de la sculpture romane du Bas-Limousin en Poitou : les chapiteaux de la chapelle de Saulgé, B. M.,* 1976, p. 93-106.
38. Guillaume LE CLERC, *Le Bestiaire divin,* dans *Bestiaires du Moyen-Âge,* Paris, 1980, p. 78.
39. Éliane VERGNOLLE, *Réflexions sur les chapiteaux à feuilles lisses à propos de Saint-Sever,* dans *Saint-Sever, Millénaire de l'abbaye,* Mont-de-Marsan, 1986, p. 184-197, spécialement p. 186.
40. M.-Th. CAMUS, *Les débuts de la sculpture romane à Poitiers et dans sa région,* Thèse pour le doctorat ès-lettres, Université de Toulouse-Le Mirail, 1987, (texte polycopié) pl. 114 A et B.
41. René CROZET, *La corniche de Saint-Hilaire de Poitiers, B. M.,* 1934, p. 341-345 ; Francisco GARCÍA ROMO, *La escultura del siglo XI (Francia-España) y sus precedentes hispánicos,* Barcelone, 1973, p. 182-183.
42. M. DURLIAT, *Les plus anciens chapiteaux de la cathédrale du Puy et leur place dans la sculpture du XIe siècle, C. A.,* XXXII, 1984, p. 63-88. Un phénomène semblable a été observé en Vénétie, dans la partie de Terre Ferme,

entre 1020 et 1030, par Hans H. Buchwald, qui a forgé à ce propos le terme de « corinthian-palmette » : Hans H. BUCHWALD, *Eleventh Century Corinthian-Palmette Capitals in the Region of Aquileia, A. B.*, XLVIII, 1966, p. 147-157.

43. *C. I. F. M.*, 9., *op. cit.*, p. 30-31.
44. The New Minster *Liber Vitæ*, British Library, Stowe Ms 944, fol. 3.
45. Zygmunt ŚWIECHOWSKI, *Sculpture romane d'Auvergne*, Clermont-Ferrand, 1973, p. 163-164.
46. BOUSQUET, 1973, p. 272.
47. Jean CABANOT, *Les débuts de la sculpture romane dans le Sud-Ouest de la France*, Paris, 1987, fig. 197.
48. *C. I. F. M.*, 9, *op. cit.*, p. 33.
49. *Ibid.*, p. 8-9 et fig. 3.
50. BOUSQUET, 1973, p. 263. La jolie expression « anges cravatés d'ailes » a été empruntée par J. Bousquet à Louise Lefrançois-Pillion (*L'art roman*, Nouvelle encyclopédie de l'art français, p. 15, légende de la figure 10).
51. M. AUBERT, *Conques-en-Rouergue, op. cit.*, p. 492-493.
52. BOUSQUET, 1973, p. 122-126.
53. Opinion de Christoph Bernoulli, *Die Skulpturen der Abtei Conques-en-Rouergue, op. cit.*, qui, tout en rapprochant le chapiteau de sainte Foy menée au supplice, le tympan du Jugement dernier et l'Annonciation du bras nord du transept encadrée par les prophètes, estime que ces diverses œuvres ne sont ni du même auteur, ni de la même date.
54. *Guide du pèlerin*, 1950, p. 49.
55. Sur la *Passio Saturnini* : É. GRIFFE, *La Gaule chrétienne à l'époque romaine*, nouv. éd., Paris, 1964, I, p. 148-152 et 395-402.
56. Michel LABROUSSE, *Toulouse antique*, Paris, 1968, p. 566.
57. M. DURLIAT, *Les cryptes de Saint-Sernin de Toulouse, bilan des recherches récentes*, dans *Les Monuments historiques de la France*, 1971, n° 1, p. 25-40.
58. C. DOUAIS, *Cartulaire de l'abbaye de Saint-Sernin de Toulouse (844-1200)*, Paris-Toulouse, 1887.
59. Élisabeth MAGNOU, *L'introduction de la réforme grégorienne à Toulouse (fin XIe-début XIIe siècle)*, Toulouse, 1958.
60. Cl. DEVIC et J. VAISSÈTE, *Histoire générale de Languedoc*, éd. Privat, Toulouse, V, 1875, p. 49-50.
61. *C. I. F. M.*, 7, *Ville de Toulouse*, Paris, 1982, p. 28-31.
62. Étienne DELARUELLE, *L'autel roman de Saint-Sernin (1096), Confrères, pèlerins et pénitents*, dans *Mélanges René Crozet*, I, Poitiers, 1966, p. 383-395.
63. C. DOUAIS, *Documents sur l'ancienne province de Languedoc*, II. *Trésor et reliques de Saint-Sernin, I. Les inventaires*, Paris-Toulouse, 1904, p. XXIX.
64. René CROZET, *Le voyage d'Urbain II et son importance au point de vue archéologique*, dans *Annales du Midi*, XXXXIX, 1937, p. 42-69 ; ID., *Étude sur les consécrations pontificales, B. M.*, 1946, p. 5-46.
65. Marcel AUBERT, *Saint-Sernin, C. A. F., Toulouse, 1929*, Paris, 1930, ou *L'église Saint-Sernin de Toulouse*, Paris, 1933 (Petites monographies des grands édifices de la France) ; Marcel DURLIAT, *Saint-Sernin de Toulouse*, Toulouse, 1986.
66. Nous nous sommes appuyé sur la mise au point de Jean CABANOT, *Le décor sculpté de la basilique Saint-Sernin de Toulouse. Sixième colloque international de la Société française d'archéologie (Toulouse, 22-23 octobre 1971), B. M.*, 1974, p. 99-145. Nous avons délibérément négligé les chapiteaux et les corbeaux de l'extérieur du chevet, bien qu'il en existe un certain nombre d'anciens, parce qu'ils ne nous auraient rien apporté de plus que les œuvres de l'intérieur.
67. Jurgis BALTRUŠAITIS, *La stylistique ornementale dans la sculpture romane*, Paris, 1931. Nous avons utilisé une nouvelle édition de ce livre assez sensiblement modifiée : *Formations, déformations. La stylistique ornementale dans la sculpture romane*, Paris, 1986.
68. *Ibid.*, p. 38-42.
69. GABORIT-CHOPIN, 1969, p. 63-70 et 206.
70. Jean PORCHER, *L'enluminure française*, Paris, 1959, p. 24, 31, 32.
71. GABORIT-CHOPIN, 1969, fig. 80.
72. Jean PERRIER et Louis BONNAUD, *Vestiges lapidaires de l'abbaye de Saint-Martial*, dans *L'art roman à Saint-Martial de Limoges*, Limoges, 1950 (Catalogue d'exposition), p. 74-77 et pl. VI et VII.
73. Marcel DURLIAT, *La construction de Saint-Sernin de Toulouse au XIe siècle, B. M.*, 1963, p. 151-170.
74. Les chapiteaux qui reproduisent le même motif dans la première chapelle rayonnante septentrionale du déambulatoire sont des copies modernes.
75. François-Marie BESSON, *« À armes égales » : une représentation de la violence*

en France et en Espagne au XIIe siècle, dans *Gesta,* XXVI, 1987, p. 113-126. Consulter également Beatriz MARIÑO, « *In Palencia non ha batalla pro nulla re ». El duelo de villanos en la iconografía románica del camino de Santiago,* dans *Compostellanum,* XXXI, 1986, p. 349-363.

76. GAILLARD, 1938, p. 52 et pl. XXII, fig. 9-16.

77. Sur la construction du transept : Carl D. SHEPPARD, *An earlier Dating for the Transept of Saint-Sernin, Toulouse,* dans *Speculum,* XXXV, 1960, p. 271-282 ; Thomas W. LYMAN, *Raymond Gairard and Romanesque building Campaigns at Saint-Sernin in Toulouse,* dans *Journal of Society of Architectural Historians,* XXXVIII, 1978 (2), p. 71-91.

78. Marcel DURLIAT, *Aux origines de la sculpture romane languedocienne. Les chapiteaux et le portail de Saint-Michel de Lescure, C. C. M.,*V, 1962, p. 411-418, spécialement p. 413.

79. Sur leur signification possible, voir ci-dessous note 83.

80. Il ne sera pas question du portail nord du transept, qui est contemporain mais qui a été entièrement refait par Viollet-le-Duc.

81. M. DURLIAT, Christophe DEROO, Maurice SCELLES, *Monuments sculptés en France pendant le Haut Moyen Âge (IVe-Xe siècles). Haute-Garonne,* Paris, 1987, p. 79-86.

82. Richard HAMANN MCLEAN, *Les origines des portails et façades sculptés gothiques, C. C. M.,* II, 1959, p. 157-175 ; M. DURLIAT, *L'apparition du grand portail roman historié dans le midi de la France et le nord de l'Espagne, C. S. M. C.,* 8, 1977, p. 7-24.

83. T. W. LYMAN, *The Sculpture Programme of the Porte des Comtes Master at Saint-Sernin in Toulouse,* dans *Journal of the Warburg and Courtauld Institutes,* XXXIV, 1971, p. 12-39. Cette interprétation a été critiquée par J. CABANOT, *Le décor sculpté, op. cit.,* p. 125.

84. Jacqueline MARTIN-BAGNAUDEZ, *Les représentations romanes de l'avare. Étude iconographique,* dans *Revue d'histoire de la spiritualité,* L, 1974, p. 397-432.

85. J. LONGÈRE, *La prédication des maîtres parisiens durant la seconde moitié du XIIe siècle,* Paris, 1974, p. 500, 516, 523, 532, 541, 580.

86. Paul DESCHAMPS, *Tables d'autel de marbre exécutées dans le Midi de la France au Xe et au XIe siècle,* dans *Mélanges d'histoire du Moyen Âge offerts à M. Ferdinand Lot,* Paris, 1925, p. 137-168 ; M. DURLIAT, *Tables d'autel à lobes de la province ecclésiastique de Narbonne (IXe-XIe siècles), C. A.,* XVI, 1966, p. 51-75 ; Pierre PONSICH, *Les tables d'autel à lobes de la province ecclésiastique de Narbonne (Xe-XIe siècles) et l'avènement de la sculpture monumentale en Roussillon, C. S. M. C.,* 13, 1982, p. 7-45.

87. Friedrich GERKE, *Der Tischaltar des Bernard Gilduin in Saint Sernin in Toulouse,* dans *Akademie der Wissenschaften und der Literatur. Abhandlungen der Geistes- und Sozialwissenschaftlichen Klasse,* 1958, n° 8, p. 453-513.

88. Adolph GOLDSCHMIDT, *Die Elfenbeinskulpturen aus der Zeit der Karolingischen und Sächsischen Kaiser,* I, Berlin, 1914, pl. VIII, fig. 14.

89. Comme sur l'autre plat de la même reliure au Museo Sacro du Vatican, *ibid.,* pl. VII, fig. 13.

90. Lc. 24, 39.

91. T. W. LYMAN, *La table d'autel de Bernard Gilduin et son ambiance originelle, C. S. M. C.,* 13, 1982, p. 53-73, a proposé une interprétation très différente.

92. Le volume se trouvait, dès le XIIe siècle au moins, au trésor de Saint-Sernin. Déposé au musée de la ville de Toulouse lors de la Révolution, il fut donné à Napoléon en 1811 à l'occasion du baptême de son fils. Au musée des Souverains depuis 1852, il fut remis en 1872 à la Bibliothèque nationale. *Manuscrits à peintures du VIIIe au XIIe siècle,* Paris, 1954, p. 17 (Catalogue d'exposition).

93. É. DELARUELLE, *Les bas-reliefs de Saint-Sernin,* dans *Annales du Midi,* XLI, 1929, p. 49-60 ; ID., *Le problème des influences catalanes et les bas-reliefs de Saint-Sernin, ibid.,* XLV, 1933, p. 237-261.

94. Jacques BOUSQUET, *Des antependiums aux retables. Le problème du décor des autels et de son emplacement, C. S. M. C.,* 13, 1982, p. 201-226.

95. Ainsi sur le plat de reliure des Évangiles de Lorsch au Museo Sacro du Vatican.

96. Georges GAILLARD, *De la diversité des styles dans la sculpture romane des pèlerinages,* dans *La Revue des Arts,* I, 1951, p. 77-87.

97. T. W. LYMAN, *Notes on the Porte Miègeville capitals and the construction of Saint-Sernin in Toulouse, A. B.,* XLIX,

1957, p. 28 ; ID., *The Pilgrimage Roads revisited,* dans *Gesta,* VIII/2, 1969, p. 41.

98. GÓMEZ-MORENO, 1934, pl. CIX (1-3) ; GAILLARD, 1938, pl. XLIX (10-11).

99. GÓMEZ-MORENO, 1934, pl. XCVI (1-4) ; GAILLARD, 1938, pl. LIV (6-7).

100. M. DURLIAT, *Toulouse et Jaca,* dans *Homenaje a don José María Lacarra de Miguel. Estudios Medievales,* I, Saragosse, 1977, p. 199-207.

101. Ap. 12, 7-10.

102. Gabrielle DEMIANS D'ARCHIMBAUD, *Les fouilles de Saint-Victor de Marseille, C. R. Académie des Inscriptions et Belles-Lettres,* 1971, p. 87-117.

103. Dom H. LECLERCQ, *Moissac,* dans *Dictionnaire d'archéologie chrétienne et de liturgie,* XI, col. 1704.

104. Michel ROUCHE, *L'Aquitaine des Wisigoths aux Arabes 418-781,* Paris, 1979, p. 216-217 et 298.

105. Jean DUFOUR, *La bibliothèque et le scriptorium de Moissac,* Genève, 1972, p. 2-3.

106. Élisabeth MAGNOU, *Abbés séculiers ou avoués à Moissac au XIe siècle,* dans *Moissac et l'Occident au XIe siècle,* Actes du colloque international de Moissac, 1963, Toulouse, 1964, p. 123-129.

107. Cette chronique (Bibl. Nat., Lat. 4991) est divisée en quatre parties. Du fol. 1 au fol. 101 : histoire des papes ; 102-151 : histoire des Rois de France ; 152-167, sous le titre de « Chronique des abbés de Moissac » : histoire de l'abbaye depuis sa fondation légendaire (vers 506) jusqu'en 1402, et description ; finalement, 168-178 : chronique des Comtes de Toulouse. L'ouvrage de Jules MARION, *L'abbaye de Moissac,* dans *Bibliothèque de l'École des Chartes,* 3e série, II, 1849, p. 89-147 en donne un résumé.

108. Ernest RUPIN, *L'abbaye et les cloîtres de Moissac,* Paris, 1897, p. 42-49 et 350.

109. Jacques HOURLIER, *L'entrée de Moissac dans l'ordre de Cluny,* dans *Moissac et l'Occident au XIe siècle, op. cit.,* p. 25-33.

110. J. LECLERCQ, *La rencontre des moines de Moissac avec Dieu,* dans *Moissac et l'Occident au XIe siècle, op. cit.,* p. 80-93.

111. Jean DUFOUR, *La bibliothèque et le scriptorium, op. cit.*

112. S. BERTHELIER, *L'expansion de l'ordre de Cluny et ses rapports avec l'histoire politique et économique du Xe au XIIe siècle, R. A.,* 1938, p. 319-326.

113. DEFOURNEAUX, 1949, p. 33-34 ; Pierre DAVID, *Grégoire VII, Cluny et Alphonse VI,* dans *Études historiques sur la Galice et le Portugal du Ve au XIIe siècle,* Lisbonne et Paris, 1947 ; Juan Francisco RIVERA RECIO, *El arzobispo de Toledo Don Bernardo de Cluny (1080-1124),* Rome, 1962.

114. Anscari MUNDÓ, *Moissac et les mouvements monastiques de l'est des Pyrénées du Xe au XIIe siècle,* dans *Moissac et l'Occident au XIe siècle, op. cit.,* p. 229-251.

115. Serafín MORALEJO, *The Tomb of Alfonso Ansúrez († 1093) : Its Place and the Role of Sahagún in the Beginnings of Spanish Romanesque Sculpture,* dans Bernard F. REILLY éd., *Santiago, Saint-Denis and Saint Peter. The Reception of the Roman Liturgy in León-Castile in 1080,* New York, 1985, p. 94, note 74.

116. Anscari MUNDÓ, *Moissac et les mouvements, op. cit.,* p. 242, note 45.

117. *C. I. F. M.,* 8, *Ariège, Haute-Garonne, Hautes-Pyrénées, Tarn-et-Garonne,* Paris, 1982, p. 131-134.

118. Marcel DURLIAT, *L'église abbatiale de Moissac des origines à la fin du XIe siècle, C. A.,* XV, 1965, p. 155-177.

119. Une bulle en faveur de Saint-Orens d'Auch, expédiée de Moissac, est datée de ce jour : *Recueil des historiens des Gaules et de la France,* XIV, p. 322.

120. MABILLON, *Annales ordinis sancti Benedicti,* V, p. 368 : *Dum Tolosæ moraretur pontifex Moisiacense obiter lustravit cœnobium.* Le 24 mai, le pape consacra la collégiale Saint-Sernin de Toulouse.

121. Marguerite VIDAL, *Pierres romanes au musée de Moissac,* dans *Moissac et sa région,* Fédération des Sociétés académiques et savantes Languedoc-Pyrénées-Gascogne, Actes du XIXe Congrès d'études régionales tenu à Moissac les 5 et 6 mai 1963, Toulouse, 1964, p. 42-49.

122. *C. I. F. M.,* 8, *op. cit.,* p. 177 : *Anno ab Incarnatione æterni Principis millesimo centesimo factum est claustrum istud, tempore domni Ansquitilii abbatis, amen.*

123. Ernest RUPIN, *L'abbaye et les cloîtres, op. cit.,* p. 107.

124. L'étude fondamentale est celle de Meyer SCHAPIRO, *The Romanesque Sculpture of Moissac, I, A. B.,* XIII, 1931, p. 249-350, repris dans ID., *Romanesque*

Art, Londres, 1977, p. 130-200, puis *The Sculpture of Moissac,* Londres, 1985. Traduction française : *La sculpture de Moissac,* Paris, 1987.

125. Mathieu MÉRAS, *L'abbaye de Moissac au XVIIe siècle d'après un inventaire de 1669, M. S. A. M. F.,* XXVII, 1961, p. 85-97.

126. *Antiquités d'Agen, Albi, Auch, Moissac, La Réole, Carcassonne, Perpignan, Lectoure, Tarbes, Narbonne, Bayonne [...] recueillies et dessinées à la fin du XVIIIe siècle par Beaumesnil,* un carnet de notes manuscrites, 270 p., dessins, B.N., Estampes, Ve 881/4°. Les dessins des apôtres de Moissac par Beaumesnil sont d'une extrême curiosité à laquelle la personnalité de l'auteur n'est pas étrangère. Simon a été placé à l'endroit où il se trouve actuellement lors de la restauration du cloître par Viollet-le-Duc.

127. Vie de saint Hugues, *Acta Sanctorum,* avril, t. III, col. 659 D.

128. Serafín MORALEJO, *El patronazgo artístico del arzobispo Gelmírez (1100-1140), su reflejo en la obra e imagen de Santiago,* dans *Atti del Convegno Internazionale di Studi : Pistoia e il Cammino di Santiago, Pistoia, 28-30 settembre 1984,* A cura di Lucia Gai, Pérouse, 1987, p. 245-272.

129. Meyer SCHAPIRO, *La sculpture de Moissac, op. cit. ;* Georges GAILLARD, *De la diversité des styles dans la sculpture romane des pèlerinages,* dans *Revue des arts,* I, 1951, p. 77-87.

130. En fait, plusieurs mains paraissent avoir participé à la réalisation de l'ensemble. Simon, par exemple, présente un certain nombre de caractères qui ne se trouvent nulle part ailleurs.

131. Marcel DURLIAT, *L'église Saint-Martin de Moissac, B. M.,* 1970, p. 41-56.

132. Émile MÂLE, *L'art religieux du XIIe siècle en France,* Paris, 1905, p. 16 et fig. 11 ; *Manuscrits à peintures du VIIe au XIIe siècle* (Catalogue d'exposition), Paris, 1954, n° 314, p. 107.

133. *Manuscrits à peintures, op. cit.,* n° 315, p. 107-108 ; *Quercy roman,* Zodiaque, 1959, fig. 12 et 13, p. 118-119.

134. Serafín MORALEJO, *Une sculpture du style de Bernard Gilduin à Jaca, B. M.,* 1973, p. 7-16, spécialement p. 15 et 16.

135. Bonnes descriptions des chapiteaux dans Ernest RUPIN, *L'abbaye et les cloîtres, op. cit.* Pour l'iconographie : Louis RÉAU, *Iconographie de l'art chrétien,* 3 tomes en 5 vol., Paris, 1956-1959. Quant aux transcriptions des inscriptions et à leur traduction, elles ont été empruntées au *C. I. F. M.,* 8, *op. cit.,* 1982.

136. Jacques HOURLIER, *La spiritualité à Moissac d'après la sculpture,* dans *Moissac et l'Occident au XIe siècle, op. cit.,* p. 71-80.

137. Martine JULLIAN, *Les instruments de musique,* dans *De Toulouse à Tripoli. La puissance toulousaine au XIIe siècle (1080-1208)* (Catalogue d'exposition), Toulouse, 1989, p. 153-160.

138. Jacques FOUCART-BORVILLE, *Essai sur les suspenses eucharistiques comme mode d'adoration privilégiée du Saint Sacrement, B. M.,* 1987, p. 267-289 et notamment note 12.

139. Adolph GOLDSCHMIDT, *Die Elfenbeinskulpturen, op. cit.,* IV, Berlin, 1926, n° 94, p. 29, pl. XXX.

140. Laura L. FRANKLIN, *Moissac : The Martyrdom of St. Peter and St. Paul, G. B. A.,* 1976, p. 219-222.

141. Marguerite VIDAL, *Le culte des saints et des reliques dans l'abbaye de Moissac,* Braga, 1967 (tirage à part d'*O Distrito de Braga,* V).

142. Dom Claude Jean NESMY, *Saint Benoît et la vie monastique,* Paris, 1959, p. 35-37.

143. Meyer SCHAPIRO, *La sculpture de Moissac, op. cit.,* p. 24.

144. *Ibid.,* p. 39.

145. *Ibid.,* p. 33-34.

146. *Ibid.,* p. 36.

147. *Ibid.,* p. 40.

148. *Ibid.,* p. 41.

149. Chiara SETTIS-FRUGONI, *Historia Alexandri elevati per griphos ad aerem,* Rome, 1973, p. 268-273.

150. Ruth Maria CAPELLE KLINE, *The decorated imposts of the cloister of Moissac,* Ann Arbor, Michigan, 1985, p. 181-185. Plus récemment : Katherine WATSON, *The Kufic Inscription in the Romanesque Cloister of Moissac in Quercy : Links with Le Puy, Toledo and Catalan Woodworkers,* dans *Arte medievale,* I, 1989, p. 7-27. Le catalogue des exemples occidentaux se trouve dans K. ERDMANN, *Arabische Schriftzeichen als Ornamente in der abendländischen Kunst des Mittelalters,* Wiesbaden/Mayence, 1953.

151. La source pourrait se trouver dans des étoffes que nous supposons byzantines, sans pouvoir totalement exclure, cependant, une provenance musulmane.

152. *C. I. F. M.,* 8, *op. cit.* , p. 154.

153. Chiara SETTIS-FRUGONI, *Historia Alexandri, op. cit.*

154. Étienne DELARUELLE, *Daurade*, dans *Dictionnaire d'histoire et de géographie ecclésiastiques*, t. 14, Paris, 1960, col. 97-107 ; Jacqueline CAILLE, *Études critiques sur l'église Notre-Dame de la Daurade de Toulouse au Moyen Âge*, Thèse de doctorat de 3e cycle d'histoire, Université de Toulouse-Le Mirail, 1963 (texte dactylographié).

155. Marcel DURLIAT, Christophe DEROO, Maurice SCELLES, *Monuments sculptés en France IVe-Xe siècle, Haute-Garonne*, Paris, 1987, p. 89-92.

156. Kathryn HORSTE, *The Capitals of the Second Workshop from the Romanesque Cloister of La Daurade Toulouse*, Ann Arbor/Londres, 1981 ; ID., *An Addition to the Documentation of the Façade of the Chapterhouse at La Daurade in Toulouse, A. B.*, LIX, 1977, p. 618-621.

157. Marie LAFARGUE, *Les chapiteaux du cloître de La Daurade*, Paris, 1940 ; Marcel DURLIAT, *La date des plus anciens chapiteaux de La Daurade à Toulouse*, dans *Cuadernos de arqueología e historia de la ciudad* (de Barcelona), n° 10, 1967, p. 195-202.

158. Kathryn HORSTE, *The Passion Series from La Daurade and Problems of Narrative Composition in the Cloister Capital*, dans *Gesta*, XXI/1, 1982, p. 31-62 ; Linda SEIDEL, *Installation as inspiration : The Passion Cycle from La Daurade, ibid.*, XXV/1, 1986, p. 83-92.

159. Paul MESPLÉ, *Les sculptures romanes. Toulouse, Musée des Augustins*, Paris, 1961, n° 102 (Inventaire des collections publiques françaises, 5).

160. Martine JULLIAN, *David et ses musiciens*, dans *De Toulouse à Tripoli, op. cit.*, n° 143, p. 161-162.

161. Paul MESPLÉ, *Les sculptures romanes, op. cit.*, n° 104 ; *C. I. F. M.*, 7, *Ville de Toulouse*, Paris, 1982, p. 66-67.

162. Paul MESPLÉ, *Les sculptures romanes, op. cit.*, n° 107.

163. *Ibid.*, n° 110.

164. Adolph GOLDSCHMIDT, *Die Elfenbeinskulpturen*, I, Berlin, 1914, n° 69, p. 36, pl. XXVIII.

165. Denis MILHAU, *Découvertes archéologiques aux Augustins de Toulouse, B. M.*, 1977, p. 157-158 ; ID., *Découvertes archéologiques au monastère des ermites de saint Augustin, M. S. A. M. F.*, XLI, 1977, p. 84-85 ; *Musée des Augustins 1969-1984. Nouvelles acquisitions*, Toulouse, 1984, n° 20, p. 23 (Catalogue d'exposition).

166. Paul MESPLÉ, *Les sculptures romanes, op. cit.*, n° 114.

167. *Ibid.*, n° 119.

168. *Ibid.*, n° 116.

169. *Ibid.*, n° 108.

170. *Ibid.*, n° 105 ; Monique REY-DELQUÉ, *La toilette du prince*, dans *De Toulouse à Tripoli, op. cit.*, n° 31, p. 109-110.

171. Paul MESPLÉ, *Les sculptures romanes, op. cit.*, n° 111 ; Monique REY-DELQUÉ, *Scènes de divertissement*, dans *De Toulouse à Tripoli, op. cit.*, n° 139, p. 149-151.

172. Monique REY-DELQUÉ, *Scènes de divertissement, op. cit.*, p. 151.

173. ID., *Chasse au cerf*, dans *De Toulouse à Tripoli, op. cit.*, n° 126, p. 144.

174. Marcel DURLIAT, *La table d'autel romane de Lavaur*, dans *Anuario de Estudios medievales*, II, 1965, p. 479-484 ; Guy AHLSELL de TOULZA, *La cathédrale Saint-Alain de Lavaur, C. A. F., Albigeois, 1982*, Paris, 1985, p. 324-344.

175. Comme référence au thème du Christ élevant l'hostie, on songe de préférence à un Christ en majesté roman d'un manuscrit de Zurich, parce qu'il tient de la main gauche, précisément comme à Lavaur, un disque marqué d'une croix. Une reproduction de cette image figure notamment dans Meyer SCHAPIRO, *A Relief in Rodez and the Beginnings of Romanesque Sculpture in Southern France*, dans *Studies in Western Art. Romanesque and Gothic Art*, Princeton, New Jersey, 1968, p. 40-66, pl. XV, 11 (Acts of the twentieth International Congress of the History of Art), repris dans ID., *Romanesque Art*, Londres, 1977, p. 285-305, fig. 11.

176. Étienne FELS, *Saint-Sever-sur-l'Adour, C. A. F., 102e session, Bordeaux et Bayonne, 1939*, Paris, 1941, p. 345-364, spécialement p. 361.

177. Jean CABANOT, *Les chapiteaux romans de l'abbatiale de Saint-Sever (absidioles nord)*, dans *Bulletin de la Société de Borda*, 1963, p. 3-24 et 131-160 ; *(absidioles sud), ibid.*, 1966, p. 121-140 et 221-239 ; *(tribunes nord), ibid.*, 1967, p. 133-158 ; ID., *Les débuts de la sculpture romane dans le Sud-Ouest de la France*, Paris, 1987, *passim ; Saint-Sever, millénaire de l'abbaye*, Mont-de-Marsan, 1986.

178. Charles HIGOUNET et Jean-Bernard MARQUETTE, *Les origines de l'abbaye de Saint-Sever. Révision critique*, dans

Saint-Sever, millénaire de l'abbaye, op. cit., p. 27-33.

179. Bernadette SUAU, *La formation du temporel de l'abbaye de Saint-Sever, ibid.*, p. 77-94.

180. Dom Jacques DUBOIS, *L'observance monastique à l'abbaye de Saint-Sever et dans la province d'Auch, ibid.*, p. 40-50.

181. Jacques GARDELLES, *Le chevet de l'abbatiale de Saint-Sever. Sa place dans l'histoire de l'architecture romane, ibid.*, p. 167-182.

182. Jean CABANOT, *La construction de l'abbatiale de Saint-Sever. État des questions, ibid.*, p. 145-161.

183. ID., *Les débuts de la sculpture romane, op. cit.*, p. 235.

184. Éliane VERGNOLLE, *Réflexions sur les chapiteaux à feuilles lisses à propos de Saint-Sever*, dans *Saint-Sever, millénaire de l'abbaye, op. cit.*, p. 184-197.

185. *Ibid.*, p. 194.

186. Jean CABANOT, *Les débuts de la sculpture romane, op. cit.*, p. 144.

187. *Ibid.*, p. 126-128.

188. GAILLARD, 1938, p. 28 et pl. X, fig. 19.

189. Jean CABANOT, *Les débuts de la sculpture romane, op. cit.*, p. 153-155.

190. *Ibid.*, p. 125.

191. ID., *Les chapiteaux romans de l'abbatiale de Saint-Sever (absidioles sud), op. cit.*, p. 227.

192. ID., *Les débuts de la sculpture romane, op. cit.*, p. 125.

193. *Ibid.*, p. 146.

194. *Ibid.*, p. 153.

195. *Ibid.*, p. 156-157.

196. On l'observe dans trois églises jadis dépendantes de Saint-Sever : Nerbis, Bostens et Saint-Pierre-du-Mont, dans l'ancienne abbatiale de Saint-Loubouer, dans la crypte d'Hagetmau, à Mézin, dans l'église Saint-Jean-Baptiste de Mazères, à Castelnau-Rivière-Basse et à Saint-Caprais d'Agen. Dans ce dernier édifice, qui marque la limite extrême du rayonnement de Saint-Sever, il est d'ailleurs faible et ne constitue qu'une des composantes d'un ensemble complexe.

197. GAILLARD, 1938.

198. *Ibid.*, p. 224-225.

199. ID., *Premiers essais de sculpture monumentale en Catalogne aux X*[e] *et XI*[e] *siècles*, Paris, 1938.

200. GAILLARD, 1938, p. 225.

201. GÓMEZ-MORENO, 1925, p. 179-215 ; ID., 1934.

202. En ce qui concerne les conditions historiques : Walter Muir WHITEHILL, *Spanish Romanesque Architecture of the Eleventh Century*, Oxford, 1941, p. 143-154.

203. Marcel DURLIAT, *L'art roman en Espagne*, Paris, 1962, p. 17-18.

204. John WILLIAMS, *San Isidoro in León : Evidence for a New History, A. B.*, LV, 1973, p. 171-184.

205. Sabine NOACK, *Typologische Untersuchungen zu den Mozarabischen Kapitellen von San Cebrián de Mazote (Prov. Valladolid)*, dans *Madrider Mitteilungen*, XXVI, 1985, p. 313-345 : chapiteaux N3, S3, N4, S4 du plan, fig. des planches 75 et 76.

206. *Ibid.*, chapiteaux N6 et S9, fig. de la planche 78.

207. GAILLARD, 1938, fig. 13, pl. IX.

208. *Ibid.*, fig 11, pl. VIII.

209. *Ibid.*, fig. 7, 9 et 10, pl. VIII.

210. *Ibid.*, fig. 16, pl. X.

211. *Ibid.*, fig. 17, pl. X.

212. *Ibid.*, fig. 20, pl. XI.

213. *Ibid.*, fig. 21, pl. XI.

214. *Ibid.*, fig. 24, pl. XII.

215. *Ibid.*, fig. 27, pl. XII.

216. *Ibid.*, fig. 28, pl. XII.

217. *Ibid.*, fig. 30, pl. XIII.

218. *Ibid.*, p. 36-37.

219. *Ibid.*, p. 37-39.

220. Longueur : 2m ; largeur : 0,70 et 0,64 m. Angela FRANCO MATA, *Arte medieval cristiano leonés en el Museo Arqueológico Nacional*, dans *Tierras de León*, n° 71, 1988, non paginé.

221. *Guide du pèlerin*, 1950, p. 7, 15.

222. Romualdo ESCALONA, *Historia del Real Monasterio de Sahagún*, Madrid, 1782.

223. DEFOURNEAUX, 1949, p. 25-26 ; Pierre DAVID, *Grégoire VII, Cluny et Alphonse VI. Études historiques sur la Galice et le Portugal du VI*[e] *au XII*[e] *siècle*, Lisbonne et Paris, 1937, p. 341-439 ; Maur COCHERIL, *Études sur le monachisme en Espagne et au Portugal*, Paris et Lisbonne, 1966, p. 85 et sv. ; Charles Julian BISHKO, *Fernando I y los orígenes de la alianza castellano-leonesa con Cluny*, dans *Cuadernos de Historia de España*, t. 47-48, 1968, p. 31-135 et t. 49-50, 1969, p. 50-116.

224. Romualdo ESCALONA, *Historia, op. cit.*, p. 235-237 ; Juan Eloy DÍAZ-JIMÉNEZ et Elias GAGO, *Autenticidad de los restos mortales de Alfonso VI y de sus cuatro mujeres : Inés, Constanza, Zayda y Berta*, dans *Boletín de la Real*

Academia de la Historia, t. 58, 1911, p. 40-55 ; Ricardo del ARCO, *Sepulcros de la Casa Real de Castilla,* Madrid, 1954, p. 89-92 et 189-198.

225. Résumées par Serafín MORALEJO, *The Tomb of Alfonso Ansúrez († 1093) : Its place and the Role of Sahagún in the Beginnings of Spanish Romanesque Sculpture,* dans *Santiago, Saint-Denis and Saint Peter. The Reception of the Roman Liturgy in León-Castile in 1080,* New York, 1985, note 12, p. 82-83.
226. *Ibid.,* notes 13 et 14, p. 83.
227. GÓMEZ-MORENO, 1925, p. 349.
228. En dernier lieu, avec la bibliographie antérieure : Helmut SCHLUNK et Theodor HAUSCHILD, *Die Denkmäler der frühchristlichen und westgotischen Zeit,* Mayence, 1978, p. 138-139 et pl. 30-31.
229. Serafín MORALEJO, *The Tomb, op. cit.,* p. 68 et note 31. L'auteur fournit un dessin (fig. 4) de l'illustration de ce verset dans le psautier d'Odbert, abbé de Saint-Bertin (986-1007) (Boulogne, B. M., ms 20).
230. Marcel DURLIAT, *Un motif iconographique pyrénéen : anges portant les symboles des évangélistes, R. C,* CII, 1989, p. 46-62.
231. John WILLIAMS, *Manuscrits espagnols du Haut Moyen Âge,* Paris, 1977, pl. 3, p. 45.
232. Serafín MORALEJO, *The Tomb, op. cit.,* p. 65-66.
233. Yves CHRISTE et Romaine BONVIN, *Les neuf chœurs angéliques : une création tardive de l'iconographie chrétienne, C. S. M. C.,* 15, 1984, p. 67-87 ; Jeanne-Marie PONT, *Homo angelorum decimus ordo, C. C. M.,* XXXI, 1988, p. 43-48. Le Pseudo-Denys l'Aréopagite propose dans sa *Hiérarchie céleste* un ordre en trois triades : séraphins, chérubins, trônes ; dominations, vertus, puissances ; principautés, archanges, anges.
234. Peter LASKO, *The Tomb of St Bernward of Hildesheim,* dans *Romanesque and Gothic. Essays for George Zarnecki,* Woodbridge, 1987, I, p. 147-152, II, 12 fig.
235. *Ibid.,* p. 152.
236. GÓMEZ-MORENO, 1925, p. 349 ; ID., 1934, p. 160.
237. Serafín MORALEJO, *The Tomb, op. cit.,* p. 76-77.
238. *Ibid.,* p. 76 ; Angela FRANCO MATA, *op. cit.,* n° 13.
239. Walter Muir WHITEHILL, *The Date of the Beginning of the Cathedral of Santiago de Compostela,* dans *The Antiquaries Journal,* XV, 1935, p. 336-342. Une inscription découverte dans la chapelle du Sauveur tendrait à reculer jusqu'en 1075 la date où furent entrepris les travaux, mais ce témoignage est douteux.
240. E. FALQUE, *Historia Compostelana. Edición crítica,* Séville, 1983.
241. Walter Muir WHITEHILL, *Liber Sancti Jacobi. Codex Calixtinus,* Saint-Jacques de Compostelle, 1944 ; traduction espagnole par A. MORALEJO, C. TORRES et J. FEO, *Liber Sancti Jacobi. Codex Calixtinus,* Saint-Jacques-de-Compostelle, 1951.
242. *Guide du pèlerin,* 1950.
243. *Ibid.,* p. 117.
244. *Historia Compostelana,* I, 78.
245. Fernando LÓPEZ ALSINA, *Le concordat de Antealtares,* dans *Santiago de Compostela,* 1985, p. 203-204.
246. *Guide du pèlerin,* 1950, p. 117.
247. Antonio LÓPEZ FERREIRO, *Historia de la Santa Apóstolica Metropolitana Iglesia de Santiago de Compostela,* Saint-Jacques-de-Compostelle, 1898-1909, IV, p. 172 et sv.
248. *Guide du pèlerin,* 1950, p. 95.
249. Serafín MORALEJO, *Le lieu saint : le tombeau et les basiliques médiévales,* dans *Santiago de Compostela,* 1985, p. 41-42.
250. DEFOURNEAUX, 1949, p. 69-71.
251. GAILLARD, 1938, p. 160-166. Également : Kenneth John CONANT, *The Early Architectural History of the Cathedral of Santiago de Compostela,* Harvard, 1926, réimpression, traductions en espagnol et en galicien, accompagnées de *Notes pour une nouvelle édition* de Serafín MORALEJO, Saint-Jacques-de-Compostelle, 1983.
252. René LOUIS, *Fouilles exécutées dans la cathédrale de Saint-Jacques-de-Compostelle, B. S. N. A. F.,* 1954-1955, p. 152-153.
253. GAILLARD, 1938, p. 165-166.
254. Paul DESCHAMPS, *Étude sur les sculptures de Sainte-Foy de Conques et de Saint-Sernin de Toulouse et leurs relations avec celles de Saint-Isidore de Léon et de Saint-Jacques de Compostelle, B. M.,* 1941, p. 239-264, spécialement p. 248 ; ID., *La sculpture française. Époque romane* (Coll. « Arts du Monde »), Paris, 1947, p. 128.
255. GAILLARD, 1938, p. 175.
256. Thomas W. LYMAN, *The Pilgrimage Roads Revisited,* dans *Gesta,* XIII, 1969, p. 30-44.

257. Paul DESCHAMPS, *Étude sur les sculptures, op. cit.*, p. 252.
258. BOUSQUET, 1973, p. 585-586.
259. GAILLARD, 1938, p. 177-178.
260. Renseignement fourni par Serafín Moralejo dans une lettre datée du 16 novembre 1987.

Notes de la troisième partie

1. GÓMEZ-MORENO, 1934.
2. *Ibid.*, p. 14.
3. *Ibid.*, p. 87.
4. *Ibid.*, p. 65.
5. Francisco GARCÍA ROMO, *El problema de la personalidad del escultor románico. El maestro de Jaca (Jaca, Loarre, Frómista, León)*, dans *Mélanges offerts à René Crozet*, I, Poitiers, 1966, p. 359-363.
6. *Ibid.*, p. 360.
7. MORALEJO, 1976, p. 427-434 ; ID., 1977 [1], p. 173-178 ; ID., 1979, p. 79-106.
8. ID., 1988, p. 95.
9. DURLIAT, 1978, p. 363-399.
10. José María LACARRA, *Un arancel de aduanas del siglo XI*, Saragosse, 1950 ; ID., *El desarrollo urbano de Jaca en la Edad Media*, dans *Estudios de Edad Media de la Corona de Aragón*, IV, 1951, p. 139-155.
11. Antonio UBIETO ARTETA, *La introducción del Rito romano en Aragón y Navarra*, dans *Hispania Sacra*, I, 1948, p. 299-324 ; Antonio DURÁN GUDIOL, *La iglesia de Aragón durante los reinados de Sancho Ramírez y Pedro I*, Rome, 1962, p. 137-140 ; ID., *Arte alto-aragonés de los siglos X y XI*, Sabiñanigo, 1973, p. 28-31 et 45-48.
12. A. DURÁN GUDIOL, *La iglesia, op. cit.*, p. 70-75.
13. A. UBIETO ARTETA, *La catedral románica de Jaca. Problemas de cronología*, dans *Pirineos*, 1964, p. 125-137 ; ID., *El románico de la catedral jaquesa y su cronología*, dans *Príncipe de Viana*, XXV, 1964, p. 187-200.
14. Federico BALAGUER, *Los límites del obispado de Aragón y el concilio de Jaca de 1063*, dans *Estudios de Edad Media de la Corona de Aragón*, IV, 1951, p. 69-138.
15. A. UBIETO ARTETA, *La catedral románica de Jaca, op. cit.*, p. 130.
16. Antonio DURÁN GUDIOL, *Arte altoaragonés, op. cit.*, p. 50-51 et 213.
17. MORALEJO, 1979, p. 81-82.
18. En dépit des réactions des partisans de la chronologie haute, ayant parfois apporté des arguments nouveaux en faveur de leurs thèses : Francisco IÑÍGUEZ, *La catedral de Jaca y los orígenes del románico español*, dans *Pirineos*, 1967, p. 179-201 ; Francisco GARCÍA ROMO, *Nota sobre los posibles contactos entre la escultura de Jaca y la de Modena*, dans *Arte lombarda*, 1967, p. 23-24 ; CANELLAS LÓPEZ et SAN VICENTE, 1971, p. 155-157.
19. A. KINGSLEY PORTER, *The tomb of doña Sancha and the romanesque art of Aragón*, dans *Burlington Magazine*, XLV, 1924, p. 65-72 et la traduction espagnole annotée de Ma Africa IBARRA, *La tumba de doña Sancha y el arte románico en Aragón*, dans *Boletín de la Real Academia de Historia*, LXXXIX, 1926, p. 119-133, spécialement note 2, p. 126.
20. MORALEJO, 1979.
21. Walter Muir WHITEHILL, *Spanish romanesque architecture of the eleventh century*, Oxford, 1941, p. 235-241 ; CANELLAS LÓPEZ et SAN VICENTE, 1971, p. 151-161.
22. Ricardo del ARCO, *Catálogo monumental de Huesca*, Valence, 1942, p. 353.
23. Élie LAMBERT, *Les origines de la croisée d'ogives*, dans *Études médiévales*, III, Toulouse, 1956, p. 205-221, spécialement p. 216.
24. Marcel DURLIAT, *L'ancienne cathédrale Saint-Nazaire de Carcassonne, C. A. F., 131e Session, Les pays de l'Aude, 1973*, Paris, 1973, p. 548-572.
25. CANELLAS LÓPEZ et SAN VICENTE, 1971, p. 157.
26. Gabriel LLABRÉS, *El noticiario de Pedro Villacampa*, dans *Revista de Huesca*, 1904, p. 179-200.
27. R. del ARCO, *La ciudad de Jaca*, dans *Boletín de la Sociedad española de excursiones*, XXIX, 1921, p. 161-168.
28. CANELLAS LÓPEZ et SAN VICENTE, 1971, p. 156.
29. *Ibid.*, p. 158.
30. GAILLARD, 1938, p. 94.
31. En dernier lieu, la thèse de doctorat encore inédite de Marie-Thérèse CAMUS, *Les débuts de la sculpture romane à Poitiers et dans sa région*, Université de Toulouse-Le Mirail,

1987. Le clocher est mal daté. Personnellement j'opte pour une date de peu postérieure au milieu du XIe siècle.

32. S. MORALEJO, *Une sculpture du style de Bernard Gilduin à Jaca, B. M.*, 1973, p. 7-16.
33. M. DURLIAT, *Toulouse et Jaca,* dans *Homenaje a Don José María Lacarra de Miguel, Estudios Medievales,* I, 1977, p. 199-207.
34. MORALEJO, 1979, p. 83.
35. Adriano PERONI, *Pavia. Musei civici del castello visconteo,* Bologne, 1975, n° 178, p. 39.
36. MORALEJO, 1979, p. 88.
37. *Ibid.*, p. 89.
38. Edmond LE BLANT, *Les sarcophages chrétiens de la Gaule,* Paris, 1886, n° 149, p. 122-123, pl. XXXVII (3) ; Marcel DURLIAT, Christophe DEROO, Maurice SCELLES, *Monuments sculptés en France IVe-Xe siècles. Haute-Garonne,* Paris, 1987, n° 107, p. 80 ; Daniel CAZES, *Sarcophage considéré comme celui de Guillaume Taillefer, comte de Toulouse (mort vers 1030),* dans *Saint-Sernin de Toulouse, Trésors et métamorphoses* (Catalogue d'exposition), Toulouse, 1989, p. 244-247.
39. MORALEJO, 1979, p. 88.
40. H. RONDET, *Le symbolisme de la mer chez saint Augustin,* dans *Augustinus Magister,* Congrès international augustinien (Supplément à l'*Année théologique*), II, 1954, p. 691-701.
41. Julien de VÉZELAY, *Sermons,* II, éd. et trad. par Damien VORREUX, Paris, 1972, p. 397.
42. MORALEJO, 1977 [1], p. 173-198 ; ID., 1979, p. 97-99.
43. *Apes and Ape-Lore in the Middle Ages and Renaissance,* Londres, 1952, p. 107-136.
44. MORALEJO, 1979, p. 98.
45. *Ibid.*, p. 89.
46. *Ibid.*, p. 99-105.
47. GÓMEZ-MORENO, 1934, p. 74.
48. MORALEJO, 1979, fig. 7.
49. GAILLARD, 1938, p. 113-114.
50. *Ibid.*, p. 112.
51. *Ibid.*, p. 112.
52. MORALEJO, 1979, p. 103.
53. GAILLARD, 1938, p. 114.
54. M. DURLIAT, C. DEROO, M. SCELLES, *Monuments sculptés en France, op. cit.*, n° 151, p. 105-107.
55. E. LE BLANT, *Les sarcophages chrétiens de la Gaule, op. cit.*, n° 121, p. 100-103.
56. MORALEJO, 1979, p. 104-105.
57. Alain SENÉ, *Quelques remarques sur les tympans à chrisme en Aragon et en Navarre,* dans *Mélanges offerts à René Crozet,* I, Poitiers, 1966, p. 365-381 ; ID., *Le tympan à chrisme des Pyrénées, remarques et suggestions pour une carte,* dans *Actes du 96e Congrès national des sociétés savantes. Toulouse 1971, Archéologie et histoire de l'art,* II, Paris, 1976, p. 33-49 ; *C. I. F. M.*, 10, *Chrismes du sud-ouest,* Paris, 1985.
58. *C. I. F. M., op. cit.*, p. 41.
59. M. DOLÇ, *Tres inscripciones de la catedral de Jaca,* dans *Pirineos,* IX, 1953, p. 421-430 ; J. VIVES, *Las leyendas epigráficas del tímpano de Jaca,* dans *Hispania Sacra,* IX, 1956, p. 391-394 ; Jesús Ma CAAMAÑO MARTÍNEZ, *En torno al tímpano de Jaca,* dans *Goya,* n° 142, 1978, p. 200-207.
60. *Patrologie latine,* CLXXII, col. 913.
61. Émile MÂLE, *L'art religieux du XIIIe siècle en France,* 8e éd., 1948, p. 44.
62. Jesús Ma CAAMAÑO MARTÍNEZ, *En torno al tímpano de Jaca, op. cit.*, p. 207, note 35.
63. GAILLARD, 1938, p. 106-109. La recherche des sources du texte du tympan peut encore être approfondie. C'est ainsi que l'idée selon laquelle le lion épargne celui qui se prosterne à ses pieds : PARCERE STERNENTI LEO SCIT, a été empruntée à saint Isidore de Séville : *« [Leones] prostratis enim parcunt »* (*Étymologies,* XII, 1, 6) qui la tenait lui-même de Pline (*Histoire naturelle,* VIII, 19) : *« [Leo] prostratis parcit »*. Cependant, à la différence de l'auteur du haut Moyen Âge qui s'était contenté d'une copie littérale, le clerc de Jaca, auteur de l'inscription, sut donner à son emprunt une forme littéraire. On observe une démarche parallèle à celle qu'on enregistre dans le monde de la sculpture ; après des siècles de simple imitation l'Europe redevient créatrice au début de l'époque romane, sans d'ailleurs répudier l'héritage antique, mais tout au contraire en prenant appui sur lui.
64. MORALEJO, 1977 [1], p. 179-189.
65. *Ibid.*, p. 189.
66. David L. SIMON, *L'art roman, source de l'art roman, C. S. M. C.*, 11, 1980, p. 249-267, plus spécialement p. 262 et fig. 23.
67. DURLIAT, 1978, p. 386-387. Il convient néanmoins de signaler qu'une pierre de même forme que la précédente joue un rôle dans l'iconographie d'un chapiteau de Simacourbe en Gascogne,

fortement influencé par l'art de Jaca, ne serait-ce qu'en raison de l'existence là aussi de volumineux pitons d'angle. Elle est remise par un ange à un personnage qui pourrait être Isaac, car le motif prend place dans le thème général du Sacrifice d'Abraham. Peut-être s'agirait-il alors d'une pierre d'autel. Le motif réapparaît encore à Morlaas et à Lescar dans des scènes où la signification de la pierre comme table d'autel paraît assurée : Jacques LACOSTE, *Sainte-Foy de Morlaas,* Jurançon, 1976, p. 12.

68. Julien de VÉZELAY, *Sermons II* (Sources chrétiennes n° 193), Paris, 1972, p. 389.

69. David L. SIMON, *L'art roman, source de l'art roman, op. cit.* L'auteur explique (p. 264) l'emplacement inhabituel de ce portail par l'adjonction du clocher au XIIIe ou au XIVe siècle.

70. GAILLARD, 1938, p. 116-117.

71. L'église a été révélée au monde savant par A. KINGSLEY PORTER, *Iguacel and More Romanesque Art of Aragon,* dans *The Burlington Magazine,* I, 1928, p. 115-127. Traduction espagnole de Ma Africa IBARRE, dans *Universidad,* 1929, p. 145-171.

72. CANELLAS LÓPEZ et SAN VICENTE, 1971, p. 175-189.

73. Jean CABANOT, *Les origines de la sculpture monumentale en Navarre et en Aragon au XIe siècle,* thèse de 3e cycle dactylographiée, Université de Toulouse-Le Mirail, 1973.

74. Jean CABANOT, *ibid.,* p. 259-260.

75. A. DURÁN GUDIOL, *Las inscripciones medievales de la provincia de Huesca,* dans *Estudios de Edad Media de la Corona de Aragón,* VIII, 1967, p. 32-34.

76. Tous les renseignements historiques ont été rassemblés et commentés par Jean CABANOT, *Les origines de la sculpture monumentale, op. cit.,* p. 256-257.

77. J.M. LACARRA et José GUDIOL, *El primer románico en Navarra,* dans *Príncipe de Viana,* V, 1944, p. 221-272 ; Luis María de LOJENDIO, *Navarre romane,* Saint-Léger-Vauban, 1967 (Zodiaque, La nuit des temps, 26), p. 124-144 ; Jean CABANOT, *Les origines de la sculpture monumentale, op. cit.,* p. 216-234.

78. David L. SIMON, *San Adrián de Sasave and Sculpture in Altoaragón,* dans *Romanesque and Gothic. Essays for George Zarnecki, op. cit.,* I, p. 179-184.

79. Antonio DURÁN GUDIOL, *Arte altoaragonés de los siglos X y XI,* Sabiñanigo, 1973, p. 205-208 ; CANELLAS-LÓPEZ et SAN VICENTE, 1971, p. 67-79.

80. Jean CABANOT, *Aux origines de la sculpture romane : contribution à l'étude d'un type de chapiteau du XIe siècle,* dans *Romanico padano, Romanico europeo,* Convegno internazionale di studi, Modena-Parma, 26 ottobre-1° novembre 1977, Parme, 1982, p. 351-362 ; ID., 1987, p. 41-44.

81. CANELLAS-LÓPEZ et SAN VICENTE, 1971, p. 191-226 ; Antonio DURÁN GUDIOL, *El castillo de Loarre,* Saragosse, 1971.

82. Francisco IÑÍGUEZ, *Las arquetas de reliquias del castillo de Loarre,* dans *Homenaje a don José María Lacarra de Miguel,* I, Saragosse, 1977, p. 165-171, fig. 1-11 ; Serafín MORALEJO, *Les arts somptuaires hispaniques aux environs de 1100, C. S. M. C.,* 13, 1982, p. 285-310.

83. Philippe DURAND, *La protection religieuse de l'entrée du château à l'époque romane en Haut-Poitou, C. C. M.,* XXXI, 1988, p. 201-212. Une comparaison est faite avec Loarre.

84. Ricardo DEL ARCO, *El castillo real de Loarre,* Madrid, 1917 ; ID., *El castillo-abadía de Loarre,* dans *Seminario de Arte aragonés,* XIII-XV, 1968, p. 5-36.

85. Serafín MORALEJO, *Une sculpture du style de Bernard Gilduin à Jaca, B. M.,* 1973, p. 7-16.

86. Katherine WATSON, *The corbels in the dome of Loarre,* dans *Journal of the Warburg and Courtauld Institutes,* XLI, 1978, p. 297-301.

87. GAILLARD, 1938, p. 136-137.

88. CANELLAS LÓPEZ et SAN VICENTE, 1971, p. 219.

89. GAILLARD, 1938, p. 134.

90. CANELLAS LÓPEZ et SAN VICENTE, *ibid.*

91. *Crónica de San Juan de la Peña,* éd. de Antonio Ubieto Arteta, Textos medievales, 4, Valence, 1961, p. 58 ; ID., *L'art roman en Aragon au XIe siècle,* dans *L'Information d'histoire de l'art,* IX, 1964, p. 158-160 ; A. DURÁN GUDIOL, *El castillo de Loarre, op. cit.,* p. 7-19.

92. GAILLARD, 1938, p. 144-145.

93. J. CABANOT, *L'église Saint-Jean de Mazères et le problème des origines de la sculpture romane dans le sud-ouest de la France,* dans *Bulletin de la Société de Borda,* 1969, p. 409-435.

94. GAILLARD, 1938, p. 140.

95. MORALEJO, 1988, p. 89-105, spécialement p. 96.

96. *Ibid.*, p. 96 et p. 107, légende de la fig. 4.

97. *Ibid.*, p. 96.

98. *Ibid.*

99. GAILLARD, 1938, p. 139.

100. *Ibid.*, p. 141-142.

101. *Ibid.*, p. 142.

102. MORALEJO, 1988, p. 96.

103. David L. SIMON, *L'art roman, source de l'art roman, C. S. M. C.*, 11, 1980, p. 249-267, spécialement p. 261-265 ; Jacques LACOSTE, *Les grands sculpteurs romans du dernier tiers du XIIe siècle dans l'Espagne du nord-ouest*, I, 1986, p. 76-79 (Thèse pour le doctorat d'État, Université de Toulouse-Le Mirail, texte polycopié).

104. GÓMEZ-MORENO, 1934, p. 14, 66 et 87 ; Francisco GARCÍA ROMO, *El problema de la personalidad del escultor románico : el maestro de Jaca (Jaca, Loarre, Frómista, León)*, dans *Mélanges offerts à René Crozet*, I, Poitiers, 1966, p. 359-363 ; MORALEJO, 1976, p. 427-434 ; ID., 1988, p. 89-112.

105. DURLIAT, 1978, p. 366-399.

106. GÓMEZ-MORENO, 1934, p. 84-85 ; Walter Muir WHITEHILL, *Spanish romanesque architecture of the eleventh century*, Oxford, 1941, p. 194-198, spécialement p. 195. GAILLARD, 1938, p. 145-146 rejette aussi cette chronologie.

107. Les travaux furent entrepris à la demande de l'évêque de Palencia Enrique Almaraz et réalisés par Manuel Aníbal Alvarez, professeur à la *Escuela de Arquitectos.* Ils étaient en cours en 1901 et terminés en 1904. Cf. Miguel Angel GARCÍA GUINEA, *El arte románico en Palencia,* Palencia, 1961, p. 90-91 ; ID., *San Martín de Frómista,* Palencia, 1988.

108. GÓMEZ-MORENO, 1934, p. 84-85.

109. GAILLARD, 1938, p. 147.

110. Adriano PERONI, *Pavia. Musei civici del castello visconteo,* Bologne, 1975, n° 178, p. 39.

111. MORALEJO, 1976.

112. Émile BERTAUX, dans *Histoire de l'art* d'Henri MICHEL, II (1), p. 244.

113. MORALEJO, 1979, p. 79-106 et fig. 1.

114. DURLIAT, 1978.

115. GAILLARD, 1938, p. 148.

116. Émile BERTAUX, *ibid.*

117. GAILLARD, *ibid.*, p. 152. On verra une série de photographies de modillons prises durant la restauration dans M. A. GARCÍA GUINEA, *El arte románico en Palencia, op. cit.*, fig. 57 et 58.

118. *Ibid.*, p. 151.

119. *Ibid.*

120. *Ibid.*, p. 95-96 et fig. 63 ; GAILLARD, 1938, p. 151 avait cru à tort que ce chapiteau provenait du cloître d'Aguilar de Campóo.

121. MORALEJO, 1988, p. 94 et fig. 2 et 3.

122. Beatriz MARIÑO, « *In Palencia non ha batalla pro nulla re* ». *El duelo de villanos en la iconografía románica del camino de Santiago,* dans *Compostellanum,* XXXI, 1986, p. 349-363.

123. F. SIMÓN Y NIETO, *El monasterio de San Salvador de Nogal,* dans *Boletín de la Sociedad castellana de Excursiones,* I, p. 305-356 ; GÓMEZ-MORENO, 1934, p. 82-84 ; GAILLARD, 1938, p. 124-126 ; M. A. GARCÍA GUINEA, *El arte románico en Palencia, op. cit.*, p. 84-90.

124. GAILLARD, 1938, p. 126.

125. Élisabeth MAGNOU-NORTIER, *La société laïque et l'Église dans la province ecclésiastique de Narbonne (zone cispyrénéenne) de la fin du VIIIe à la fin du XIe siècle,* Toulouse, 1974, p. 461-462.

126. Gérard RIVÈRE, *Restauration des sculptures et de la décoration de la collégiale de Saint-Gaudens, R. C.*, XCIII, 1980, p. 547-562.

127. Les relations entre Saint-Gaudens et l'Espagne ont été étudiées par Thomas W. LYMAN, *The Pilgrimage Roads Revisited,* dans *Gesta,* VIII/2, 1969, p. 30-44, spécialement p. 36-37 ; Marcel DURLIAT, *The Pilgrimage Roads Revisited ?, B. M.*, 1971, p. 113-120 ; MORALEJO, 1988, p. 89-112, spécialement p. 94-95.

128. Pierre QUARRÉ, *La sculpture romane de la Haute-Auvergne. Décor des chapiteaux,* Aurillac, 1938, p. 53-55, et *B. S. N. A. F.*, 1938, avec d'autres compositions semblables en Berry et en Périgord.

129. Louis RÉAU, *Iconographie de l'art chrétien.* II. *Iconographie de la Bible,* I. *Ancien Testament,* Paris, 1956, p. 236-237.

130. On trouvera la description de tous les chapiteaux dans Marcel DURLIAT, *Les chapiteaux romans de l'église de Saint-Gaudens, R. C.*, XCV, 1982, p. 31-70.

131. Jean CABANOT, *L'église Saint-Jean de Mazères, op. cit.* ; ID., 1987.

132. Jean CABANOT, *L'église Saint-Jean-Baptiste de Saint-Mont, C. A. F., Gascogne, 1970,* Paris, 1970, p. 80-90 ; ID., *Gascogne romane,* Saint-Léger-Vauban, 1978, p. 229-234 (Zodiaque, La nuit des temps, 50).
133. MORALEJO, 1988, p. 95, note 22.
134. Jean CABANOT, *Gascogne romane, op. cit.,* p. 234 ; Sonia C. SIMON, *David et ses musiciennes. Iconographie d'un chapiteau de Jaca, C. S. M. C.,* 11, 1980, p. 239-248, spécialement p. 241.
135. Sonia C. SIMON, *ibid.,* rappelle que les jongleuses étaient qualifiées de *puellæ saracenæ.*
136. Jean CABANOT, *Gascogne romane, op. cit.*
137. Jean CABANOT, *ibid.,* p. 240-241. Serafín Moralejo a décelé un mouvement inverse en retrouvant des « symptômes gascons » à Jaca et même dans la Tierra de Campos : MORALEJO, 1988, p. 94-95 et notes 21 et 22. Mais ce courant fut beaucoup moins puissant.

Notes de la quatrième partie

1. DEFOURNEAUX, 1949, p. 69-79.
2. Serafín MORALEJO ÁLVAREZ, *Notas para una revisión de la obra de K.J. Conant,* accompagnant la réédition et la traduction en galicien (et en espagnol) de l'ouvrage de cet auteur : *The early architectural history of the Cathedral of Santiago de Compostela,* Cambridge, 1926, sous le titre *Arquitectura románica da catedral de Compostela,* Saint-Jacques de Compostelle, 1983, p. 221-236.
3. ID., 1977 [2], p. 87-103, spécialement p. 88 ; ID., 1980, p. 189-238.
4. José C. VALLE PÉREZ, *La basilique d'Alphonse III. Restaurations conjecturales,* dans *Santiago de Compostela,* 1985, p. 210.
5. MORALEJO, 1977 [2], p. 88, et GAILLARD, 1938, p. 163.
6. *Le Guide du pèlerin,* p. 105 : « Mais de tout ce dont nous venons de parler, une partie est complètement terminée, une autre à finir ».
7. M. L. WARD, *Studies of the Pórtico de la Gloria at the Cathedral of Santiago de Compostela,* thèse de doctorat inédite, New York University, 1978, citée par Serafín MORALEJO, *Notas, op. cit.,* p. 231.
8. GAILLARD, 1938, p. 220-221.
9. José María LACARRA, *La catedral románica de Pamplona. Nuevos documentos, A. E. A. A.,* VII, 1931, p. 73-89.
10. GAILLARD, 1938, p. 221.
11. GAILLARD, *ibid.,* p. 179 ; Paul DESCHAMPS, *Étude sur les sculptures de Sainte-Foy de Conques et de Saint-Sernin de Toulouse et leurs relations avec celles de Saint-Isidore de Léon et de Saint-Jacques de Compostelle, B. M.,* 1941, p. 239-264, spécialement, p. 252-254 ; BOUSQUET, 1973, p. 586-587.
12. GAILLARD, 1938, pl. LXXXI, 26.
13. Marcel DURLIAT, *Église de Nogaro, C. A., 1970, Gascogne,* Paris, 1970, p. 91-110.
14. MORALEJO, 1980.
15. Nos principales sources sont : Arthur KINGSLEY PORTER, *Romanesque Sculpture of the Pilgrimage Roads,* Boston, 1923, p. 211-239 ; GÓMEZ-MORENO, 1934, p. 112-133 ; Ole NÆSGAARD, *Saint-Jacques de Compostelle et les débuts de la grande sculpture vers 1100,* Aarhus, 1962 ; GAILLARD, 1938, p. 156-219. On a récemment réédité les travaux anciens (1891 et 1892) d'Antonio LÓPEZ FERREIRO, sous le titre : *El Pórtico de la Gloria, Platerías y el primitivo Altar Mayor,* Saint-Jacques de Compostelle, 1975.
16. Christoph BERNOULLI, *Die Skulpturen der Abtei Conques-en-Rouergue,* Bâle, 1956, p. 87 ; BOUSQUET, 1973, p. 590-591.
17. GAILLARD, 1938, p. 196.
18. Ole NÆSGAARD, *Saint-Jacques de Compostelle, op. cit.,* p. 73.
19. GAILLARD, 1938, p. 199.
20. C. BERNOULLI, *Die Skulpturen, op. cit.,* p. 87 ; BOUSQUET, 1973, p. 589.
21. GAILLARD, 1938, p. 187.
22. CABANOT, 1987, p. 153-154.
23. GAILLARD, 1938, p. 185-186 et pl. LXXXVIII.
24. GAILLARD, *ibid.,* p. 188-189.
25. Lecture proposée par M. GÓMEZ-MORENO, publiée et commentée par A. KINGSLEY PORTER, *Leonesque Romanesque and Southern France, A. B.,* VIII, 1926, p. 235-250, spécialement p. 250.
26. GAILLARD, 1938, p. 216.
27. S. MORALEJO, *La primitiva fachada norte de la catedral de Santiago,* dans

Compostellanum, XIV, 1969, p. 623-688 ; mon compte rendu de cet article : *La porte de France à la cathédrale de Compostelle*, *B. M.*, 1972, p. 137-143 ; MORALEJO, 1977^{2}.

28. Antonio BONET CORREA, *Le chemin et la cathédrale de Saint-Jacques de Compostelle à l'époque baroque*, dans *Santiago de Compostela*, 1985, p. 61-69.
29. GAILLARD, 1938, p. 219.
30. MORALEJO, 1977^{2}, p. 93.
31. GAILLARD, 1938, p. 214.
32. GAILLARD, *ibid.*, p. 217.
33. M. DURLIAT, *La porte de France à la cathédrale de Compostelle*, *op. cit.*, p. 139 ; MORALEJO, 1977^{2}, p. 95-96.
34. MORALEJO, *ibid.*, p. 96.
35. MORALEJO, *ibid.*
36. GAILLARD, 1938, p. 204-205.
37. GAILLARD, *ibid.*, p. 218.
38. J.M. PITA ANDRADE, *Un estudio inédito sobre la Portada de las Platerías*, dans *Cuadernos de Estudios Gallegos*, V, 1950, p. 456.
39. A. KINGSLEY PORTER, *Romanesque Sculpture of the Pilgrimage Roads*, Boston, 1923, p. 228.
40. John W. WILLIAMS, *Spain or Toulouse ? A Half Century later : Observations on the Chronology of Santiago de Compostela*, dans *Actas del XXIII Congreso Internacional de Historia del Arte*, Grenade, 1976, p. 559-567, spécialement p. 561.
41. MORALEJO, 1977^{2}, p. 100-102.
42. GAILLARD, 1938, p. 9-13.
43. John WILLIAMS, *La arquitectura del Camino de Santiago*, dans *Compostellanum*, XXIX, 1984, p. 267-290, exprime graphiquement cette histoire à travers deux plans : les fig. 5 et 6.
44. Meyer SCHAPIRO, *The Angel with the Ram in Abraham's Sacrifice : A Parallel in Western and Islamic Art*, dans *Ars Islamica*, X, 1943, p. 143-147.
45. GAILLARD, 1938, p. 59-60.
46. *Ibid.*, p. 56-59.
47. John WILLIAMS, *Generationes Abrahæ : Reconquest Iconography in León*, dans *Gesta*, XVI/2, 1977, p. 3-14.
48. Serafín MORALEJO, *Pour l'interprétation iconographique du portail de l'Agneau à Saint-Isidore de León : les signes du zodiaque*, *C. S. M. C.*, 8, 1977, p. 137-173, spécialement p. 138-139.
49. John WILLIAMS, *Generationes Abrahæ*, *op. cit.*, note 14, p. 12.
50. Serafín MORALEJO, *Pour l'interprétation*, *op. cit.*, p. 139.
51. John WILLIAMS, *Generationes Abrahæ*, *op. cit.*, p. 12, note 11.
52. Serafín MORALEJO, *Pour l'interprétation*, *op. cit.*, p. 143, d'après l'analyse de John WILLIAMS.
53. *Ibid.*
54. GAILLARD, 1938, p. 75.
55. *Ibid.*, p. 81.
56. En 1147, au cours d'une expédition contre Almería, l'empereur Alphonse VII (1126-1157) avait reçu l'appui de saint Isidore sur le champ de bataille de Baeza. En témoignage de gratitude il confia l'église de Saint-Isidore aux chanoines réguliers qui jusque-là avaient desservi le chapitre de la cathédrale de León, un chapitre qui venait d'être sécularisé.
57. GÓMEZ-MORENO, 1925, p. 213.
58. *Acta Sanctorum, Julii*, 1, p. 670-683 ; *Vita sancti Raimundi, sancti Saturnini Tolosani canonici*, publ. par Mgr DOUAIS, *Mélanges sur Saint-Sernin de Toulouse*, fasc. 1, Toulouse, 1894.
59. *Acta Sanctorum, Julii*, 1, p. 683-686. Le problème des rapports entre les deux *Vitæ* a été étudié par C. DOUAIS, *La vie de saint Raymond, chanoine et constructeur de l'église Saint-Sernin (1080-1118)*, dans *Bulletin de la Société archéologique du Midi de la France*, 1893-1894, p. 150-163. On consultera également Étienne DELARUELLE, *À la recherche du Saint-Sernin gallo-romain*, dans *Actes du Ve Congrès international d'archéologie chrétienne, Aix-en-Provence, 13-19 septembre 1954*, Cité du Vatican-Paris, 1957, p. 265-278 ; ID., *L'autel roman de Saint-Sernin (1096). Confrères, pèlerins et pénitents*, dans *Mélanges René Crozet*, I, 1966, p. 383-395.
60. La date est donnée par le nécrologe de Saint-Sernin : *V non. julii, obitus Raimundi Gairardi devotissimi. Est sanctus Raimundus fundator collegii S. Raimundi, ubi jacet, anno MCXVIII*, dans *Histoire générale de Languedoc* (éd. Privat), IV, p. 524.
61. *Quid tandem dicam de egregio ecclesie Sancti Saturnini opere, cui per multa annorum tempora prefuit, et preter capitis membrum, quod jam completum fuerat, corpus a fundamentis incipiens, ante obitus sui diem [...] parietes in circuitu ad fenestrarum completionem usque perduxit. Ipse quidem dominus Raimundus operationis sancte studiis*

incessanter inerat, et, die noctuque Domini sui precepta meditando revolvens, divine caritatis ardore succensus, estuabat [...]. (Vita sancti Raimundi, op. cit.).

62. Anna Maria CETTO, *Explication de la Porte Miègeville de Saint-Sernin de Toulouse,* dans *Actes du XVIIe Congrès international d'histoire de l'art, Amsterdam, 1952,* La Haye, 1955, p. 147-158. Il existe également deux thèses non publiées : David W. SCOTT, *The Miègeville Portal of the Basilica of Saint-Sernin of Toulouse,* University of California, 1960, et Anne E. SHAVER, *The Porte Miègeville at Saint-Sernin in Toulouse,* New York University, 1966.

63. Il apparaît sur les sarcophages paléochrétiens, par exemple, sans barbe et nu comme ici, sur un sarcophage de la *Traditio legis* au Musée chrétien du Vatican : Friedrich Wilhelm DEICHMANN, *Repertorium der christlich-antiken Sarcophage, I, Rom und Ostia,* Wiesbaden, 1967, fig. 677, 1.

64. Thomas W. LYMAN, *Notes on the Porte Miègeville Capitals and the Construction of Saint-Sernin in Toulouse, A. B.,* IL, 1967, p. 27-36, spécialement fig. 9.

65. M. DURLIAT, *Les chapiteaux de la Porte Miègeville à Saint-Sernin de Toulouse,* dans *Économies et sociétés au Moyen Âge,* Mélanges offerts à Édouard Perroy, Paris, 1973, p. 123-129.

66. T. W. LYMAN, *Notes on the Porte Miègeville Capitals, op. cit.,* fig. 10.

67. Ernst GULDAN, *Eva und Maria. Eine Antithese als Bildmotif,* Graz-Cologne, 1966.

68. T. W. LYMAN, *Notes on the Porte Miègeville Capitals, op. cit.,* p. 25-26 ; ID., *La table d'autel de Bernard Gilduin et son ambiance originelle, C. S. M. C.,* 13, 1982, p. 53-67, spécialement p. 54.

69. S. Helena GUTBERLET, *Die Himmelfahrt Christi in der Bildenden Kunst von den Anfängen bis ins Hohe Mittelalter,* Leipzig-Strasbourg-Zurich, 1934 ; T. W. LYMAN, *Le style comme symbole chez les sculpteurs romans : essai d'interprétation de quelques inventions thématiques à la porte Miègeville de Saint-Sernin, C. S. M. C.,* 12, 1981, p. 161-178.

70. *C. I. F. M., 7, Ville de Toulouse,* Paris, 1982, p. 43-44 ; J. BOUSQUET, *Les nimbes à anagrammes. Origines et brève fortune d'un motif roman, C. S. M. C.,* 11, 1980, p. 101-121.

71. J. CABANOT, *Le décor sculpté de la basilique Saint-Sernin de Toulouse.* Sixième colloque international de la Société française d'archéologie (Toulouse, 22-23 octobre 1971), *B. M.,* 1974, p. 99-145, spécialement p. 142.

72. Louis CHARBONNEAU-LASSAY, *Le bestiaire du Christ,* Milan, 1940, p. 51.

73. *Ibid.*

74. Michèle BEAULIEU, *Le prétendu bonnet juif, B. S. N. A. F.,* 1972, p. 29-44 ; M. BEAULIEU et Jeanne BAYLE, *La mitre épiscopale en France des origines à la fin du XVe siècle, B. A. C. T. H. S.,* fasc. A, Antiquités nationales, N^lle Série, 9e année, 1973, Paris, 1976, p. 41-97.

75. *C. I. F. M., op. cit.,* p. 44.

76. Émile MÂLE, *L'art religieux du XIIe siècle en France,* 4e éd., Paris, 1940, p. 293.

77. Louis RÉAU, *Iconographie de l'art chrétien,* III, *Iconographie des saints,* II, Paris, 1958, p. 690.

78. Anna Maria CETTO, *Explication de la Porte Miègeville, op. cit.*

79. *Dix siècles d'enluminure et de sculpture en Languedoc (VIIe-XIVe siècles)* (Catalogue d'exposition), Toulouse, 1954, n° 24, p. 22 ; Robert SAINT-JEAN, *L'enluminure romane,* dans *Languedoc roman,* Zodiaque, 1975, p. 365-383, spécialement p. 382 et fig. 157 ; *De Toulouse à Tripoli. La puissance toulousaine au XIIe siècle (1080-1208)* (Catalogue d'exposition), Toulouse, 1989, n° 333, p. 288 avec fig.

80. Meyer SCHAPIRO, *New Documents on Saint-Gilles, A. B.,* XVIII, 1935, p. 414-431, spécialement p. 426, fig. 20, repris dans ID., *Romanesque Art,* Londres, 1977, p. 328-342, spécialement p. 366, fig. 20.

81. David W. SCOTT, *A restoration of the West portal relief decoration of Saint-Sernin of Toulouse, A. B.,* XLIV, 1964, p. 271-282 ; M. DURLIAT, *Le portail occidental de Saint-Sernin de Toulouse,* dans *Annales du Midi,* XLVII, 1965, p. 215-223 ; *C. I. F. M., op. cit.,* p. 44-50.

82. Michel LABROUSSE, *Toulouse antique,* Paris, 1968, p. 543-544.

83. Paul MESPLÉ, *Toulouse. Musée des Augustins. Les sculptures romanes* (Inventaire des collections publiques françaises), Paris, 1961, n°s 207 et 208, non paginé.

84. *C. I. F. M., op. cit.,* p. 49.

85. *Ibid.,* p. 60-63.

86. *Ibid.,* p. 62.

87. Serafín MORALEJO, *Pour l'interprétation iconographique du portail de l'Agneau à Saint-Isidore de León : les signes du zodiaque, C. S. M. C.*, 8, 1977, p. 137-173, spécialement p. 158 et 162.

88. Charles SAMARAN, *Une pierre sculptée trouvée au cours de travaux de voirie à Nogaro, B. S. N. A. F.*, 1955, p. 114-115, pl. VI ; ID., *La stèle récemment découverte à Nogaro (Gers)*, dans *Bulletin de la Société archéologique du Gers*, LVII, 1954-1955, p. 253-260 ; Marcel DURLIAT, *Église de Nogaro, C. A. F. Gascogne, 1970*, Paris, 1970, p. 91-110.

89. *C. I. F. M., op. cit.*, p. 62.

90. Daniel DROCOURT, *Le voûtement de la nef raymondine de la cathédrale de Toulouse*, dans *La naissance et l'essor du gothique méridional au XIIIe siècle, Cahiers de Fanjeaux*, 9, 1974, p. 56-70 ; Daniel CAZES, Yvette CARBONELL-LAMOTHE et Michèle PRADALIER-SCHLUMBERGER, *Recherches sur la cathédrale Saint-Étienne de Toulouse, M. S. A. M. F.*, LXIII, 1979-1980, plus spécialement *Archéologie de la vieille nef*, p. 82-120.

91. Élie LAMBERT, *La cathédrale de Toulouse*, dans *Études médiévales*, II, Toulouse, 1956, p. 149-174.

92. Christoph BERNOULLI, *Die Skulpturen der Abtei Conques-en-Rouergue*, Bâle, 1956, p. 51-54, 61-62, 71-74 ; BOUSQUET, 1973, p. 259-269, 353-366.

93. *C. I. F. M.*, 9, *Aveyron, Lot, Tarn*, Paris, 1984, p. 34-36.

94. Renseignement confirmé par la chronique de Conques, comme nous l'avons vu plus haut : *Bego venerabilis, qui claustrum construxit, multas reliquias in auro posuit, textus evangeliorum fieri fecit et multa bona monasterio fecit.* (*Gallia christiana*, I, col. 244).

95. Autres images commémoratives d'un abbé bâtisseur dans les cloîtres de Saint-Michel de Cuxa et de Santa María de Ripoll : Daniel CAZES et Marcel DURLIAT, *Découverte de l'effigie de l'abbé Grégoire créateur du cloître de Saint-Michel de Cuxa, B. M.*, 1987, p. 7-14.

96. Clm 4452, fol. 2 : Reproduction, par exemple, dans Marcel DURLIAT, *Des Barbares à l'an mil*, Paris, 1985, fig. 546, p. 442.

97. Cf. fig. 471 et 472.

98. Marcel AUBERT, *Conques-en-Rouergue, C. A. F. 100e session, Figeac, Cahors et Rodez, 1937*, Paris, 1938, p. 459-523, spécialement p. 508.

99. Prosper MÉRIMÉE, *Notes de voyages*, présentées par Pierre-Marie AUZAS, Paris, 1971, p. 542.

100. Jean-Claude FAU, *Le cloître roman de Conques*, dans *Archéologia*, n° 116, mars 1978, p. 36-47, spécialement p. 39.

101. *Ibid.*, p. 43.

102. Denise JALABERT, *De l'art oriental antique à l'art roman, Recherches sur la faune et la flore romanes.* II. *Les sirènes, B. M.*, 1936, p. 433-471, spécialement p. 434 ; FAU, 1956, p. 127.

103. Monique REY-DELQUÉ, dans *De Toulouse à Tripoli, op. cit.*, n° 140, p. 151.

104. Meyer SCHAPIRO, *From Mozarabic to Romanesque in Silos, A. B.*, XXI, 1939, p. 312-374, reproduit dans ID., *Romanesque Art*, Londres, 1977, p. 28-101, spécialement p. 45.

105. Reproduction dans Joan EVANS, *Cluniac Art of the Romanesque Period*, Cambridge, 1950, fig. 205 a, c et d ; GABORIT-CHOPIN, 1969, p. 185. Son origine est discutée. Sa présence à Saint-Martial de Limoges n'est attestée que depuis le XIIIe siècle. Le manuscrit n'offre pas de parentés limousines. Il a pu être exécuté dans un scriptorium plus méridional.

106. Meyer SCHAPIRO, *From Mozarabic, op. cit.*, note 113 de la p. 86.

107. BOUSQUET, 1973, p. 365 et note 71, p. 397-398.

108. *Ibid.*, p. 365. Reproductions dans FAU, 1956, trois figures pl. XV.

109. BOUSQUET, 1973, p. 262.

110. J.-C. FAU, *Le cloître roman de Conques, op. cit.*, p. 46-47. Du même auteur, *Le bassin de serpentine du cloître de Conques*, dans *Actes du Congrès d'études de Rodez*, juin 1974, p. 319-332 (Fédération des Sociétés académiques et savantes Languedoc-Pyrénées-Gascogne).

111. BOUSQUET, 1973, p. 300-301, note 20.

112. Un autre se trouve au Metropolitan Museum de New-York, cf. *Gesta*, XXVI, 1, 1987, p. 73, fig. 14.

113. J.-C. FAU, *Le cloître roman de Conques, op. cit.*, p. 47.

114. FAU, 1956, p. 118 et note 5 de cette page.

115. Une représentation dans Marcel DURLIAT, *L'art roman en Espagne*, Paris, 1962, pl. 51.

116. FAU, 1956, p. 117. L'énarme est la courroie permettant de porter le bouclier sur le bras gauche tout en gardant l'usage de la main, ou de le tenir fermement de la main.

117. BOUSQUET, 1973, p. 281.

118. *Ibid,* p. 284.

119. Paul DESCHAMPS, *Étude sur les sculptures de Sainte-Foy de Conques et de Saint-Sernin de Toulouse et leurs relations avec celles de Saint-Isidore de Léon et de Saint-Jacques de Compostelle, B. M.,* 1941, p. 239-264, spécialement p. 252.

120. Rita LEJEUNE et Jacques STIENNON, *La légende de Roland dans l'art du Moyen Âge,* I, Bruxelles, 1966, p. 21.

121. Pierre QUARRÉ, *Le décor des bases et des culots dans les églises romanes de la Haute-Auvergne,* dans *Revue de la Haute-Auvergne,* XXX, 1939-1944 ; BOUSQUET, 1973, p. 285.

122. Rita LEJEUNE et Jacques STIENNON, *op. cit.,* p. 22-23 proposent l'explication ingénieuse suivante : les deux combattants représenteraient l'un le chrétien, l'autre le musulman et ils seraient identifiés par leurs armes. « Ce n'est pas la forme de leurs boucliers (tous deux ronds) qui peut ici les identifier, mais bien leurs armes : le païen, de son javelot (arme non noble souvent attribuée aux Sarrasins par les chansons de geste), a entamé l'écu du chrétien ; mais le chrétien, d'un coup plus efficace, a fendu le bouclier qui protégeait son adversaire ; la victoire va lui appartenir ».

123. Reproduction dans A. KINGSLEY PORTER, *Romanesque Sculpture of the Pilgrimage Roads,* Boston, 1923, pl. 1146.

124. BOUSQUET, 1973, p. 279.

125. *Ibid.,* p. 350.

126. *C. I. F. M.,* 9, *Aveyron, Lot, Tarn,* n° 16, p. 31-32.

127. Zygmunt ŚWIECHOWSKI, *Sculpture romane d'Auvergne,* Clermont-Ferrand, 1973, p. 221-222.

128. *C. I. F. M., op. cit.,* n° 17, p. 32-33.

129. BOUSQUET, 1973, p. 345.

130. Viktor LAZAREV, *Storia della pittura bizantina,* Turin, 1967, p. 150.

131. Aix, Avignon, Carpentras, Cavaillon, Marseille (La Major), Le Thor, Viviers (chapelle du clocher de la cathédrale), Vaison, Noves, Saint-Laurent-des-Arbres, Le Groseau. Cf. Jean VALLERY-RADOT, *Le domaine de l'école romane de Provence, B. M.,* 1945, p. 5-63, spécialement p. 22 ; ID., *L'église Notre-Dame du Groseau, C. A. F., 121e session, Avignon et Comtat-Venaissin, 1963,* Paris, 1963, p. 274-282, spécialement p. 278.

Notes de la cinquième partie

1. Erwin PANOFSKY, *Renaissance and Renascences in Western Art,* Stockholm, 1960, que nous citerons dans sa traduction française : *La Renaissance et ses avant-courriers dans l'art d'Occident,* Paris, 1976. Voir également : C. H. HASKINS, *The Renaissance of the Twelfth Century,* Cambridge (Mass.), 1927 ; H. LIEBESCHÜTZ, *Das zwölfte Jahrhundert und die Antike,* dans *Archiv für Kulturgeschichte,* XXXV, 1953, p. 247 et sv.
2. H. LIEBESCHÜTZ, *op. cit.,* p. 271.
3. Erwin PANOFSKY, *op. cit.,* p. 93.
4. *Ibid.,* p. 75.
5. Éliane VERGNOLLE, *Saint-Benoît-sur-Loire et la sculpture du XIe siècle,* Paris, 1985, p. 75.
6. Manuel GÓMEZ-MORENO, *El arte románico español,* Madrid, 1934, p. 141-148.
7. Henri FOCILLON, *Art d'Occident,* Paris, 1938, p. 98.
8. *Ibid.*
9. Henri FOCILLON, *L'art des sculpteurs romans,* Paris, 1931, p. 12.
10. Le trésor d'ivoires constitué au milieu du XIe siècle à Saint-Isidore de León ignore encore le style roman. En dernier lieu sur ces œuvres : Jacques BOUSQUET, *Les ivoires espagnols du milieu du XIe siècle. Leur position historique et artistique, C. S. M. C.,* 10, 1979, p. 29-58.
11. MORALEJO, 1980.
12. Friedrich GERKE, *Der Tischaltar des Bernard Gilduin in Saint Sernin in Toulouse, op. cit.*

13. MORALEJO, 1976.
14. Henri de LUBAC, *Exégèse médiévale. Les quatre sens de l'Écriture*, 4 vol., Paris, 1959-1964.
15. Francisco IÑÍGUEZ ALMECH, *Capiteles del primer románico español inspirados en la escatología musulmana*, dans *Boletín de la Asociación española de orientalistas*, I, 1965, p. 35-71 ; ID., *La escatología musulmana en los capiteles románicos*, dans *Príncipe de Viana*, XXVIII, 1967, p. 265-275.
16. Henri-Irénée MARROU, *Les troubadours*, Paris, 1971, p. 79.
17. Qui n'est plus représentée pour nous que par quelques pièces de Guillaume, 7e comte de Poitiers, 9e duc d'Aquitaine, né en 1071. Il hérita de son père, en 1086, le Poitou, la Gascogne, l'Angoumois ; il s'empara deux fois du comté de Toulouse ; il participa aux croisades d'Espagne. Il mourut le 10 février 1126.
18. Henri-Irénée MARROU, *op. cit.*, p. 16-17.
19. Meyer SCHAPIRO, *op. cit.*, p. 45-46.
20. Serafín MORALEJO, *De « Mariæ tympanum » : de Pedro Abelardo al claustro de Silos*, dans *Actas del I Congreso de la Asociación hispánica de literatura medieval, Santiago de Compostela, 2 al 6 de Diciembre de 1985*, Saint-Jacques de Compostelle, 1988, p. 453-456.
21. Serafín MORALEJO, 1980, p. 223-224, a signalé d'autres sources possibles.
22. Fermín BOUZA BREY TRILLO, *Fortuna de las canciones de gesta y del héroe Roldán en el románico compostelano y en la tradición gallega*, dans *Compostellanum*, X, 1965, p. 663-685.
23. Serafín MORALEJO, *Artistas, patronos y público en el arte del Camino de Santiago*, dans *Compostellanum*, XXX, 1985, p. 395-430, spécialement p. 418-419 et fig. 10 et 11.
24. Le point sur cette question a été fait par Serafín MORALEJO, *El patronazgo artístico del arzobispo Gelmírez (1100-1140) : su reflejo en la obra e imagen de Santiago*, dans *Pistoia e il Cammino di Santiago. Una dimensione europea nella Toscana medioevale, Pistoia, 29-30 settembre 1984*, Pérouse, 1987, p. 245-271, spécialement p. 250-251. L'auteur, quant à lui, demeure dubitatif.
25. Préface à l'ouvrage de Zygmunt ŚWIECHOWSKI, *Sculpture romane d'Auvergne*, Clermont-Ferrand, 1973, p. 8.
26. Marcel DURLIAT, *Les plus anciens chapiteaux de la cathédrale du Puy et leur place dans la sculpture du XIe siècle*, dans *C. A.*, 32, 1984, p. 63-88.
27. Christoph BERNOULLI, *Die Skulpturen der Abtei Conques-en-Rouergue*, Bâle, 1956, p. 51-54 et 75-76.
28. Zygmunt ŚWIECHOWSKI, *op. cit.*, p. 346.
29. BOUSQUET, 1973, p. 270-272.
30. Zygmunt ŚWIECHOWSKI, *op. cit.*, p. 347.
31. Compte rendu de l'ouvrage de Zygmunt Świechowski, dans *B. M.*, 1976, p. 156-157.
32. May VIEILLARD-TROÏEKOUROFF, *Les monuments religieux de la Gaule d'après les œuvres de Grégoire de Tours*, Paris, 1976, p. 26.
33. René CROZET, *Saint-Caprais d'Agen, C. A. F., Agenais, 1969*, Paris, 1969, p. 82-97 ; Jean CABANOT, *Les débuts de la sculpture romane dans le Sud-Ouest de la France*, Paris, 1987, p. 186-188.
34. Marcel DURLIAT, *La cathédrale Saint-Étienne de Cahors. Architecture et sculpture*, *B. M.*, 1979, p. 285-340, spécialement p. 298.
35. Jean CABANOT, *op. cit.*, p. 186.
36. *Ibid.*, p. 188. On verra également : Frances TERPAK, *The Role of the Saint-Eutrope Workshop in the Romanesque Compaign of Saint-Caprais in Agen*, dans *Gesta*, XXV, 1986, p. 185-196.
37. *C. I. F. M.*, 6, *Gers, Landes, Lot-et-Garonne, Pyrénées-Atlantiques*, Paris, 1981, p. 111-112 et fig. 70.
38. *Ibid.*, p. 112-113.
39. Frances TERPAK, *Pilgrimage or Migration ? A Case Study of Artistic Movement in The Early Romanesque*, dans *Zeitschrift für Kunstgeschichte*, 1988, p. 414-427, spécialement p. 423 et fig. 16 et 17.
40. *C. I. F. M.*, 6, *op. cit.*, p. 114.
41. Jean CABANOT, 1987, p. 153.
42. Jean CABANOT, *L'église Saint-Jean de Mazères et le problème des origines de la sculpture romane dans le Sud-Ouest de la France*, dans *Bulletin de la Société de Borda*, XCIII, 1969, p. 409-435 ; ID., *L'église Saint-Jean de Mazères, C. A. F., Gascogne, 1970*, Paris, 1970, p. 67-79 ; ID., 1987, p. 202-204.
43. J. VICENS VIVES, *Aproximación a la Historia de España*, Barcelone, 1952, p. 67.
44. Jacques LACOSTE, *Les grands sculpteurs romans du dernier tiers du XIIe siècle dans l'Espagne du Nord-Ouest*, Thèse pour le doctorat d'État, Université de Toulouse-Le Mirail, 1986 (texte dactylographié).

INDEX DES NOMS DE PERSONNES ET DE LIEUX

Les noms de personnes sont en CAPITALES, les noms de lieux en minuscules ; les passages essentiels sont indiqués en caractères gras.

TABLE DES ILLUSTRATIONS

Les clichés sans indication de provenance sont de J. Cabanot

453. Conques, Sainte-Foy, chapiteau n° 236.
454. Conques, Sainte-Foy, chapiteau n° 234.
455. Conques, Sainte-Foy, chapiteau n° 240.
456. Conques, Sainte-Foy, chapiteau n° 135.
457. Conques, Sainte-Foy, chapiteau n° 248 et figure d'atlante.
458. Conques, Sainte-Foy, chapiteau n° 238.
459. Conques, Sainte-Foy, chapiteau n° 140.
460. Conques, Sainte-Foy, chapiteau n° 235.
461. Conques, Sainte-Foy, chapiteau n° 237.
462. Conques, Sainte-Foy, chapiteau n° 229.
463. Conques, Sainte-Foy, l'archange Gabriel.
464. Agen, Saint-Caprais, chapiteau de gauche de l'arc d'entrée de l'absidiole d'axe.
465. Agen, Saint-Caprais, chapiteau de droite de l'arc d'entrée de l'absidiole d'axe.
466. Agen, Saint-Caprais, chapiteau de droite de l'arc d'entrée de l'absidiole sud du transept.
467. Agen, Saint-Caprais, chapiteau de droite de l'arc d'entrée de l'absidiole nord du transept.
468. Agen, Saint-Caprais, vue de l'abside et de l'absidiole nord.
469. Agen, Saint-Caprais, chapiteau de l'arcature décorative de la pile sud de l'entrée du chœur.
470. Agen, Saint-Caprais, chapiteau de l'arcature décorative de la pile nord de l'entrée du chœur.
471. Agen, Saint-Caprais, Martyre de saint Caprais.
472. Agen, Saint-Caprais, Couronnement de saint Caprais et de sainte Foy.
473. Agen, Saint-Caprais, Assomption de la Vierge Marie.
474. Agen, Saint-Caprais, chapiteau aux lions de l'arcature décorative de la pile sud de l'entrée du chœur.

TABLE DES MATIÈRES

ACHEVÉ
D'IMPRIMER
SUR LES PRESSES
DE L'IMPRIMERIE
TARDY QUERCY
46001 CAHORS
LE 8 MARS 1990

Maquette
conçue et réalisée
par Pascale Mac Avoy

N° d'imprimeur : 90637 B
Dépôt légal : mars 1990
Imprimé en France